AF280989

MADRID
Cartografías de su historia

Madrid. Cartografías de su historia

Autores

Javier Ortega Vidal y Francisco José Marín Perellón

Edición

Área de Gobierno de Desarrollo Urbano del Ayuntamiento de Madrid

Coordinación editorial municipal

Dirección General de Planificación Estratégica
Silvia Villacañas Beades

Departamento de Difusión y Cooperación Institucional
Unidad Técnica de Publicaciones Bibliotecas y Certámenes
Marisa Tamayo Prada

Diseño y maquetación

Fundación Colegio Oficial de Arquitectos de Madrid
conarquitectura ediciones

Imprime

Advantia

ISBN: 978-84-7812-834-1

DL: M-13728-2022

Madrid, junio 2022
Impreso en España-Printed in Spain

© de la edición: Ayuntamiento de Madrid y Fundación Colegio Oficial de Arquitectos de Madrid

© de los textos: Los autores

© de las imágenes: ver pág. 343

Índice

Presentación del Área de Gobierno de Desarrollo Urbano Sostenible del Ayuntamiento de Madrid
Mariano Fuentes Sedano

Ya han pasado más de mil años desde el "Madrid, castillo famoso que al rey moro alivia el miedo", de Moratín, hasta llegar al Madrid actual. Mil años de ciudad, desde fortaleza islámica dependiente de la Marca Media, pasando por villa amurallada en el siglo XII, ciudad renacentista y barroca, urbe ilustrada y burguesa y metrópoli en el siglo XX, dan para mucho.

Narrar su historia urbana no es tarea fácil, entre otras cosas porque hay que determinar los rasgos distintivos de su desarrollo. El más evidente a lo largo de este milenio es el crecimiento urbano constante a lo largo de toda su historia, crecimiento en el que los ritmos y los espacios han ido dejando en el plano los elementos distintivos de su carácter. Consecuentemente, para determinar esos rasgos, el único elemento que permite establecerlos es el análisis de su planta y su volumen a través de la cartografía y su imagen urbana.

Ésa es una de las razones que justifican esta publicación: presentar al curioso lector los emblemas de la cartografía y la imagen de la ciudad. Todo eso se denominaba corografía en el siglo XVI, que es la centuria en la que las ciudades se dan a sí mismas las plantas e imágenes que las caracterizan como hechos urbanos. Bien es cierto que Madrid es una de las capitales más antiguas de Europa, pero no es menos cierto que los retratos urbanos de la ciudad no se diseñarán hasta el siglo XVII, de la mano de Antonio Mancelli y del genial Pedro Texeira. Por eso, esta publicación arranca en el siglo XVI, aunque no tengamos plantas generales de la ciudad, para narrar a lo largo de cinco siglos la peculiar historia de la imagen urbana de Madrid, una imagen marcada a lo largo de todo su devenir por el desarrollo urbano.

Presentación del Área de Gobierno de Cultura, Turismo y Deporte del Ayuntamiento de Madrid

Andrea Levy Soler

Como si fuera un cómic, esta publicación cuenta una historia gráfica de Madrid, solo que, a diferencia de aquel, las distintas viñetas son auténticas obras de arte en unos casos, alardes de la pintura en otros y trabajos científicos en su mayoría: planos, mapas, vistas, cuadros, estampas, dibujos, maquetas, perspectivas aéreas, vistas generales, etc. El mérito de la obra es presentar estas viñetas en un discurso cronológico en el que la imagen señala el tono vital de la ciudad en cada momento de su historia.

En esencia, no se trata de un texto clásico sobre historia urbana, aunque su propósito último sea presentar la imagen gráfica de Madrid. Y para ello, nada mejor que presentar los emblemas de sus representaciones, las cartográficas y las vistas urbanas, muchas de las cuales se conservan y custodian para disfrute de la ciudadanía en las instituciones culturales de este Ayuntamiento: el Archivo de Villa, la Biblioteca Histórica, la Hemeroteca Municipal y, cómo no, los Museos de San Isidro-Los Orígenes, el Museo de Historia de Madrid y el Museo de Arte Contemporáneo. Mención aparte, y obligada, a la Biblioteca Digital Memoria de Madrid, que tiene como función primordial la preservación digital de todas estas colecciones y la difusión entre la ciudadanía.

No obstante, no todas las imágenes de nuestra ciudad se encuentran en nuestras colecciones patrimoniales. La mayoría de los madrileños ignora, por ejemplo, que la primera imagen grabada de Madrid se conserva en el Metropolitan Museum de Nueva York, o que las dos grandes vistas dibujadas de la ciudad estén en un tomo de la Biblioteca Medicea Laurenziana, en Florencia. De ahí que su compilación en una obra de estas características sea una deuda pendiente con los madrileños que creemos resuelta en este volumen. Entre otras cosas porque la historia y la imagen urbana de la ciudad son cultura con mayúsculas.

Presentación del Decano del COAM y
Presidente de la Fundación Arquitectura COAM
Sigfrido Herráez Rodríguez

La recopilación y estudio evolutivo de la cartografía madrileña viene siendo una constante desde hace al menos cuatro décadas, objeto de publicaciones con enorme acogida por los profesionales, aficionados y curiosos en el conocimiento de la historia de la Villa y Corte. Y es tal este éxito que se refleja en que, de algunas de estas recopilaciones cartográficas, resulta una tarea imposible encontrar ejemplares a la venta en librerías, ya sea de nuevo o de viejo.

Pensemos en la paradigmática *Cartografía básica de la ciudad de Madrid: planos históricos, topográficos y parcelarios de los siglos XVII-XVIII, XIX y XX*, que editará el Colegio Oficial de Arquitectos de Madrid en 1979, hoy totalmente agotada y solo disponible en reventa, alcanzado valores muy elevados. Su elaboración partió de la entonces Comisión de Cultura y del incipiente Servicio Histórico, que dirigía el luego catedrático de la Universidad de Valladolid Alfonso Álvarez Mora, y cuya originalidad residía en su concepción, a modo de carpeta en formato A3 con copias de planos extraíbles, muy útiles al arquitecto y otros profesionales afines, así como para cualquier investigador sobre la ciudad.

Tras aquella publicación se han venido sucediendo otras, ya bajo el paraguas municipal, y con importantes aportaciones, siendo muchas de ellas el catálogo de interesantísimas exposiciones. Valga de ejemplo: *Los planos de Madrid y su época (1622-1992)*, también en formato A3, que editó el Museo de la Ciudad del Ayuntamiento de Madrid en 1992.

Se necesita, por tanto, mantener una continua mirada hacia la evolución de Madrid a través de su cartografía, que es lo que pretende este libro que ahora ve la luz y en el que, de modo novedoso, nos implicamos en su realización tanto el Ayuntamiento de Madrid como el COAM a través de su Fundación. Es lógica, por otra parte, esta colaboración porque nos unen la tradición y el interés común.

Cuando se planteó esta publicación, pesaba la idea de recuperar la citada de 1979, si bien actualizada en contenido y formato, recogiendo las últimas aportaciones científicas, iniciativa que hay que agradecer al antiguo patrono y director de la Fundación Arquitectura COAM Bernardo Ynzenga Acha. Fue también él quien eligió a los responsables de este viaje en el tiempo, a sus autores, el arquitecto y catedrático de la Universidad Politécnica de Madrid Javier Ortega, cuya contribución al conocimiento de la ciudad a través de la representación gráfica es incuestionable, y el historiador Francisco José Marín Perellón, una de las máximas autoridades en cartografía madrileña y con múltiples publicaciones al respecto. Nuevamente su trabajo ha sido meritorio.

A ellos corresponde el planteamiento de combinar los planos con vistas pictóricas de la misma época, incluso supliendo con estas la ausencia de aquellos, como en el caso de la tardía representación cartográfica de Madrid hasta 1623, frente a la de otras ciudades españolas y europeas, a juicio de sus autores, por haberse producido el establecimiento definitivo de la Corte solo diecisiete años antes.

Con esta publicación la Fundación, y el COAM a través de ella, mantiene su compromiso de contribuir al conocimiento de la ciudad de Madrid, en línea con sus fines y objetivos, que conviene recordar son la "promoción, salvaguarda, enseñanza y difusión de la Arquitectura, el Urbanismo y disciplinas afines en todas sus expresiones".

Prefacio
Bernardo Yncenga Acha

Hace más de cuatro décadas, en 1979, el Colegio Oficial de Arquitectos de Madrid –COAM– publicó la Cartografía Básica de la Ciudad de Madrid, un grueso volumen en formato A3 que reproducía una extensa selección de planos de la ciudad comenzando con el de Texeira de 1656 y terminando con la hoja 559 del mapa de España en la que están representados Madrid y su entorno. Como expresó Paloma Barreiro en uno de los textos que lo acompañaban, aquel extenso material cartográfico constituía una excelente base para la investigación urbana. La edición se agotó; hace pocos años apenas se encontraba algún ejemplar en venta por Internet; hoy aún menos. Lástima porque, para quienes lo adquirimos y quienes probablemente ni siquiera saben que se publicó, su contenido interesaba entonces e interesa ahora. De ahí surgió la idea de una nueva versión actualizada y de ella el encargo de la Fundación Arquitectura a Javier Ortega y Francisco Marín, Paco, para la preparación y publicación del libro que el lector tiene en sus manos: un libro necesario para cualquiera que se interese por la historia y evolución de Madrid, su fisonomía, o su reflejo en los documentos cartográficos y dibujos que buscan describir su realidad física y construida.

Antes de entrar en lo sustantivo del libro, su contenido, permítanme algunos adjetivos. Es un objeto primoroso, cuidado, precioso y preciso de contenidos y de excelente factura y maquetación. Un libro hermoso, parco en palabras –las justas– y acertado en su cuidada selección, búsqueda y presentación de imágenes reproducidas con exactitud.

Los autores afirman en su introducción que su libro "no es una historia de la ciudad" sino "una aproximación parcial a la historia de la cartografía madrileña como base fundamental para estudiar su devenir material". Lo dicen y lo cumplen porque a lo largo de sus más de 300 páginas, el ordenado desfile de textos, planos, imágenes y vistas de la ciudad no se detiene ni una vez para hablar de la ciudad en sí o de su evolución. Los autores dan un paso atrás, dejan que sea el lector quien lo haga en función de su interés y guardan para sí sus interpretaciones, limitándose –y eso es mucho, como en la exposición de especímenes en los museos de ciencias naturales– a presentar las evidencias de la cambiante realidad de la ciudad. Es por ello un libro generoso.

Aunque el título del libro otorga protagonismo a las cartografías, sus contenidos van más allá e incluyen una cuidadosa selección de vistas, cuadros y dibujos panorámicos y de detalle que muestran lo que ve quien desde el suelo o desde un alto contempla la ciudad. Y al hacerlo reproduce virtualmente lo que la mayoría de quienes viajan hacen o querrían hacer al llegar a una ciudad que no conocen. Al visitar una ciudad, al recorrerla, los edificios se tapan unos a otros y con cada mirada vemos poco. La imagen o el recuerdo que nos queda de su forma agregada es una apretada secuencia de instantáneas particulares en un constructo mental impreciso más topológico que figurativo difícil de comunicar. Para entenderla mejor debemos alejarnos y verla desde fuera; o mejor aún, subir a una torre o un alto que nos permita abarcar la traza de sus calles y la posición de sus edificios principales: la planta que la articula. Si subimos mucho más y la miramos desde el cielo desaparecen los volúmenes: acaba el dibujo y aparece la cartografía. A mitad de camino de esa ascensión se sitúa la perspectiva, o la falsa perspectiva, trazada desde un doble punto de vista privilegiado que permite ver en perpendicular el suelo y en axonometría los frentes y volúmenes de edificios y edificaciones. Con esas tres miradas –suelo, alto, cielo– los autores recorren selectivamente la historia cartográfica y dibujada de Madrid.

El libro es un relato gráfico. Lo abrimos y, siendo algo injustos con la profusión de otros planos e imágenes, lo recorremos deteniéndonos tan solo en los hitos más significativos. En su comienzo, antes de ser capital, Madrid apenas interesaba. Por eso la primera imagen que vemos es un dibujo mínimo de tiempos de Carlos I [apenas la mitad de un folio de 35 x 49 cm], no de Madrid sino de su modesto primer Alcázar y al fondo la Casa de Vargas. Es casi una postal presentada en pie de igualdad y debajo de una vista del Acueducto de Segovia. Le siguen, ya en tiempos de Felipe II y tras ser Madrid declarada Corte, unas primeras vistas panorámicas desde el oeste mostrando los edificios de la corona y el contorno amurallado al sur y al oeste de la ciudad. Con Carlos I y Felipe II, ningún plano de la ciudad: un vacío cartográfico.

Tras ese vacío, el primer hito lo marca ya entrado el siglo XVII, 1623, el primer plano de la ciudad; un plano de pequeña escala y tamaño modesto [54 x 65 cm, escala 1/4.600] en el que además de calles y plazas su autor, Mancelli, o Mancelli-de Witt, dibuja los volúmenes y fachadas al sur de los edificios de la ciudad. Lo acompañan una selección ilustrativa de vistas parciales en las que destacan un pequeño pero meticuloso grabado y un cuadro de la entonces recién estrenada Plaza Mayor –principal obra pública singular de la ciudad– y vistas de los reales sitios.

Pasarían 33 años, 1656, para que la intención figurativa de ese primer plano diese un paso de gigante con el muy conocido, formidable, plano de Pedro Teixeira [diez veces mayor, 180 x 285 cm en 20 hojas] por encargo de y dedicado a Felipe IV. En él, además de un meticuloso reflejo de cuantos edificios, lindes de parcelas, paseos y jardines ocupan la ciudad: "torres y delanteras de las casas de la parte que mira al mediodía están sacadas del natural que se podrían contar las puertas y ventanas de cada una de ellas". En ese plano Texeira señala y enumera las 13 parroquias, los 75 conventos, hospitales y ermitas, y los 150 edificios, plazas y elementos singulares de la ciudad. Abruma el detalle y la ardua e ingente labor previa que lo hizo posible. Es el suyo un plano que, a la par que bello, al presentar en detalle la realidad física de la ciudad en 3D, permite conocer. Un plano inventario que dice "las cosas son así".

Las vistas que lo acompañan en el libro dan fe del mismo afán de precisión. El siguiente hito lo marca el plano realizado tres décadas después, 1769, por Espinosa de los Monteros. Persigue otros objetivos y tiene otro carácter. No es una descripción realista o figurativa, es un instrumento de precisión para recaudar impuestos (reforma impositiva del Marqués de la Ensenada). De hecho, no nace directamente como un plano, sino que es el resumen simplificado de un sinfín de levantamientos geométricos y parcelarios de cada una de las manzanas de la ciudad. Pese a ser una reducción y limitarse al Madrid intramuros, es también un plano grande [177 x 245 cm] en el que las manzanas aparecen como bloques sólidos y los edificios reales marcados por su silueta. Un plano mudo, casi una guía de calles sin nombre y manzanas macizas que contrastan con el meticuloso casi preciosista detalle con el que dibuja los jardines del Palacio Real y de El Retiro, rasgo que se mantendrá en la mayoría de los planos que vinieron después. De este plano nacieron otros que se reproducen en el libro acompañados de nuevas vistas de la fachada oeste de la ciudad, entre ellos la reflejada como luminoso fondo de escena en el conocido cuadro en el que Goya pintó la Pradera de San Isidro.

Ya entrado el XIX (1809) el libro nos muestra la anécdota de un plano cuanto menos curioso. Dibujado por un francés, J. C. M. Bentabole, es el primero que muestra la ciudad en su territorio con sus lomas, desniveles y vaguadas. Relacionado con la entrada en España de los ejércitos de Napoleón, su objetivo, más que geométrico, es estratégico. Aparte de calles y manzanas, destacan los edificios de interés y las posiciones y líneas de tiro de las baterías de artillería que intervendrían en la conquista de Madrid y en la defensa de sus puertas una vez ocupada. Un detallado plano militar. También fue un militar, el coronel de artillería León Gil del Palacio quien, 20 años después (1828-1830), protagonizó el que podríamos llamar el tercer gran hito de la narrativa: la formidable maqueta de toda la ciudad con todos sus edificios y jardines. Una maqueta grande, de más de tres por cinco metros [320 x 520 cm, escala 1/816], cuatro veces mayor que el plano de Texeira, basada en un plano preparatorio aún mayor a casi el doble de escala. La maqueta no es un plano útil. Es un juguete enorme, un bonsái de la ciudad objeto en el que uno se puede perder mirando cómo eran entonces las casas, los edificios y los sitios que conoce. Su detalle permite e invita jugar un "¿Dónde está Wally?" cambiando la pregunta a: ¿Dónde estaría yo; y qué y cómo era lo que había aquí?". La maqueta de Gil del Palacio fue el resultado de un trabajo ímprobo, el canto del cisne del empeño en mostrar la ciudad "tal cual es" que el libro presenta –tal vez por no ser "cartografía" en el sentido estricto– demasiado escuetamente, sin ampliaciones de detalle que permitan apreciar la calidad y realismo de tan formidable y esforzado trabajo (lo compensa la facilidad de encontrar las imágenes en Internet).

Si ese hito hablaba de "La Ciudad que Es" el siguiente habla de "La Ciudad que Será": el conocido como Plan Castro para el Ensanche de Madrid (1856-1860), realizado por el ingeniero Carlos María de Castro por encargo del Ayuntamiento de Madrid. El libro nos lo presenta con el emocionante plano previo de anteproyecto, relativamente desconocido, en el que las manzanas de Castro flanquean la ciudad de siempre por el norte, el este y el sur.

En los planos anteriores, la ciudad aparecía encorsetada por la cerca implantada en 1625 por Felipe IV, pero, como crecía hacia dentro sobre sí misma y sobre terrenos procedentes de derribos y de la amortización de conventos, le estallaban las costuras. El Plan Castro se la saltó (derribada en 1868). Coherente con su plano base (el de Francisco Coello a escala 1/5.000, sobre topografía cuatro veces mayor a escala 1/1.250), Castro rehúye toda figuración: manzanas sólidas sin detalle interior, edificios públicos destacados en silueta (como en el plano de Espinosa de los Monteros) y, de nuevo, extremo detalle en jardines y parques. Aunque no es este lugar ni momento de comentar el Plan Castro, no me resisto a destacar un rasgo que denota lo que este plano de anteproyecto tiene a la vez de pragmatismo y ensueño: el Plan desborda la cerca, pero el ensueño desborda el Plan al sugerir, casi como un *after thought* a juzgar por el dibujo, que la ciudad crecería o podría crecer al norte mediante una retícula prolongable de manzanas regulares. El ensueño estuvo en el dibujo de esas manzanas; en el plano oficial desaparecieron.

Las vistas y dibujos que en el libro lo acompañan no son vistas tradicionales. Son vistas aéreas de la ciudad: constructos mentales, dibujos teóricos, innovación y sorpresa que la profusión y familiaridad con las fotografías aéreas han diluido. En contraste con lo que de futuro tenía el plan Castro, el siguiente hito en el relato cartográfico sería el Plano Parcelario de Madrid que dirigió Carlos Ibáñez Ibero, 1872-1874, publicado poco después. Este plano aterriza en su presente topográfico, geométrico e inmobiliario madrileño con la misma intención e iguales contenidos del ya comentado plano de Espinosa de los Monteros. Subdividido en 16 hojas, sintetiza un sinnúmero de levantamientos previos escala 1/500 dando lugar a un formidable plano instrumental que sirve para todo: obras, finanzas…, lo que haga falta. "Sirve" es la palabra clave. Aun siendo síntesis, es un plano sumamente detallado que invita a estudiarlo detenidamente. En él están los perímetros y patios de todos los edificios, la planta interior de los principales, el detalle de los paseos y jardines, los nombres de los sitios y las calles, los números de las casas. Precisión es el nombre del juego y que cada uno lo utilice como y para lo que le convenga. El libro reproduce sus 16 hojas. Una de las dos vistas que lo acompañan, la *Vista general de Madrid* realizada por Deroy, transmite el mismo impulso de precisión analítica. Con ese plano, la cartografía deja de ser trabajo de encargo y pasa a ser un servicio público a cargo de una nueva institución, el Instituto Geográfico y Estadístico: un paso al frente.

Entra el siglo XX y la época de los grandes planos va llegando a su final. Madrid avanza más allá de sus construcciones. El ámbito cartografiado en los planos crece y el objetivo perseguido cambia gradualmente. La utilidad se desplaza de los planos a los planes. Como primera medida amplían el foco para incluir pueblos vecinos (Cañada, 1900) o se extienden a todo el término municipal (Núñez Granés, 1911). Pese a todo, estos últimos planos siguen siendo por su calidad obras de arte. A finales de los años 20 las cosas cambian. La fotografía aérea y las ortofotos hacen realidad el deseo del viajero: subir a una torre virtual imposiblemente alta para ver la ciudad desde arriba con visión inverosímilmente aguda. Nada escapa al ojo de la cámara. Con base a un ortofoto plano de 1927, la Oficina Municipal elaboró un no-plano gigantesco: 32 hojas a 1/2.000 que unidas resultarían en un documento gráfico inmanejable de tamaño descomunal, 7,20 metros de ancho y 8,40 de alto (para verlo entero, las 32 hojas se integraron en un plano reducido 25 veces, a escala 1/5.000). Su propósito era servir de base para el Concurso Internacional convocado en 1929 para lo que debería ser el primer Plan de Extensión de Madrid, 1929. Como era para lo que era, ganó precisión pero perdió contenidos. Realmente no era un plano de la ciudad, no lo pretendía, sino de alineaciones viarias y rasantes (topografía), aunque siguiendo una tradición no escrita se luce dibujando con primor las trazas y detalles de los grandes jardines públicos. Aquel plano inauguraba una familia de documentos cartográficos inabarcables en los que la ciudad no se ve "de una vez"; tan solo se ven fragmentos. El plano de conjunto cedía para ser soporte fragmentado de proyectos, intervenciones o actuaciones económico-administrativas. El plano imagen daba paso al plano instrumento de trabajo. No se puede ver todo, pero se pueden ver todos los detalles. Atrás quedaban los grandes planos convertidos en elementos a enmarcar, telones de fondo decorativos que dieran un tono culto a despachos oficiales.

En no mucho tiempo y con la interrupción de la Guerra Civil, el Ayuntamiento (1930-1945) amplió el tamaño y el detalle para añadir y mostrar a escala 1/500 el parcelario y la edificación en un estupendo "plano" en color desagregado en 119 hojas de las que el libro reproduce las nueve correspondientes al Madrid histórico. Unidas darían lugar a un documento inmenso [12 x 15,4 m], difícil, por no decir imposible, de abarcar con una sola mirada. Solución: un Plano de la Villa (1945), de toda la ciudad a menor escala y con menos contenidos, manejable. Al crecer la ciudad, el término municipal se quedó pequeño. Empezando con Chamartín de la Rosa en 1948 y terminando con Villaverde en 1954, Madrid anexionó 13 municipios vecinos y aumentó extraordinariamente su superficie. Las 119 hojas del plano 1/500 dieron paso a las 1.462 del nuevo. La restitución cartográfica a partir de foto aérea lo hizo posible. Un no-plano que al ampliar la escala gráfica atomiza el conjunto. Su reducción en 1970 a la mucho menor escala de 1/10.000 no deja de ser un plano grande: 3 x 8 metros con el que trabajar por hojas, como las cuatro del centro histórico reproducidas en el libro. En paralelo y por lo mismo, las tradicionales vistas de la ciudad pierden importancia frente a vistas parciales que, desde un punto de vista elevado –un cerro o una azotea– como es el caso de los soberbios cuadros de gran tamaño de Antonio López, dan cuenta panorámica detallada de fragmentos del paisaje construido madrileño. Con ellos concluye el libro. Escribí una vez: "si quieres conocer a alguien mírale a los ojos; si quieres conocer una ciudad mira a su centro histórico". Cuando los planos crecen y crecen, los autores eligen de entre sus muchas hojas las que corresponden al Madrid histórico. Permiten comparar a lo largo del tiempo, pero el concentrar la atención en el Madrid primero extiende sobre el conjunto un ligero tono de nostalgia histórica.

Cerramos el libro agradecidos por el disfrute que nos proporciona. El Ayuntamiento de Madrid y la Fundación Arquitectura COAM pueden estar satisfechos, muy satisfechos, por el resultado de su encargo: Javier Ortega, Francisco Marín y quienes han contribuido a la factura y publicación del libro han superado las expectativas. Misión cumplida. El libro terminado es ya una realidad a disposición de quienes lo quieran hacer suyo.

31 de octubre de 2021

MADRID

Cartografías de su historia

Introducción

Son numerosas las publicaciones, sobre todo catálogos de exposiciones, que en distintas conmemoraciones han tratado en general el tema de la cartografía antigua de la ciudad de Madrid; la estructura habitual suele ser la de un conjunto de artículos introductorios, por épocas o temas redactados por varios autores, y un elenco cronológico de los planos con sus correspondientes fichas o someras descripciones; más escasas son las publicaciones y estudios específicos sobre las obras concretas y secuencias cartográficas parciales. Reconociendo el valor de estos esfuerzos precedentes, que se recogen en la bibliografía adjunta, el planteamiento de esta nueva publicación se tratará de explicar a continuación de una manera sintética.

Su título, *Madrid, cartografías de su historia*, pretende acotar el discurso con el objetivo primario de propiciar el conocimiento de la propia ciudad a través de los testimonios gráficos producidos por y sobre la misma a lo largo del tiempo. Este bloque documental es lo que se engloba en el concepto de cartografía; el significado que se adopta es el de su simplificada etimología: carta como papel o soporte de dibujo y grafía como voluntad e intención de describir, en este caso, un ámbito físico restringido. Un doble matiz de importancia que se plantea en lo que sigue consiste en resaltar el valor del dibujo como protagonista nuclear de esta secuencia y entender con un criterio elástico, casi atemporal, los recursos gráficos adoptados a lo largo de los cinco siglos que abarca este recorrido selectivo. En este sentido, hay que enunciar de antemano que todo dibujo supone una determinada interpretación de la realidad que intenta transmitir y nunca hay que confundir el dibujo, siempre subjetivo, con la objetividad de la fotografía. A salvo de alguna excepción muy puntual, por centrarse en el dibujo y acotar un ámbito razonable de objetivos, esta publicación renuncia a la incorporación de los testimonios fotográficos.

Al enunciar selectivo advirtamos que no se pretende el registro exhaustivo de todos los planos sobre Madrid, sino una selección cualitativa que resalte el carácter de las obras cartográficas primarias y más importantes sobre la ciudad, relegando las obras secundarias. Otro criterio complementario es atender tan sólo a los planos y dibujos asociados a la descripción de la globalidad de la ciudad en cada momento temporal. Asociando estas restricciones al concepto del dibujo, este hecho se traducirá en una atención preferente a la escala como factor de proporción relativa entre la realidad y su traducción gráfica, así como a su calidad y precisión en el reflejo de la morfología urbana. La relación entre ambos conceptos, escala y forma, se plantea como referencia básica del filtro cualitativo adoptado.

Otro aspecto de importancia que conviene resaltar es el tema de las proyecciones cartográficas. En primer lugar, es conocida la distinción entre mapas y planos en función del reflejo de la curvatura de la Tierra; los primeros consideran este asunto y los segundos no, en función del pequeño ámbito terrestre que reflejan. En lo que sigue tan sólo trataremos planos; éstos atienden o se generan preferentemente a partir de la planta, proyección ortogonal cenital sobre el plano horizontal. Mas la planta es a su vez la expresión parcial de un hecho volumétrico que, en el caso de la ciudad, se traduce en la topografía natural y las construcciones artificiales. Frente a las denominaciones anacrónicas y a los ensayos más o menos afortunados de clasificaciones historiográficas, en lo que sigue se tratará de observar esta interacción entre la planta y el volumen como un prisma elástico para observar algunos aspectos de interés en la consideración de los dibujos antiguos. Desde este criterio se amplía así el repertorio de los planos con un conjunto igualmente selectivo y cualitativo de los testimonios gráficos de carácter visual que han tratado de reflejar y transmitir el estado de la ciudad. Este elenco complementario se basa en proyecciones horizontales sobre el plano vertical que dan lugar al conjunto de vistas de distinto tipo producidas a lo largo del tiempo.

Finalmente, es preciso señalar que lo que aquí se inicia no es una historia de la ciudad, sino la exposición ordenada y secuencial de una aproximación parcial a la historia de la cartografía madrileña como base fundamental para estudiar su devenir material. En definitiva, se trata de un ensayo de integración de las imágenes más solventes y atractivas que puedan satisfacer a cualquier interesado en el conocimiento del pasado de la ciudad de Madrid.

1567 ca. Ortega y Marín,
Reconstitución de la planta de Madrid hacia 1567

Una capital sin planta

Las imágenes conocidas más antiguas de Madrid son las vistas realizadas por Vermeyen y Wingaerde. Aunque las separan más de treinta años, la gran distancia temporal que nos aleja del siglo XVI las aproxima y unifica al retratar complementariamente los aspectos más importantes de la ciudad. La primera, más parcial, se centra en el Alcázar y su entorno inmediato visto desde dentro de las murallas, mientras que la segunda, más general, representa el mismo edificio como el hito fundamental del conjunto urbano amurallado contemplado desde fuera. Más allá de las murallas, el primer dibujo ilustra parte del paisaje circundante, mientras que el segundo retrata en primer plano la vaguada del río y al fondo el abigarrado conjunto del caserío en el que destacan las torres de las iglesias.

Los artistas flamencos al servicio del emperador Carlos I y del rey Felipe II produjeron así estas vistas de la Villa, ya incipiente candidata a convertirse en la capital de un imperio. No obstante, han de transcurrir más de sesenta años para que Madrid produzca la primera imagen de su traza en planta. Esta notable carencia sorprende desde varios aspectos. Uno de ellos surge al considerar que tanto el padre como el hijo financiaron la admirable labor del artista y cartógrafo Jacob van Deventer en la producción del atlas de las ciudades flamencas, sofisticada obra basada en la representación en planta de las mismas. Otro surge al constatar la existencia de numerosas representaciones de ciudades que reflejan la planta urbana a lo largo del siglo XVI, tanto en el ámbito europeo como en el de la península. Tal ocurre en ciudades como París, Amsterdam, Estrasburgo, Viena, Roma, Londres, Brujas, Florencia, Milán, etc., y, en casos más próximos, los ejemplos de Aranda de Duero, Sevilla, Plasencia o Santiago de Compostela. Adviértase la notable ausencia de Madrid en las sucesivas entregas del *Civitates Orbis Terrarum*.

Aunque existen referencias difusas sobre la planta de Madrid en tiempos de Felipe II (programa de reformas de Juan Bautista de Toledo y cita de Juan de Herrera), y se conservan algunas trazas parciales que, por su singularidad, resultan de gran interés, el caso es que no se conoce ningún dibujo de la imagen global de las calles y plazas en el siglo XVI. Tal vez tuviera que ver en este retraso el traslado provisional de la capitalidad a Valladolid en tiempo de Felipe III. A los pocos años de la recuperación de su rango, como se verá en el siguiente apartado, Madrid producirá la primera imagen de su planta. Como avance y referencia de apoyo para la mejor comprensión de estas tempranas vistas de Madrid, se acompaña una aproximación al estado de la planta de la ciudad y su entorno inmediato hacia 1567; como se puede observar, en ella se indican los distintos recintos que expresan su proceso de crecimiento: primer y segundo recintos amurallados, cerca del Arrabal y de Felipe II.

VISTAS

1535 ca. Jan Cornelisz Vermeyen, *Le Chasteau de Madril*.

1562 ca. Anton van den Wingaerde, *Madrit*.

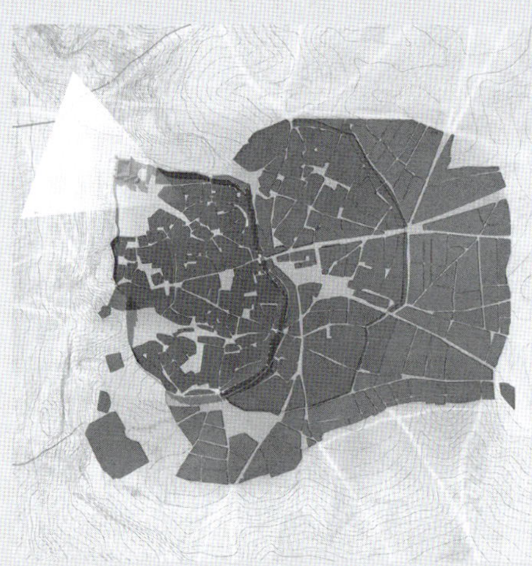

1535 ca. Jan Cornelisz Vermeyen, *Le Chasteau de Madril.* 35'2 x 48'4 cm

La primera imagen de Madrid se debe a Jan Cornelisz Vermeyen (ca. 1504–1559), pintor flamenco que acompañó a Carlos V como ilustrador de la campaña de Túnez. La imagen procede de una xilografía impresa en una hoja de papel en la que también se estampa otra que detalla una vista del Acueducto de Segovia. El encuadre parcial de la ciudad tiene como protagonista el Alcázar, apareciendo como fondo la vega inmediata del río con la notable presencia de la Casa de Vargas; este edificio dará lugar a la Casa de Campo donde aún se conserva, aunque muy transformado. También sirvió de referencia para la construcción del Chateau de Madrid en París. Delante del Alcázar madrileño se dibuja la iglesia de San Miguel de Sagra con su torre, apareciendo el conjunto rodeado por un foso o cava salvado por un puente de madera a la derecha de la imagen. A la izquierda se representa el estado de la muralla, apareciendo el dibujo poblado de pintorescas figuras de personajes y animales dotando de vida a la escena.

BIBLIOGRAFÍA:

(BOORSCH Y ORENSTEIN, 1997).

EJEMPLARES:

M.M.N.Y., ACCESION NUMBER 17.50. 19-134 A, B.

LE CHASTEAV DE MADRIL

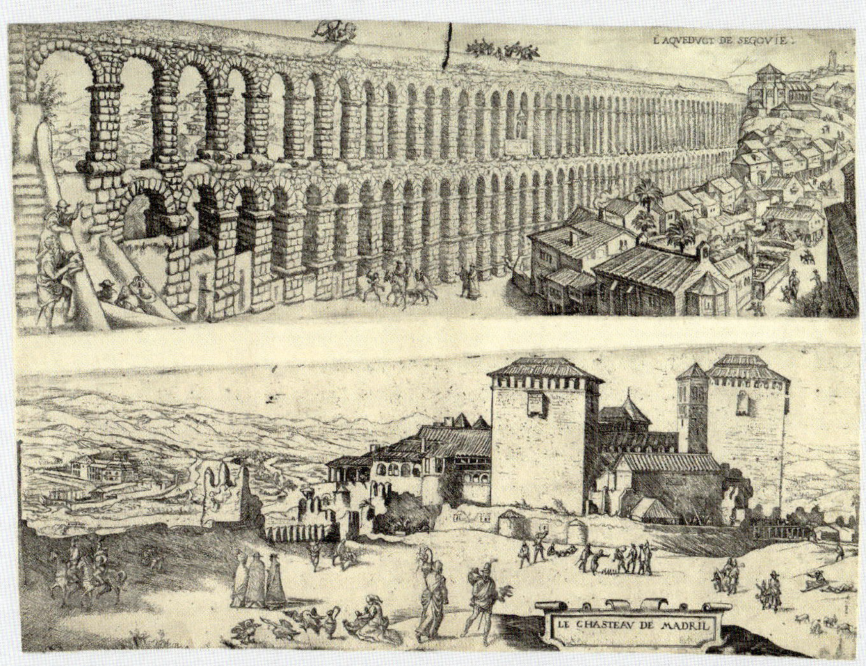
L'AQVEDVT DE SEGOVIE.
LE CHASTEAV DE MADRIL

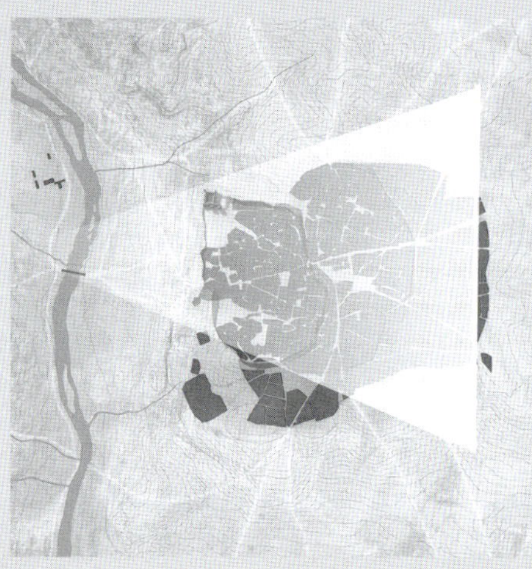

1562 ca. Anton van den Wingaerde, *Madrit*. 36'5 x 128 cm y 38 x 128 cm respec.

Como complemento de la imagen anterior, al cabo de casi tres décadas Anton van den Wingaerde (ca. 1514-1571), el ilustrador de batallas y ciudades contratado por Felipe II para representar un conjunto de ciudades españolas, realizó esta vista de Madrid desde poniente, inaugurando una imagen preferente de la ciudad que, como se verá, será constantemente actualizada a lo largo de los siglos. Los dos dibujos, a línea y acuarelado, ilustran el proceso de realización, basado en un conjunto de apuntes integrado, que simulan una imagen aérea imposible de realizar como toma del natural desde un punto de vista concreto. En términos de la época esta pretensión de imagen global se denominaba "Corografía". En este sentido, es interesante contemplar al tiempo la doble imagen, detectándose los ajustes del proceso gráfico, así como algunas contradicciones. En cuanto al primer aspecto, destaca el esfuerzo de realzar la imagen cerrada y completa de la muralla de Madrid mediante un sombreado, insinuando en cierta manera una aproximación a la planta del conjunto urbano. Para valorar lo que es un dibujo como interpretación de la realidad y ser cautos en las afirmaciones, observemos tan sólo el número de ojos del antiguo puente de Segovia, en el que se representan trece arcos en el dibujo de línea y nueve en el acuarelado.

BIBLIOGRAFÍA:

(BOIX, 1926: 20-22), (TORMO, 1945), (MOLINA, 1960), (KAGAN, 1986) Y (GALERA, 1998).

EJEMPLARES:

B.N.A., COD. MIN. 41, FOL. 73 R. Y FOL. 195 R.

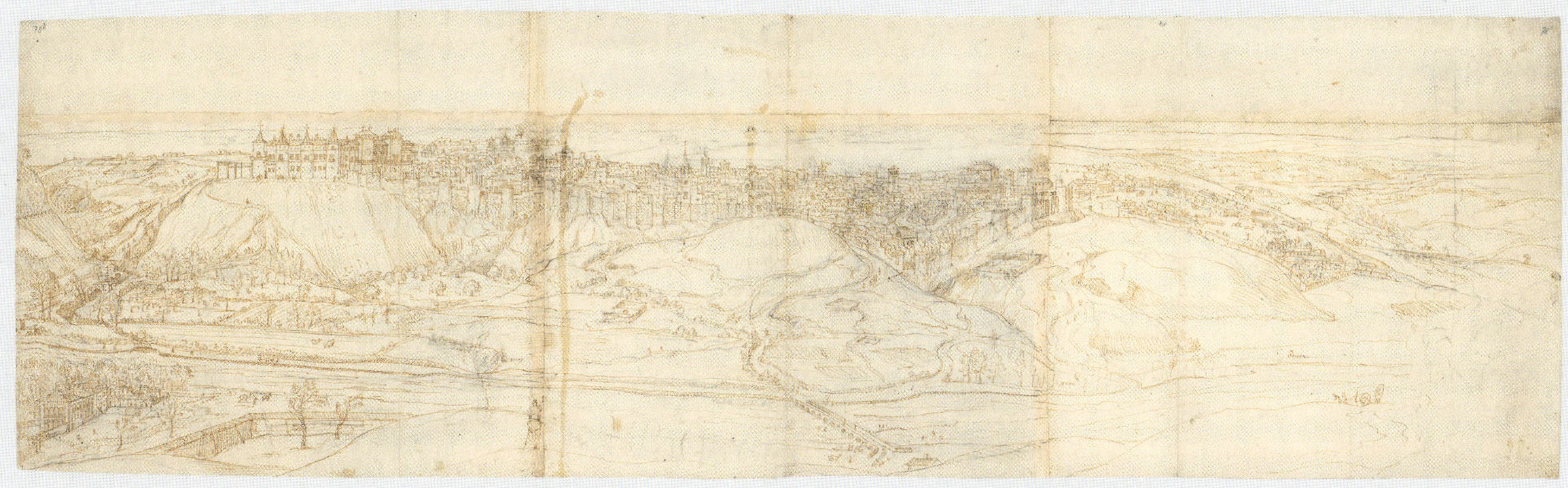

S. pontico
S Aanni
S Auaue
S taroli
S martin

dnt
S Salvator
S. mychael
hospital ante moia
s pedro
salvator

En torno a Mancelli

A pesar de las dudas y debates sobre la imagen más antigua de la traza general de Madrid, todo apunta hacia la idea de referir su autoría a Antonio Mancelli. La síntesis de los datos objetivos es la siguiente: en 1622, el Ayuntamiento contrata a este autor la edición de la planta de la ciudad de la que no se conocen ejemplares originales; en 1656 y 1657 se editan en sendas recopilaciones por M. Zeiler y J. Jansonius dos imágenes de un dibujo de Madrid, que será reeditado nuevamente por F. de Witt a finales del siglo XVII. Simplificando los términos y tomando los extremos, el dibujo más antiguo de la planta de Madrid se suele citar así como Witt-Mancelli o viceversa, a la espera de que se produzca el deseable hallazgo de algún ejemplar original. En este sentido, ha sido recientemente localizado un ejemplar del grabado de la Plaza Mayor de Madrid del propio Mancelli, contratado al mismo tiempo que la planta de la ciudad.

Independientemente de los detalles eruditos, el hecho cierto es que el dibujo nos transmite la primera imagen global de la ciudad con sus calles, plazas y edificios. Frente a las referencias previas y más o menos coetáneas de la cartografía urbana europea, no se trata de un gran plano al considerar sus aspectos dimensionales y formales; su escala es pequeña y variable, apareciendo algunos edificios con ciertas incongruencias. Las más notables de éstas se centran en el Alcázar y la Plaza Mayor. En el primer caso se dibuja un estado que parece responder a un proyecto no realizado, mientras que en el segundo la plaza aparece con una traza un tanto extraña, que se podría interpretar como un eco o referencia a la imagen del grabado de la misma del propio Mancelli; mientras que el grabado representa la nueva obra finalizada, el dibujo de la plaza en el plano parece representar un estado anterior de la misma. Según refiere el propio Mancelli en 1622, la preparación del dibujo general de la ciudad había requerido ocho años de trabajo previo.

Acudiendo a imágenes complementarias del estado de Madrid hasta la primera mitad del siglo XVII, el grabado de la Plaza Mayor parece ser el sustrato de un conjunto de cuadros; de entre ellos interesa referir aquí la imagen de la plaza a la que se adjuntan las iglesias del entorno, ampliando así el paisaje urbano. Aquí es oportuno resaltar además la cierta vocación narrativa global de los cuadros producidos hacia 1635 en la idea de difusión de la imagen de la ciudad, conjunto formado por los óleos de la Casa de Campo, El Alcázar y el Retiro, complementando con este último su ausencia en el plano. Como es conocido, la matriz formal de este dibujo es la base de varias obras de rango menor que alcanzan los inicios del siglo XVIII, con la singular excepción de la versión grabada por lalot en la que actualiza con corrección la imagen del Alcázar.

PLANOS

1623-1700. Antonio Mancelli, *La Villa de Madrid, Corte de los Reyes Católicos de Espanna.*

VISTAS

1623. Antonio Mancelli, *Plaza Mayor.*

1630 ca. Anónimo, *Fiesta Real en la Plaza Mayor.*

1635 ca. Félix Castello, *La Casa de Campo.*

1635 ca. Félix Castello (atrib.), *Vista del Alcázar de Madrid.*

1635 ca. Jusepe Leonardo, *Palacio y jardines del Buen Retiro.*

1623-1700
Antonio Mancelli - Frederick de Witt
La Villa de Madrid, Corte de los Reyes Católicos de Espanna

La Villa de Madrid Corte de los Reyes Católicos de Espanna / [Antonio Mancelli (dib. y grab.]

Sin escala [ca. 1:4.100], [ca. 1:4.600 horizontal, ca. 1:6.000 vertical].
[S.l.]: [Antonio Mancelli], [1623].
1 plano: l°., encuadre de 36 x 42'5 cm en h. de 53'5 x 64'5 cm.

Hasta hoy, éste es el primer plano de Madrid: su estampación original carecía de mención de autor, escala gráfica, lugar de edición, editor y año, lo que explica la abundancia de trabajos en los que se daban distintos argumentos razonados para determinar su historia. Sintéticamente, se conviene en la autoría del modenés Antonio Mancelli, artífice del primer plano conocido de Valencia, el cual fue contratado por el Ayuntamiento de Madrid para estamparlo, junto a una panorámica de la Plaza Mayor; de igual modo, se conviene también que su impresión tuvo lugar en 1623, a costa de la Villa de Madrid. En cualquier caso, el plano sería impreso posteriormente en varias compilaciones hasta que en 1700 se incorporó a la plancha original la mención de un nuevo editor, el holandés Frederick de Witt, insertando la representación de su escala gráfica. Ya en época contemporánea, sería objeto de varias ediciones, tanto por parte del Instituto Geográfico Nacional como del Centro Geográfico del Ejército.

Salvando las deficiencias de escala, sensiblemente distintas en sus valores absolutos en el sentido norte-sur respecto al sentido este-oeste, la estampa representa el casco urbano en una fecha próxima al inicio del reinado de Felipe IV, antes de la aparición del Real Sitio del Buen Retiro, y aún sin limitar por la cerca establecida por este monarca. De pequeño tamaño, muestra la traza completa de la ciudad mediante el recurso de la perspectiva, en el que se muestran las fachadas de los edificios orientados al mediodía.

BIBLIOGRAFÍA:

(MOLINA, 1960: LÁM. I, 117-230), (EXPOSICIÓN SOBRE PLANOS DE MADRID, 1960), (EXPOSICIÓN SOBRE PLANOS DE MADRID, 1977), (C.O.A.M., 1979), (MATILLA, 1980 Y 1982), (EXPOSICIÓN SOBRE PLANOS DE MADRID, 1982), (EXPOSICIÓN SOBRE PLANOS DE MADRID, 1992), (SANZ GARCÍA, 1997), (EXPOSICIÓN SOBRE PLANOS DE MADRID, 1997), (PEREDA, 1998 Y 2001), (EXPOSICIÓN SOBRE PLANOS DE MADRID, 2001), (MOLINA, 2004), (ESCOBAR, 2005), (MUÑOZ DE LA NAVA, 2005 Y 2006), (MARÍN, 2006), (MARÍAS, 2017), (EXPOSICIÓN SOBRE PLANOS DE MADRID, 2020) Y (MARÍN Y ORTEGA, 2020: 22-23).

Ejemplares:

B.N.E., MV-13 Y ER 2.055 (027).
B.R.M., MP. XXXVI/32.
M.H.M., IN. 1.521 Y 1.818.

LA VILLA DE MADRID CORTE DELOS REYES CATOLICOS DE ESPANNA.
RIO DE MANÇANARES
Puerta del Sol
Plaça Mayor
Calle de Alcala
1. la Santa Cruz.
2. Carcel de la Corte.
3. Concepsion Coronimo.
4. el Colegio de la Compañia de IHS.
5. Confepcion Franc.
6. S. Millan R.
7. la Passion.
8. Colegio de Atocha.
9. la Trinidad.
10. Calle de la Cruz.
11. Calle de las Carretas.
12. N. Sra de buen suceso.
13. M. de la Vitoria.
14. N. S. de la inclusa.
15. S. Philippe.
16. M. de N. Sra del Carmen.
17. Calle de los prescados.
18. S. Martin.
19. S. Gines P.
20. Calle del Arenal.
21. Hospital de los Franceses.
22. Placuela de S. Luis.
23. S. Basilio.
24. Ospital de los Portugeses.
25. Capucynae.
26. Carrera de S. Pablo.
27. la Cruz del espiritu Sancto.
28. las Beatas Carmelitas.
29. Puerta de la Vega.
30. S. Lazaro.
31. S. Maria P. Mayor.
32. Palacio del duque de Vseda.
33. Los Cannos Viejos.
34. M. de las Monjas del Sacramento.
35. Palacio del Cardinal de Toledo.
36. Corpus Christi.
37. S. Iuste P.
38. Plaçuela del Conde de Varasas.
39. S. Michel.
40. S. Petro.
41. Placa del duque de jnfantad.
42. S. Andries P.
43. Casa de las Angeres.
44. M. Comendadoras.
45. S. Solasar P.
46. Descalsas del Carmen.
47. el Colegio de los Yngleses.
48. M. de Monjas depnto.
49. Harp de los Italianos.
50. M. de S. Cathalina.
51. el espiritu Santo.
52. S. Antonio.
53. Promonstratifes.
54. Placa de S. Domingo.
55. Carnesсia.
56. M. de los Angeles.
57. S. Catalina.
58. Placa de Horradi.
59. Sant jago P.
60. P. Conde lena.
61. S. Clara.
62. S. Yan.
63. S. Gil Frailes descalsos Franciscanos.
64. el encarnation Monasterio Real de monjas.
65. Lauadero.
66. Canonos del Peral.
67. S. Nicolas.

M.H.M.

LA VILLA DE MADRID CORTE DELOS
RIO DE MANÇANARES
El Parque y monte de los Venados y otras Caças
El Palacio Real del Su Mag. Chatolica
La Puente Segouiana
Placa Mayor
Puerta de Guadalajara
1. la Santa Cruz.
2. Carcel de la Corte.
3. Concepsion Geronimo.
4. el Colegio de la Compania de IHS.
5. Consepcion Franc.
6. S. Millan R.
7. la Passion.
8. Colegio de Atocha.
9. la Trinidad.
10. Calle de la Cruz.
11. Calle de las Carretas.
12. Nª Sra de buen suceso.
13. Mº de la Vitoria.
14. N.S. de la inclusa.
15. S. Philippe.
16. Mº de Nª Srª del Carmen.
17. Calle de los prescados.
18. S. Martin.
19. S. Gines P.
20. Calle del Aronal.
21. Hospithl de los Franceses.
22. Placuela de S. Luis.
23. S. Basilio.
24. Ospital de los Portugeses.
25. Capusynas.
26. Carrera de S. Pablo.
27. la Cruz del espiritu Santo.
28. las Beatas Carmelitas.
29. Puerte de la Vega.
30. S. Lazaro.
31. S. Maria P. Mayor.
32. Palacio del duque de Vseda.
33. Los Cannos Viejos.
34. Mº de los Monjas del Sacramento.
35. Palacio del Cardinal de Toledo.

36. Corpus Christi.
37. S. Iuste P.
38. Plaçuela del Conde de Varasas.
39. S. Michel.
40. S. Petro.
41. Placco del duque de jnfantado.
42. S. Andries P.

43. Casa de las Mugeres.
44. M. Comendadoras.
45. S. Solasaar P.
46. Descalças del Carmen.
47. el Colegio de los Yngleses.
48. M. de Monjas depinto.
49. Hosp de los Italianos.

50. M. de S. Cathalina.
51. el espiritu Santo.
52. S. Antonio.
53. Premontrenses.
54. Placa de S. Domingo.
55. Carneseia.
56. M. de los Angeles.

57. S. Catalina.
58. Placa de Horradi.
59. Sant jago P.
60. P. Conde lems.
61. S. Clara.
62. S. Yan.
63. S. Gil Frailes descalços Franciscanos.

64. el encarnation Monasterio Real de monjas.
65. Lauadero.
66. Canones del Peral.
67. S. Nicolas.

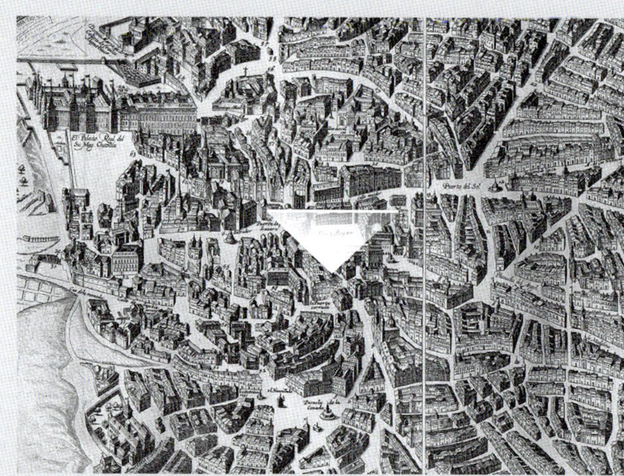

1623. Antonio Mancelli, *Plaza Mayor.* 10'9 x 20'5 cm

La relativamente reciente localización y publicación de un ejemplar de la edición original de la Plaza Mayor, dibujada y grabada por Antonio Mancelli en 1623, supone un complemento idóneo del plano de Madrid, contratado y entregado al mismo tiempo. Este hecho hace abrigar la esperanza de que ocurra lo mismo en un futuro con la edición original del plano, teniendo interés a su vez confrontar el dibujo con la extraña representación de la plaza en el plano general. Una posible explicación consistiría en imaginar que el autor pretendía relacionar ambos dibujos, adoptando una visión similar entre ellos; esto supondría que la representación de la plaza en el plano adopta un sistema de fugas distinto al resto del dibujo, transmitiendo además algo parecido al estado previo de la plaza, mientras que el grabado nos relata el aspecto final de tan importante y costosa obra en la transición de los reinados de Felipe III y su hijo Felipe IV. Aunque esta interpretación es cuestionable, repárese en la representación del coche de caballos que aparece en la parte izquierda de la plaza, a medio camino entre la libertad o la torpeza al aplicar las leyes de la perspectiva.

BIBLIOGRAFÍA:

(ESCOBAR, 2005) Y (MUÑOZ DE LA NAVA, 2005 Y 2006).

EJEMPLARES:

B.L., K.TOP.73.15.C.

1623 ca. Antonio Manzelli, *Verdadero retrato del suntuoso Edificio de la Plaça de la muy noble villa de Madrid*

«Ofrezco a V.S. el verdadero retrato del edificio mas suntuoso q. V.S. tiene entre los muchos que adornan la grandeça desta Villa comencado y acabado en los dos Años postreros de aquel Imortal Monarca Rey don Filipe III. Imitando V.S. a los mejores Enperadores de la Monarquia Romana que hiçieron mucho por Illustrar a su Roma, haciendo la tan famosa con la gloria de sus edificios, como con la de sus Leyes, Suplico A. V.S. le reciba en senal de mi agradecimiento y de las mercedes que e recibido de la largeca de V.S. y de las que espero de su liberalidad / Antonio Mancelli».

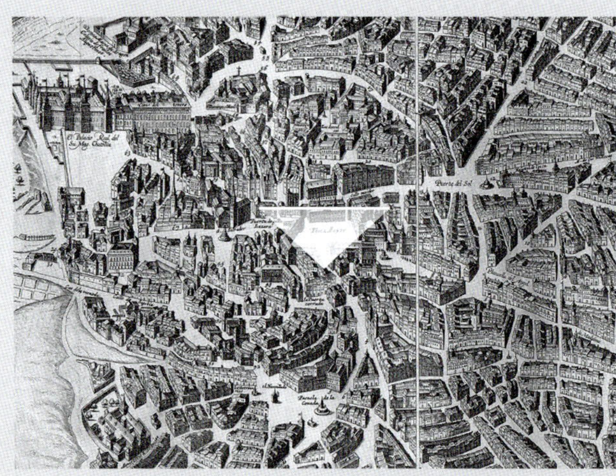

1630 ca. Anónimo, *Fiesta Real en la Plaza Mayor*. 180 x 235 cm

De entre las vistas conservadas de este importante enclave, seleccionamos aquí la que podríamos calificar de mayor interés topográfico y descriptivo, al incorporar algunos datos gráficos sobre su entorno próximo. La imagen de la plaza parece ser el resultado de cruzar el óleo basado estrictamente en el dibujo de Mancelli (M.H.M., In. 3.152) con el realizado por Juan de la Corte que, se supone, ilustra la fiesta real organizada en 1623 en homenaje al Príncipe de Gales (M.H.M., In. 3.422). La vista elevada, ligeramente corregida y algo restringida en su encuadre se debe más a la primera imagen, mientras que la descripción de los elementos de la plaza y su ambientación parece proceder de la segunda. Independientemente de ello, este óleo complementa o rellena los vacíos de la parte superior del grabado, ofreciendo valiosas informaciones sobre algunos edificios religiosos próximos a la plaza: las iglesias parroquiales de San Salvador y San Miguel de los Octoes a la izquierda, y la iglesia parroquial de Santa Cruz y el convento de San Felipe el Real a la derecha.

Bibliografía:

Sin referencias.

Ejemplares:

M.H.M., In. 2005/010/0001.

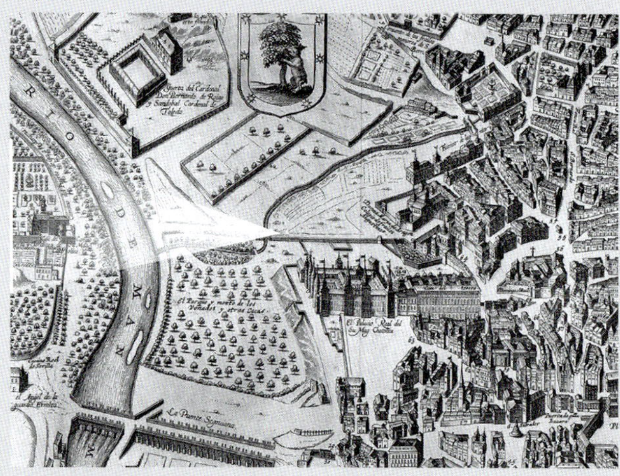

1635 ca. Félix Castello, *La Casa de Campo*. 136'2 x 165 cm

Se supone que este óleo, y los que siguen, forman parte de un programa conjunto que concreta la imagen de Madrid y los Sitios Reales para decorar el interior de la Torre de la Parada en El Pardo. El primero de los aquí incorporados nos permite contemplar el conjunto del edificio de la Casa de Campo, sus jardines y estanques, como si nos encontráramos aproximadamente en el Alcázar. Tiene interés observar su relación con la vista de Vermeyen, un siglo anterior, y la de Wingaerde, de la cual supondría una cierta contravista. Aparte de su evidente y entrañable atractivo ambiental, esta construcción visual incorpora una solvente información topográfica tanto en su conjunto como en los elementos reflejados. Este hecho se constata tanto en los diversos estudios sobre la posesión real, como en las recientes indagaciones y prospecciones arqueológicas que confirman en gran medida la fiabilidad de la información implícita en este excepcional documento gráfico.

BIBLIOGRAFÍA:

(EXPOSICIÓN SOBRE EL ANTIGUO MADRID, 1926: 287), (PÉREZ SÁNCHEZ Y DÍEZ GARCÍA, 1990: 72) Y (EXPOSICIÓN SOBRE EL MADRID PINTADO, 1992: 48-50).

EJEMPLARES:

M.A.N., DEPÓSITO EN M.H.M., IN. 3.130.

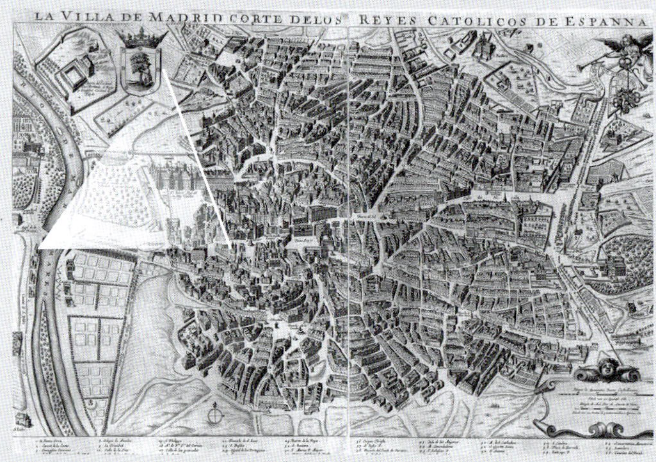

1635 ca. Félix Castello (atrib.), *Vista del Alcázar de Madrid.* **50 x 108 cm**

Aunque se supone obra del mismo autor que la vista de la Casa de Campo, esta visión parcial de la fachada occidental de Madrid presidida por el Alcázar tiene un tratamiento pictórico algo diferente, que se evidencia en la manera de representar los edificios, la vegetación, la atmósfera y la incorporación de figuras humanas. La imagen supone una visión rasante enmarcada lateralmente por el puente de Segovia. Como se ha evidenciado recientemente, la construcción perspectiva más bien parece el producto de un conjunto agregado de elementos, sin que exista una ley general de relaciones de posición y proporción entre los edificios. Es notable así la imagen excesivamente realzada de la iglesia de San Gil, situada a la derecha del Alcázar. En lo que a éste concierne, aparece con una visión diagonal en la que se representa la fachada sur como si se hubiera finalizado. Ya que un cuadro no es una toma fotográfica, este hecho puede deberse a la voluntad del pintor para "rematar" con antelación la obra prevista.

BIBLIOGRAFÍA:

(EXPOSICIÓN SOBRE EL MADRID PINTADO, 1992: 72-73) Y (EXPOSICIÓN SOBRE CARTOGRAFÍA DE MADRID, 2020: 212-213).

EJEMPLARES:

M.H.M., IN. 3.132.

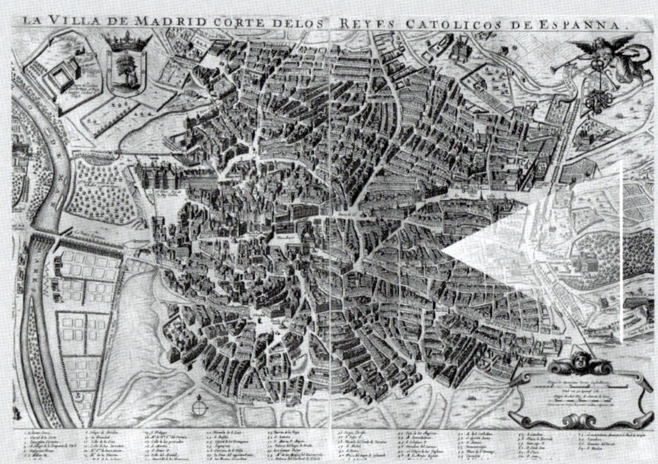

1635 ca. Jusepe Leonardo, *Palacio y jardines del Buen Retiro*. 130 x 305 cm

La potente construcción visual implícita en este cuadro es uno de los grandes logros de la ilustración pictórica de Madrid en el siglo XVII. Frente a la imagen anterior del Alcázar, sorprende en parte la potencia con la que se trata el nuevo y reciente palacio al otro extremo de la ciudad tanto en el tamaño del cuadro, casi el triple del anterior, como en su tratamiento pictórico; a diferencia del mismo, recientes análisis han confirmado la legítima construcción perspectiva de esta obra basada en un punto de vista elevado situado en el tercio lateral del encuadre. Tanto el conjunto del edificio como los jardines transmiten una clara coherencia topográfica, en la que cabe observar un considerable realce de las dimensiones verticales de la arquitectura en un efecto conscientemente buscado. Es notable también el tratamiento del fondo paisajístico que trasciende los estrictos límites del real sitio. En lo que a nuestra particular historia concierne, el Buen Retiro, el gran ausente del plano protagonista de esta sección, nos sirve de transición hacia el siguiente capítulo del recorrido cartográfico.

BIBLIOGRAFÍA:

(EXPOSICIÓN SOBRE EL MADRID PINTADO, 1992: 56-58) Y (EXPOSICIÓN SOBRE CARTOGRAFÍA DE MADRID, 2020: 214-215).

EJEMPLARES:

P.N., PALACIO REAL (10010009).

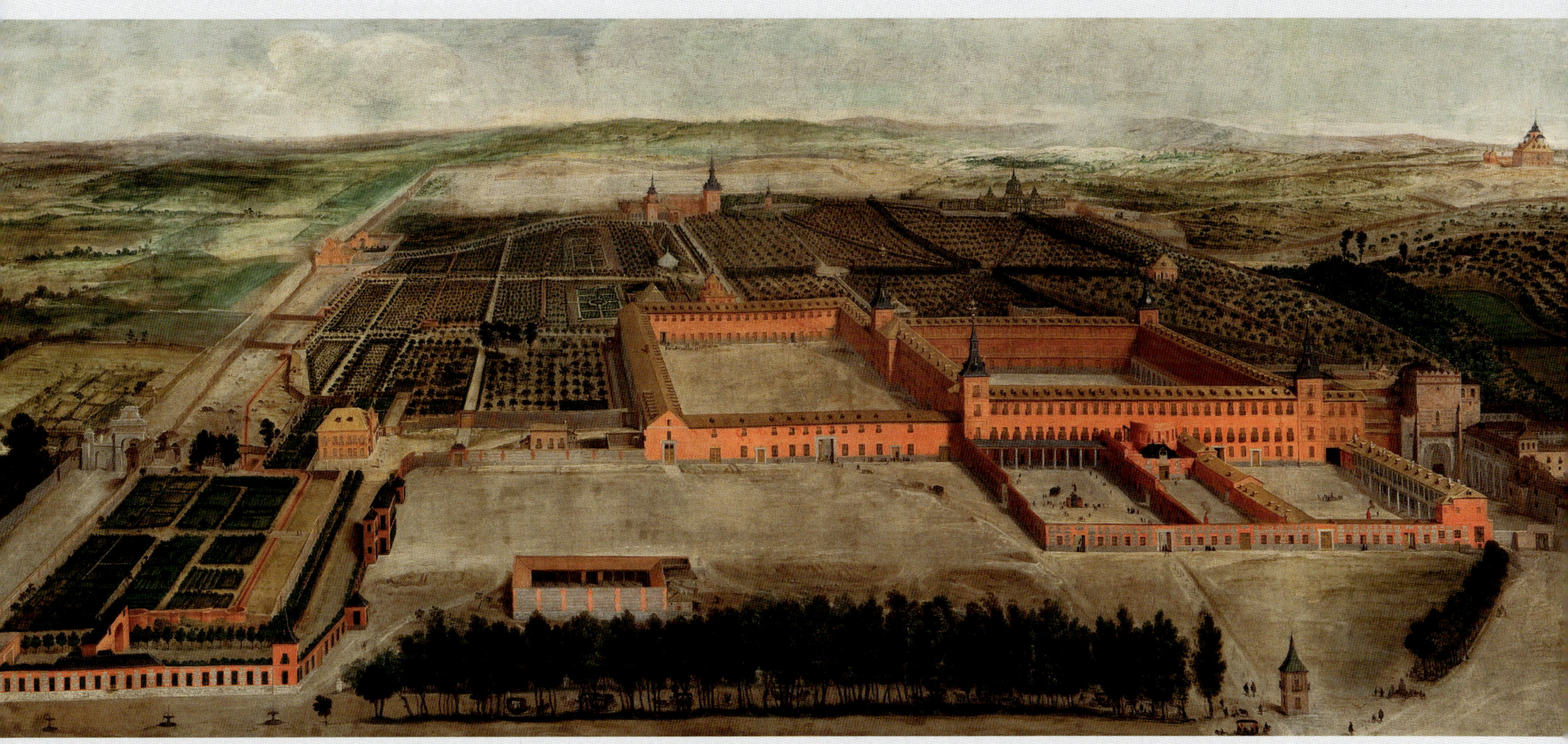

El Madrid de Texeira

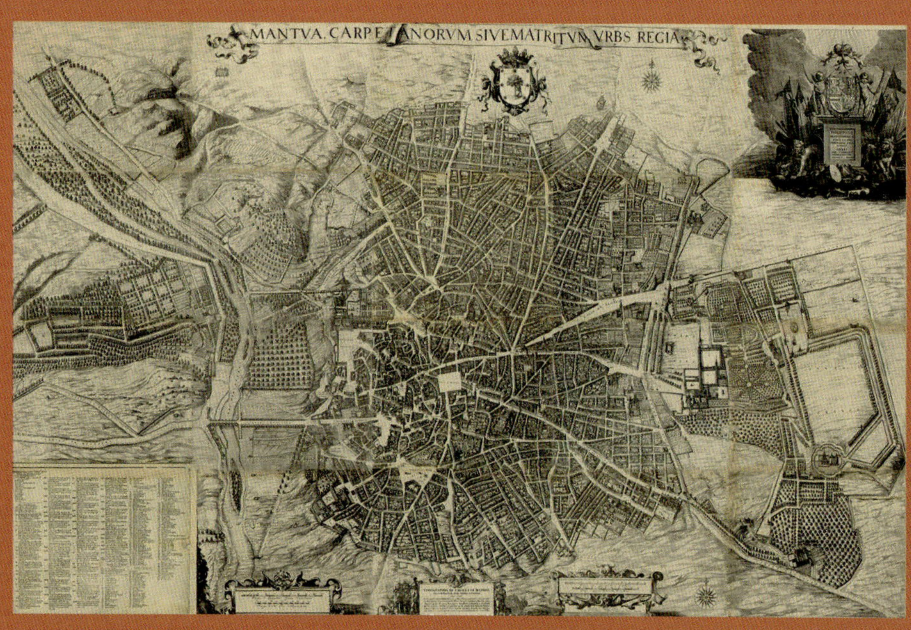

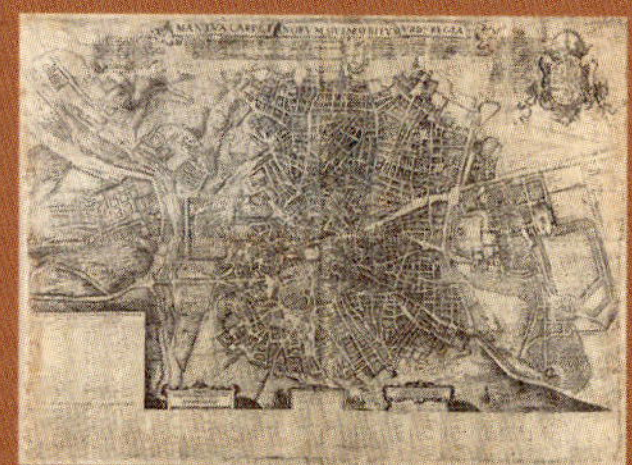

Al tiempo que se editan las primeras versiones del plano anterior, se estampa en Amberes la gran planta de Madrid, ilustrada con la representación en volumen de sus edificios. Esta obra es sin duda una pieza fundamental de la secuencia cartográfica de la ciudad; su notable escala se acompaña de una correcta construcción formal, constituyendo a su vez una referencia cualitativa de rango europeo. Este brillante trabajo del autor se sustenta en una dilatada labor previa de dibujo; resáltese, además, que es un caso singular en la amplia labor cartográfica de Texeira, centrada ante todo en representaciones de enfoque territorial y de menor escala. Coetáneo al cuadro de las Meninas de Velázquez, la sede de la Corte en la Villa de Madrid conoce su esplendor cartográfico en el declinar de su poder efectivo como potencia europea.

La matriz formal del Madrid de mitad del siglo XVII pervivirá durante cerca de un siglo a través de las sucesivas versiones realizadas a partir de su imagen, siempre reproducidas a menor tamaño y escala. La primera y más próxima es la estampada en 1683 por Santiago Ambrona, con grabado de Gregorio Fosman; esta obra, de la que se conocen tan sólo tres ejemplares, debió ser el paso intermedio que generó las versiones francesas de Nicolás de Fer a principios del siglo XVIII, bajo la nueva dinastía de los Borbones. Aparte de algunas otras versiones de menor interés cartográfico, parece sustentarse en la misma base el plano de viajes de agua atribuido a Pedro de Ribera, así como el extraño y tardío plano grabado en París por Nicolás Chalmandrier al comienzo del reinado de Carlos III; en este caso la añeja traza se complementa con una notable actualización de edificios y el entorno inmediato de la ciudad, cuyo origen constituye un cierto enigma aún por precisar.

Retrocediendo nuevamente cien años, un complemento visual de interés del Madrid ilustrado por Texeira es el grabado de la fachada oeste de Madrid de Milheuseur, complementada en el otoño de 1668 por las excelentes vistas de Madrid realizadas por Pier María Baldi desde la parte del río y del Retiro. De menor calidad, aunque de cierto valor documental, se puede referir igualmente el reportaje urbano por secuencias debido a Meunier que, a modo de las futuras postales, ilustra los ámbitos urbanos y monumentales más importantes, extendiendo su relato a los Sitios Reales. Es llamativo el notable vacío cualitativo de cerca de siete décadas en lo que se refiere a la narración gráfica de Madrid, con la única excepción de la puntual y atractiva composición pictórica de Miguel Ángel Houase en su obra *El cazador de pájaros*; la reciente localización del dibujo de base evidencia su destreza gráfica y nos hace añorar que el pintor no hubiera realizado más retratos urbanos madrileños. Este complemento visual se cierra con una actualización de la imagen de la ciudad desde el río editada en París hacia 1735.

PLANOS

1656. Pedro Texeira, *Topografía de la Villa de Madrid.*

1683. Gregorio Fosman y Santiago Ambrona, *Topografía de la Villa de Madrid.*

1739 ca. Pedro de Ribera, *Plano de Madrid y de sus viajes de agua.*

1761. Nicolás Chalmandrier, *Plano geométrico e histórico de la Villa de Madrid.*

VISTAS

1665. Julius Milheuseur y Frederick de Witt, *Madrid.*

1668. Pier María Baldi, *Madrid dalla parte del río.*

1668. Pier María Baldi, *Madrid dalla parte del Retiro.*

1725 ca. Miguel Ángel Houasse, *El cazador de pájaros.*

1735 ca. Anónimo francés, *Madrid Villa Capital del Reyno D'Espana.*

1656
Pedro Texeira
Topografía de la Villa de Madrid

TOPOGRAPHÍA DE LA VILLA DE MADRID / DESCRIPTA POR DON PEDRO TEXEIRA

En la qual se demuestran todas sus Calles, el largo y ancho de cada vna de [e]llas, las Rinconadas y lo que tuercen las Placas, Fuentes, Iardines y Huertas, con la disposición que tienen. Las Parroquias, Monasterios y Hospitales están senalados sus nonbres con letras y números, que se [h]allarán en la Tabla, y los Ydificios, Torres y delanteras de las Cassas de la parte que mira al medio día están sacadas al natural, que se podrán contar las puertas y ventanas de cada vna de [e]llas.

Escala [ca. 1:1.630], Pitipié de Quinientas Varas Castellanas [= 25'6 cm], Pitipié de Mil Pies de A tercia de vara [= 17'1 cm], Pitipié de Quinientas Varas Castellanas [= 25'8 cm] y Pitipié de Quinientos Pacos de dos Pies y Medio [= 21'3 cm].
Antuerpiæ: Salomon Saurij Fecit, Cura et solesitudine, Ioannis et Iacobi van Veerle, 1656.
1 plano: I°., aguafuerte, 1 h., 180 x 285 cm en 20 hh. de 56 x 39 cm.

Acaso el plano más conocido de la ciudad, tanto por su considerable tamaño como por los pormenores que depara su representación en perspectiva; ambos rasgos le han conferido la categoría de instrumento fundamental para el conocimiento del Madrid del siglo XVII. Fue editado en 1656 en Amberes, la capital de la edición europea, y su traza se debe al portugués Pedro Texeira Albernaz, destacado miembro de los Texeira, una de las estirpes de cartógrafos más prolíficas del siglo XVII.

Se trata probablemente de un encargo de Felipe IV; representa la ciudad en una fecha próxima a mediados del siglo XVII, en la cual se aprecia la traza general del callejero y la representación de las fachadas de los edificios orientados al mediodía: es, pues, una planta geométrica disfrazada de volumen.

La fortuna del plano merced a su difusión de la mano de Ramón de Mesonero produjo su reedición en 1881 por parte del Instituto Geográfico Nacional; de entonces acá ha sido objeto de un sinnúmero de reediciones, debidas exclusivamente al Ayuntamiento de Madrid. Aún hoy, no obstante, es difícil precisar el número de ejemplares originales, máxime cuando recientemente se ha detectado, gracias a los trabajos de José María Sanz Hermida, la existencia de dos estados de la edición de 1656.

BIBLIOGRAFÍA:

(CABALLERO, 1840: CIFRA 1, 83), (EXPOSICIÓN SOBRE EL ANTIGUO MADRID, 1926: PLANOS, 12-13 Y CIFRA 5, 275), (MARTÍNEZ KLEISER, 1926), (EXPOSICIÓN SOBRE CARTOGRAFÍA DE MADRID, 1960: CIFRA 9, 13-17), (MOLINA, 1960: LÁM. X, 249-279), (BIDAGOR, 1962), (CORRAL, 1968), (MOLINA, 1975), (EXPOSICIÓN SOBRE CARTOGRAFÍA DE MADRID, 1977), (C.O.A.M., 1979), (EXPOSICIÓN SOBRE CARTOGRAFÍA DE MADRID, 1982), (EXPOSICIÓN SOBRE CARTOGRAFÍA DE MADRID, 1992), (SANZ GARCÍA, 1997), (MOLINA Y SANZ, 1997) (EXPOSICIÓN SOBRE CARTOGRAFÍA DE MADRID, 1997), (PEREDA, 1998 Y 2001), (GEA, 1999), (ORTEGA, 2000: 70-74), (MARÍN Y ORTEGA, 2002), (EXPOSICIÓN SOBRE CARTOGRAFÍA DE MADRID, 2001), (MARÍN Y ORTEGA, 2006), (GEA, 2006), (APARISI, 2007) (ESCOBAR, 2014), (SANZ HERMIDA, 2016), (MARÍAS, 2017), (EXPOSICIÓN SOBRE CARTOGRAFÍA DE MADRID, 2020) Y (MARÍN Y ORTEGA, 2020: 28-33).

EJEMPLARES:

A.V.M., 0,89-32-5.

B.N.E., INV. 23.233.

B.R.M., MP. II-45.

C.G.E., AR.E-T.9-C.1-39 (EDICIÓN DE 1881).

I.G.N., CARTOTECA, 41-A-17 (EDICIÓN DE 1881).

M.H.M., IN. 1.522.

R.B., ROLL-109.

M.H.M.

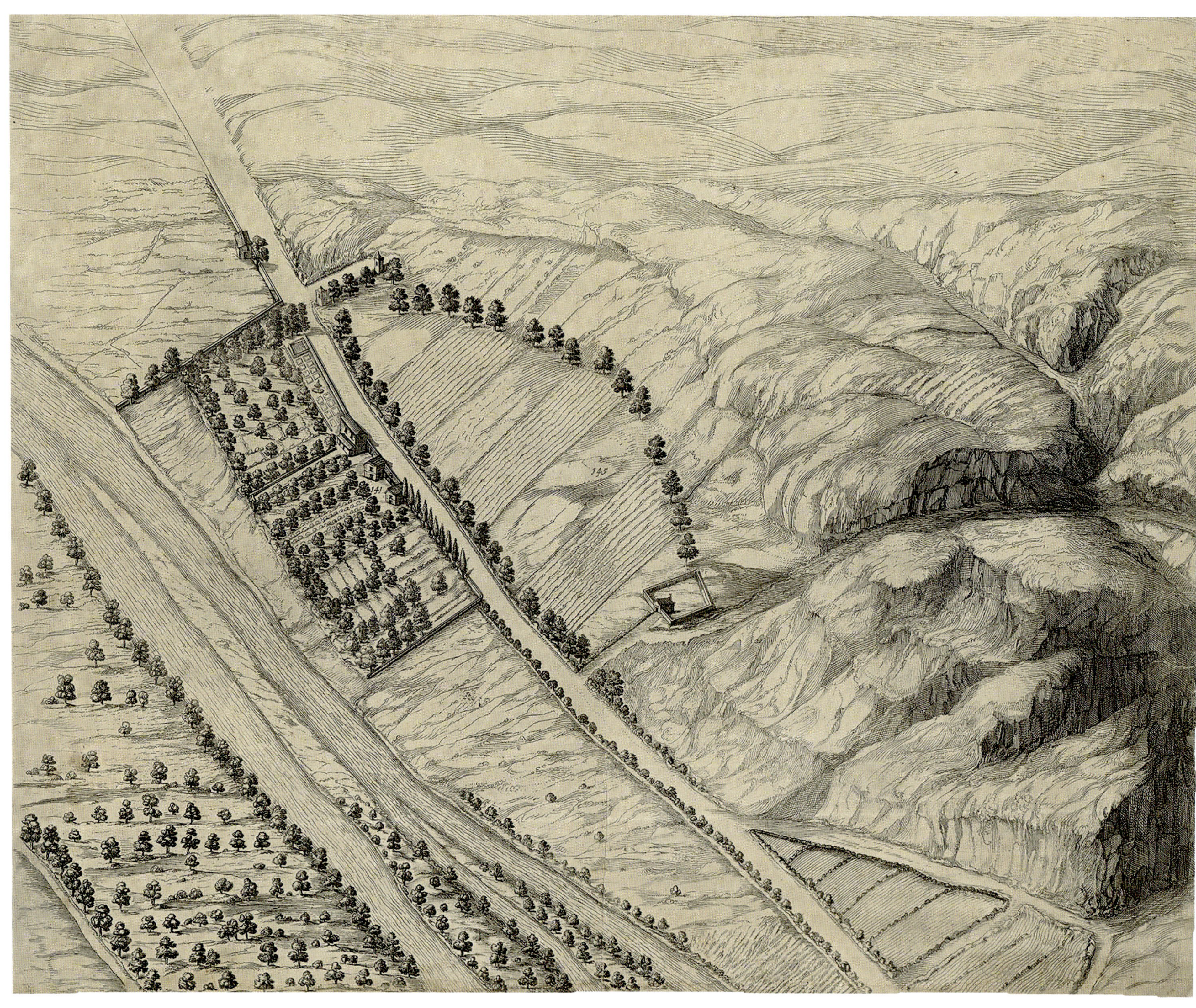

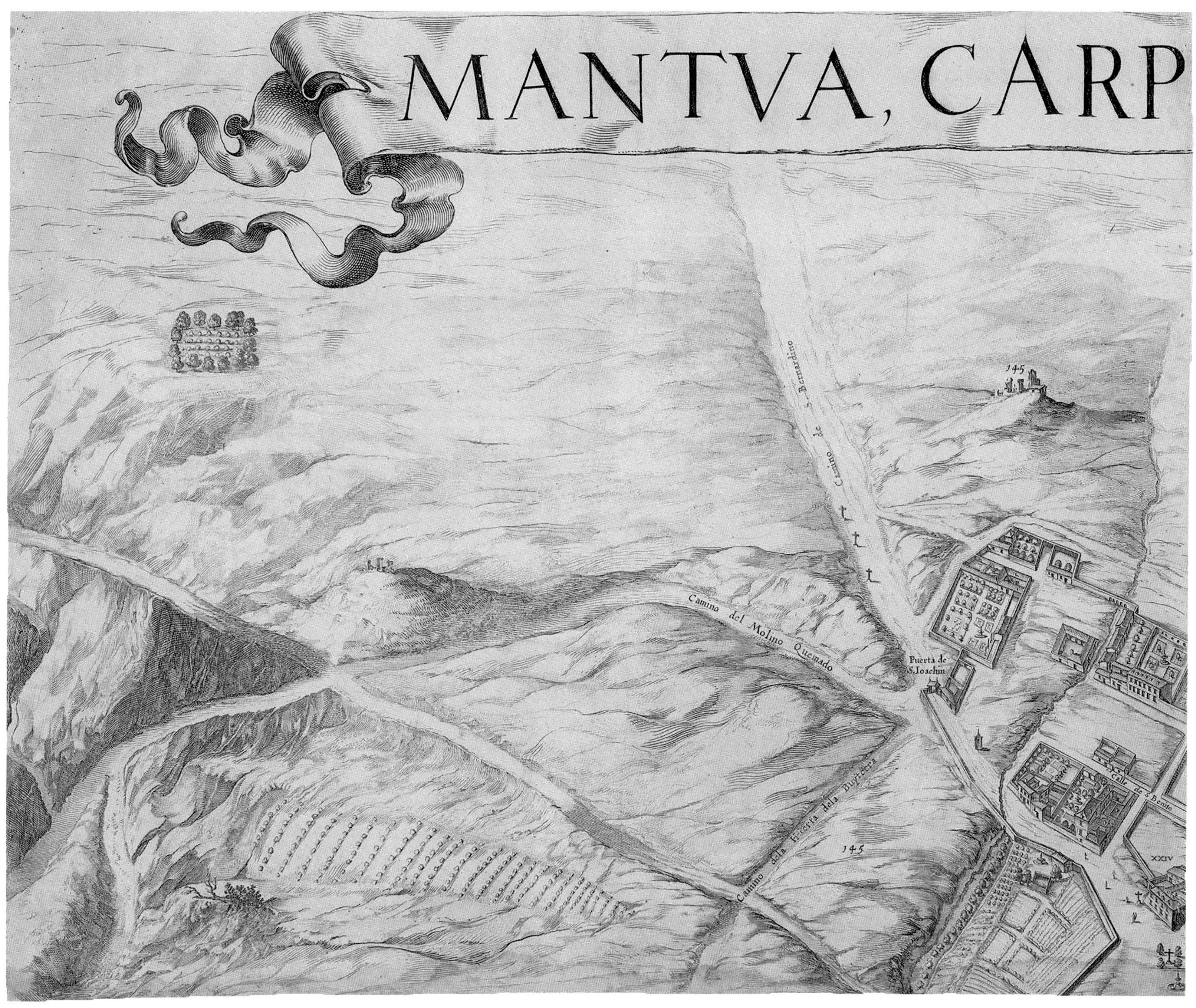
MANTVA, CARP
Camino de S. Bernardino
145
Camino del Molino Quemado
Puerta de S. Ioachin
Camino dela Fuente dela Buytrera
145
Calle de S. Benito
XXIV

ET ANORVM, SIVE MATR
CAMINO DE ALCOVENDAS
145
Puerta del Conde
PVERTA DE FONCARAL
C. de S. Hermenegildo
Calle de S. Antonio
Placuela de D.Bernardino
Calle de S. Domingo
XXIX
Arcade Aona
38
Calle de la Palma
Calle de S. Vicente
Puerta de las Marauillas
Puerta de los Pozos de la Nieue
Calle de S. Miguel
LIII
Calle de la Cruz
Calle de la Palma
Calle de los Siete Jardines
105

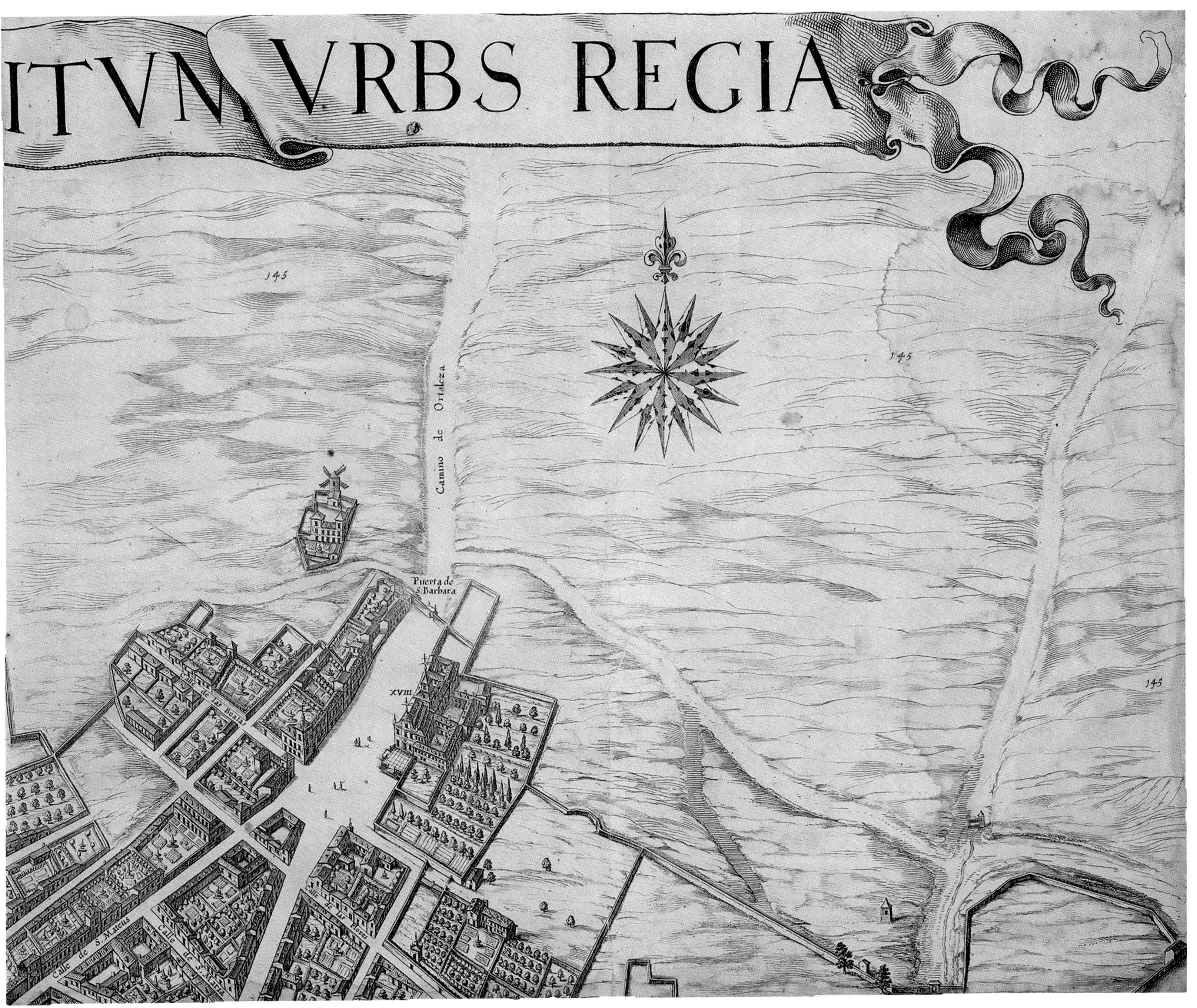
ITVM VRBS REGIA
Camino de Ortdeza
Puerta de S. Barbara
XVIII
Calle de las Reales
Calle de S. Mateis
145
145
145

PHILIPPO · IV·
REGI · CATHOLICO
FORTI · ET · PIO
VRBEM · HANC · SVAM
ET · IN · EA
ORBIS
SIBI · SVBIECTI
COMPEMDIVM
EXHIBET ·   MDCIII

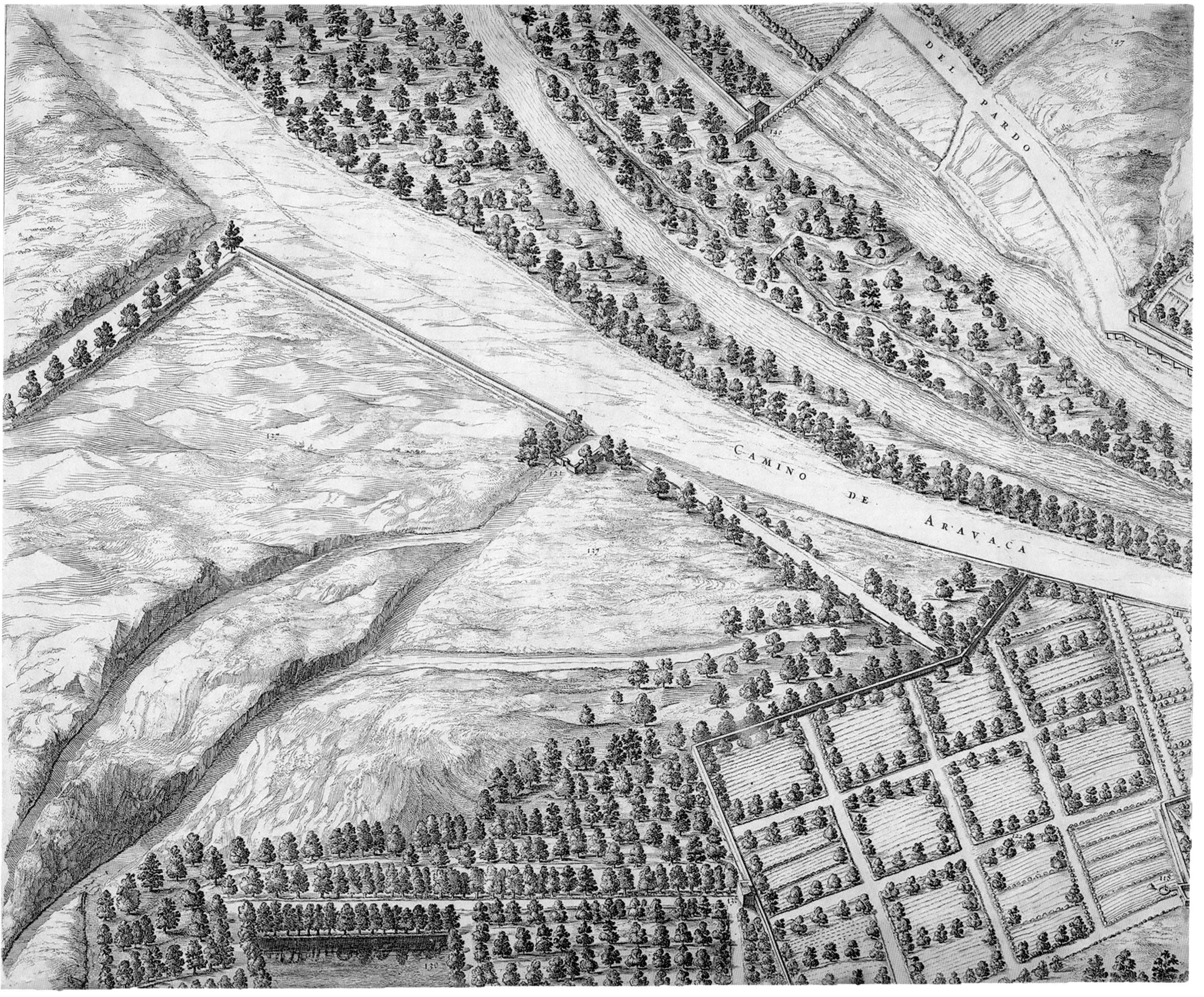
DEL PARDO
CAMINO DE ARAVACA

HVERTA
DE
LAS MINI
LLAS
Calle delas Minillas
145
CAMINO DEL RIO
VIS TAS
DEDA MARIA
DE ARAGON
PVENTE DEL PARQVE

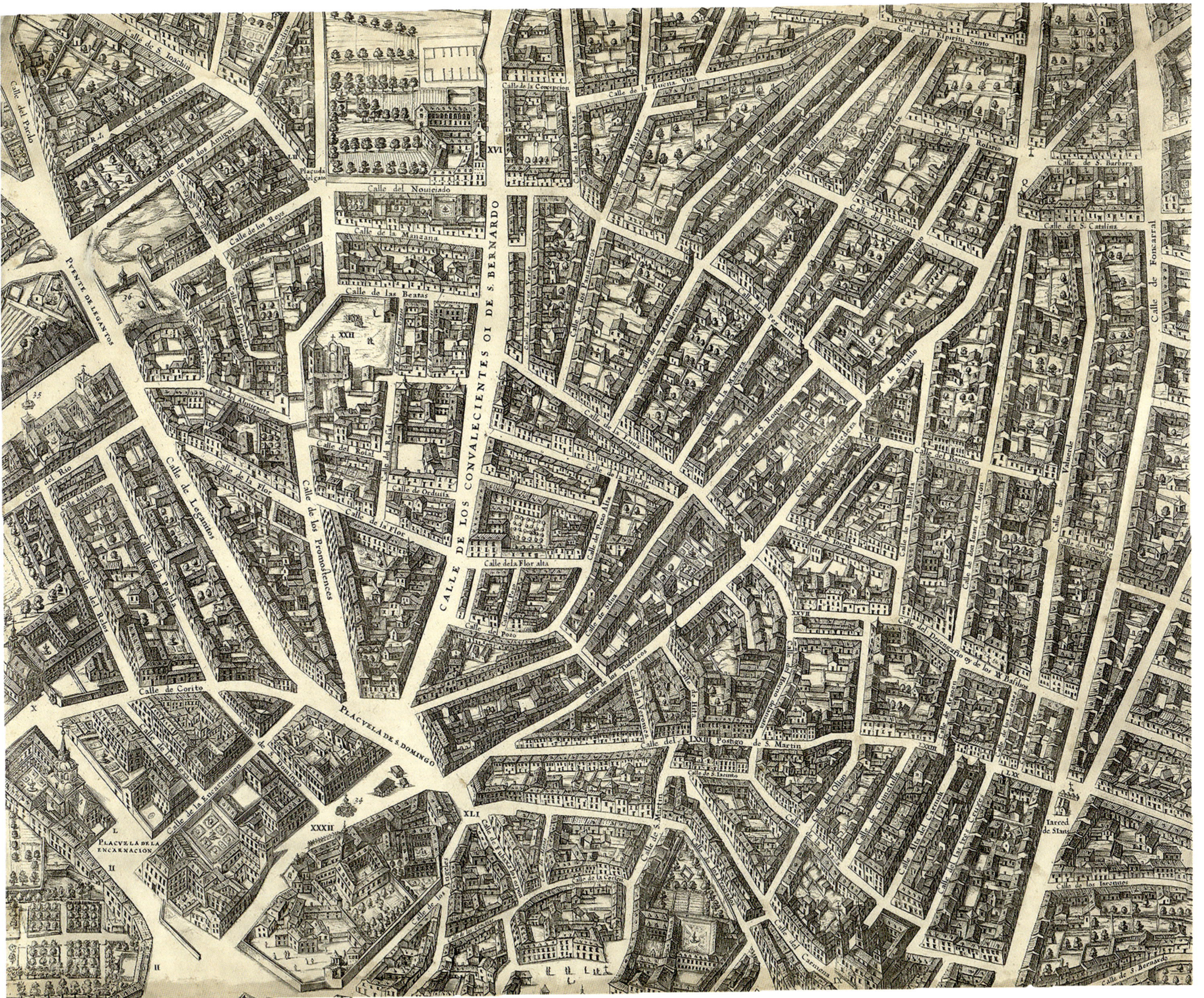

Calle de S. Ioachin
Calle del Pozo
Calle de los Reyes
Calle de los Amigos
Calle de las Reyes
Placuela del gato
Calle del Nouiciado
Calle de la Manzana
Calle de las Beatas
XXII
Calle del Rosal
Calle de Orduña
Calle de los Promostenes
Calle de la Flor
Calle del Pozo
Calle de la Flor alta
Calle de Corito
PLACVELA DE S. DOMINGO
XXXII
XLI
PLACVELA DE LA ENCARNACION
II
PUENTE DE LEGANITOS
Calle del Rio
Calle de Leganitos
Calle de la Concepcion
Calle de las Pocas
Calle de la Buena Vista
Calle de las Minas
Calle de la Cruz Verde
Calle de los Panaderos
Calle de la Madalena
Calle de la Luna
Calle de la Estrella
Calle del Pozo Alta
Calle de silua
Calle de los Tudescos
Calle de la Veronica
Calle de la Hita
CALLE DE LOS CONVALECIENTES OI DE S. BERNARDO
XVI
Calle del Espiritu Santo
Calle del Rosario
Calle de S. Ignacio
Calle de S. Barbara
Calle de S. Catalina
Calle de Foncarral
Calle de la Madera Alta
Calle del Electrial
Calle del Molino de Viento
Calle de S. Pablo
Calle de la Ballesta
Calle del Barco
Calle de don Iuan de Alarcon
Calle de Valuerde
Calle de S. Onofre
Posigo de S. Martin
Posigo de S. Iacinto
Iarred de Stans
XVI
XLI

Calle de S. Brigida
Calle de los Jardines
Calle de S. Lucas
Calle de S. Joseph
Calle de Hortaleza
Calle de Piamonte
Calle de S. Bartolome
Calle del Escurial Aha
PRADO DELOS RECOLETOS AGVSTINOS
XIII
P. VERTA DE ALCALA
Calle de S. Maria
Calle de Santo y Pablo
Calle del Arco
XII
CALLE DE ALCALA

CAMINO DE ALCALA
Camino de Ambroz.
Camino de Vicaluaro.

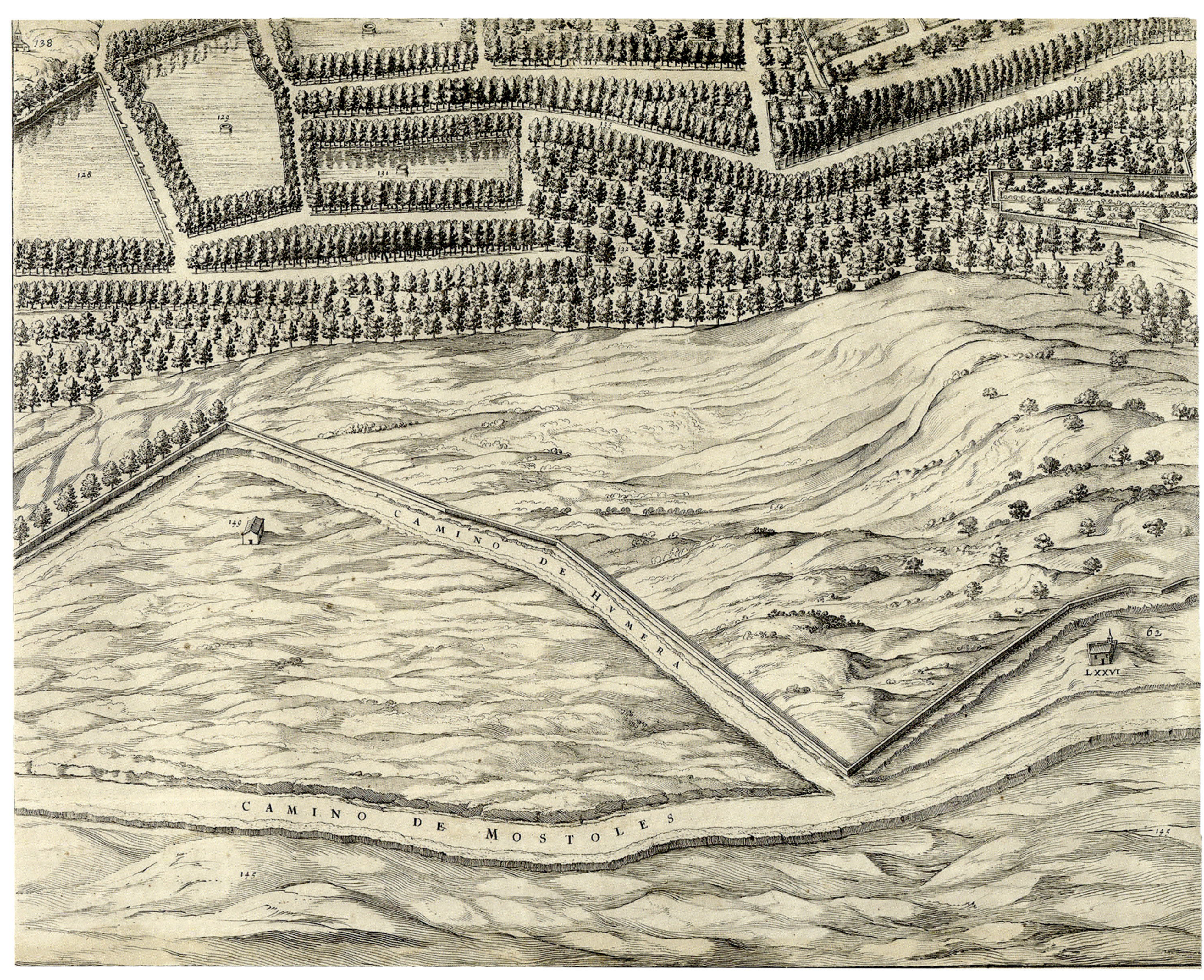
CAMINO DE HYMERA
CAMINO DE MOSTOLES
LXXVI

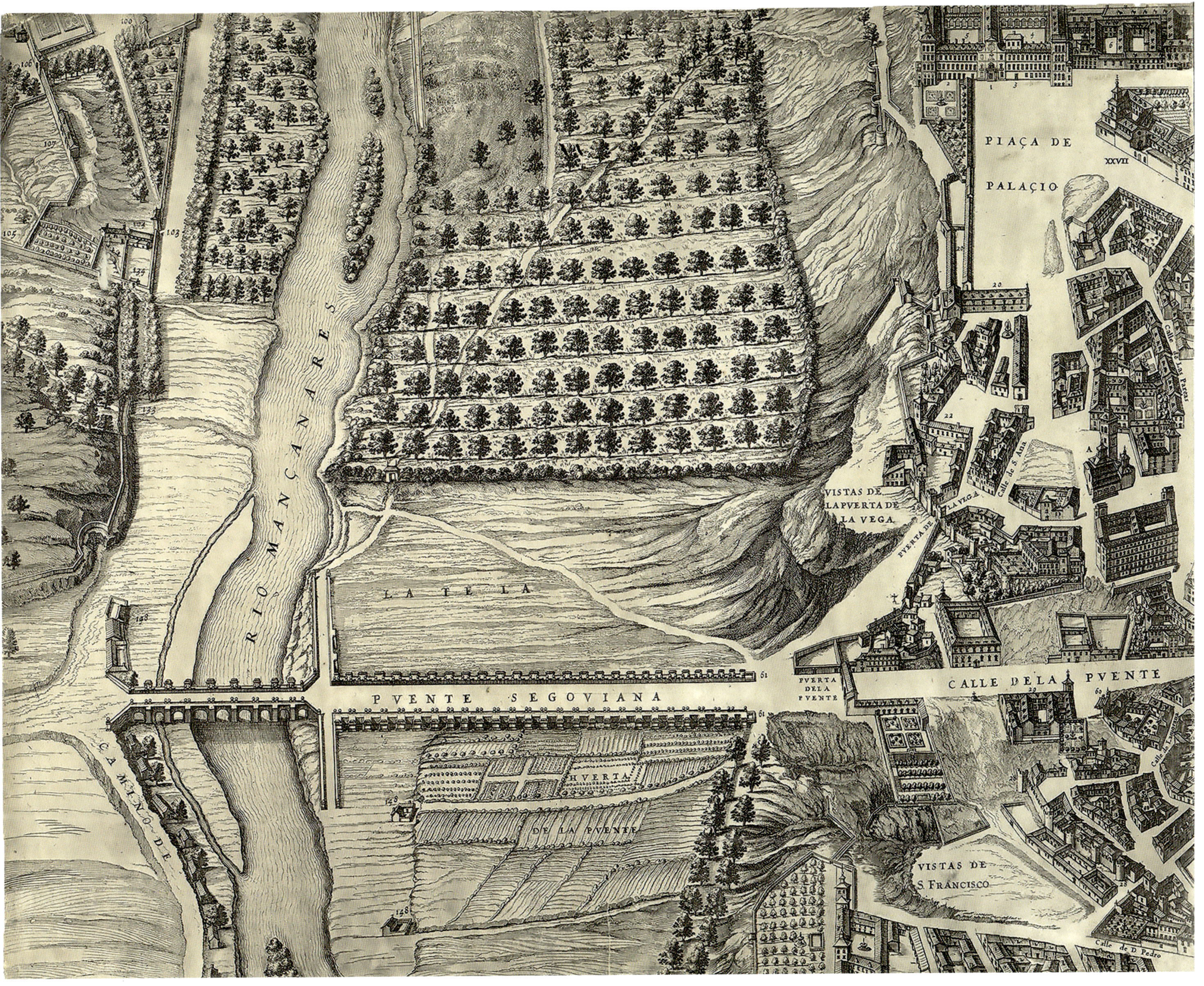
PIAÇA DE PALAÇIO
XXVII
RIO MANÇANARES
LA TELA
PVENTE SEGOVIANA
CAMINO DE
VISTAS DE LAPVERTA DE LA VEGA
PVERTA DE LA VEGA
Calle de S. Juan
Calle de la Yegua
CALLE DELA PVENTE
PVERTA DE LA PVENTE
VISTAS DE S. FRANCISCO
HVERTA
DE LA PVENTE
Calle de D. Pedro
A

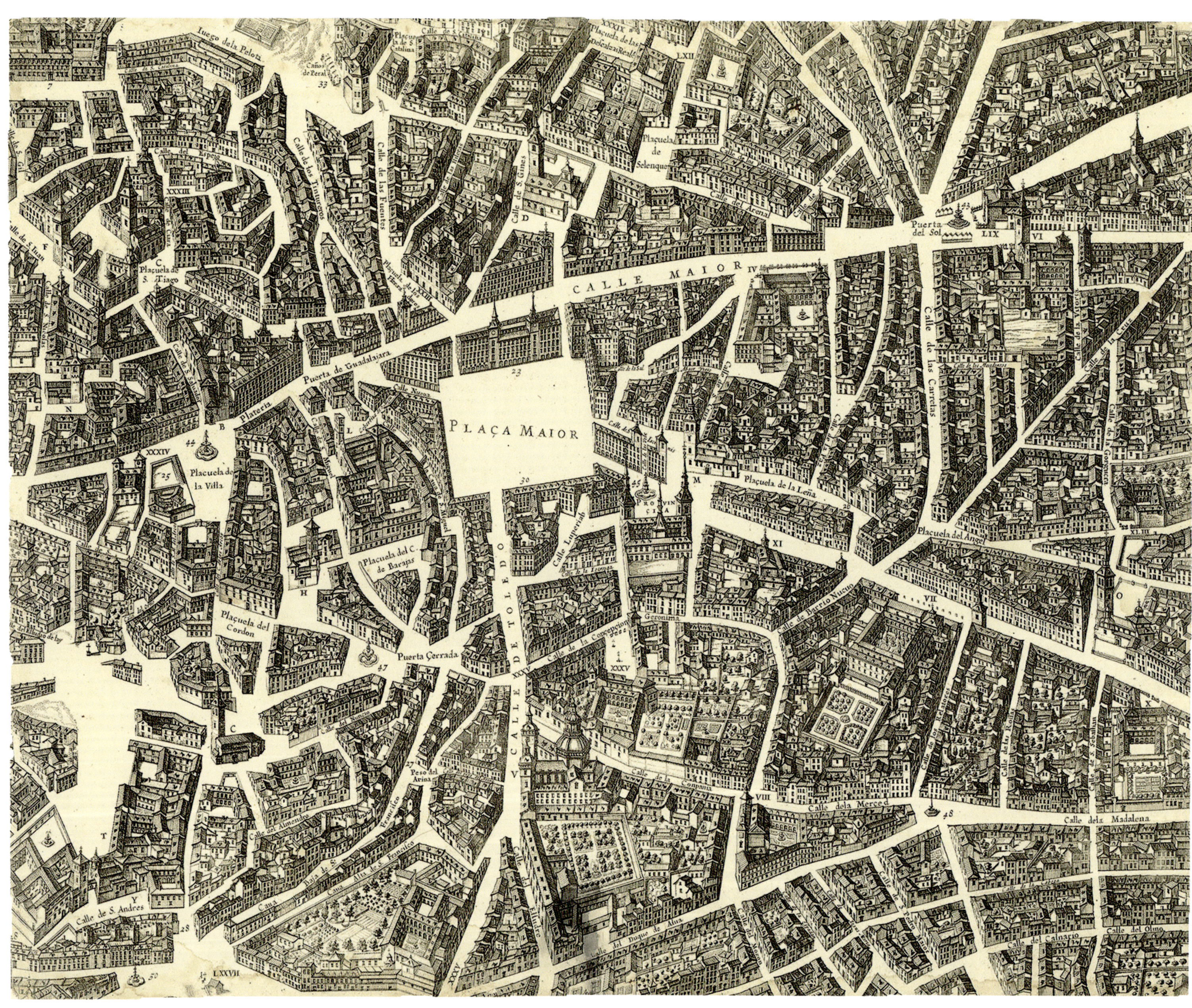

Iuego dela Pelota
Caño del Peral
Calle de las Fuentes
Placuela de S.
Catalina
Plaçuela de las
Descalzas Reales
Calle de S. Ginés
Plaçuela de
Selenque
Calle del Arenal
Puerta
del Sol
LIX
Calle de S. Iuan
XXIII
Plaçuela de
S. Tiago
Calle de las Carretas
CALLE MAIOR
Puerta de Guadalajara
PLAÇA MAIOR
Plateria
XXXIV
Placuela de
la Villa
Plaçuela de la Leña
Plaçuela del Angel
Plaçuela del C.
de Barajas
PROVINCIA
Placuela del
Cordon
Puerta Cerrada
CALLE DE TOLEDO
Calle Augusta
Geronimo
El Estudio Nuevo
Peso del
Arina
XXXV
Calle dela Merced
Calle dela Madalena
Calle de S. Andres
Calle del Olmo
LXXVII

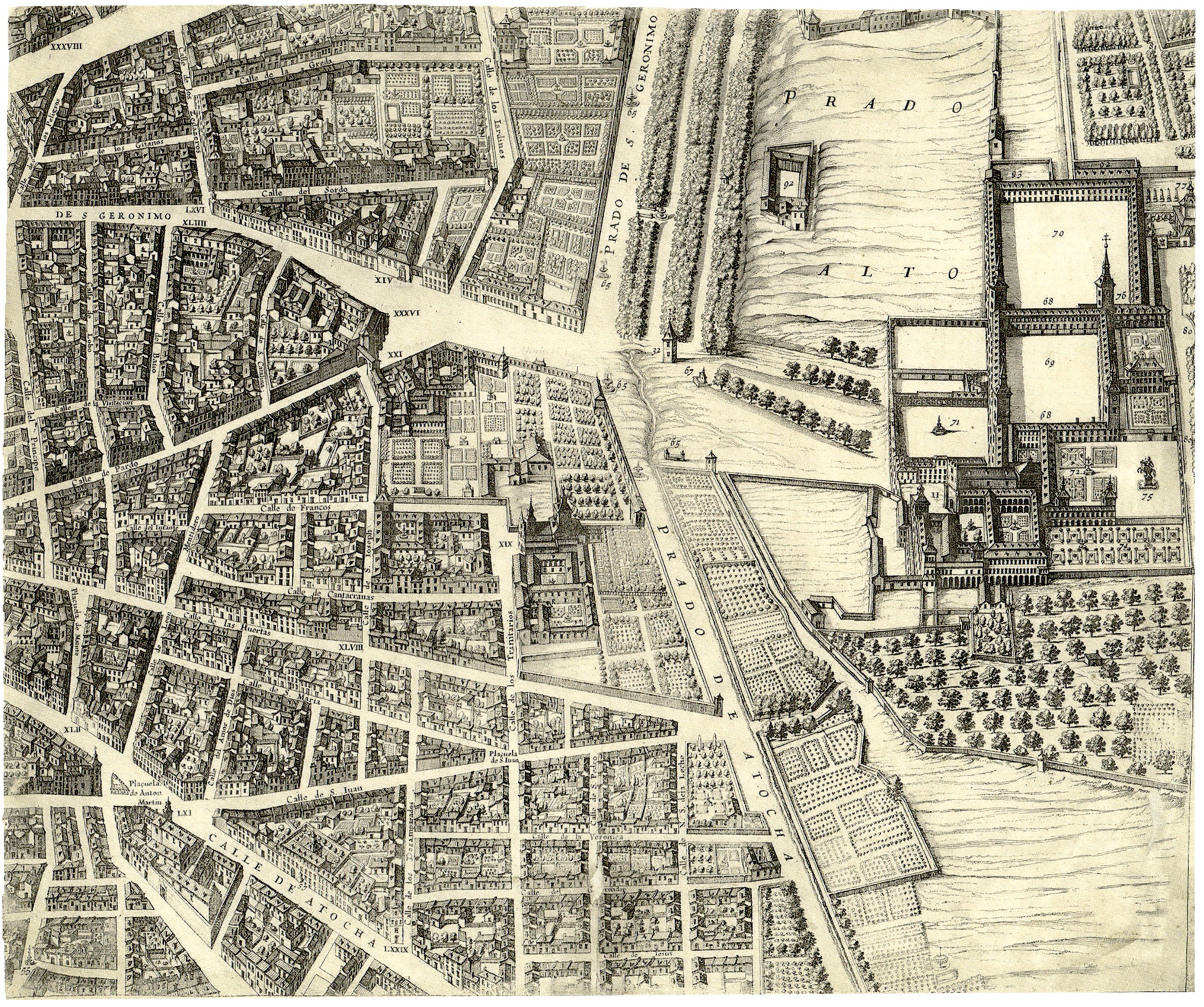
XXXVIII
DE S GERONIMO LXVI
XLIII
XLIII
Calle de Gredi
Calle de los Lirianos
XIV
XXXVI
XXI
PRADO DE S. GERONIMO
PRADO
ALTO
92
93
70
68
76
69
68
71
72
75
Calle del Sordo
Calle de Francos
XIX
Calle de las Infanteanas
XLVIII
Calle de los Trinitarios
PRADO DE ATOCHA
Plazuela
de Anton
Martin
LXI
CALLE DE ATOCHA
Calle de S. Iuan
Plazuela
de Iuan
Calle de la Veronica
XLII
LXXIX

CAN'PO
GRANDE

PARROQVIAS QVE TIENE ESTA VILLA DE MADRID POR SVS ANTYGVEDADES.

A- S.ta MARIA. Yglesia Consagrada y la Maior desta Villa.
B- S. Saluador.
C- S. Pedro. Yglesia Consagrada.
D- S. Gines.
E- S. Martin
F- S. Iuan Yglesia Consagrada.
G- S. Thiago.
H- S. Iuste.
Y- S. Andres
I- S. Miguel.
M- S. Cruz.
N- S. Nicolas.
O- S. Sebastian.
P- S. Luis.

Anejos de las Parroquias.

Q- S. Ylfonso anejo de S. Martin.
R- S. Marcos anejo de S. Martin.
S- S. Millan anejo de S. Iuste.
T- Capilla de S. Iuande Latran.

CONVENTOS DE RELIGIOSOS.
Sus fundadores y Antiguedad.

I. Convento de S. Francisco fundacion del Serafico Padre.
II. Conuento Real de S. Geronimo fundacion del Rey Don Enrrique quarto Año 1464.
III. Convento de N.S. de Atocha del Orden de S. Domingo fundacion del maestro fray Iuan hurtado Año 1523.
IV. Convento de S. Felipe del Orden de S. Agustin fundacion de fray Alonso de Madrid Prouincial de su Orden Año 1546.
V. Colegio Imperial de S. Pedro Y S. Pablo, de la Compania de Iesus, fundado por los Padres Pedro fabro, y antonio de Arangue Año 1560.
VI. Convento de S. Francisco de Paula delos minimos fue fundado por sus Religiosos, à fauor del S.r D. Don Carlos Año 1561.
VII. Convento de la Santissima Trinidad fundacion de sus Religiosos Año 1562.
VIII. Convento de N.S.ta de la merced fundacion de sus Religiosos Año 1564.
IX. Convento de los Carmelitas Calçados, fundacion de sus Religiosos Año 1573.
X. Convento Y Colegio de S. Agustin fue su fundadora Doña Maria de Aragon Año 1573.
XI. Convento y Colegio de S. Tomas del Orden de S. Domingo fundacion de su Religion 1584.
XII. Convento de S. Hermenegildo de Carmelitas Descalços le fundaron sus Religiosos Año 1586.
XIII. Convento de Agustinos des.calços fundole la Princeza Disculi Año 1592.
XIV. Convento del Espirito Santo del Orden de los Clerigos Menores fue el primero que se fundo en España Año 1594.
XV. Convento de S.ta Ana de Religiosas del Orden de S. Bernardo fue fundador Alonso de Peralta Año 1596.
XVI. Convento Nouiciado de la Compania de Iesus su fundadora Doña Ana felix de Guzman Marquesa de Camarasa, Año 1605.
XVII. Convento de S. Gil del Orden de S. Francisco des.calço fue antiguamente Parroquia dela a los Religiosos del Catolico Rey don Felipe Tercero Año 1606.
XVIII. Convento de S.ta Barbora de mercenarios des.calços su Fundacion Año 1606.
XIX. Convento de Trinitarios des calços fundole Don Francisco Gomez de Sandoual, Cardenal de la S. Yglezia Roma Año 1606.
XX. Convento de S. Basilio Fundacion de sus Religiosos Año 1608.

XXI. Convento de S. Antonio de Capuchinos, su Fundador el Cardenal Duque de Lerma Año 1609.
XXII. Convento de S. Norberto de los Religiosos Premostatençes su Fundacion Año 1611.
XXIII. Cassa profeça de la Compania de Iesus Fundacion de Don Fr.co Gomez de Sandoual Cardenal Y Duque de Lerma Año 1617.
XXIV. Convento de S. Ioachin del Orden de los Promostatençes Fundose Don Iuan de Schiaues. Año 1636.
XXV. Convento del Rosario de Religiosas del Orden de S.to Domingo Fundacion de sus Religiosas Año 1626.
XXVI. Convento del Christo de las Injurias de Capuchinos Fundacion de sus Religiosos. Año 1637.
XXVII. Convento de S. Felipe Neire de Clerigos Menores Fundacion de su Religion Año 1643.
XXVIII. Convento de los Agonizantes su Fundador el Padre Miguel Iuan Monserrate Año 1643.
XXIX. Convento de N.S.ra de Monserrate de Religiosas del Orden de S. Benito Fundacion del Catolico Y poderoso Rey Don Felipe quarto Nuestro Señor. Año 1641.
XXX. Convento de la Pasion de la Orden de S.to Domingo Y hospedaria de sus Religiosos. Año 1638.
XXXI. Convento de N.S.ra del Fauor de los Padres Clerigos Regulares Y su Fundacion Año 1647.

CONVENTOS DE RELIGIOSAS.

XXXII. Convento de S.to Domingo de Dominicas Fundado por el mismo Padre Año 1219.
XXXIII. Convento de S. Clara de Religiosas de S. Francisco Fundola Doña Catalina Nunez Mujer de Al. Aluarez de Toledo Tesorero del Rey Don Enris que quarto, Año 1460.
XXXIV. Convento de la Salutacion que se Entitula N.S.ra de Costantinopla de Religiosas de S. Francisco Fundole Pedro Zapata Comendador de Medina de las torres Y Camarero del Rey Don Iuan el Primero. Año 1469.
XXXV. Convento de Religiosas del Orden de S. Geronimo de la Concepcion Fundole Françisco Ramirez Sa.r de los Reyes Don Enrique y de los Catolicos. Año 1501.
XXXVI. Convento de S.ta Catalina de Sena del Orden de S.to Domingo Fundole Doña Catalina Telles Camarera de la Reyna Catolica. Año 1510.
XXXVII. Convento de N.S.ra de la Concepcion de Religiosas de S. Francisco Fundole Beatriz Galinda Camarera de la Reyn Catolica Año 1512.
XXXVIII. Convento de N.S.ra de la Piedad de Religiosas del Orden de S. Bernardo Fundole Aluaro garcidiez de Riba y Neira Maestre Sala del Rey Don Enrique quarto en Valleças y 6 traslado a Madrid. Año 1553.
XXXIX. Convento Real de N.S.ra de la consolacion de Religiosas descalças de S. Francisco Fundole la S.ma Princesa Doña Iuana de Austria. Año 1559.

XL. Convento de la Madelena de Religiosas de S. Agustin Fundole Baltasar Gomez. Año 1560.
XLI. Convento de S.ta M.ra de los Angeles del Orden de S. Francisco Fundole Doña Leonora Mascareñas hija que Fue del Rey Don Felipe Segundo. Año 1564.
XLII. N.S.ra de Loreto Anparo de las ninas huerfanas fue Fundado Año 1581. Con limosnaque dio el Catolico Rey Don Felipe Seg.do
XLIII. Convento de las Carmelitas des calças Fundacion de sus Religiosas Año 1586.
XLIIII. Convento de Religiosas de S. Bernardo de su Mismo abito Fundose en Pinto Y Traladose a Madrid. Año 1589.
XLV. Convento de S.ta Ysabel Fundacion del Catolico Rey Don Felipe Seg.do Año 1592.
XLVI. Convento de Iesus Maria del orden de S. Fr.co Fundole Iacobo de Trenze. Año 1603.
XLVII. Convento del Sacramento de Religiosas de S. Geronimo Fundole Dona Beatriz Ramirez Condesa del Castellar. Año 1607.
XLVIII. Convento de Trenitarias des calças Fundole Dona Francisca Romero hija del Cap.n Iuan Romero. Año 1609.
XLIX. Convento de N.S.ra de la Merced de Mercenarias Descalças, a Iudo con limosna para su Fundacion Don Iuan de Alarcon, Año 1609.
L. Convento de la Encarnacion Real de Religiosas Agustinas, des calças Fundacion de la Catolica Reyna Dona Margarita de Austria Año 1611.
LI. Convento del Sacramento de Religiosas de S. Bernardo des calças Fundolo Don Christoual de Rojas Y Sandoual Duque de Vzeda Sumiller de Corpus del Catolico Rey Don Felipe Tercero. Año 1616.
LII. Convento de Capuchinas Fundacion de su Religion Año 1618.
LIII. Convento de N.S.ra de las Marauillas de Religiosas del Orden del Carmen Fundacion de los Religiosos de Su Orden, Año 1619.
LIIII. Convento de S. Placide del Orden de S. Benito des calças Fundole Don Ieronimo de Villanueua Protonotario de Aragon Año 1624.
LV. Recogimiento de las Arrepentidas Fundose Año 1618.
LVI. Convento de Religiosas de S. Bernardo del Orden y abito de la Cateruana Fundacion de su Religion Año.
LVII. Recogimiento de ninas huerfanas Fundacion del Marques de Leganes Año.

HOSPITALES QUE TIENE MADRID.

LVIII. Hospital de S. Catalina de los Donados Fundole Pedro Fernandes de Soria, Tesorero del Rey Don Iuan el Seg.do Año 1467.
LIX. Hospital de la Corte de la Caridad. de N.S.ra del Buen suceso Ay noticia que le Fundaron los Catolicos Reyes. Don Fernando y Dona Isabel.
LX. Hospital de la latina Fundole Dona Beatriz Galinda Año 1506.
LXI. Hospital de N.S.ra del Amor de Dios Fundole el Hermano Antonio Martin Conpanero del Santo Iuan de Dios Año 1552.
LXII. Hospital de la Misericordia Fundole la S.ma Princesa Dona Iuana de Austria Año 1559.
LXIII. Hospital de los Ninos Exspositos. dedicado a N.S.ra de la Caridad y de S. Iosephe Año 1574. que llaman lay.neluza
LXIIII. Hospital de la Concepcion de nuestra S.ra que oy es Intitula N.S.ra de la Buenadicha de la Parroquia de S. Martin Fundose Año 1594.
LXV. Hospital de la Anunçiacion de N.S.ra que es el General desta Villa Fundose Año 1596.
LXVI. Hospital de los Ytalianos Fundose Año 1598. Aluergue de los ninos perdidos Fundose Año 1600.
LXVII. Hospital de S. Antonio de los Portugueses Ydificado por el Consejo de Estado de Portugal. Año 1606.
LXVIII. Hospital de la Pasion dedicado a la Concefion de N.S.ra Año 1619.
LXIX. Hospital de N.S.ra de Monserrate de la Corona de Aragon Año 1617.
LXX. Hospital de los Françeses de S. Luis Fundole Don Enrrique laru euj Año 1615.
LXXI. Hospital de los Flamencos dedicado A.S. Andres Fundacion de su nacion Año 1620.
LXXII. Hospital de los Peregrinos no, ay memoria de su Fundacion.
LXXIX. Aluergue de S. Ylifonso de los ninos de la dotrina no ay memoria de su fundacion q lloraandes anparados.
LXXIII. Hospital de los Escocezes Fundole
LXXIIII. Yglezia de N.S.ra de la Concepcion de la hermandad del Refuxio de los pobres.

HERMITAS Y HUMILLADEROS.

LXXV. Hermita de S. Blas.
LXXVI. Hermita del Angel de la Guardia.
LXXVII. Humilladero de N.S.ra degraçia.
LXXVIII. Humilladero de Atocha.

1. Palacio.
2. Quarto del Rey.
3. Quarto de la Reyna.
4. Pathio principal.
5. Pathio Segundo.
6. Pathio de las Cozinas.
7. Casa del Tesoro.
8. Iardin del Rey.
9. Iardin de la Reyna.
10. Iardin de la Priora.
11. Pasadizo de la Encarnacion.
12. Plaça de la Priora.
13. Picador.
14. Puerta de la Priora.
15. Puerta Verde.
16. Parque.
17. Puerta del Parque.
18. Puerta del Rio.
19. Puerta del a tela.
20. Cauallarizas.
21. Cocheras.
22. Casa de los Pajes.

Nombres particulares de la Villa y los de Sus Fuentes.

23. La Panadaria.
24. Carçel de la Corte.
25. Carçel de la Villa.
26. Cassa del Aduana.
27. Alondiga.
28. Muralla Antiguaq Zercaua la V.a
29. Casa de la Moneda.
30. El Rastro Y Carniçeria Maior.
31. Matadero.
32. Torrezilla del prado.

33. Fuentes de los Canos del perat.
34. Fuente de S.to domingo.
35. Fuente de Palo.
36. Fuente de Leganitos.
37. Fuente de S. Ioachin.
38. Fuente de Mata Lobos.
39. Fuente del Cura de Cosmenar.
40. Fuente de Valuerde.
41. Fuente delas Recoxidas.
42. Fuente de S. Andres.
43. Fuente del Buen Suçeso.
44. Fuente de S. Saluador.
45. Fuente de S.ta Cruz.
46. Fuente de la plaça de la Ceuada.
47. Fuente de la puerta Zerrada.
48. Fuente de los Relatores.
49. Fuente de la Calle de Toledo.
50. Fuente de S. Francisco.
51. Fuente de la Calle del Rosario.
52. Fuente de la Calle de los Enbaxadores.
53. Fuente de la Calle de los Cabes treros.
54. Fuente de laua pies.
55. Fuente del Aue Maria.
56. Fuente de S.ta Ysabel.
57. Fuente de la Calle de Atocha.
58. Fuente del Hospital General.
59. Fuente de las Carmelitas.
60. Fuente de la Calle de la Puente.
61. Fuentes de la Puente Segouiana.
62. Fuente del Angel de la guardia.
63. Fuente del Vmilladero de Atocha.
64. Fuente del Penasco.
65. Fuentes del prado.
66. Fuente del Rastro.
67. Fuente del Caño dorado.

Del Palacio del Retiro.

68. Palacio.
69. Plaça principal de Palaçio.
70. Plaça Maior.
71. Plaça de los Ofiçios.
72. Iardin de la Reyna.
73. Iardin del Rey.
74. Iardin del Princepe.
75. Cauallo de Bronzo.
76. Coliseo de las Comedias.
77. Hermita de S. Ysidro.
78. Estanque de S. Ysidro.
79. El Ochauado.
80. Calles Cubiertas.
81. Rio chico.
82. Hermita de S. Pablo.
83. Hermita de S. Iuan.
84. Hermita de S. Bruno.
85. Estanque Ochauado.
86. Iaula de las aues.
87. Corral de las Vacas.
88. Ataraçana.
89. Hermita de la Madalena.
90. Huerta del Rey.
91. Puerta de Alcala.
92. Iuego de la Pelota.
93. Cauallaricas.
94. Cocheras.
95. Sala de las Burlas.
96. Estanque grande.
97. Norias.
98. Rio grande.
99. Hermita de los Portugueses.
100. Zeuadero de las Aues.
101. Canpo de las Liebres.
102. Carca del Buen Retiro.

Casa del Campo.

103. Puerta Principal.
104. Casa del Portero.
105. la Partida del Cura.
106. Puerta de los Carros.
107. Plomteles de los Iardineros.
108. Puerta nueba de Saleoneros.
109. Puerta de la Tola Iunto a las Cozinas.
110. Puerta de la tela azia el Rio.
111. las Cozinas.
112. El Menbrillar.
113. la Fuente del Aguila.
114. El Ochauado.
115. Cauallo de Bronz.
116. Puerta del Esparragal.
117. El dios de las Aguas.
118. Fuente del Cardenal.
119. El Parral.
120. El Esparragal.
121. Puerta de Val Sequillo.
122. la Leonera.
123. Puerta de la le Onera que sale a los estonrs.
124. la Tela.
125. la puerta de la tela que Sale a los Iardines.
126. la Sala de lo Mozaico.
127. Sala de las Burlas.
128. Estanque Grande.
129. Estanque del Medio.
130. Estanque del Norte.
131. Estanque lon guillo.
132. Estanque de la Yguera.
133. A Roto Meaque.
134. la puerta del Corral del portero.
135. Calle nueba que ba A tos Estanque.
136. El Vadillo.
137. Val Sequillo.
138. Casa de las Guardias.

140. Molino que mado.
141. Huerta del Marqs de Palacios.
142. Huerta de la Florida.
143. Huerta de la Buytrera.
144. Puerta de la huerta.
145. Senbrados.
146. Huertas de Leganitos.
147. Arroio de Leganitos.
148. Lauaderos del Rio.
149. Casa de la Nieue.
150. Possos de la Nieue.

145
LA VEGA
145
Pitipié de Quinientas Varas Castellanas
Pitipié de Mil Pies de Atercia de vara
Calle de S. Buenaventura
Calle de S. Franco
Calle del Rosario
Calle del Aguila

PLAÇA DE LA CEVADA
PVERTA DE TOLEDO
CALLE DE TOLEDO
TOPOGRAPHIA DE LA VILLA DE MADRID.
DESCRITA POR DON PEDRO TEXEIRA
AÑO. 1656.
En la qual se demuestran todas sus Calles el largo y ancho de cada vna dellas
las Rinconadas y lo que tuercen las Placas Fuentes Iardines y Huertas con la
disposicion que tienen las Parroquias Monasterios y Hospitales estan señala
dos sus nonbres con letras y numeros que se allaran en la Tabla y los Ydificios
Torres y delanteras de las Cassas de la parte que mira al medio dia estan saca
das al natural que se podran contar las puertas y ventanas de cada vna dellas

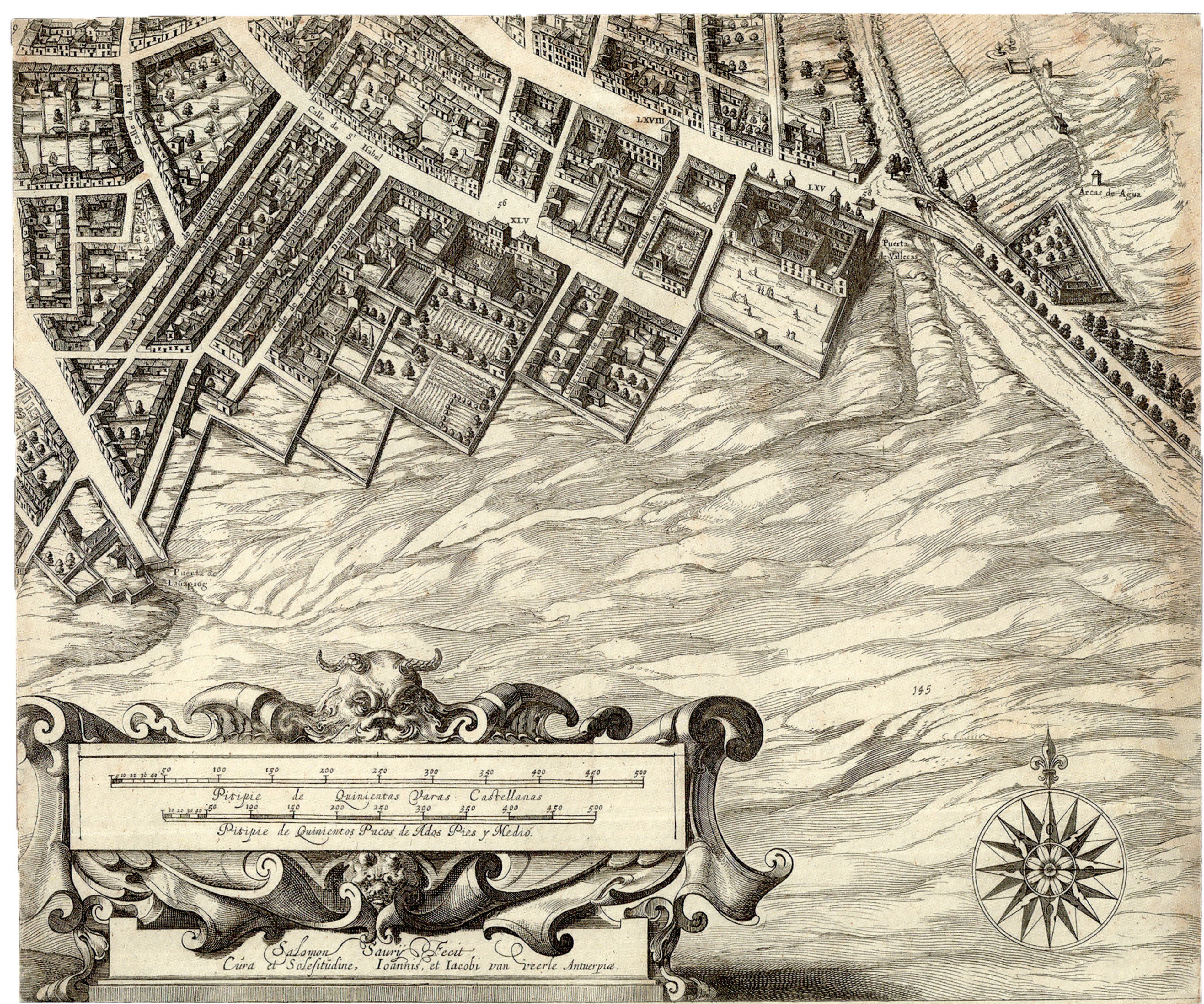

Calle de St Ysabel
LXVIII
LXV
XLV
56
58
Arcas de Agua
Puerta de Vallecas
Puerta de Lauapies
145
Pitipie de Quinientas Varas Castellanas
Pitipie de Quinientos Pacos de Ados Pies y Medio.
Salamon Saury Fecit
Cura et Solestudine, Ioannis, et Iacobi van Veerle Antuerpiæ.

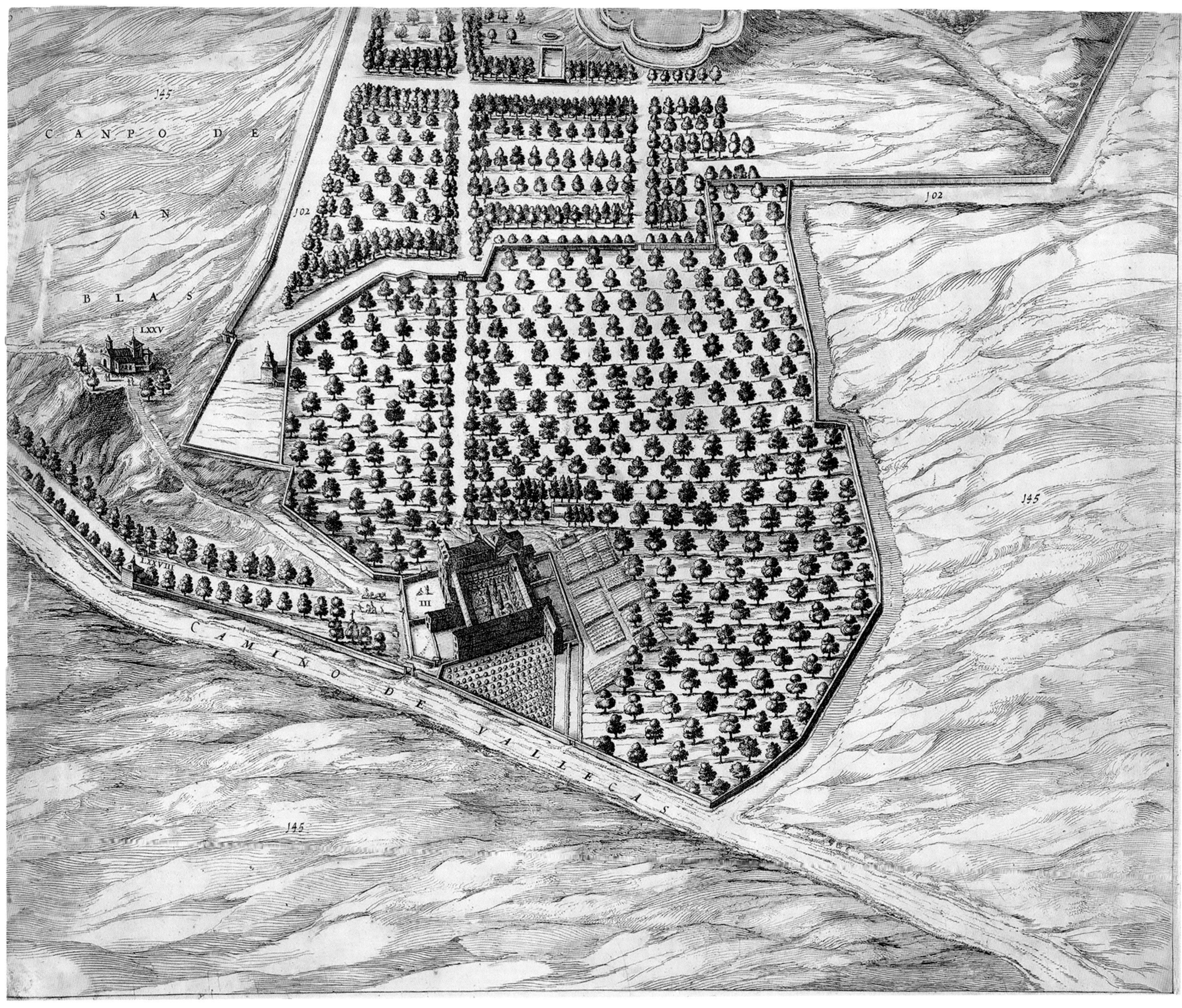
145
CANPO DE
SAN
BLAS
102
102
LXXV
LXVII
III
CAMIÑO DE VALLECAS
145
145

1683
Gregorio Fosman y Santiago Ambrona
Topografía de la Villa de Madrid

Mantua Carpetanorum, sive Matritum / Gregorio Fosman (grab.).

Escala [ca. 1:4.220], Pitipié de quinientas Varas Castellanas [= 9'8 cm], Pitipié de Mil Pies de a tercia de vara [= 6'3 cm], Pitipié de Quinientas Varas Castellanas [= 10 cm] y Pitipié de Quinientos Pasos de dos Pies y medio [= 8'3 cm].
En Madrid: A costa de Santiago Ambrona, véndese y Estámpase en su Casa enfrente del Colegio de S[an]to Tomás, en la Calle de Atocha, año 1683.
1 plano: Iº., aguafuerte, 1 h., 68'5 x 108 cm en 4 hh. de 40 x 56 cm.

Esta primera reducción del plano de Texeira fue acometida por el grabador Gregorio Fosman y Medina en 1683, estampado en Madrid en la librería del editor Santiago Ambrona. Pese a tratarse de una producción que no es estrictamente original, su inclusión en esta obra obedece a que constituye un ejemplar a reseñar: de un lado, por actualizar algunas rectificaciones de la traza del plano del cartógrafo portugués, tanto el dibujo como las tablas-, tres décadas después de la estampación de la *Topographía de la Villa de Madrid*; de otro, su rareza, pues solo se conocen tres ejemplares, dos de ellos en colecciones públicas y un tercero en manos privadas. La reducción del ejemplar de Pedro Texeira en cuatro hojas arroja una escala sensiblemente menor que la de su matriz, esto es, 1:4.220 frente a la de 1:1.630 de su modelo.

BIBLIOGRAFÍA:

(CABALLERO, 1840: CIFRA 2, 83), (EXPOSICIÓN SOBRE CARTOGRAFÍA DE MADRID, 1960: CIFRA 10, 17-18), (MOLINA, 1960: LÁM. XI, 283-289), (EXPOSICIÓN SOBRE CARTOGRAFÍA DE MADRID, 1982), (ATERIDO, 1997), (MARÍN, 2011 D), (EXPOSICIÓN SOBRE CARTOGRAFÍA DE MADRID, 2020) Y (MARÍN Y ORTEGA, 2020: 28-34).

EJEMPLARES:

A.V.M., P-A-31, DEPÓSITO EN M.H.M., S.S.
B.N.F., CABINET DES ESTAMPES, VB 147 FF. 18, 19, 20 Y 21.

A.V.M.

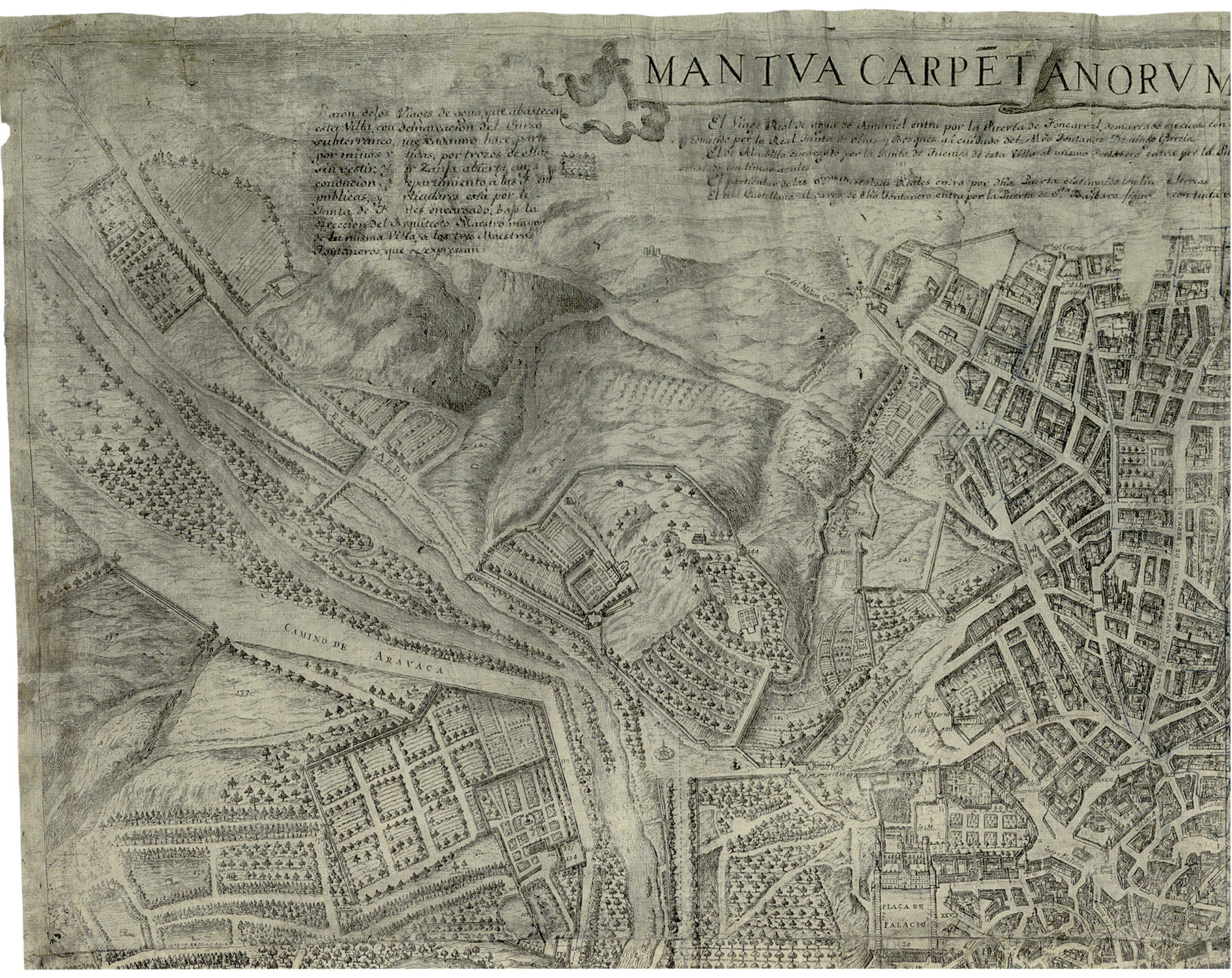
MANTVA CARPÉTANORVM
CAMINO DEL PARDO
CAMINO DE ARAVACA
PLAÇA DE PALACIO

SIVE MATRITVM VRBS REGIA
CAMINO DE ALCALA
CALLE DE ALCALA
PRADO
CAMPO

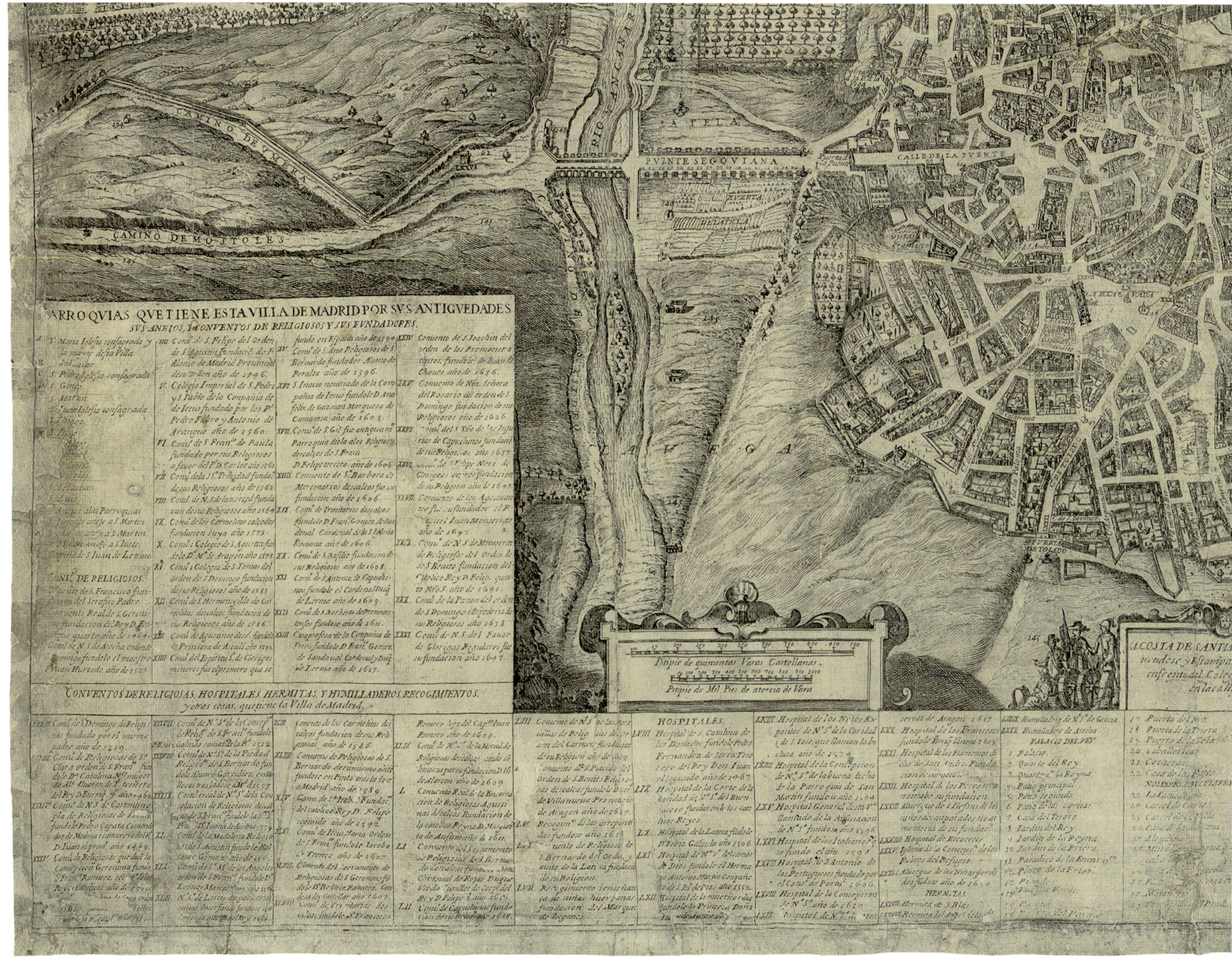

1739 ca.
Pedro de Ribera
Plano de Madrid y de sus viajes de agua

[Plano de Madrid, con representación del trazado de sus viajes de agua] / Pedro de Ribera (dib. y arq.).

Escala [ca. 1:4.220].
[Madrid]: [ca. 1739].
1 plano: ms., lápiz, tinta sepia y aguadas, sepia, roja, verde, azul y gris sobre papel, 6 hh. pegadas en h. de 116'5 x 111 cm.

Pese a tratarse de un ejemplar manuscrito copiado, en lo que corresponde a la traza general, de la reducción del plano de Texeira realizada por el grabador Gregorio Fosman y Medina en 1683, el interés de este ejemplar único proviene de su área de representación que, por primera vez, excede el ámbito tradicionalmente representado en la cartografía urbana de la ciudad en los siglos XVII, XVIII y buena parte del XIX. Se trata de un plano del casco urbano de la ciudad con la representación del itinerario de los viajes de agua y de sus áreas de captación al norte, entre las localidades de Fuencarral y Chamartín y el propio casco urbano, debido a Pedro de Ribera. En él, el arquitecto dibuja el recorrido de los viajes de agua municipales (Abroñigal Alto y Bajo, Alcubilla y Fuente Castellana, además de los menores de los Caños de Leganitos, Caños Viejos y Caños del Peral), y reales (Amaniel y Fuente del Berro), añadiendo los dedicados al riego de jardines y plantíos (Prado Nuevo, Buen Suceso, Prado Viejo y Buen Suceso).

BIBLIOGRAFÍA:

(EXPOSICIÓN SOBRE EL ANTIGUO MADRID, 1926: PLANOS, CIFRA 9, 275), (MOLINA, 1960: 289, N. A.), (VERDÚ, 1988: 45) Y (VERDÚ, 1998: 330-336).

EJEMPLARES:

A.G.P., P.M.D., N°. 356.

1761
Nicolás Chalmandrier
Plano geométrico e histórico de la Villa de Madrid

PLAN GEOMÉTRICO Y HISTÓRICO de la Villa de MADRID y sus contornos = PLAN GEOMETRIQUE ET HISTORIQUE de la Ville de Madrid et de ses Environs / N[icolás] Chalmandrier (dib. y grab.)

Escala [ca. 1:4.220], pitipié de 500 Varas Castellanas [= 11'7 cm], 500 Pas Geométriques [= 13,6 cm].
París: chez le S[eigneu]r Julián, a l´Hotêl de Soubise […], 1761.
1 plano: l°., sobre papel, 4 hh. pegadas de 59 x 80 cm en h. de 90 x 106'5 cm.

Este *Plan geométrico y histórico de la Villa de Madrid y de sus contornos* es uno de los mejores ejemplos de la cartografía de gabinete, esto es, la realizada a partir de planos ya existentes, actualizando puntualmente aquellos elementos de la traza de los que se tiene constancia mediante libros, relaciones y vistas. Sintéticamente, el área cartográfica representada proviene del plano de Mancelli, en tanto que el elenco de edificios reseñados en su tabla proviene del de Texeira de 1656, completando las existentes para 1760 de *Guías de forasteros* y los planitos de pequeño formato de Tomás López. Aunque no es original, su considerable tamaño y sus técnicas de representación le confieren un indudable atractivo, ya que actualiza mediante el diseño en perspectiva los edificios más significativos de la ciudad. Mérito del plano es la profusión de elementos reseñados en su extensa tabla, la cual recoge pormenorizadamente los distintos edificios existentes a finales del decenio de 1760.

Para su justa ponderación, reseñemos que este atractivo plano peca de idealismo, pues combina indiscriminadamente la traza general de Madrid con elementos inexistentes, tales como las áreas ajardinadas que salpican la periferia urbana y los entornos áulicos de Palacio Real nuevo y Buen Retiro.

BIBLIOGRAFÍA:

(CABALLERO, 1840: CIFRA 5, 84), (EXPOSICIÓN SOBRE EL ANTIGUO MADRID, 1926: 14-15 Y PLANOS, CIFRA 13, 275), (EXPOSICIÓN SOBRE CARTOGRAFÍA DE MADRID, 1960: CIFRA 26, 28-30), (MOLINA, 1960: LÁM. XXVI, 333-357), (EXPOSICIÓN SOBRE CARTOGRAFÍA DE MADRID, 1977), (C.O.A.M., 1979), (EXPOSICIÓN SOBRE CARTOGRAFÍA DE MADRID, 1982), (EXPOSICIÓN SOBRE CARTOGRAFÍA DE MADRID, 1992), (EXPOSICIÓN SOBRE CARTOGRAFÍA DE MADRID, 1997), (ORTEGA, 2000: 70-74), (EXPOSICIÓN SOBRE CARTOGRAFÍA DE MADRID, 2001), (MARÍN, 2007 A), (EXPOSICIÓN SOBRE CARTOGRAFÍA DE MADRID, 2020) Y (MARÍN Y ORTEGA, 2020: 41-43).

EJEMPLARES:

B.N.E., Mv-13.
B.R.M., Mp. VI/34.
C.G.E., Ar.E-T.9-C.1-44.
I.G.N., Cartoteca, 10-C-2.
M.H.M., In. 1.525.

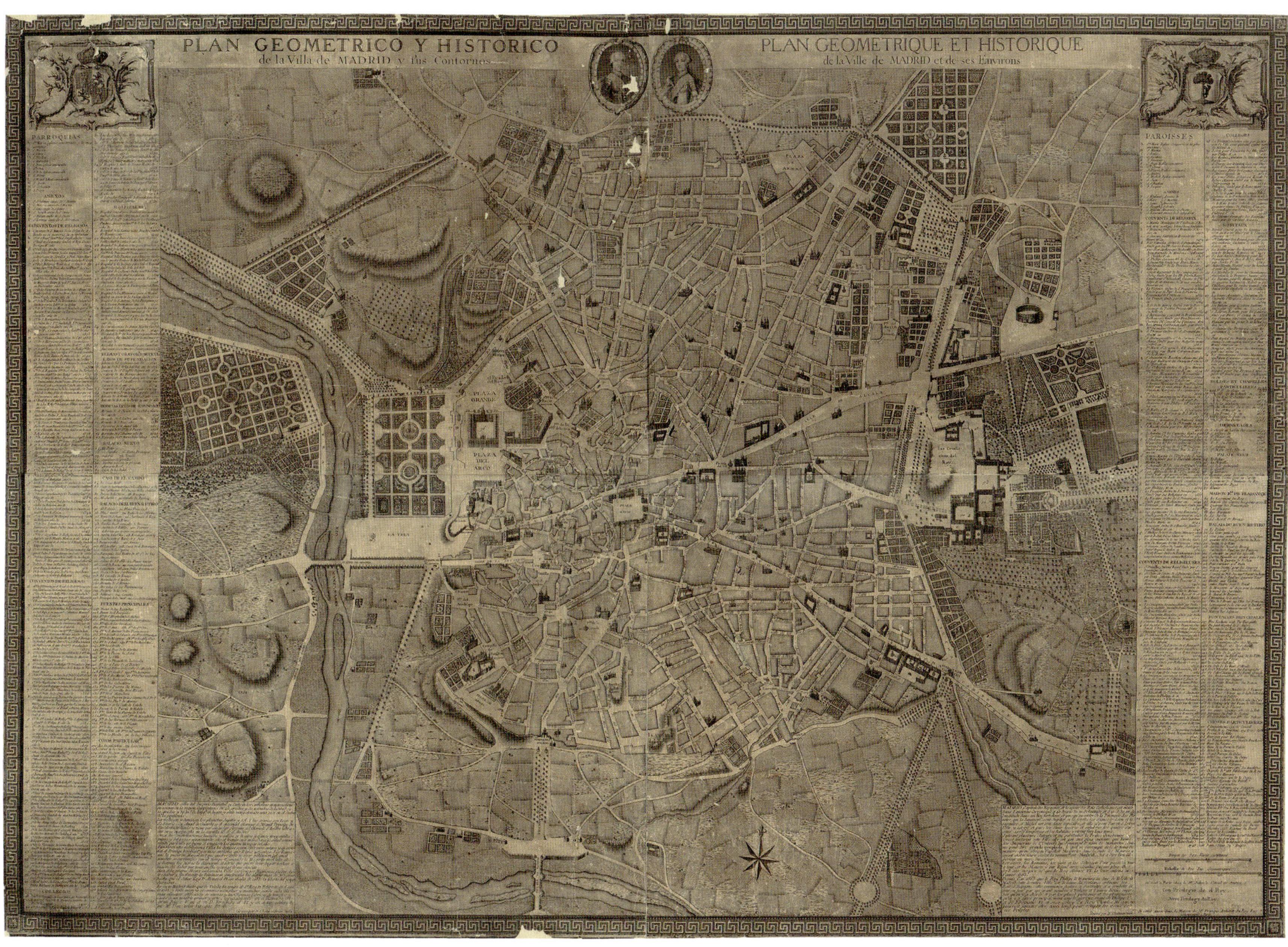

M.H.M.

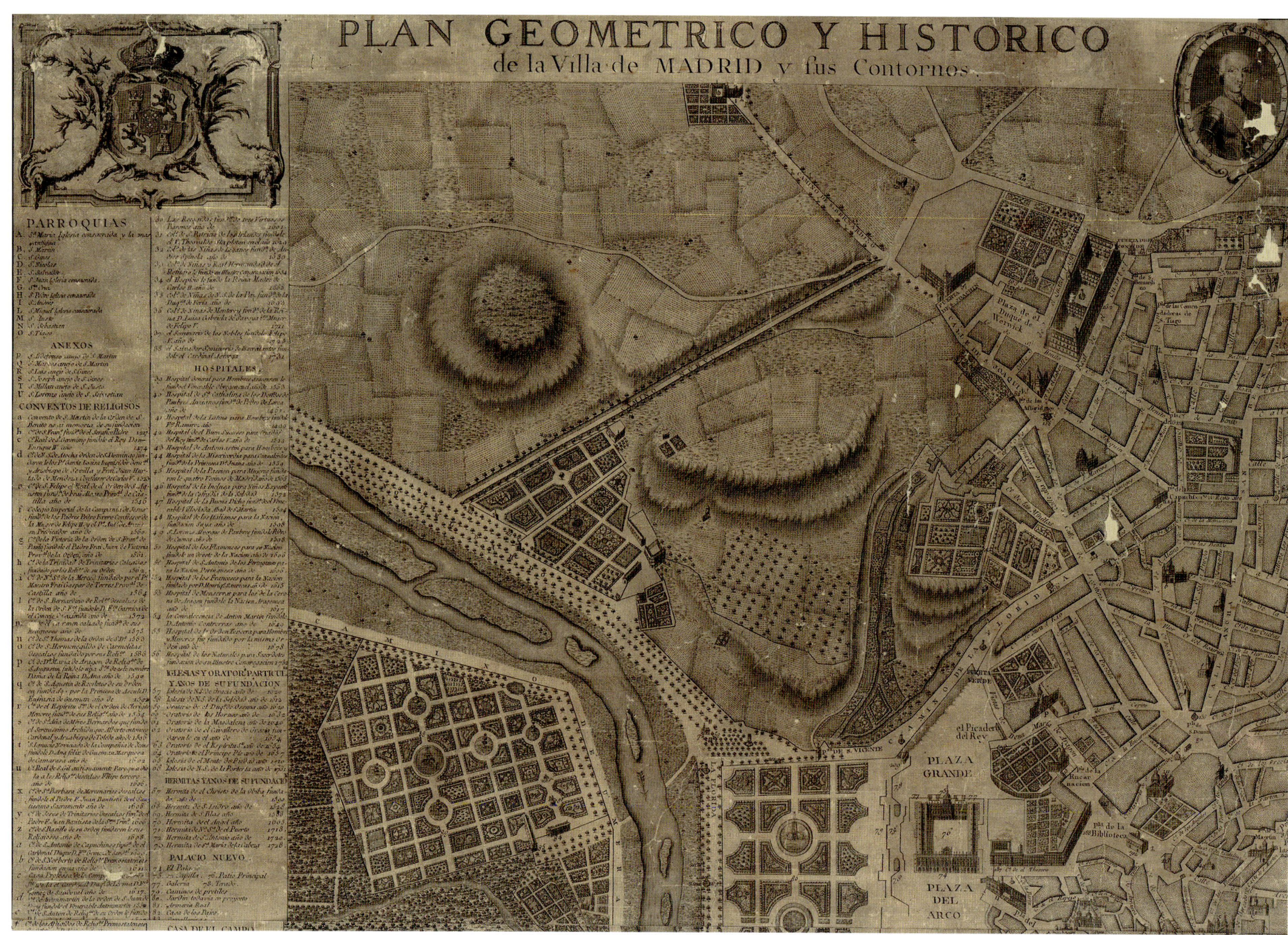

PLAN GEOMETRIQUE ET HISTORIQUE
de la Ville de MADRID et de ses Environs
PLAZA DE ARMAS
CAMINO DE ALCALA
Las Cavallerizas del Rey
PAROISSES
COLLEGES
HOPITAUX
EGLISES ET CHAPELLES PARTICULIERES
HERMITAGES
PALAIS NEUF

RIO
MANZANARES
LA TELA
CAMINO DE ALCORCON
PUENTE DE SEGOVIA
CALLE DE LA SEGOVIA
PLACA MAIOR
PUENTE DE S. ISIDRO
PUERTA DE TOLEDO
CONVENTOS DE RELIGIOSAS
FUENTES PRINCIPALES
COSAS PARTICULARES
COLLEGIOS
PALACIO DEL BUEN RETIRO
Grave par N. Chalmandrier 1761

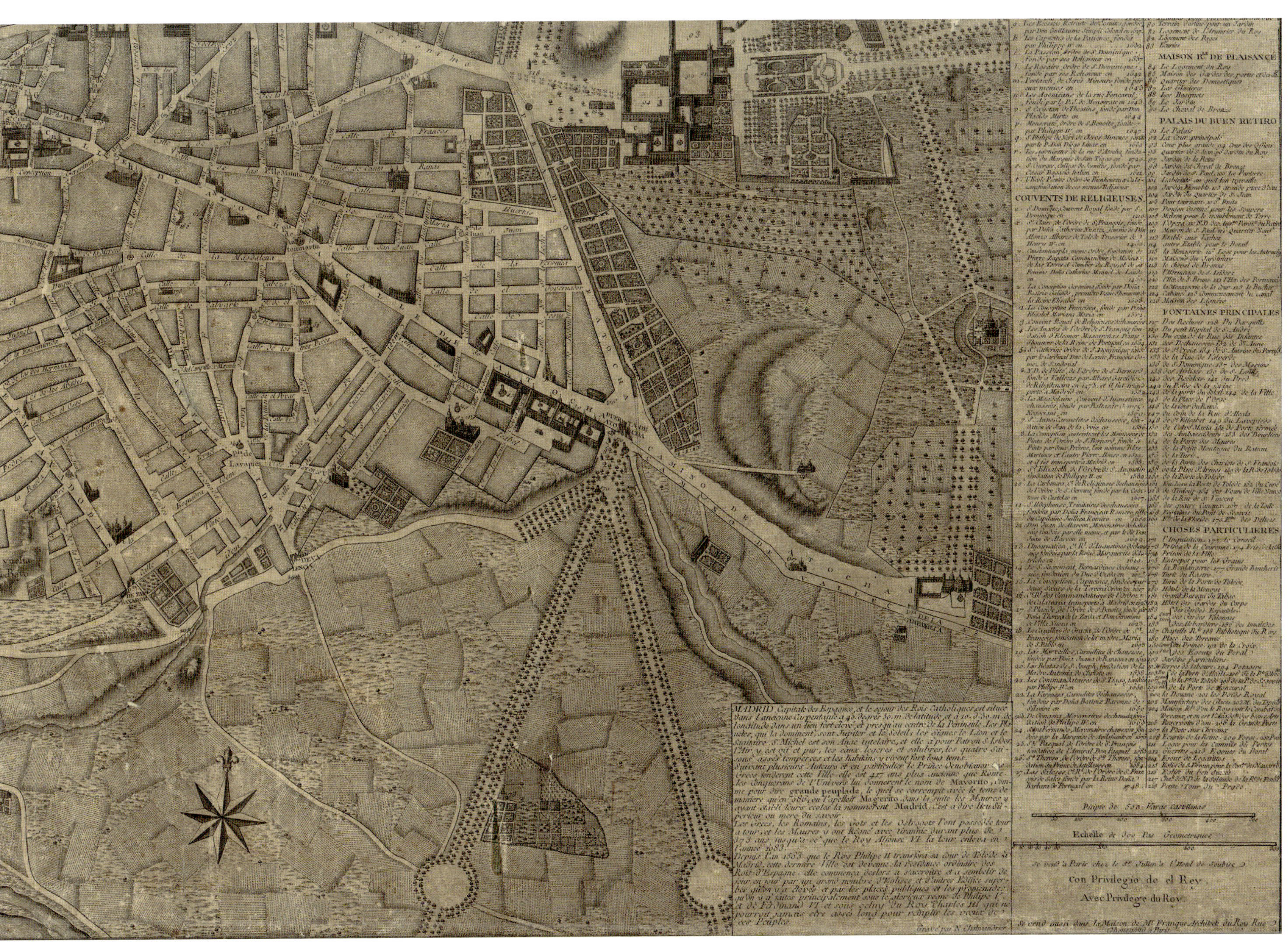

1665 ca. Julius Milheuseur y Frederick de Witt, *Madrid*. Grabado en 4 hh., 40 x 201 cm

Aunque ha sido reproducida con asiduidad en las portadas y contraportadas de los catálogos de cartografía madrileña, esta visión del frente occidental de la ciudad ha recibido una escasa atención crítica, pese a suponer una actualización de su aspecto al cabo de un siglo de la primera imagen procurada por Wingaerde. Su construcción gráfica se puede describir como un aproximado alzado oblicuo del conjunto urbano, apareciendo en escorzo tanto el Alcázar como el puente de Segovia que, según se rotula, salva el río Xarama. El dibujo supone una inquietante mezcla de datos fidedignos e imaginarios en la representación de los edificios, confusión que se amplía en los rótulos de los mismos. A pesar de estas imprecisiones, la imagen general de la ciudad asentada sobre una realzada topografía supone un testimonio gráfico de interés. Aunque se acompaña del escudo real y el de la Villa, es de suponer que su producción responde a una razón comercial, planteándose la incógnita del proceso de generación del dibujo en ese inestable compromiso entre la realidad y la imaginación.

BIBLIOGRAFÍA:

(EXPOSICIÓN SOBRE ADQUISICIONES DEL MUSEO MUNICIPAL DE MADRID, 1983: CIFRA 333, 57), (AGUERRI Y SALAS, 1989: 189), (EXPOSICIÓN SOBRE CARTOGRAFÍA DE MADRID, 1992: 72-73), (EXPOSICIÓN SOBRE VISTAS DE MADRID, 1999: CIFRA 3, 48-49) Y (PRIEGO Y ALAMINOS, 2006: 22-23).

EJEMPLARES:

M.H.M., IN. 21.129.

MADRID
XARAMA RIO

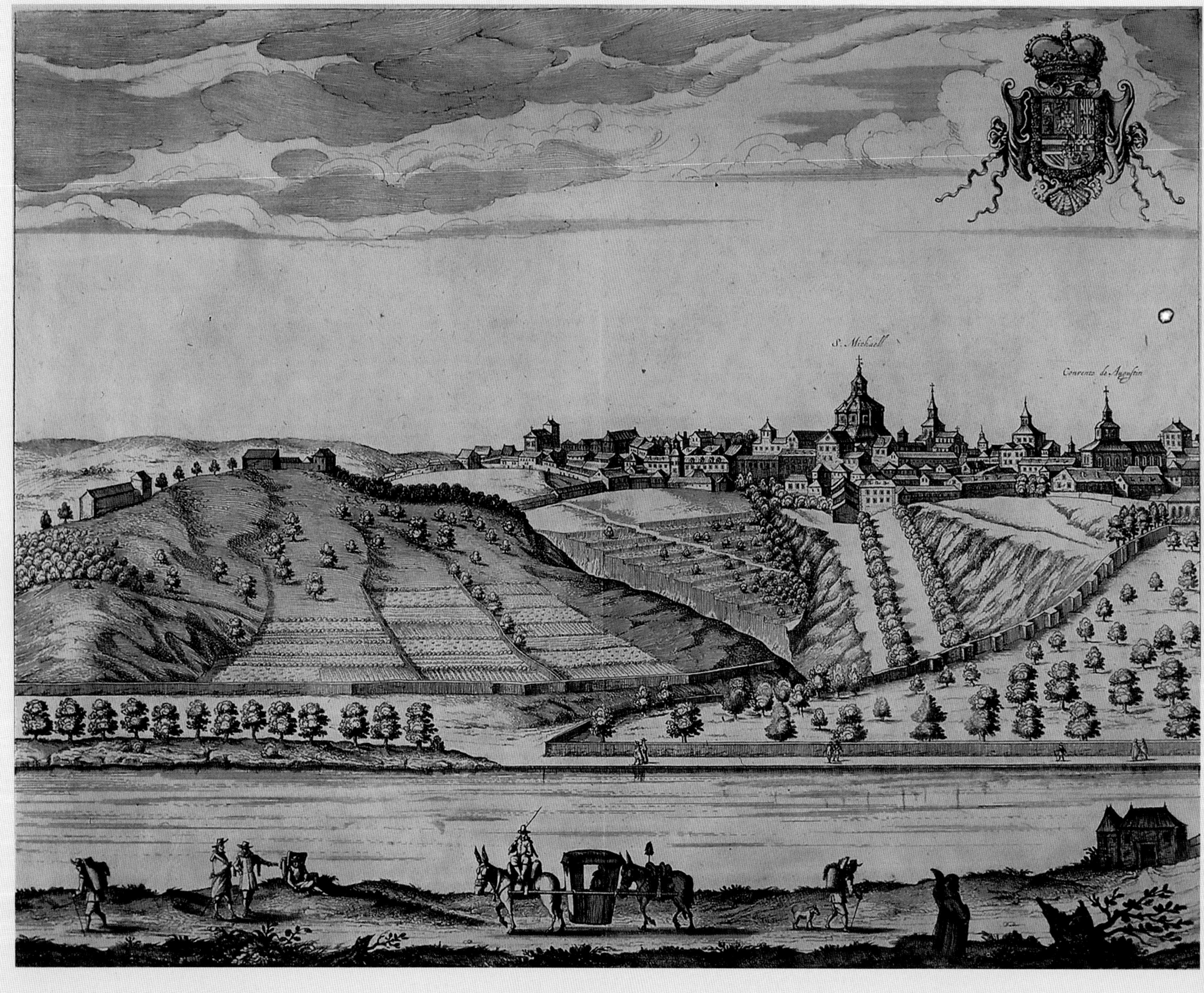
S. Michaell
Conuento de Augustin

MAD
Plaça del Palacio
Conuento S. Felipe
Caualleriça
X   A

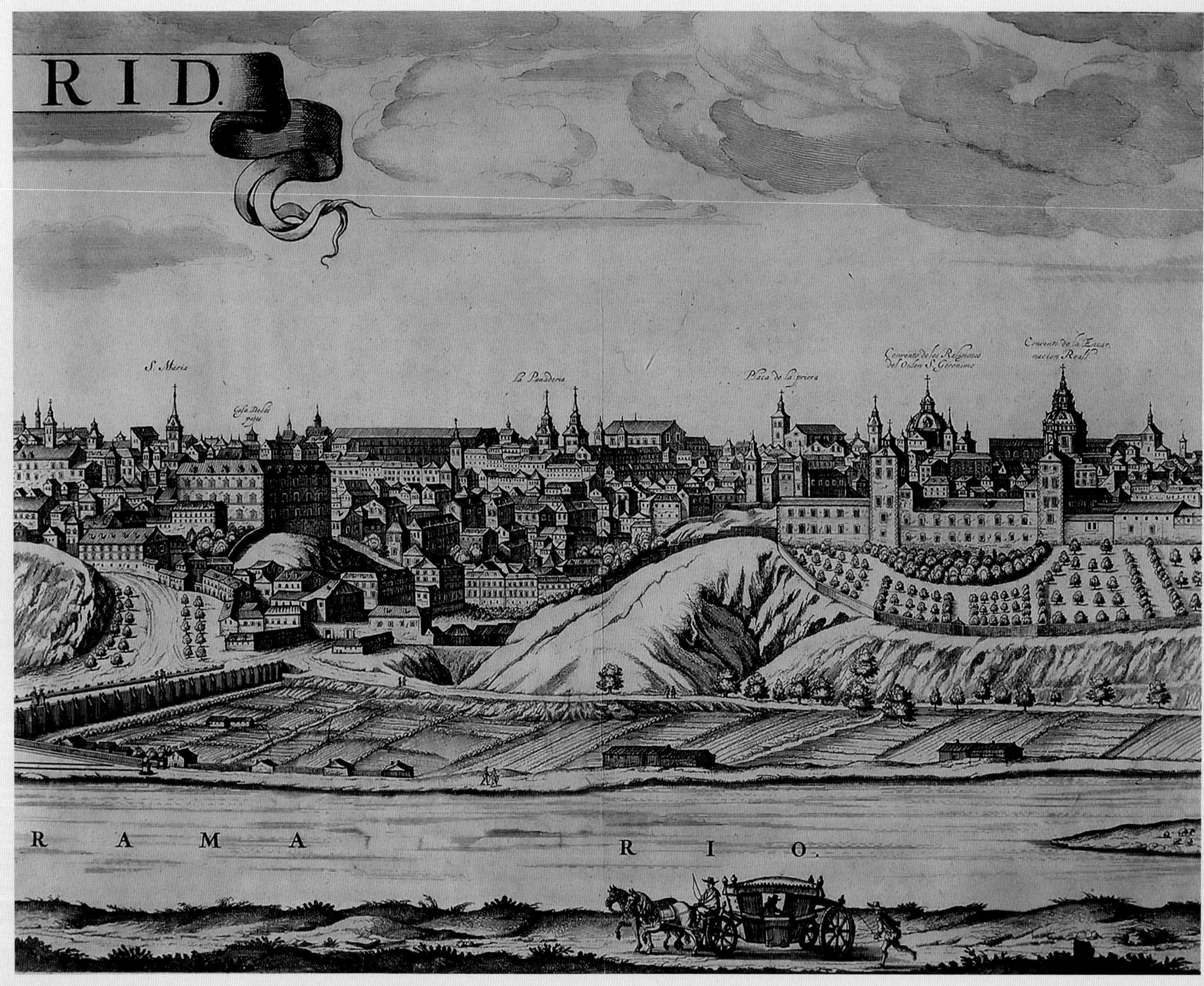
RID.
S. Maria
Cafa Delos pobres
La Panaderia
Plaça de la priora
Convento de los Religiosas del Orden S. Geronimo
Convento de la Encar. nacion Real.
RAMA   R I O.

Plaça Principal de Palcio
Convento de N. S.ra de las Marauillas
Hermita de S. Bruno
Frederick de Witt Excudit.

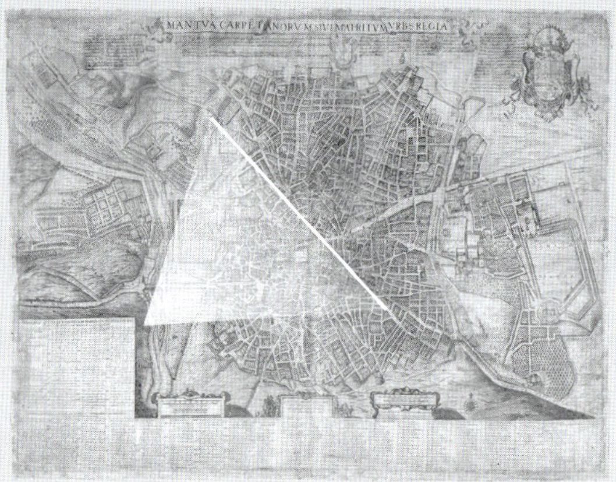

1668. Pier María Baldi, *Madrid dalla parte del Rio* y *Madrid dalla parte del Retiro*. 32'4 x 172 cm

Frente a lo relatado por la imagen anterior, a modo de contraste y complemento en la información visual sobre Madrid, las dos vistas realizadas al natural por Pier María Baldi nos ofrecen el testimonio directo de la ciudad en el otoño de 1668. El dibujante relator del viaje de Cosme de Médicis sintetiza la imagen urbana de Madrid en dos vistas panorámicas: la primera es la ya habitual imagen de su frente occidental contemplado desde el río, mientras que la segunda supone el inicio de un nuevo punto de vista que conocerá nuevas versiones en épocas posteriores. El dibujante se sitúa en el alto de San Blas, ofreciendo a la derecha el costado del conjunto del Palacio, convento y jardines del Buen Retiro, y a la izquierda el Hospital General de la calle de Atocha con el hito de la iglesia del convento de Santa Isabel recién terminada. Tanto en una como en otra aparece el conjunto urbano punteado por los hitos emergentes situados y reflejados con cierta precisión, al tiempo que se sugiere la presencia de algunas calles del primer plano, completándose el dibujo con una cierta y comprensible dosis de labor de relleno.

BIBLIOGRAFÍA:

(BOIX, 1926: 22-25), (SÁNCHEZ, 1927), (SÁNCHEZ Y MARIUTTI, 1933), (MARTÍNEZ Y MUÑOZ, 2014) Y (EXPOSICIÓN SOBRE PLANOS DE MADRID, 2020: 98-105 Y 216-219).

EJEMPLARES:

B.M.L., MS. MED. PALAT. 123/1, C. 50 BIS Y 56 BIS.

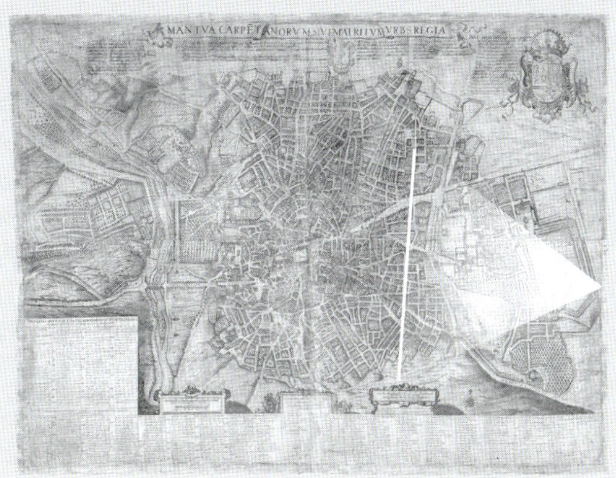

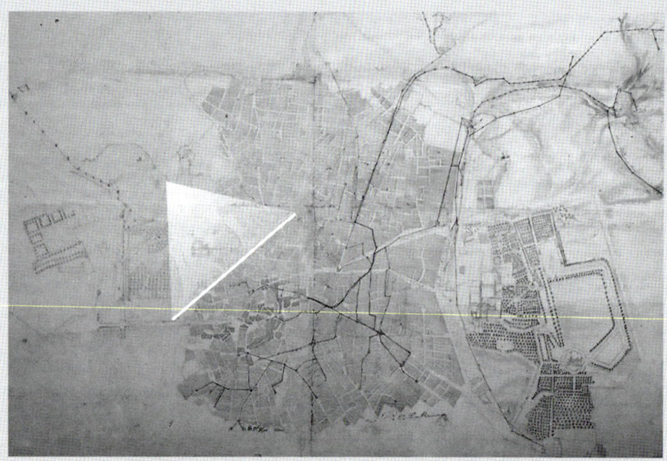

1725 ca. Miguel Ángel Houase, *El cazador de pájaros.* 51 x 75 cm

La escasez de testimonios visuales solventes sobre Madrid en la transición de los siglos XVII y XVIII resalta el valor de esta pintura realizada por el pintor Miguel Ángel Houase. Conforme a su doble vocación costumbrista y paisajista, en esta obra cabe distinguir el primer plano y el fondo. Sin despreciar el valor y atractivo del primero, lo que nos interesa aquí es resaltar el valor descriptivo del segundo. La construcción de la izquierda y las figuras humanas se insertan delante de un panorama urbano inédito hasta el momento; éste se genera desde un apunte tomado cerca de la huerta de Castel Rodrigo, que aparece en el primer plano, ofreciendo tras de él la imagen de la fachada de Madrid tomada desde el noroeste. Podemos observar así parcialmente el aspecto de la parte norte del Alcázar así como su ya conocida fachada occidental, situándose a su derecha el conjunto de construcciones hasta el convento de San Francisco, extremo en el que la topografía cae hacia el río. Conociendo las atractivas descripciones de los Sitios Reales realizadas por el autor, es de lamentar que tan sólo conozcamos esta visión parcial de Madrid.

BIBLIOGRAFÍA:

(EXPOSICIÓN SOBRE MIGUEL ÁNGEL HOUASSE, 1981: CIFRA 35, 142-143) Y (EXPOSICIÓN SOBRE EL MADRID PINTADO, 1992: 96-97).

EJEMPLARES:

P.N., PALACIO REAL, IN. 10024216.

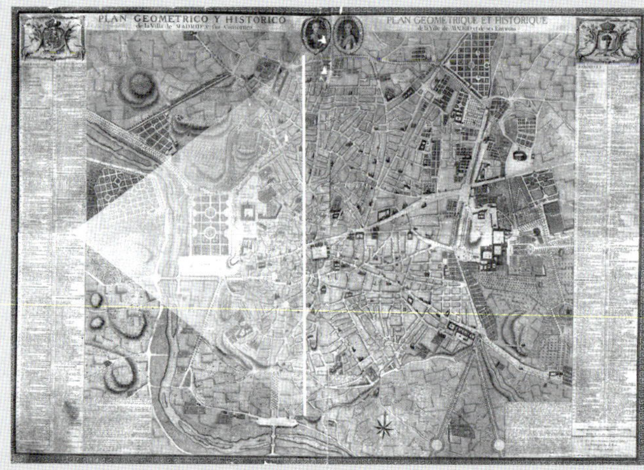

**1735 ca. Anónimo francés, *Madrid Villa Capital del Reyno d´Espana*.
Aguafuerte coloreado; huella de 34'9 x 52'4 cm en h. de 35'1 x 52'9 cm**

El cierre del apartado visual de esta época redunda por tercera vez en la imagen occidental de Madrid. Esta pequeña visión frontal en perspectiva, rematada por la silueta de las edificaciones, incorpora una cierta actualización de los nuevos elementos urbanos del primer cuarto del siglo XVIII; aparecen así las renovadas puertas de Segovia y San Vicente, al igual que la ermita de la Virgen del Puerto a orillas del río. Tal vez sea éste su mayor valor pues el resto de referencias urbanas presenta bastantes irregularidades, al igual que ocurría con la vista en alzado antes referida. De esta producción anónima editada en París conserva la Biblioteca Nacional dos ejemplares con distintos puntos de venta en la misma ciudad. Se conserva igualmente una vista parecida de mayor tamaño, titulada *Madritum*, atribuida a Goerge Balthasar Probst, que parece ser casi coetánea a ésta; paradójicamente, su ampliación de tamaño se acompaña con una muy escasa precisión topográfica e informativa sobre los elementos urbanos tanto en su actualización como en su posición y su descripción formal.

BIBLIOGRAFÍA:

(LITER, SANCHÍS y HERRERO, 1994: T. II, CIFRA 1.324, 175).

EJEMPLARES:

B.N.E., INVENT. 19.320.

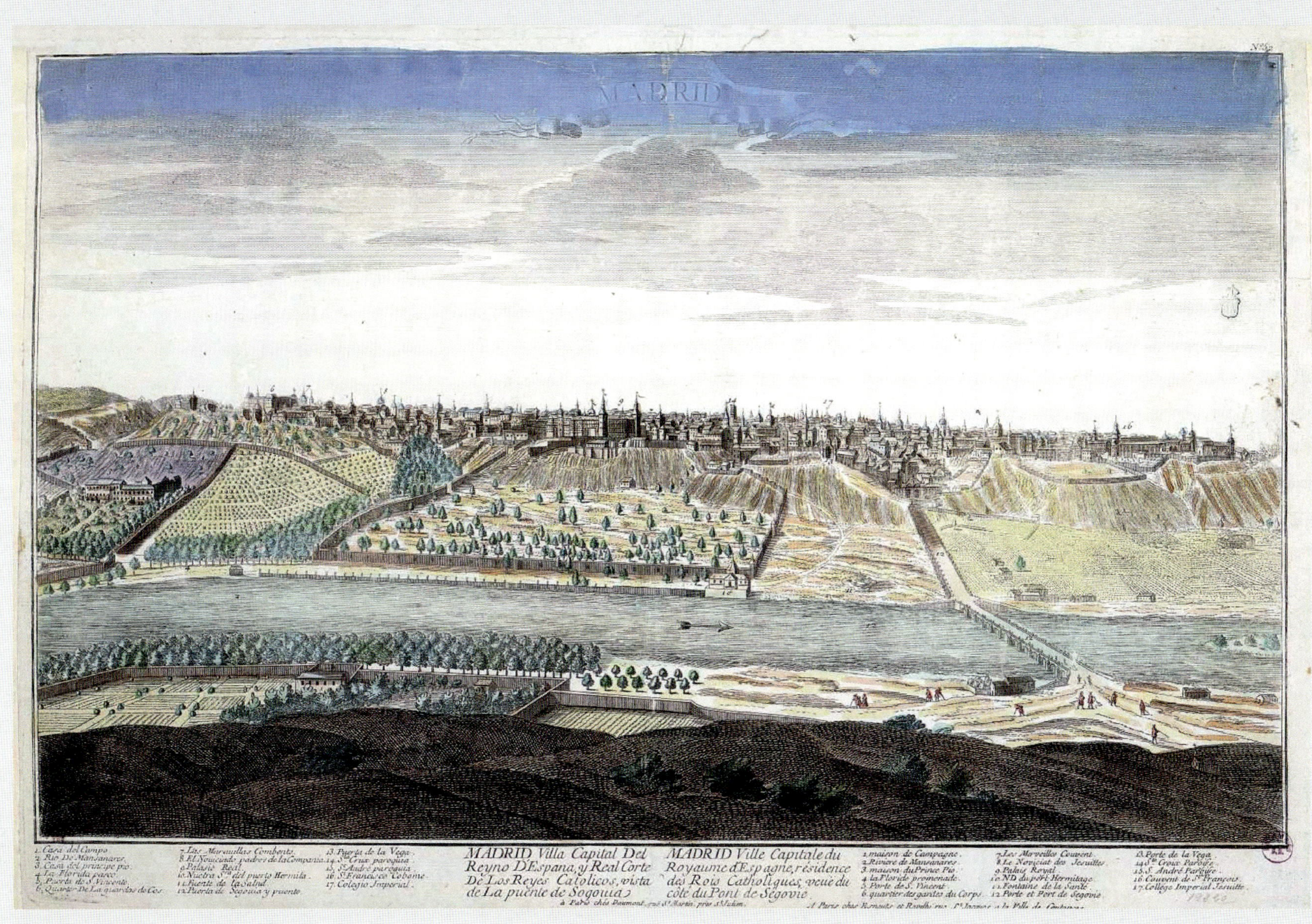
MADRID

1. Casa del Campo
2. Rio De Mansanares
3. Casa del principe pio
4. La Florida paseo
5. Puerta de S. Vicente
6. Quarter De La quardia de Cos

7. Las Marauillas Combento
8. El Noviciado padres de la Compania
9. Palasio Real
10. Nuetra Sra del puerto Hermita
11. Fuente de la Salud
12. Puerta de Segovia y puente

13. Puerta de la Vega
14. Sta Cruz paroquia
15. S. Andre paroquia
16. S. Francisco Cobento
17. Colegio Imperial

MADRID Villa Capital Del
Reyno D'Espana, y Real Corte
De Los Reyes Catolicos, vista
de La puente de Sogouia

à Paris chés Daumont, rue St Martin, prie S. Julien.

MADRID Ville Capitale du
Royaume d'Espagne, résidence
des Rois Catholiques, veüe du
côte du Pont de Ségovie

1. maison de Campagne
2. Riviere de Mansanares
3. maison du Prince Pio
4. la Floride promenade
5. Porte de S. Vincent
6. quartier des gardes du Corps

7. Les Merveilles Couvent
8. Le Noviciat des Jesuittes
9. Palais Royal
10. ND du port Hermitage
11. Fontaine de la Santé
12. Porte et Port de Segovie

13. Porte de la Vega
14. Ste Croix Paroisse
15. S. André Paroisse
16. Couvent de St François
17. Collège Imperial Jesuitte

A Paris chez Ronsuto et Roullet, rue St Jacque à la Ville de Contanse.

La secuencia Visita-Planimetría General, Espinosa de los Monteros y Tomás López

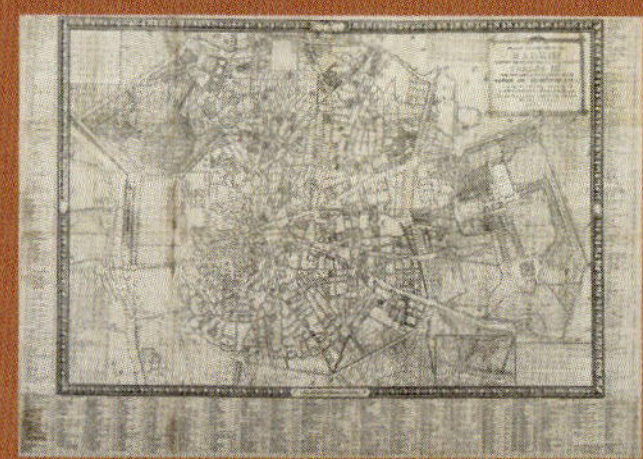

En los años cincuenta del siglo XVIII se produce la génesis de una obra cartográfica que supone otro de los grandes hitos sobre la información urbana de Madrid. En relación con la reforma impositiva iniciada por el marqués de la Ensenada, la conocida como *Visita General de las Casas de Madrid* se realiza para actualizar la antigua Regalía de Aposento; en este proceso se recopilan los datos documentales sobre la propiedad urbana, produciendo a su vez el levantamiento de una nueva base gráfica de manzanas y parcelas con sus lindes acotados. La síntesis de este conjunto se concreta años más tarde en la *Planimetría General de Madrid*, suponiendo algo parecido a lo que hoy se entiende como un sistema de información de la ciudad; esto es, la asociación de la base gráfica parcelaria a los datos de propiedad del momento y del pasado. No son muchas las ciudades que gozan del gran privilegio informativo que supone disponer de un parcelario del conjunto de la ciudad a mediados del siglo XVIII.

Al cabo de dos décadas del inicio de este proceso, el conde de Aranda promueve una síntesis parcial de esta base en el plano de gran formato grabado por Espinosa de los Monteros. Aunque se trata de una hipótesis, es probable la colaboración encubierta de José de Hermosilla en la producción de esta síntesis gráfica; su escala redonda de 1:1.800 y los criterios gráficos remiten al gran plano de Roma de Nolli. No obstante, conviene resaltar que el plano romano se graba a la mitad de la escala del madrileño, siendo su densidad y cualidad informativa notablemente mayor. En el plano madrileño tan sólo se representan esquemáticamente las plantas de las iglesias, sin incorporar los datos parcelarios disponibles. Unos años antes, coincidiendo en el espacio y en el tiempo, Tomás López —con la asesoría y colaboración de Ventura Rodríguez— generó en París el inicio de una serie cartográfica de pequeña escala para ilustrar la *Guía de Forasteros de Madrid*. En 1785, el mismo autor utiliza la base de Espinosa para producir el plano auspiciado por el conde de Floridablanca. En ese caso, la reducción de la escala de representación se acompaña por una mayor densidad informativa, utilizando por primera vez una retícula de letras y números como referencia de posición de los elementos urbanos.

En paralelo a ese proceso cartográfico de renovación ilustrada, Madrid goza del privilegio ilustrativo realizado por el pintor escenógrafo Antonio Joli. El conjunto de las vistas realizadas entre 1750 y 1754 suponen un reportaje visual de enorme interés para conocer el Madrid de esta época. Repitiendo algunos precedentes ya contemplados, sus óleos reflejan las habituales y renovadas vistas de la ciudad con el Palacio Nuevo desde el río, la Plaza Mayor y el Prado del Retiro, añadiendo las atractivas y complementarias vistas de la calle de Alcalá. Otra aportación visual de gran calidad es el panorama de la ciudad desde el suroeste que Goya sintetiza como fondo de la Pradera de San Isidro. Aunque se trata de una visión más parcial, se adjunta finalmente la imagen de la ciudad desde el este que aparece como fondo del cuadro atribuido a Domingo de Aguirre.

PLANOS:

1769. Antonio Espinosa de los Monteros, *Plano Topográphico de la Villa y Corte de Madrid*.

1785. Tomás López, *Plano Geométrico de Madrid*.

VISTAS:

1750-1755. Antonio Joli, *Vistas del Palacio Real*, *Plaza Mayor*, *calle de Alcalá hacia el este*, *calle de Alcalá hacia el oeste* y *calle de Atocha*.

1780 ca. Domingo de Aguirre, *Vista de Madrid desde el Retiro*.

1788. Francisco de Goya, *La pradera de San Isidro*.

1769
Antonio Espinosa de los Monteros
Plano Topográphico de la Villa y Corte de Madrid

PLANO TOPOGRÁPHICO DE LA VILLA Y CORTE DE MADRID / [...] por D[on] Ant[onio] Espinosa de los Monteros y Abadía (dib. y grab.)

Escala [ca. 1:1.840], 1.200 pies Castellanos, equivalentes a 400 varas castellanas [= 18 cm].
En Madrid: [s.e.], año de 1769.
1 plano: I°., sobre papel, 9 hh. unidas en 176'5 x 244'5 cm.

El *Plano Topográphico* de Antonio Espinosa de los Monteros es el primero de toda la historia de la cartografía urbana de Madrid que procede de un levantamiento catastral, la *Visita General de las Casas de Madrid* de 1750-1751 y su reducción correspondiente, la *Planimetría General de Madrid*. Conviene reseñar que el propio Espinosa trabajó como delineante en esos trabajos, y se beneficiaría de ese conocimiento para levantar los planos de los sesenta y cuatro barrios de Madrid, fruto de la orden del Consejo de Castilla de 8 de octubre de 1768 que determinaba la nueva división administrativa de la ciudad.

El resultado es un monumental plano mural en perspectiva geométrica en el que se representa la estructura urbana de la ciudad resultante de los levantamientos parcelarios citados; en el se consigna la numeración en manzanas y casas resultante, además de la reseña de todos los establecimientos públicos de la ciudad. Espinosa también incluyó en esta representación una serie de elementos que no provenían de la *Visita* y *Planimetría General*, como son la planta de los templos existentes. Fruto de su tiempo, el plano también es un proyecto de ciudad, pues se delinean una serie de proyectos que en esa fecha no se hallaban materializados aún: tal es el caso, por ejemplo, del proyecto para la reforma del Prado, o el ajardinamiento del Campo del Moro.

Su precisión, respecto de los planos anteriores y coetáneos, darían pie para su uso como «plano oficial», sirviendo como matriz para otros trabajos cartográficos. Destaquemos, por último, que sería reimpreso en 1821 por el propio Ayuntamiento de Madrid, en una edición que actualizó la planta de la ciudad borrando las manzanas que se demolieron por orden de José I.

BIBLIOGRAFÍA:

(CABALLERO, 1840: CIFRA 6, 84-85), (EXPOSICIÓN SOBRE EL ANTIGUO MADRID, 1926: PLANOS, 15 Y CIFRA 15, 275), (EXPOSICIÓN SOBRE CARTOGRAFÍA DE MADRID, 1960: CIFRA 30, 33-37), (MOLINA, 1960: LÁM. XXX, 425-454), (EXPOSICIÓN SOBRE CARTOGRAFÍA DE MADRID, 1977), (EXPOSICIÓN SOBRE CARTOGRAFÍA DE MADRID, 1982: CIFRA 16, 78), (EXPOSICIÓN SOBRE CARLOS III, ALCALDE DE MADRID, 1988: CIFRA 216, 644) (EXPOSICIÓN SOBRE CARTOGRAFÍA DE MADRID, 1992), (EXPOSICIÓN SOBRE CARTOGRAFÍA DE MADRID, 1997), (ORTEGA, 2000: 72-77), (EXPOSICIÓN SOBRE CARTOGRAFÍA DE MADRID, 2001: CIFRA 13, 110-121), (MARÍN, 2007 B), (EXPOSICIÓN SOBRE CARTOGRAFÍA DE MADRID, 2020) Y (MARÍN Y ORTEGA, 2020: 46-47).

EJEMPLARES:

A.V.M., 0,69-51-1, 3 Y 4, Y 2,60-1-1, 3 Y 5.
B.N.E., GMG-1.365.
C.G.E., AR.2-AT.115.
M.H.M., IN. 1.526.
R.B., MAP/447.

PLANO TOPOGRAPHICO DE LA VILLA Y CORTE DE MADRID
RIO MANZANARES
Plaza Grande del Palacio Real
PUENTE SEGOVIA

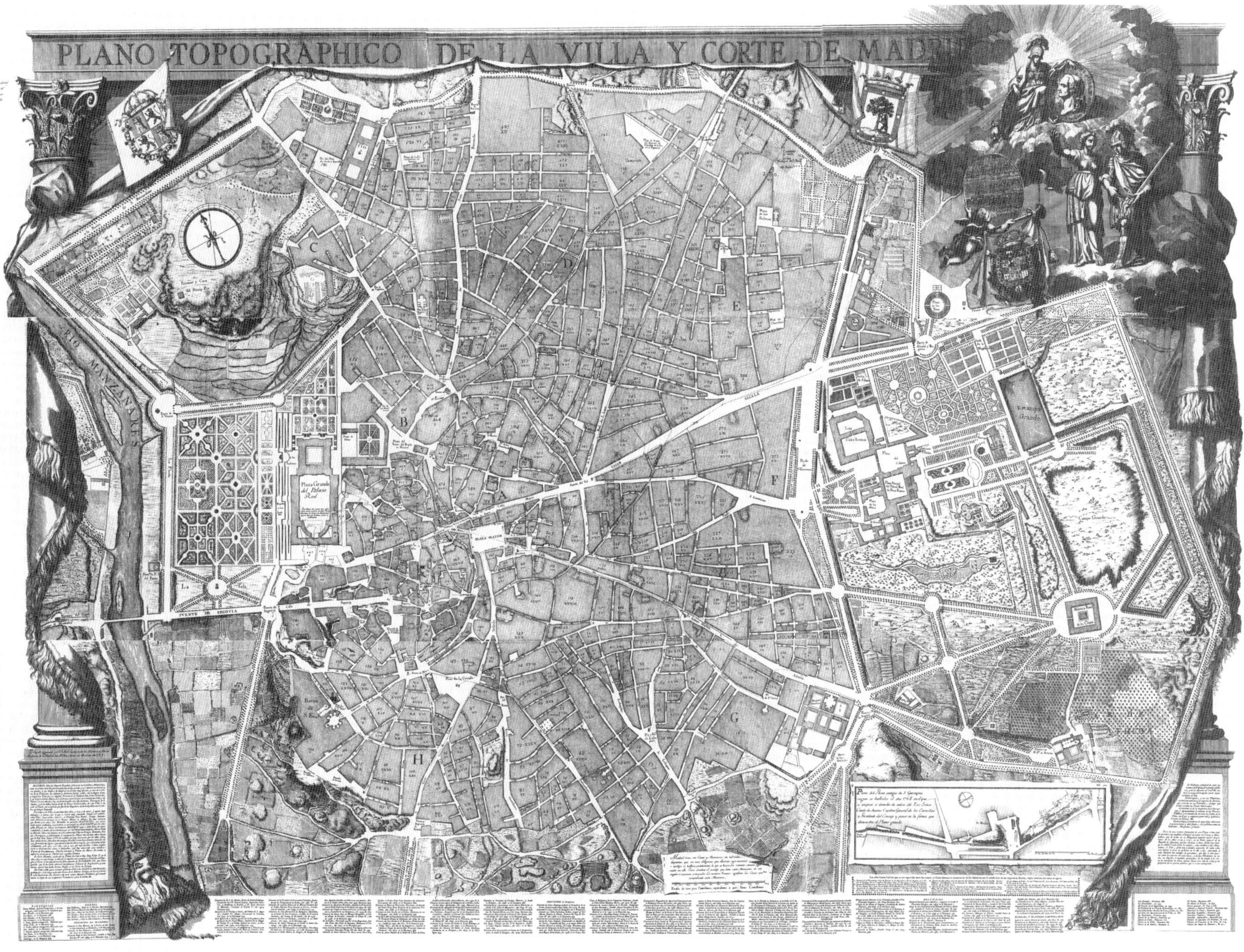

A.V.M.

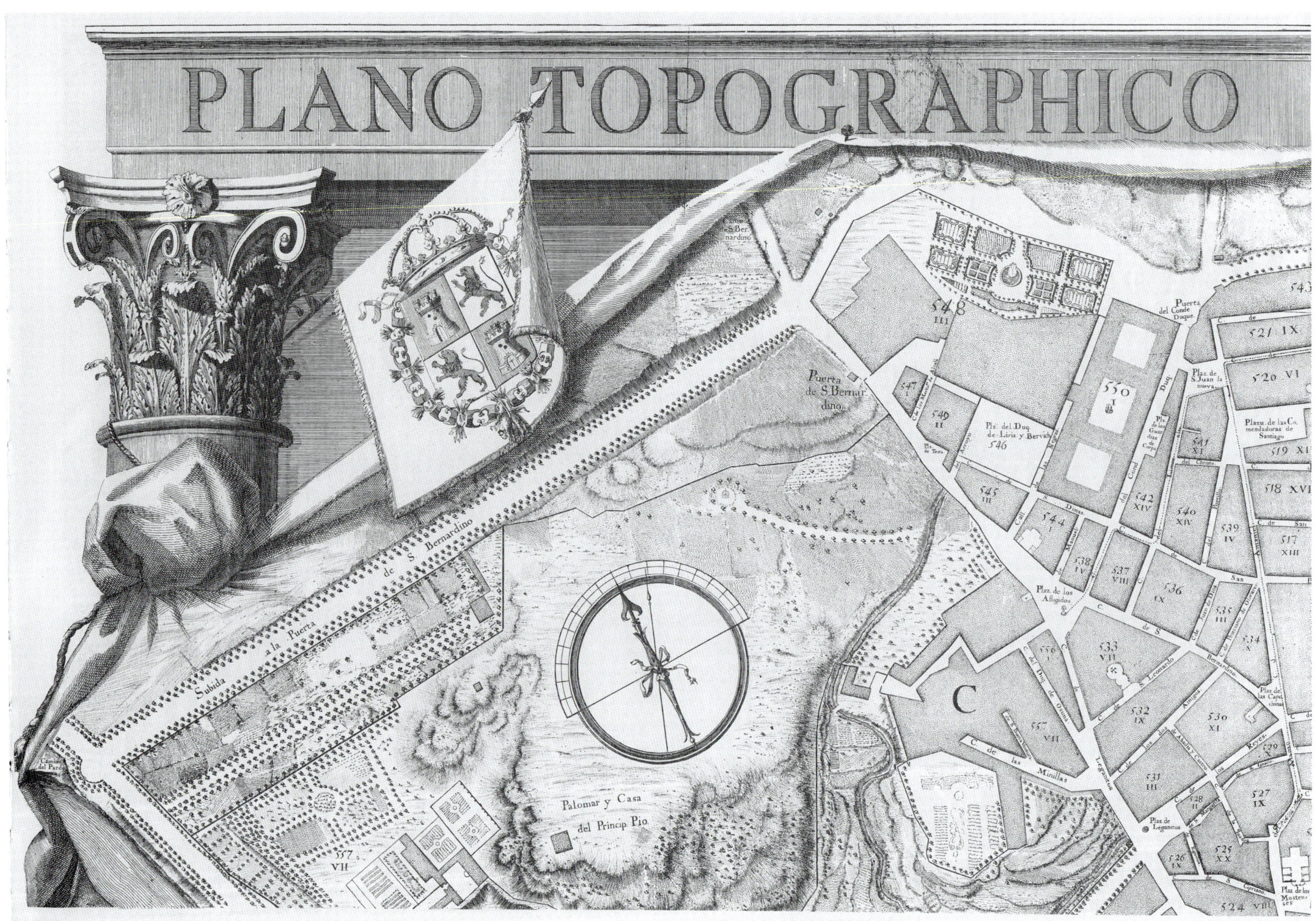
PLANO TOPOGRAPHICO
Puerta
de S. Bernar
dino
Subida a la Puerta de S. Bernardino
Palomar y Casa
del Princip Pio.
Puerta
del Conde Duque
Plaz. del Duq
de Liria y Bervik
546
Plaz. de los
Afligidos
C

DE LA VILLA Y CORTE D
Puerta
de los
Pozos.
Fabrica
Real de
Tapices.
Puerta de
Foncarral
495
XII
478
IX
del Divino Pastor
455
XXIII
S. Domingo.
454
XXX
339
337
VII
341
I
Plaza de Armas
del Quartel de
Guardias de Infan-
teria Española.
333
I
336
I
Oropesa
8ta Teresa
Convento
y sitio
de las
Monjas de S. Fra
de Sales?
507 IX
516
IX
506 VII
la nueva.
515
XII
505
III
Bernardo.
Quiñones
493
III
487
I
480
II
476
V
Palma
alta
351
II
350
II
340
I
335
VIII
331
IV
329
VII
328
XV
327
XVII
326
XV
280
VI
514
XI
513
XII
504
VII
la Palma
baxa
492
X
486
XII
479
XIII
475
VI
45
XXX
S. Vicente
332
XXIV
333
XXVII
512
XVI
503
III
S. Vicente
baxa
485
VI
474
VII
452
XXVI
349
XIX
334
VI
315
XXVII
316
324
IXII
Plaza
de las
Salesas.
511
XVI
502
III
San
491
X
483
XVI
484
XII
473
XIX
451
XVI
348
XV
322
IX
325
XI
283
II
282
XXI
278
XII
490
XI
482
XV
472
LX
463
XXVI
471
XXV
460
XX
450
XX
347
XXI
314
XX
323
XXXVI
321
I
234
XIX
297
III
501
III
462
XVII
459
XXIII
D
313
XXIX
312
XXV
317
XVIII
319
I
320
I
285
I
500
XII
499
XXVI
181
XXVIII
470
XXIII
461
XXX
449
XXVII
363
XXX
257
XXXIV
346
XLVII
311
XX
310
XXV
309
XXIV
308
XV
307
XI
286
V
E
510
VIII
498
XIV
469
XV
458
VII
448
XXIX
370
VIII
303
XXVI
468
XI

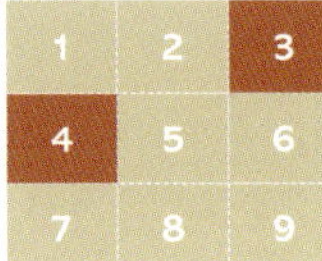

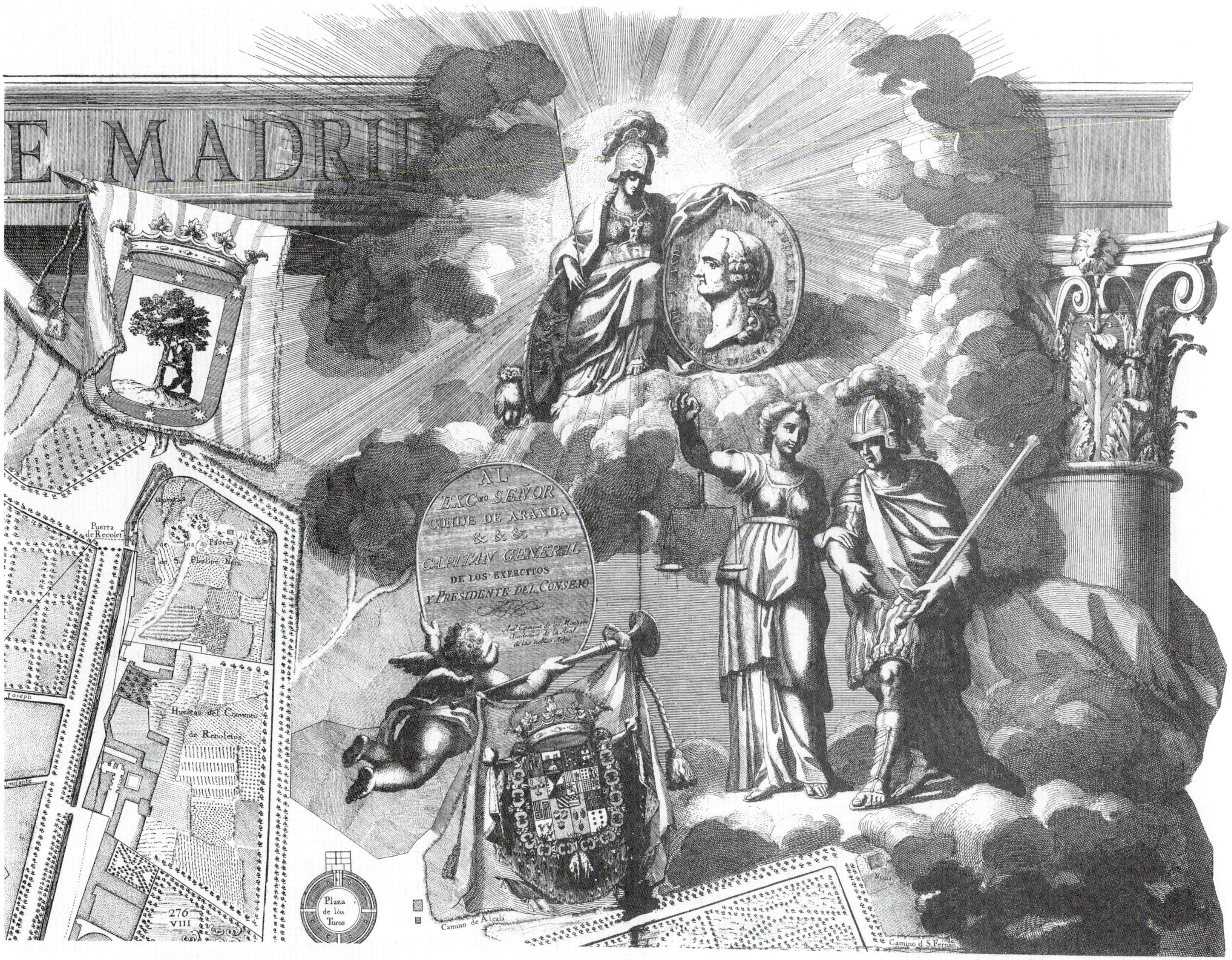
E MADRID
AL
EXC.MO SEÑOR
CONDE DE ARANDA
&. &. &.
CAPITAN GENERAL
DE LOS EXERCITOS
Y PRESIDENTE DEL CONSEJO
Puerta de Recolet
Huertas del Convento
de Recoletos
Plaza de los Toros
Camino de Alcalá
276
VIII

RIO MANZANARES
Camino de Humera
H.ª ermita de S. Antonio
Casa de las Bacas
Barranco y Huertas de Pr...
Camino nuevo que sube
Puerta de S. Vicente
La Florida
Casa Real de Campo
Herm.ª de N.ª S.ª del Puerto
Hermita del Angel
Camino de Mostoles
La   Tela
PVENTE DE SEGOVIA
Puerta de Segovia
Calle   de   Segovia
Plaza Grande del Palacio Real
Bajadas a los Jardines
Bajadas a los Jardines
Juego de Pelota
Real Bibliote.
Plaza del Teatro del Bayle en Mascara
Puerta de la Vega
B

1 2 3
4 5 6
7 8 9

PLAZA MAYOR
Puerta del Sol
Calle de la Montera
Red de S. Luis
ALCALA
DE
CALLE
Carrera
S. Geronimo
Prado
Prado de S.Geronimo
Calle Mayor
Arenal
Toledo
Chamberi
de Anton Martin
Magdalena
Atocha
Huertas
Cantarranas
Francos
A
F

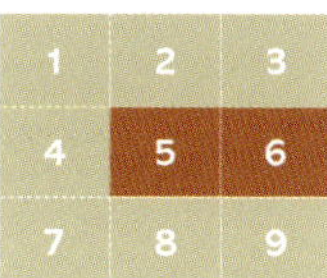

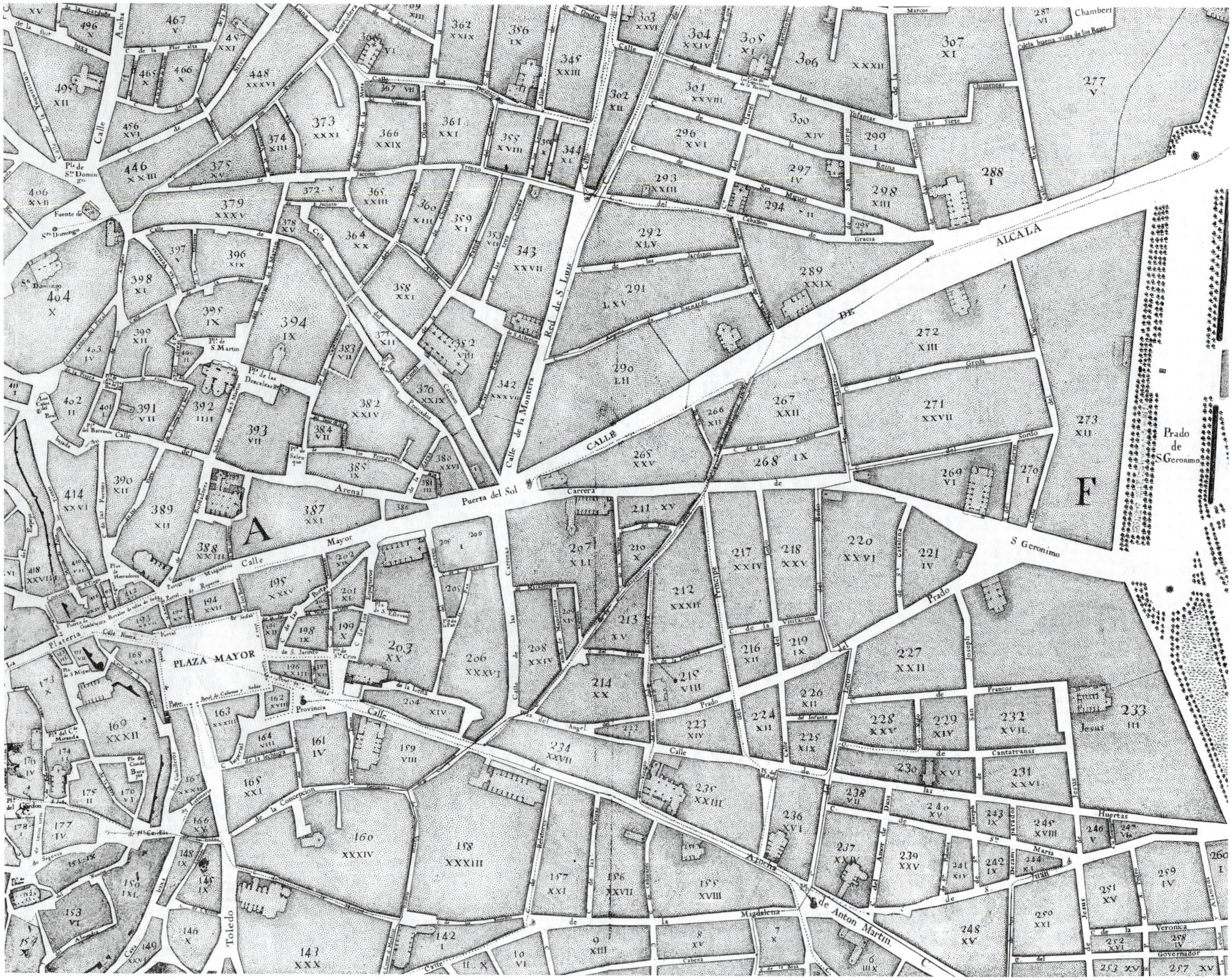

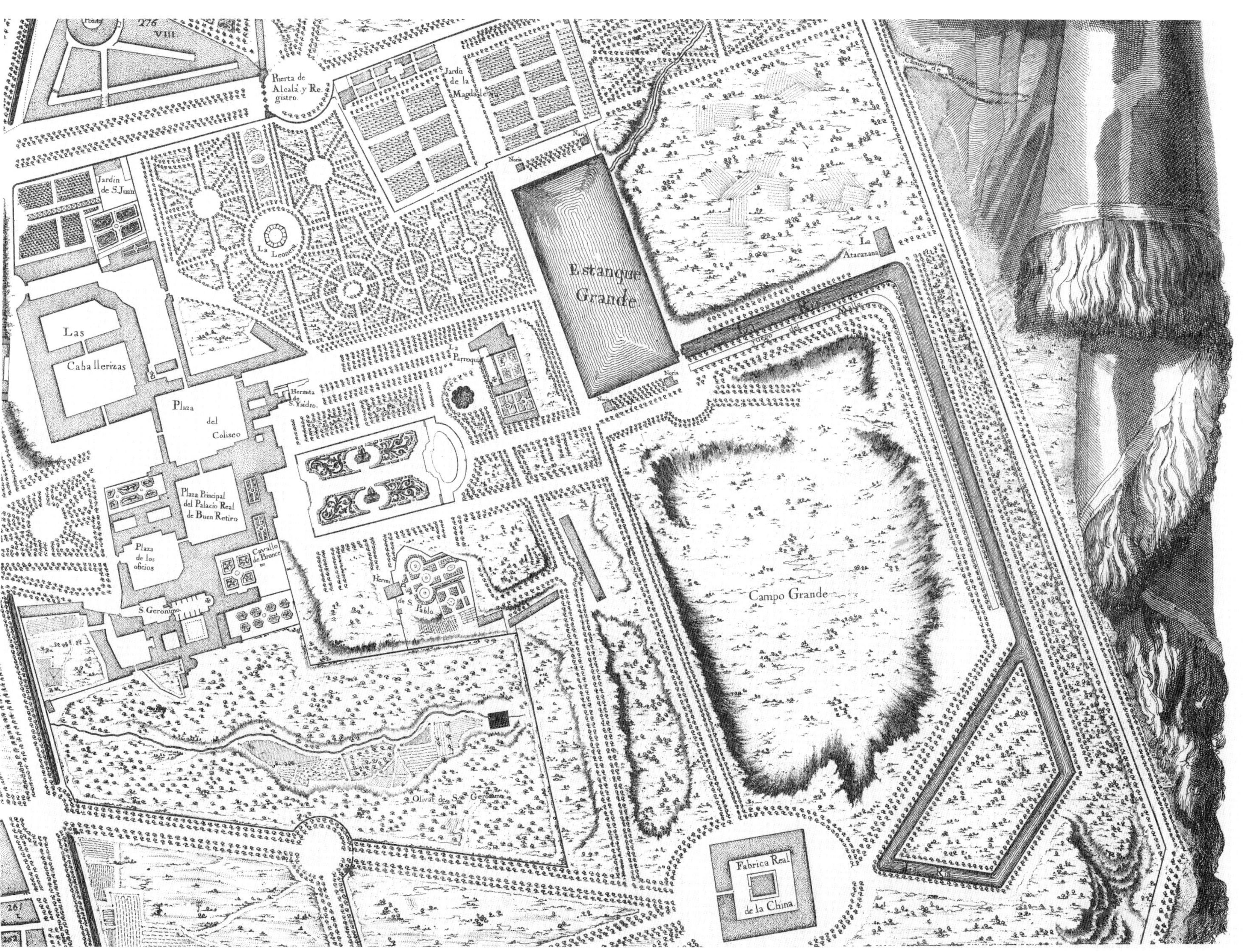
Puerta de Alcalá, y Registro.
Jardin de la Magdalena
Jardin de S. Juan
La Leonera
Las Caballerizas
Plaza del Coliseo
Hermita de S. Ysidro.
Parroquia
Plaza Principal del Palacio Real de Buen Retiro
Plaza de los oficios
Cavallo de Bronce
S. Geronimo
Herm. de S. Pablo
Olivar de S. Geronimo
Estanque Grande
La Atarazana
Noria
Noria
Campo Grande
Fabrica Real de la China.

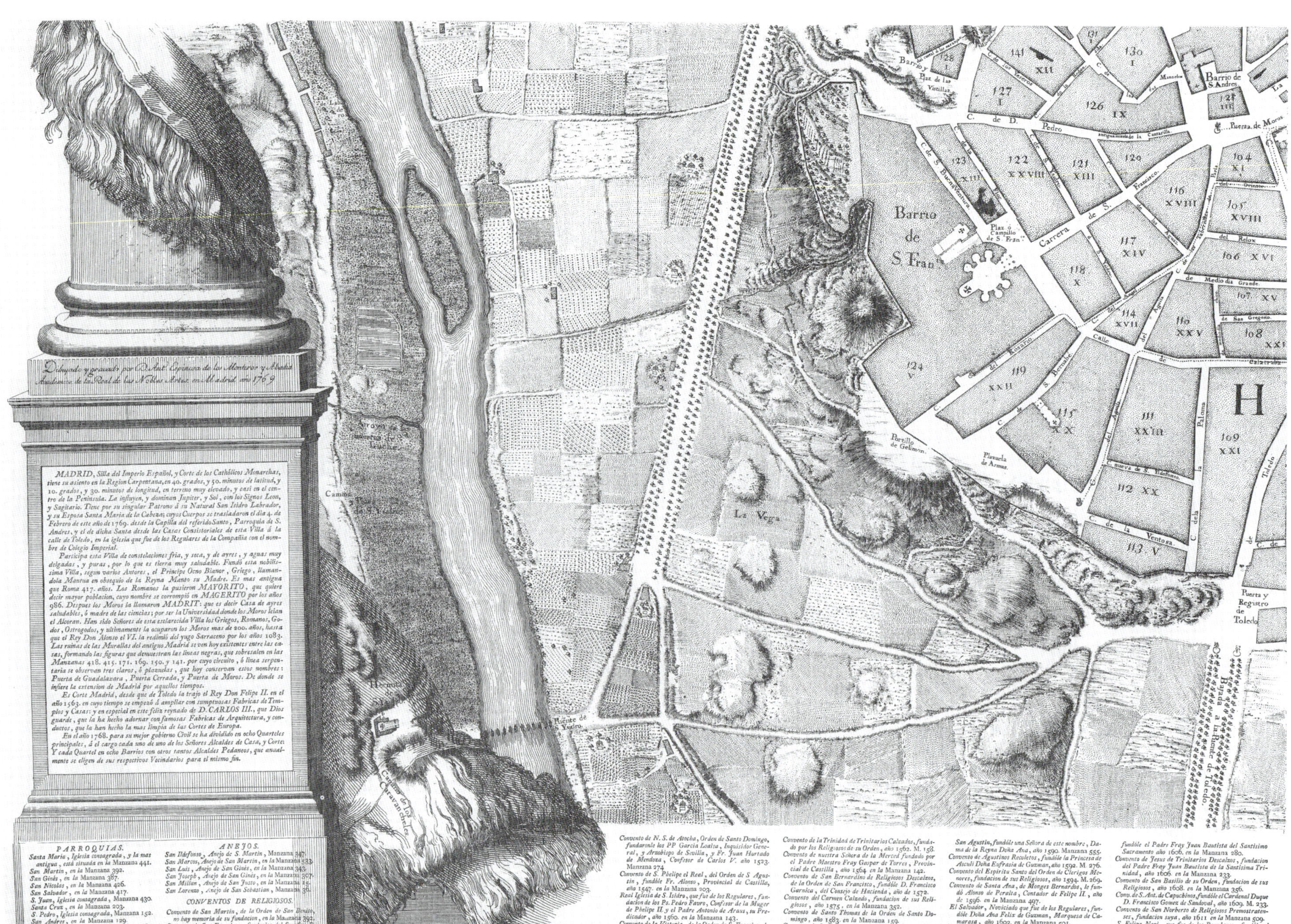
Barrio de Sn Fran
La Vega
Puerta y Registro de Toledo
Puerta de Moros
PARROQUIAS.
ANEJOS.
CONVENTOS DE RELIGIOSOS.

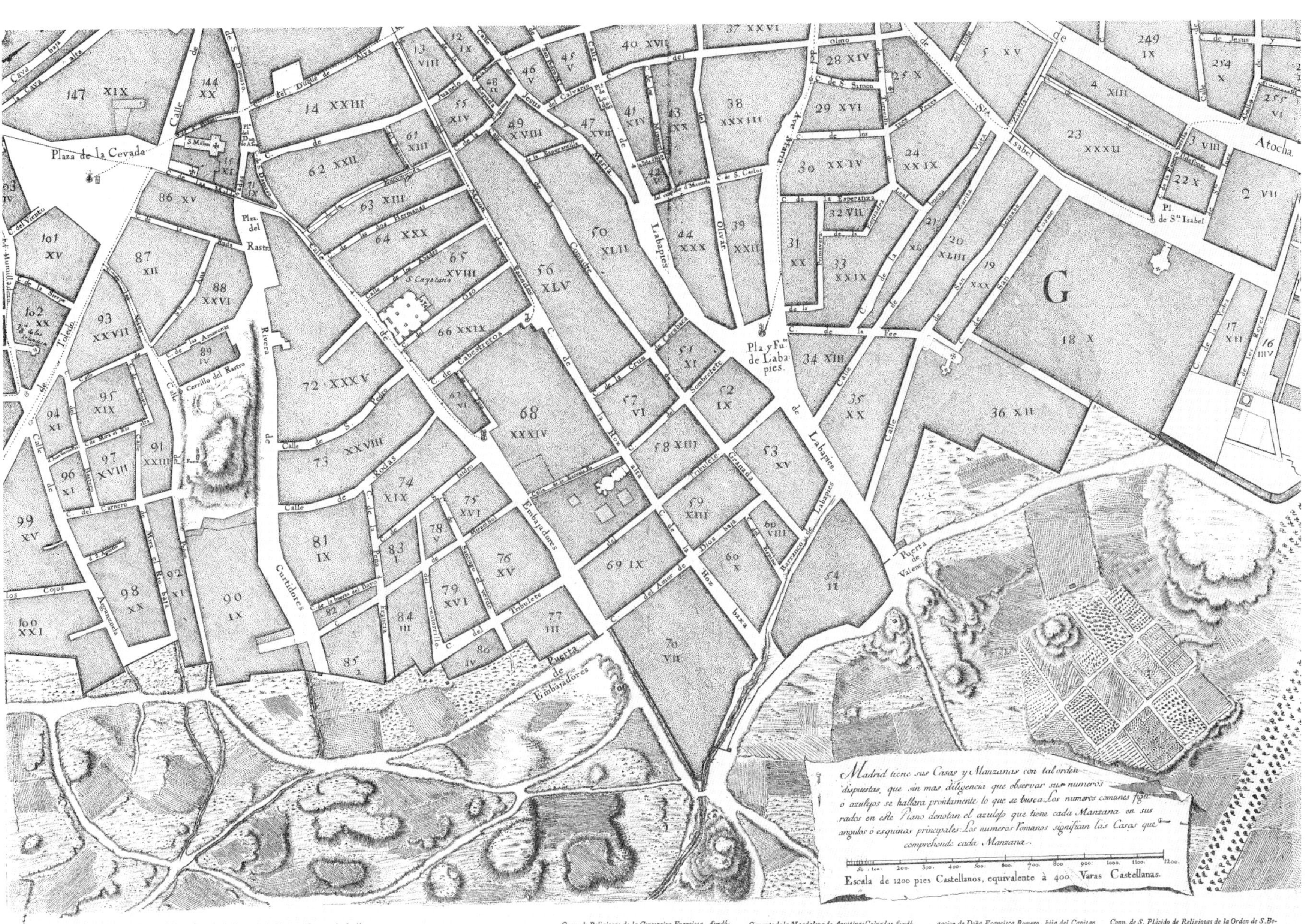

fundóla el Venerable Anton Martin, año 1550. M. 6.
Convento de San Anton de Religiosos de su Orden, le fundó Don Lope Abellaneda, año 1597. Manzana 315.
Convento de los Afligidos de Religiosos Premostratenses, fundacion de su Religion, año 1610. Manzana 544.
Los Escoceses, Hospicio que fue de los Regulares de la Compañia, edificóle el Coronel Don Guillermo Sempil, año 1627. en la Manzana 359.
Convento de los Capuchinos de la Paciencia, fundacion de Felipe IV. año 1632. en la Manzana 305.
Convento de la Pasion del Orden de Santo Domingo, le edificó la Religion, año 1637. en la Manzana 15.
Convento del Rosario del Orden de Santo Domingo, fundacion de su Religion, año 1642. en la Manzana 495.

Convento de Portaceli de Clerigos Menores, le fundó la Religion, año 1648. en la Manzana 368.
Convento de los Agonizantes de la calle de Foncarral, le fundó el P. Juan de Monserrat, año 1643. M 303.
Convento de S. Cayetano de Religiosos Theatinos fundado por D. Placido Mirto, en el año 1644. Manzana 65.
Convento de Monserrat de el Orden de San Benito, fundóle Felipe IV. año 1647. en la Manzana 505.
Convento de los Agonizantes de la calle de Atocha, le fundó el Marques de Santiago, año 1720. Manz. 255.
San Jorge, Colegio que fue de los Regulares, fundóle Cesar Bogacio Italiano, año 1611. en la Manzana 224.
Convento de la Escuela Pia de Padres de S. Joseph Calasanz, le fundó la Religion, año 1729. Manzana 68.

CONVENTOS de Religiosas.

Convento de Santo Domingo el Real de Religiosas de su Orden, fundacion del mismo Santo, año 1219. M. 404.
Convento de Santa Clara de Religiosas de S. Francisco, fundado por Doña Cathalina Nuñez, muger de Don Alonso Alvarez de Toledo, Tesorero del Rey D. Enrique IV. año 1460. en la Manzana 429.
Convento de Constantinopla, Orden de S. Francisco, fundacion de Pedro Zapata, Comendador de Medina de las Torres, Camarero del Rey, y su muger Doña Cathalina Manuel de Lando, año 1469. Manzana 425.
Convento de Religiosas de la Concepcion Geronyma fundado por Doña Beatriz Galindo, Camarera Mayor de la Reyna Doña Isabel, año 1508. en la Manz. 160.

Conv. de Religiosas de la Concepcion Francisca, fundóle Doña Isabel Mariana Mexia, año 1512. M. 147.
Convento de nuestra Señora de la Piedad, Religiosas de San Bernardo, fundóle Alvaro Garcidiez de Ribadeneyra en Ballecas, en el año 1473. Trasladóse en Madrid en el de 1552. en la Manzana 290.
Convento de las Descalzas Reales, Orden de S. Francisco, fundóle la Serenissima Princesa Doña Juana de Austria, hija de Carlos V. año 1559. en la M. 394.
Convento de los Angeles de Religiosas Franciscas, fundado por Leonor Mascareñas, Dama de la Reyna de Portugal, año 1564 en la Manzana 404.
Convento de Santa Cathalina del Orden de Santo Domingo, fundado por el Cardenal Duque de Lerma D. Francisco Gomez de Sandoval, en la M. 221.

Convento de la Magdalena de Agustinas Calzadas, fundóle Balthasar Gomez Mercader, año 1569. Manz.155.
Convento de Santa Ana de Carmelitas Descalzas, fundole San Juan de la Cruz, año 1586. Manzana 215.
Convento de la Concepcion Bernarda, por otro nombre las Monjas de Pinto, de la Orden de San Bernardo, fundóse en Pinto por los Licenciados Blas Martinez del Peral, y Pedro Alonso, Sacerdotes, año 1529. y se trasladó á Madrid el año 1588. en la Manzana 220.
Convento de Santa Isabel de Religiosas de S. Agustin, fundacion de Felipe II. año 1589. en la Manzana 18.
Convento de la Carbonera de Religiosas Descalzas de S. Gerónymo, fundóle Doña Beatriz Ramirez de Mendoza, Condesa de Castelar, año 1607. Manzaná 176.
Convento de S. Ildefonso de Trinitarias Descalzas, fundacion de Doña Francisca Romero, hija del Capitan Julian Romero, año 1609. en la Manzana 230.
Convento de Don Juan de Alarcon de Mercenarias Descalzas, fundacion de sus Religiosas, y de el dicho D. Juan de Alarcon, año 1609. en la Manzana 356.
Convento Real de la Encarnacion de Religiosas Descalzas de la Orden de San Agustin, fundóle la Reyna Doña Margarita de Austria, año 1610.
Convento del Sacramento de Religiosas Descalzas de S. Bernardo, fundacion de D. Cristoval Duque de Uceda, en el año 1615. en la Manzana 186.
Conv. de la Concepc. de Religiosas Capuchinas, fundáronle dos hermanas de la Tercera Orden, año 1617. M. 530.
Convento Real de Comendadoras de la Orden de Calatrava trasladado en Madrid, en el año 1623. Manz.289.

Conv. de S. Plácido de Religiosas de la Orden de S. Benito, fundóle Doña Theresa de la Cerda, con ayuda de D. Gerónymo de Villanueva, año 1623. Manz. 458.
Conv. del Caballero de Gracia de la Ord. de S. Franc fundóle la Madre Maria de S. Pablo, año 1603. M. 294.
Conv. de las Maravillas de Carmelitas Descalzas, fundóle D. Juan de Varaona, año 1612. Manzana 480.
Convento de las Beatas de San Joseph, fundado por la Madre Antonia de Christo, año 1638. Manzana 248.
Convento de las Comendadoras de Santiago, fundacion de Felipe IV. año 1650. en la Manzana 520.
Conv. de la Varonesa de Carmel. Descalzas, fundóle la Varonesa Doña Beatriz de Silverra, año 1650. M.272.
Convento de Mercenarias Descalzas de Gongora, fundado por Felipe IV. año 1663. en la Manzana 321.

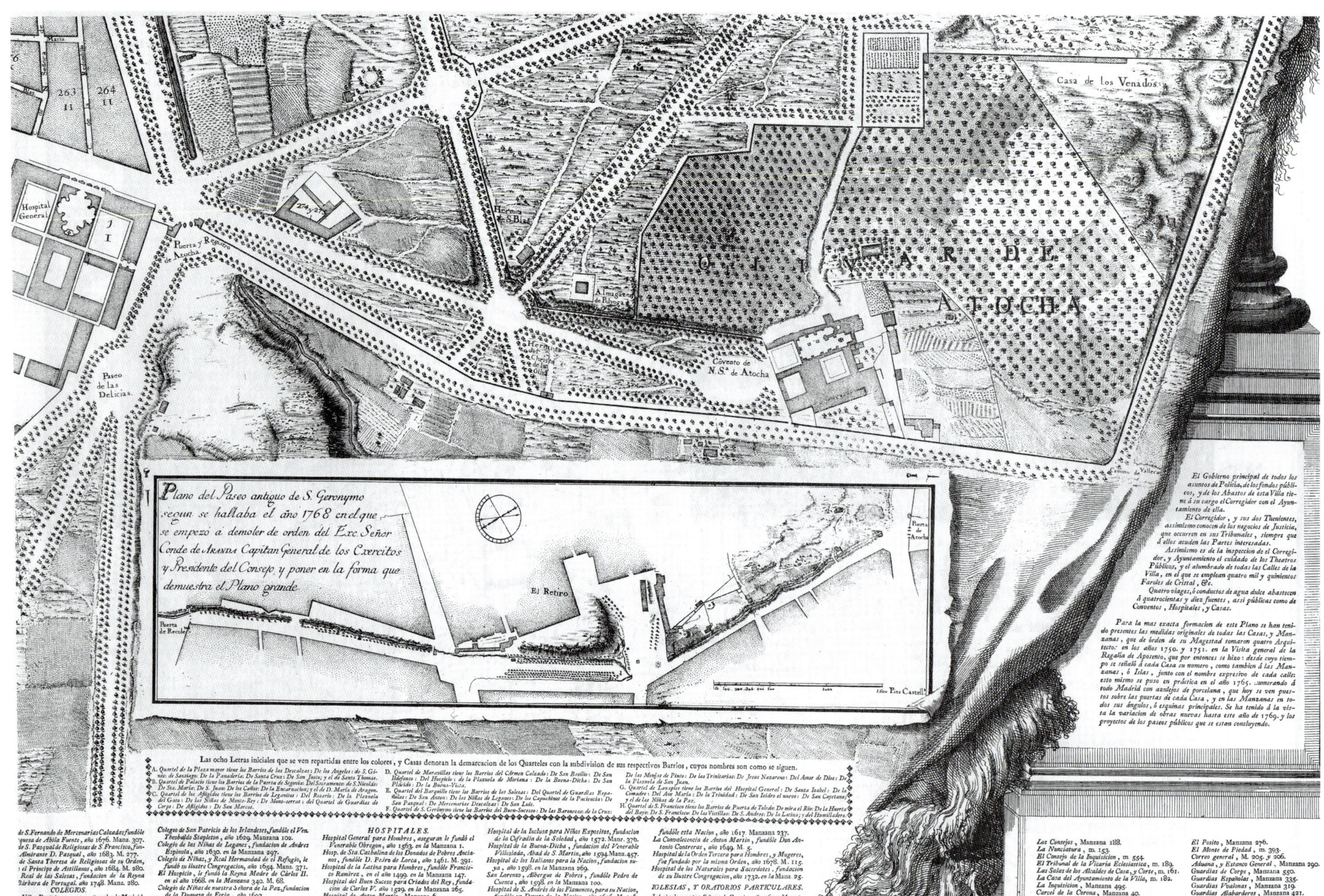

Casa de los Venados
OLIVAR DEL ATOCHA
Hospital General
Puerta y Registro de Atocha
Paseo de las Delicias
Convento de N.ª Sª de Atocha
Ermita de S. Blas
El Retiro
Camino de Vallecas
263 264

Plano del Paseo antiguo de S. Geronymo segun se hallaba el año 1768 en el que se empezó á demoler de orden del Exc. Señor Conde de Aranda Capitan General de los Exercitos y Presidente del Consejo, y poner en la forma que demuestra el Plano grande.
Puerta de Recoletos
Puerta de Atocha
El Retiro

El Gobierno principal de todos los asuntos de Policía, de los fenidos públi-cos, y de los Abastos de esta Villa tie-ne á su cargo el Corregidor con el Ayun-tamiento de ella.
El Corregidor, y sus dos Thenientes, assimismo conocen de los negocios de Justicia, que occurren en sus Tribunales, siempre que á ellos acuden las Partes interesadas.
Assimismo es de la inspeccion de el Corregi-dor, y Ayuntamiento el cuidado de los Theatros Públicos, y el alumbrado de todas las Calles de la Villa, en el que se emplean quatro mil, y quinientos Faroles de Cristal, &c.
Quatro viages, ó conductos de agua dulce abastecen á quatrocientas y diez fuentes, assi públicas como de Conventos, Hospitales, y Casas.
Para la mas exacta formacion de este Plano se han teni-do presentes las medidas originales de todas las Casas, y Man-zanas, que de órden de su Magestad tomaron quatro Arqui-tectos: en los años 1750. y 1751. en la Villa general de la Regalía de Aposento, que por entonces se hizo: desde cuyo tiem-po se señaló á cada Casa su numero, como tambien á las Man-zanas, ó Islas, junto con el nombre expresivo de cada calle: esto mismo se puso en práctica en el año 1765. numerando á todo Madrid con azulejos de porcelana, que hoy se ven pues-tos sobre las puertas de cada Casa, y en las Manzanas en to-dos sus ángulos, ó esquinas principales. Se ha tenido á la vis-ta la variacion de obras nuevas hasta este año de 1769. y los proyectos de los paseos públicos que se estan concluyendo.

Las ocho Letras iniciales que se ven repartidas entre los colores, y Casas denotan la demarcacion de los Quarteles con la subdivision de sus respectivos Barrios, cuyos nombres son como se siguen.

A. Quartel de la Plaza mayor tiene los Barrios de las Descalzas: De los Angeles: de S. Gi-nis: de Santiago: De la Panaderia: De Santa Cruz: De San Justo; y el de Santo Thomas.
B. Quartel de Palacio tiene los Barrios de la Puerta de Segovia: Del Sacramento: de S. Nicolás: De Sta. María: De S. Juan: De los Cañes: De la Encarnacion; y el de D. María de Aragon.
C. Quartel de los Afligidos tiene los Barrios de Leganitos: Del Rosario: De la Plazuela del Gato: De las Niñas de Monte-Rey: De Mons-serrat; del Quartel de Guardias de Corps: De Afligidos: De San Marcos.

D. Quartel de Maravillas tiene los Barrios del Carmen Calzado: De San Basilio: De San Ildefonso: Del Hospicio: de la Plazuela de Moriana: De la Buena-Dicha: De San Plácido: De la Buena-Vista.
E. Quartel del Barquillo tiene los Barrios de las Salesas: Del Quartel de Guardias Espa-ñolas: De San Anton: De las Niñas de Leganes: De los Capuchinos de la Paciencia: De San Pasqual: De Mercenarias Descalzas: De San Luis.
F. Quartel de S. Gerónymo tiene los Barrios del Buen-Sucesso: De las Baronesas: de la Cruz:

De las Monjas de Pinto: De las Trinitarias: De Jesus Nazareno: Del Amor de Dios: De la Plazuela de San Juan.
G. Quartel de Lavapies tiene los Barrios del Hospital General: De Santa Isabel: De la Comadre: Del Ave María: De la Trinidad: De San Isidro el nuevo: De San Cayetano: y el de las Niñas de la Paz.
H. Quartel de S. Francisco tiene los Barrios de Puerta de Toledo: De mira el Rio: De la Huerta del Bayo: De S. Francisco: De las Vistillas: De S. Andres: De la Latina; y del Humilladero.

COLEGIOS.
...de S. Fernando de Mercenarias Calzadas fundóle el Ven. ...quesa de Abila Fuente, año 1676. Manz. 307.
...de S. Pasqual de Religiosas de S. Francisco, Fun- ...Almirante D. Pasqual, año 1683. M. 277.
...de Santa Theresa de Religiosas de la Orden, ...Príncipe de Astillanas, año 1684. M. 880.
...Real de las Salesas, fundacion de la Reyna ...Bárbara de Portugal, año 1748. Manz. 280.
...Niñas Doctrinas para 40 naturales de Madrid, ...Ayuntam. de Madrid, año 1470. M. 116.
...Loreto, de Niñas, fundóle Felipe II. año ...en la Manzana 236.
...pida, fundacion de tres virtuosos Varones en ...1601. en la Manzana 316.

Colegio de San Patricio de los Irlandeses, fundóle el Ven. Theobaldo Stepleton, año 1629. Manzana 102.
Colegio de las Niñas de Leganes, fundacion de Andres Espinola, año 1630. en la Manzana 297.
Colegio de Niñas, y Real Hermandad de el Refugio, le fundó su Ilustre Congregacion, año 1654. Manz. 371.
El Hospicio, le fundó la Reyna Madre de Cárlos II. en el año 1668. en la Manzana 340. M. 68.
Colegio de Niñas de nuestra Señora de la Paz, fundacion de la Duquesa de Feria, año 1693.
Colegio de Niñas de Monterrey, fundóle la Reyna Do-ña Luisa Gabriela de Saboya, I. Muger de Feli-pe V. año 1711.
Seminario de Nobles, fundóle Felipe V. año 1725. Manzana 548.

HOSPITALES.
Hospital General para Hombres, aseguran le fundó el Venerable Obregon, año 1563. en la Manzana 1.
Hosp. de Sta. Cathalina de los Donados de Pobres Ancia-nos, fundóle D. Pedro de Lorca, año 1461. M. 391.
Hospital de la Latina para Hombres, fundóle Francis-co Ramirez, en el año 1499. en la Manzana 147.
Hospital del Buen-Suceso para Criados del Rey, funda-cion de Carlos V. año 1529. en la Manzana 265.
Hospital de Anton Martin, Manzana 6.
Hospital de la Misericordia para Convalecientes, es fundacion de la Princesa Doña Juana de Austria, año de 1559. Manzana 382.
Hospital de la Pasion para Mugeres, fundaronle quatro Vecinos de Madrid, año 1565. en la Manzana 2.

Hospital de la Inclusa para Niños Expositos, fundacion de la Cofradia de la Soledad, año 1572. Manz. 376.
Hospital de la Buena-Dicha, fundacion del Venerable Villoslada, Abad de S. Martin, año 1594. Manz. 457.
Hospital de los Italianos para la Nacion, fundacion su-ya, año 1598. en la Manzana 269.
San Lorenzo, Albergue de Pobres, fundóle Pedro de Cuenca, año 1598. en la Manzana 100.
Hospital de S. Andrés de los Flamencos, para su Nacion, fundóle un Devoto de la Nacion, año 1606. M. 306.
Hospital de S. Antonio de los Portugueses, para Nacion Portuguesa, año 1606. en la Manzana 371.
Hospital de los Franceses, para la Nacion, fundado por Don Enrique Saurecas, año 1615. Manzana 343.
Hospital de Monserrat para los de la Corona de Aragon, fundóle esta Nacion, año 16...

La Convalecencia de Anton Martin, fundóle Don An-tonio Contreras, año 1649. M. 5.
Hospital de la Orden Tercera para Hombres, y Mugeres, fue fundado por la misma Orden, año 1678. M. 115.
Hospital de los Naturales para Sacerdotes, fundacion de su Ilustre Congregacion, año 1732. en la Manz. 25.

IGLESIAS, Y ORATORIOS PARTICULARES.
Iglesia de nuestra Señora de Gracia, año 1620. M. 103.
Oratorio de la Magdalena, año 1646. Manzana 169.
Oratorio del Caballero de Gracia, año 1646. M. 993.
Oratorio del Espiritu Santo, año 1644. Manzana 387.
Oratorio del Príncipe Pio, año 1667. Manzana 555.
Iglesia del Monte de Piedad, año 1719. Manzana 393.

Los Consejos, Manzana 188.
La Nunciatura, m. 153.
El Consejo de la Inquisicion, m. 554.
El Tribunal de la Vicaría Eclesiastica, m. 189.
Las Salas de los Alcaldes de Casa, y Corte, m. 161.
La Casa del Ayuntamiento de la Villa, m. 182.
La Inquisicion, Manzana 495.
Carcel de la Corona, Manzana 40.
Carcel de Corte, Manzana 161.
Carcel de la Villa, Manzana 182.
Carcel de la Galera, Manzana 2.

El Posito, Manzana 276.
El Monte de Piedad, m. 393.
Correo general, M. 205. y 206.
Aduana, y Estanco General, Manzana 290.
Guardias de Corps, Manzana 550.
Guardias Españolas, Manzana 335.
Guardias Vualonas, Manzana 319.
Guardias Alabarderos, Manzana 421.
Theatro de Comedias del Príncipe, M. 216.
Theatro de Comedias de la Cruz, M. 214.
Coliseo del Bayle de Mascara, M. 411.

ADRID
DUX IUDEX ET FIDUCIA PATRIÆ COMES DE ARANDA
AL
EXC.mo SEÑOR
CONDE DE ARANDA
& & &
CAPITAN GENERAL
DE LOS EXERCITOS
Y PRESIDENTE DEL CONSEJO
Antº Espinosa de los Monteros
Academico de la Real
de las nobles Artes
Padres
pe Neri
del Convento
Repoletos

1785
Tomás López
Plano Geométrico de Madrid

PLANO GEOMÉTRICO DE MADRID, DEDICADO Y PRESENTADO AL REY, NUESTRO SEÑOR, DON CARLOS III, POR MANO DEL EXCELENTÍSIMO SEÑOR CONDE DE FLORIDABLANCA / [...] POR D[ON] TOMÁS LÓPEZ (dib. y grab.).

Escala [ca. 1:5.630], 1.800 pies castellanos, que valen seiscientas varas [= 8'9 cm].
Madrid: [s.e.], 1785.
1 plano: l°., sobre papel, 2 hh. unidas, 65'5 x 94'5 cm.

Entre los distintos planos que el geógrafo Tomás López grabó de Madrid, éste de 1785 descuella por su tamaño, calidad en la representación y aparato crítico. Advirtamos que no se trata de un trabajo exclusivamente original –como sí lo son sus pequeños planos realizados en colaboración con el arquitecto Ventura Rodríguez-, pues no proviene de trabajos de levantamiento previos, ya que su base es el precedente de Espinosa de 1769.

Dedicado -y acaso sufragado-, por el conde de Floridablanca, la representación nos ofrece una cuidadísima actualización de la planta de la ciudad para 1785, diseñando las distintas obras acometidas durante el reinado de Carlos III, pero también la planta de aquellas edificaciones de toda índole que se señalaban como notables, completando en gran medida el trabajo realizado por Espinosa de iglesias y conventos en 1769. En justa consonancia, las detalladas tablas enumeran por categorías todos los elementos urbanos de Madrid, y también datos de interés sobre su estructura administrativa; constituye, por último, el primer plano que refiere pormenorizadamente sus precedentes, estableciendo el catálogo de los planos realizados hasta 1785, desde el de Texeira hasta el de Espinosa. Pese a constituir un ejemplar de cartografía de gabinete, se trata de uno de los grandes trabajos de la cartografía urbana de Madrid, el último de la centuria del XVIII.

BIBLIOGRAFÍA:

(CABALLERO, 1840: CIFRA 10, 86), (EXPOSICIÓN SOBRE EL ANTIGUO MADRID, 1926: PLANOS, 6 Y CIFRA 17, 275), (EXPOSICIÓN SOBRE CARTOGRAFÍA DE MADRID, 1960: CIFRA 31, 37-39), (MOLINA, 1960: LÁM. XXXI, 455-490), (EXPOSICIÓN SOBRE CARTOGRAFÍA DE MADRID, 1977), (EXPOSICIÓN SOBRE CARTOGRAFÍA DE MADRID, 1982: CIFRA 15, 76-77), (EXPOSICIÓN SOBRE CARLOS III, ALCALDE DE MADRID, 1988: CIFRA 217, 644), (EXPOSICIÓN SOBRE CARTOGRAFÍA DE MADRID, 1992), (EXPOSICIÓN SOBRE CARTOGRAFÍA DE MADRID, 1997), (ORTEGA, 2000: 72-77), (EXPOSICIÓN SOBRE CARTOGRAFÍA DE MADRID, 2001: CIFRA 16, 126-127), (LÍTER Y SANCHÍS, 2002: CIFRA 233, 307-308), (MARÍN, 2007 D), (EXPOSICIÓN SOBRE CARTOGRAFÍA DE MADRID, 2020) Y (MARÍN Y ORTEGA, 2020: 46-49).

EJEMPLARES:

B.N.E., MR/2/113.
B.R.M., MP. VI/23.
I.G.N., 10-H-24.
M.H.M., IN. 1.527.
R.B., MAP/86(9) Y MAP/392(105).

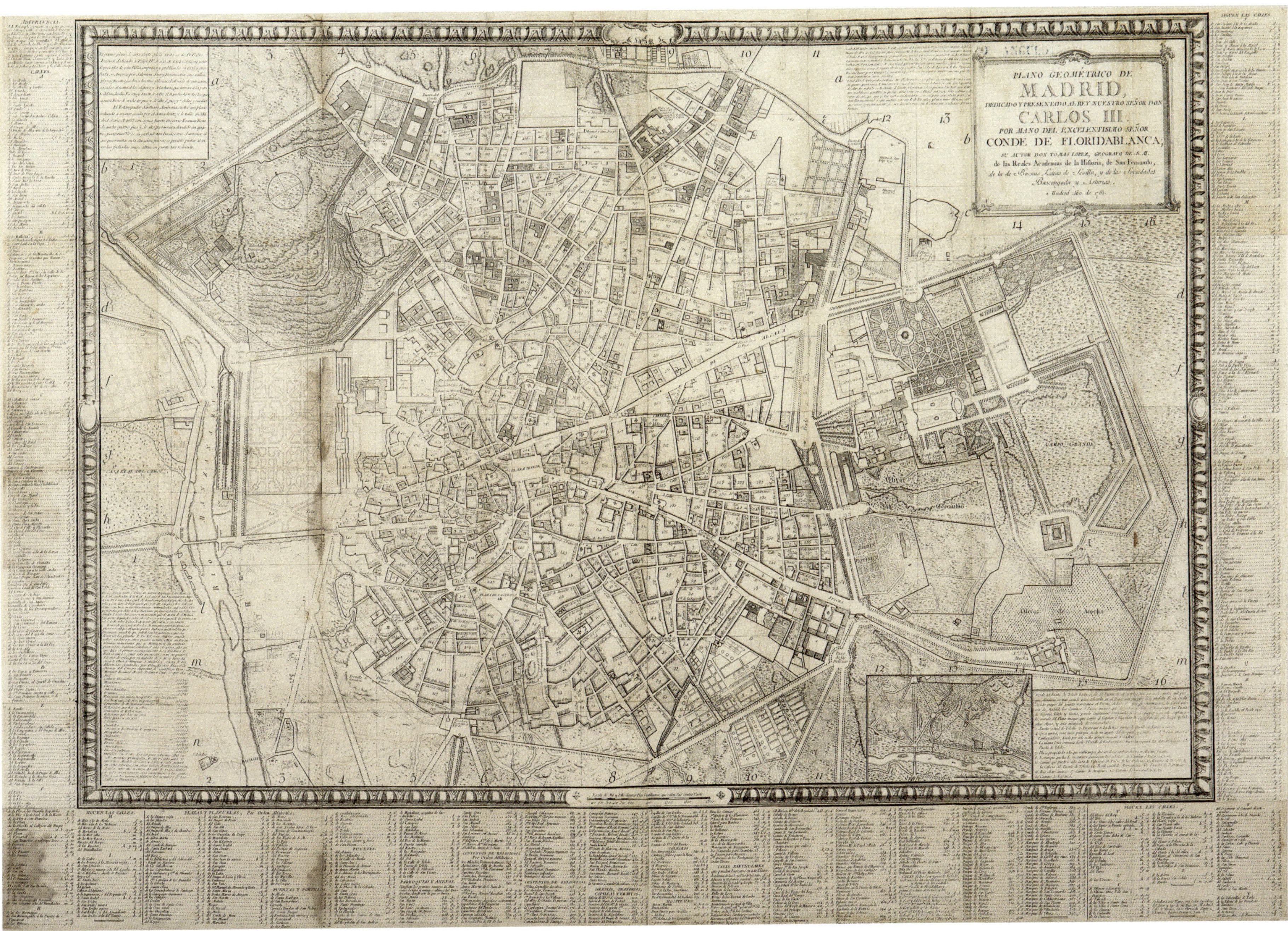

M.H.M.

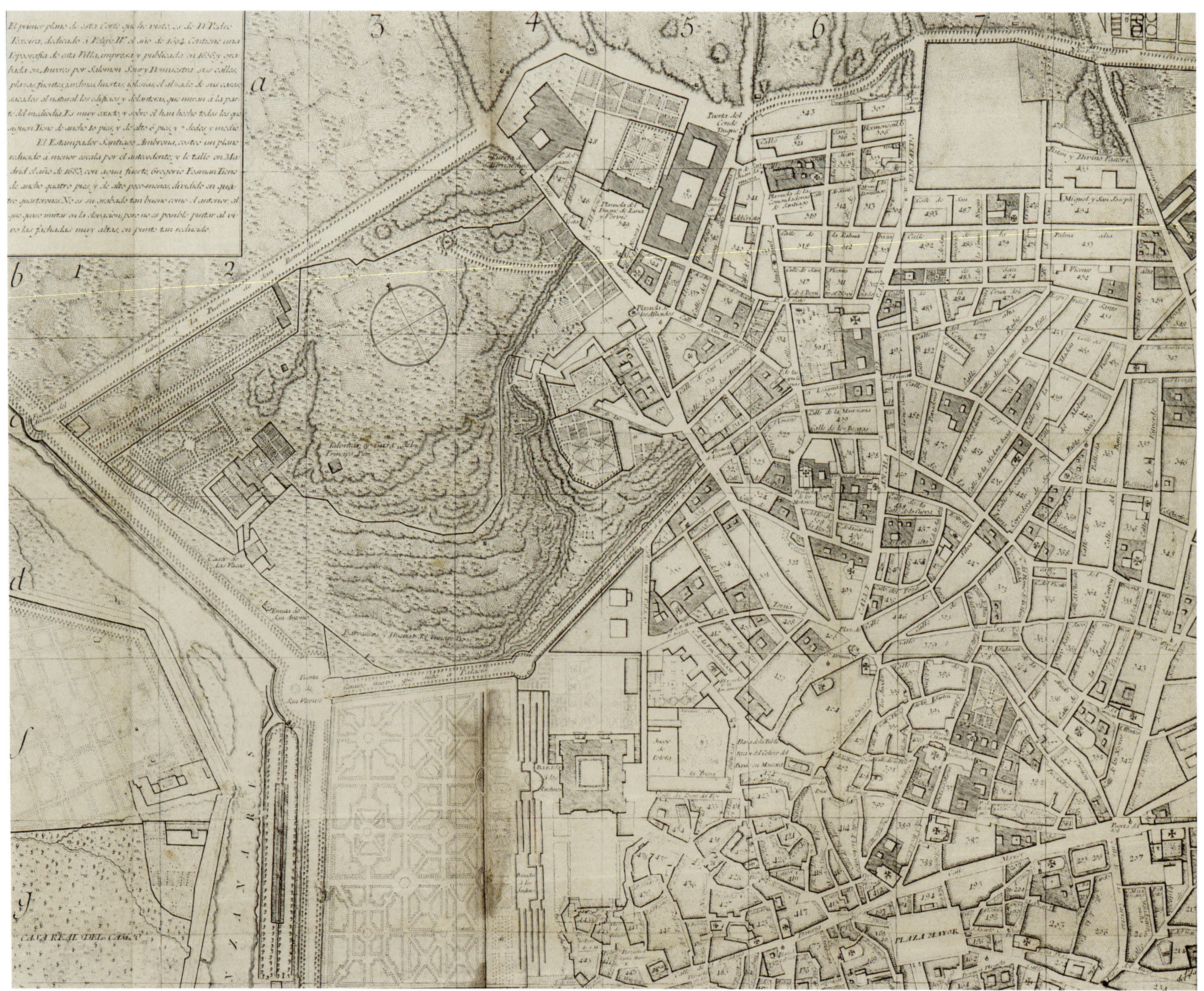

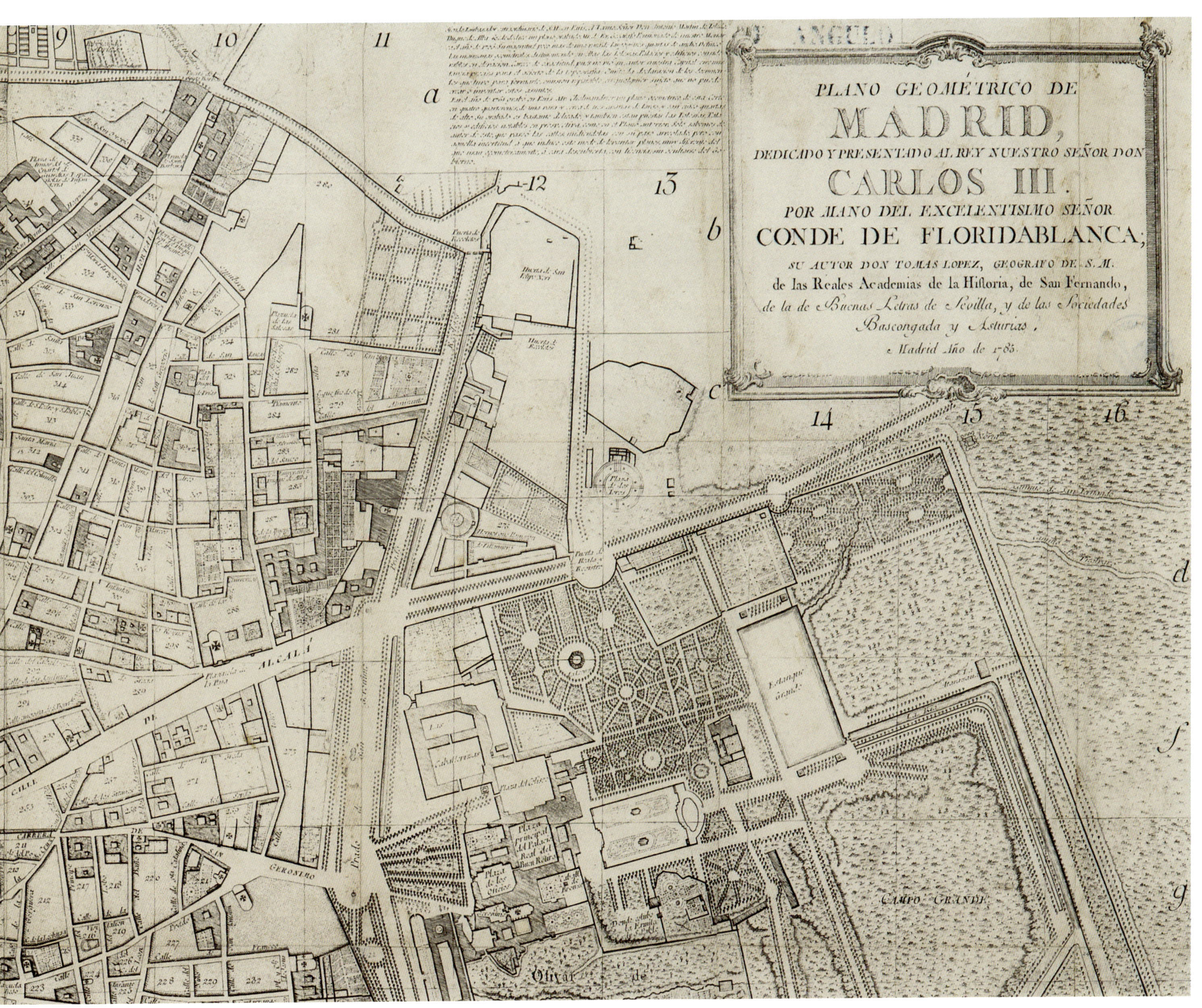
PLANO GEOMÉTRICO DE
MADRID,
DEDICADO Y PRESENTADO AL REY NUESTRO SEÑOR DON
CARLOS III.
POR MANO DEL EXCELENTISIMO SEÑOR
CONDE DE FLORIDABLANCA,
SU AUTOR DON TOMAS LOPEZ, GEOGRAFO DE S. M.
de las Reales Academias de la Historia, de San Fernando,
de la de Buenas Letras de Sevilla, y de las Sociedades
Bascongada y Asturias.
Madrid Año de 1785.
ANGULO
ALCALÁ
GERONIMO
CAMPO GRANDE
Olivar de

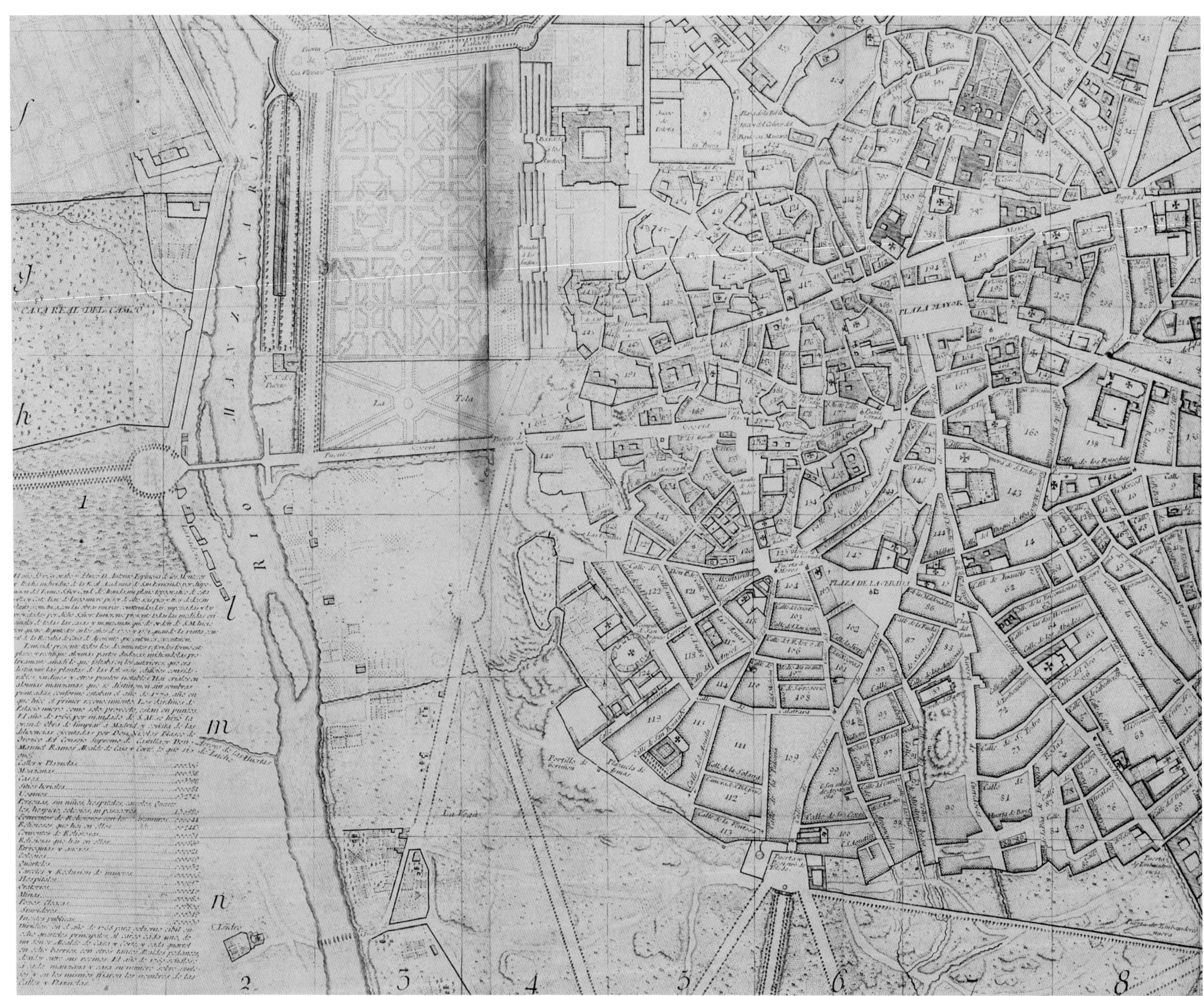

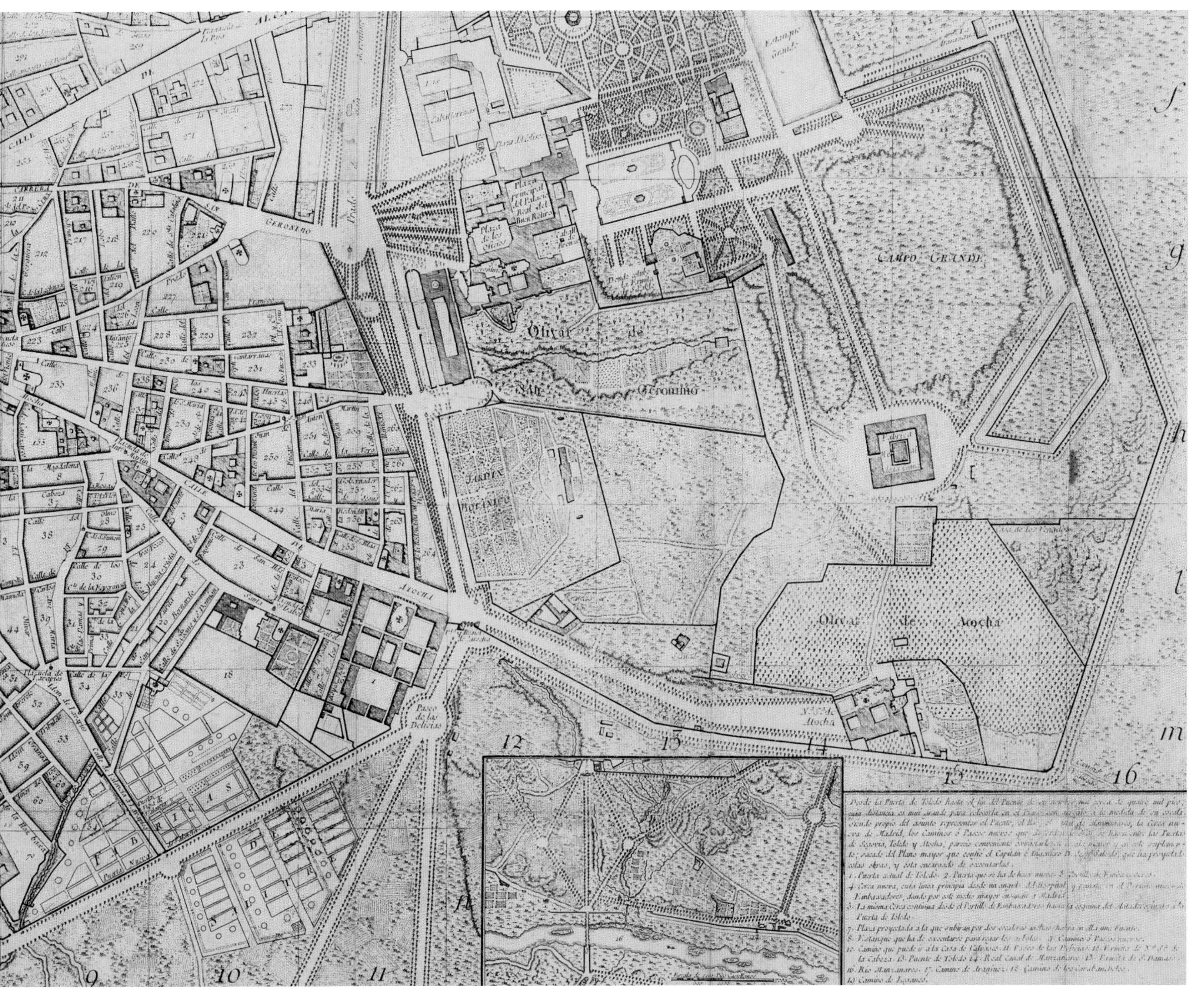

Las vistas madrileñas de Antonio Joli

Frente a la renovación y desarrollo de las plantas urbanas en la segunda mitad del siglo XVIII, las aportaciones visuales generales de la ciudad en esta época resultan paradójicamente escasas. La más intensa es sin duda la realizada por el pintor y escenógrafo Antonio Joli (1700-1777), de la que conocemos cinco vistas de la ciudad, que se pueden entender como una cierta secuencia encadenada, cuyo resultado sí podría considerarse como una cierta visión global. Hay que observar que esa privilegiada "visita" se produce al inicio del período aquí acotado, entre 1750 y 1755, y que este reportaje tal vez constituya una de las cimas pictóricas de Madrid con un registro escenográfico que recuerda las obras de Canaletto. Aunque no procede entrar aquí en prolijos detalles conviene advertir, como en toda obra pictórica, que la seductora apariencia de realismo fidedigno debería matizarse por las relativas licencias propias de la pintura.

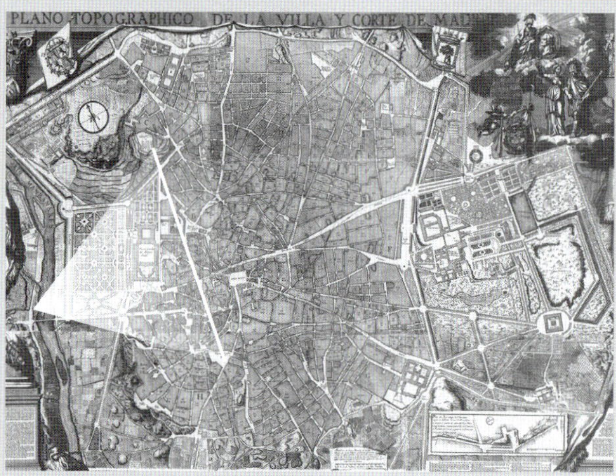

1750-1755. Antonio Joli, *Vista de Madrid desde el río Manzanares.* Óleo sobre lienzo, 148 x 220'5 cm

De este óleo se conocen dos versiones que se diferencian en leves matices. Lo más destacable consiste en la aparición de Palacio Real Nuevo presidiendo la cornisa, actualizando así la cuarta visión de las aquí presentadas a lo largo del tiempo. Frente a lo visto hasta el momento cabe destacar igualmente las nuevas presencias del primer cuarto de siglo del siglo XVIII con las puertas de la Vega y de Segovia de Teodoro Ardemans y las obras de Pedro de Ribera, como la puerta de San Vicente y la ermita de la Virgen del Puerto, debidas a la gestión del marqués de Vadillo para urbanizar en primera instancia los alrededores del antiguo Alcázar.

BIBLIOGRAFÍA

(EXPOSICIÓN SOBRE VENTURA RODRÍGUEZ, 2017: 291).

EJEMPLARES

C.A.

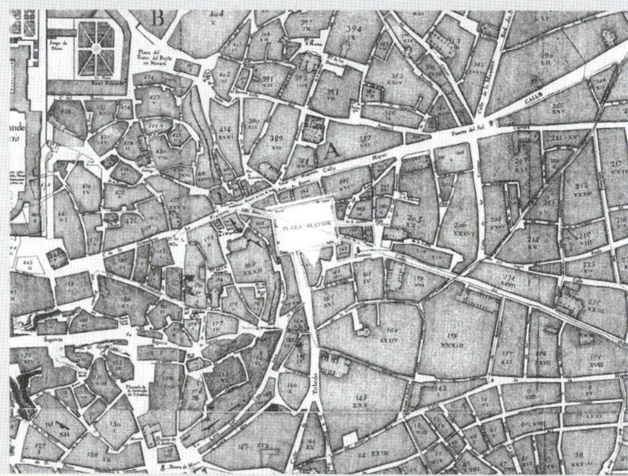

1750-1755. Antonio Joli, *Vista de la plaza Mayor*. Óleo sobre lienzo, 148 x 220'5 cm

Recordando la vista de Antonio Mancelli de 1623, el retrato parcial de la Plaza Mayor al cabo de ciento treinta años se centra en la visión frontal del lienzo de la Panadería. Este edificio aparece renovado tras el incendio y reconstrucción de 1672, al igual que los lienzos sobreelevados de la plaza, igualmente transformados tras el incendio previo de 1631. La ambientación de figuras humanas refleja su doble función de importante ámbito urbano y función de mercado. En la nítida silueta, sobre la que se recorta el cielo de Madrid, aparece la potente presencia de la cúpula de la iglesia de la Casa Profesa de los Jesuitas, antes de ser ocupada por los padres del Oratorio de San Felipe Neri, tras la expulsión de la orden decretada por Carlos III en 1767.

BIBLIOGRAFÍA

(EXPOSICIÓN SOBRE LA PLAZA MAYOR DE MADRID, 2018: CIFRA 45, 216).

EJEMPLARES

P.R.C. 1977/78, N. 2034, 1951/51, N. 1.363, 1905, N. 760.

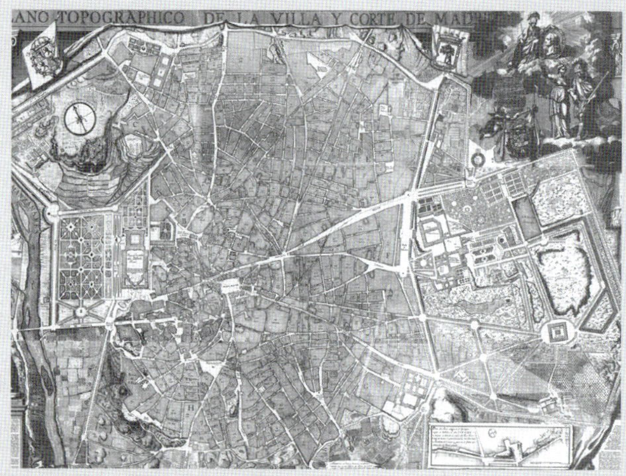

1750-1755. Antonio Joli, *Vista de la calle de Atocha*. Óleo sobre lienzo, 148 x 220'5 cm

El penúltimo episodio de la atractiva secuencia nos resulta ya conocido, pues Joli nos ofrece así su particular versión de la toma previamente realizada por Pier María Baldi. Siendo bastante improbable que el pintor del siglo XVIII conociera el dibujo de 1668, la coincidencia en la representación de esta perspectiva más bien se debería basar en la privilegiada condición de los altos de San Blas como lugar de visualización de esta parte de la ciudad. Como se verá en lo que sigue, este hecho se confirmará en una de las imágenes seleccionadas de la siguiente sección. Insistiendo de nuevo en lo antes advertido sobre la aparente fidelidad realista de las informaciones de los edificios y los ámbitos urbanos, señalemos aquí tan sólo la distorsión o compresión del espacio entre el Retiro y la puerta de Atocha.

BIBLIOGRAFÍA

(EXPOSICIÓN SOBRE VENTURA RODRÍGUEZ, 2017: 291).

EJEMPLARES

C.P.

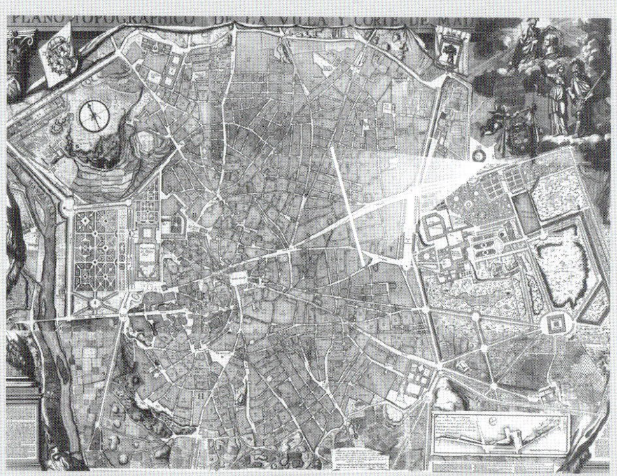

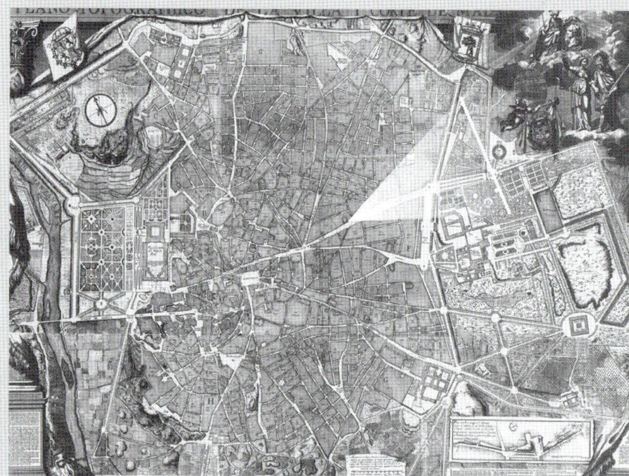

1750-1755. Antonio Joli, *Vistas de la calle de Alcalá*. Óleos sobre lienzo, 148 x 220'5 cm y 78 x 120 cm

El último apartado de esta secuencia resulta notablemente novedoso a los efectos de la visualización urbana de Madrid. Este hecho se concreta en retratar por primera vez la importante arteria de la calle de Alcalá y hacerlo además mediante una doble visión del eje en sus dos sentidos; vista y contra-vista (*veduta y contraveduta*), nos ofrecen una complementaria imagen del cruce de la calle sobre el Prado antes de su reforma ilustrada. La visión hacia el este, hacia la antigua puerta de Alcalá, es sin duda la más difundida y analizada, resultando menos conocida la que representa la calle hacia el oeste, hacia el centro urbano; este segundo retrato constituirá en el futuro una de las imágenes más icónicas de Madrid.

EJEMPLARES

C.P. Y R.A.B.A.S.F., Nº. INVEN. 1.396.

C.P.

R.A.B.A.S.F.

1785 ca. Domingo de Aguirre (atrib.), *Vista de Madrid desde el Retiro.* **Óleo sobre lienzo, 50'5 x 134 cm**

La enigmática visión de una parte del paseo del Prado desde los jardines del Retiro, recientemente adquirida por el Museo de Historia, está atribuida al ingeniero militar Domingo de Aguirre, autor del plano y vistas de Aranjuez, así como de otras vistas de Madrid. Independientemente de la autoría, su incorporación en esta secuencia se debe al valor de la descripción topográfica del ámbito que describe: en éste cabe distinguir el primer plano y el fondo urbano. Las figuras y el lugar de los jardines en el que se sitúan no resultan de fácil interpretación, exhalando una extraña atmósfera casi onírica. El gran valor testimonial de este documento estriba en el fondo urbano que abarca desde la izquierda la parte trasera del palacio hasta la aparición del nuevo palacio de Buenavista a la derecha de la imagen; en el centro se ofrece la panorámica oriental de la ciudad, que complementa en cierta medida la vista anterior de Atocha por Joli, y nos prepara para enlazar con la futura vista de Brambilla que se ofrecerá en la siguiente sección.

Ejemplares:

M.H.M., In. 2016-21-1.

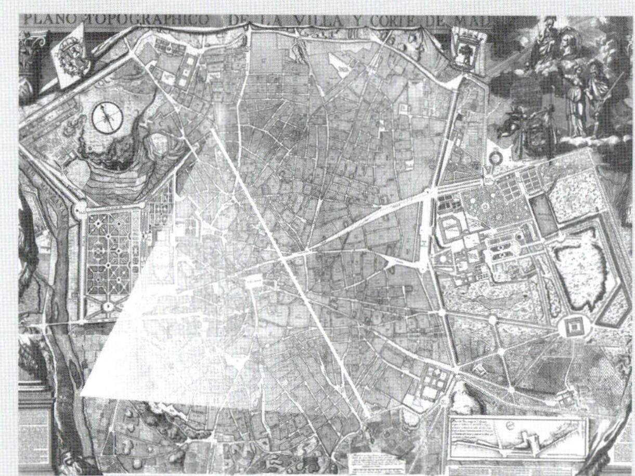

1788. Francisco de Goya, *La pradera de San Isidro*. Óleo sobre lienzo, 41'9 x 90'8 cm

La sorprendente escasez de vistas urbanas generales de Madrid en el reinado de Carlos III se compensa parcialmente con la conservación del esbozo del cuadro destinado a servir de base para un tapiz. El empeño no trascendió de la pequeña y atractiva composición, que describe la tradicional romería con el fondo de la imagen urbana contemplada desde el suroeste. La descripción topográfica de la ciudad, no habitual en la obra del pintor, se estructura con los grandes hitos del Palacio Real Nuevo y el renovado convento de San Francisco con la gran cúpula de su iglesia, que caracterizará desde entonces la silueta de esta parte de la ciudad. Esta visión tan sólo conocía el aproximado precedente de J. Leonart o Leonardus de 1687 y, a partir de esta obra, se constituirá como uno de los lugares preferentes de los retratos pictóricos y fotográficos de Madrid.

BIBLIOGRAFÍA:

(EXPOSICIÓN SOBRE EL MADRID PINTADO, 1992: 146-147).

EJEMPLARES:

M.N.P., 62 (P000750).

Interludio militar:
de Bentabole a León Gil

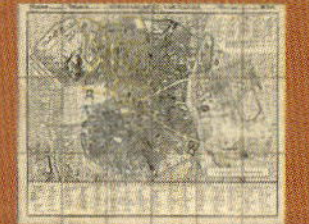

El dramático episodio de la guerra al comienzo del siglo XIX supuso una cierta actualización a la cartografía de Madrid. El progreso de los métodos franceses en la representación del territorio y las ciudades se concreta en una nueva base que afecta fundamentalmente al entorno próximo de Madrid; esta matriz se utilizará para ilustrar retrospectivamente la toma de la ciudad por Napoleón y será actualizada en 1823. La gran novedad de esta época de gran atonía urbana es la maqueta o Modelo de Madrid realizada bajo la dirección de León Gil del Palacio, una de las más antiguas de las conservadas en las capitales de Europa. La notable escala de su traza en planta, próxima a 1:820, sirve de base a la elevación material del volumen y las fachadas de todos los edificios de la ciudad. La maqueta se realiza en el sorprendente plazo de dos años y se supone que la base utilizada fue la del plano de Espinosa. Por su parte, este plano conoce una precaria actualización en 1821 al cargo del arquitecto municipal Elías Villalobos.

Entre estas novedades, la base anterior de Tomás López se actualiza en varias ediciones, destacando la realizada por su hijo Juan en 1812 y la de su sobrino político Pedro Martín editada en 1835. Nos encontramos así en la transición de la vieja ciudad del Antiguo Régimen al momento inicial de las notables transformaciones urbanas que se producirán a lo largo del siglo. Tras un leve intento iniciado en 1815 y al cargo de Antonio López Aguado para dibujar un plano de la ciudad que sirviera a los efectos de rectificar su trazado, en 1835 se contrata a Custodio Teodoro Moreno para el mismo asunto; sobre la base del plano de Espinosa, éste entrega al marqués de Pontejos el plano actualizado y una supuesta rectificación de alineaciones. Actualmente se desconoce el paradero de este documento, lo que es de lamentar pues probablemente estuviera en relación con el proceso de renovación en la numeración de las calles y edificios. Participó activamente en este asunto el arquitecto al servicio del Ayuntamiento Francisco Javier de Mariátegui; la síntesis de la correspondencia entre la antigua numeración de manzanas y parcelas con la nueva se encuentra en diversos documentos como el realizado por González Navarrete en 1836; este listado permite la aproximación rigurosa de un plano parcelario de Madrid en 1835.

Es difícil encontrar una mejor ilustración visual de la ciudad en esta época que la procurada por el propio modelo de León Gil; las grandes posibilidades narrativas de esta singular pieza han sido en parte utilizadas, aunque sería posible desarrollar nuevas facetas en su potencial comunicativo, fundamental testimonio cartográfico de la historia de Madrid. No obstante, y de manera complementaria, se pueden referir genéricamente un conjunto de empeños gráficos en la descripción de la ciudad, como es el caso de las series grabadas por José Gómez Navia a principios del siglo que, al ser un conjunto de vistas parciales, no se incorporan aquí. En cuanto a las vistas de carácter más general, tiene interés adjuntar la renovada visión desde el Retiro que aparece en el grabado de Zix, que se complementa con el fondo urbano del cuadro de José Brambilla desde la montaña del Retiro. En cuanto a las visiones del ámbito occidental de la ciudad, se incorpora otra vista de Brambilla desde la pradera de San Isidro y una de José María Avrial desde la montaña del Príncipe Pío.

PLANOS Y MAQUETA:

1808. José Carlos María Bentabole, *Plano de Madrid*.

1812. Juan López, *Plano de Madrid*.

1828-1830. León Gil de Palacio, *Modelo de Madrid*.

1835. Pedro Martín López, *Plano de Madrid*.

VISTAS:

1808-1809. Benjamín Zix, *Rendición del pueblo de Madrid ante Napoleón Bonaparte*.

1830 ca. Fernando Brambilla, *Vista general de Madrid tomada desde la montaña del Retiro*.

1830 ca. Fernando Brambilla, *Vista general de Madrid tomada desde la Pradera de San Isidro*.

1836 ca. José María Avrial, *Vista de Madrid desde la montaña del Príncipe Pío*.

1808
José Carlos María Bentabole
Plano de Madrid

PLAN DE MADRID, et de ses Environs / *pour servir à l'historique succinet sur l'attaque de cette capitale, / le 3 Décembre, an 1808/* levé par les officiers ingeni[eu]rs géogr[aphe]s, dessiné d'après Bentabole en 1809.

Escala, 1:20.000, 1.000 métres [= 5 cm].
[París]: 1809.
1 plano: ms., lápiz, tinta negra y aguadas, varios colores, sobre papel, 75 x 45'5 cm.

La Guerra de la Independencia supuso para la cartografía un cambio secular. Éste fue posible por la intervención destacada de los ingenieros militares franceses que acompañaban a la Grand Armée, el colosal ejército comandado por el propio Napoleón Bonaparte, que irrumpió por la frontera de Hendaya a lo largo del mes de noviembre de 1808. Tales ingenieros realizaron una serie de levantamientos con fines eminentemente militares; en concreto, este *Plano de Madrid y sus cercanías* representa el casco urbano y sus inmediaciones una vez que el ejército imperial se disponía a tomar la ciudad el 2 de diciembre de 1808. Su escala en metros a 1:20.000 recoge la traza general de la ciudad con el dibujo de sus vías de comunicación más importantes, pero también la periferia inmediata entre Fuencarral, al norte, y el curso del río Manzanares a la altura del puente de Toledo, al sur. El magnífico levantamiento, dirigido por el capitán de ingenieros José Carlos María Bentabole, se litografió en 1823 en París.

BIBLIOGRAFÍA:

(CABALLERO, 1840: CIFRA 13, 87-88), (EXPOSICIÓN SOBRE CARTOGRAFÍA DE MADRID, 1982: CIFRA 30, 102-103), (EXPOSICIÓN SOBRE CARTOGRAFÍA DE MADRID, 1992), (EXPOSICIÓN SOBRE CARTOGRAFÍA DE MADRID, 1997), (EXPOSICIÓN SOBRE MADRID 1808, 2008: CIFRA 51, 182) Y (MARÍN, 2008 C).

EJEMPLARES:

S.H.D., LIII 347 (1).

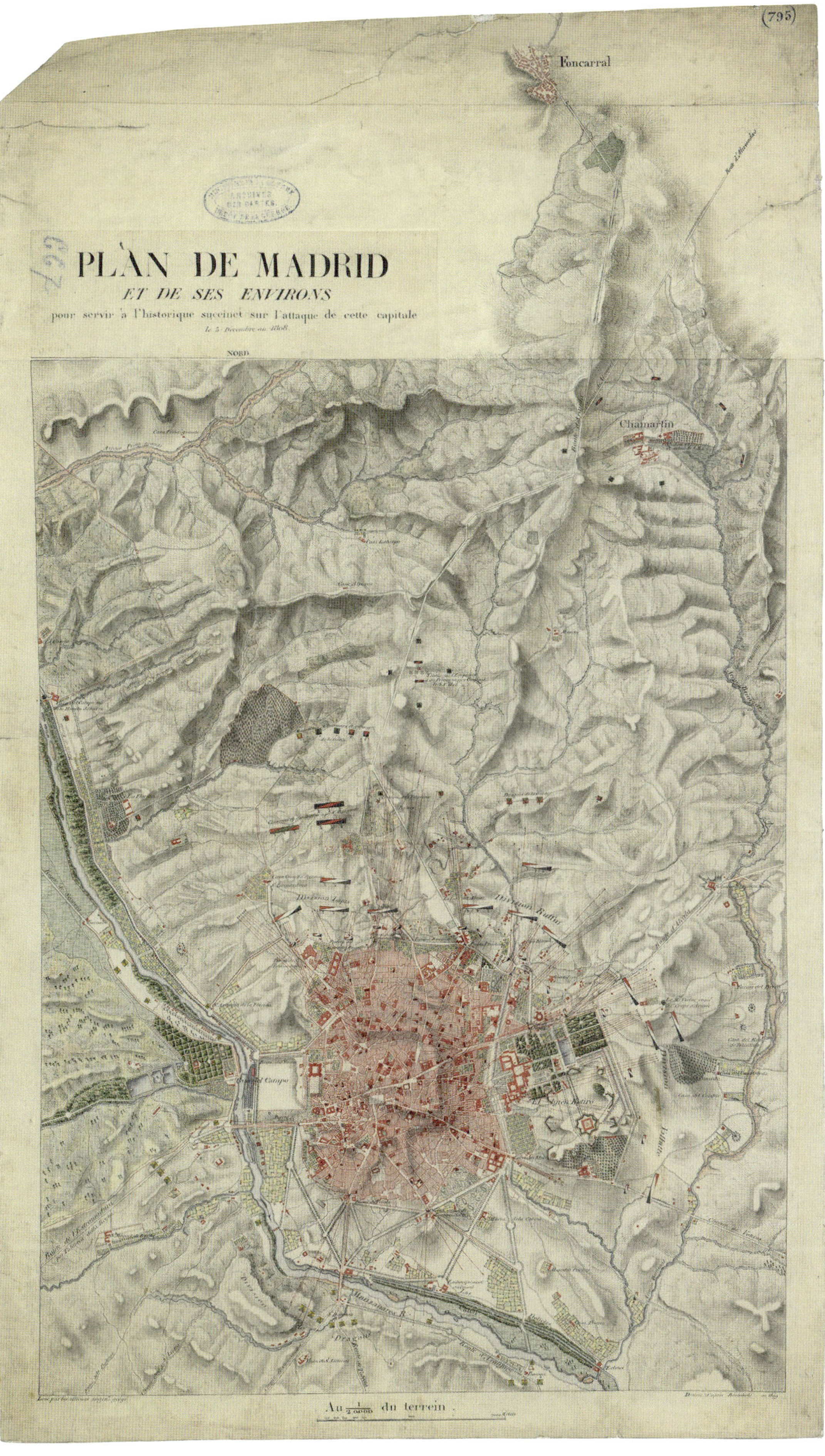
(795)
Foncarral
PLÀN DE MADRID
ET DE SES ENVIRONS
pour servir à l'historique succinct sur l'attaque de cette capitale
le 3 Décembre au 1808.
NORD
Chamartin

Puerta del
Conde Duque
Puerta de
Bernardino
Puerta de
S. Vicente
S.ᵗ Antonio de la Florida
Casa del Campo
Puerta de
Segovia
Puerta de Toledo

Division Ruffin
Route d'Alcala
Casa Blanca
Casa de la Torre
Casa Tojar
Puerta de Barbara
Le M. Victor comd.
du 1er Corps d'Armée
Division Villatte
Casa de Guarda
Casa del Cordero
El Buen Retiro
Puerta de Alcala
Puerta de Atocha
S.ta Maria de la Cabeza
Chemin

1812
Juan López
Plano de Madrid

PLANO DE MADRID, DIVIDIDO EN DIEZ QUARTELES / Publícale el Geógrafo D[o]n Juan López, por don Pedro Lezcano y Salvador (dib.) y Fonseca (grab.).

Escala [ca. 1:7.750], 3.000 pies castellanos [= 11'3 cm].
En Madrid: Publícale el Geógrafo D[o]n Juan López, Calle de Atocha, frente a la Plazuela del Ángel, n°. 1, cuarto 2°., 1812.
1 plano: l°., sobre papel, 53 x 64'1 cm.

Deudor del *Plano geométrico de Madrid*, de 1785, este ejemplar abre la secuencia de la cartografía de gabinete de Juan López, hijo y heredero de Tomás López. En origen, se trató de un encargo de José I con el propósito de contar con un plano de la ciudad que reflejara con precisión la planta general de Madrid, sensiblemente transformada a causa de los derribos dispuestos por este monarca para crear plazas públicas. El plano se editaría en 1812, en una sola hoja, a la escala de una pulgada por cada doscientas varas castellanas, con una profusa información, tanto en lo tocante a la representación actualizada de la traza general como por los datos que incluye, dispuestos en una extensa tabla y el propio plano. Uno de los principales objetivos del plano era la representación de la división administrativa vigente desde 1802 en diez cuarteles y seis barrios cada uno.

La probada solvencia técnica de Juan López como geógrafo, Pedro Lezcano y Salvador, su dibujante y, sobre todo, José Fonseca, a cuyo cargo estuvo el grabado calcográfico, proporcionó a la ciudad de un plano preciso que se reeditaría actualizado en 1825. Años más tarde, el sobrino de López, el también geógrafo Pedro Martín de López, lo reeditaría nuevamente en 1835 y 1846.

BIBLIOGRAFÍA:

(CABALLERO, 1840: CIFRA 13, 87), (EXPOSICIÓN SOBRE EL ANTIGUO MADRID, 1926: PLANOS, 16-17 Y CIFRA 27, 276), (EXPOSICIÓN SOBRE CARTOGRAFÍA DE MADRID, 1977), (EXPOSICIÓN SOBRE CARTOGRAFÍA DE MADRID, 1982: CIFRA 29, 100-101), (EXPOSICIÓN SOBRE CARLOS III, ALCALDE DE MADRID, 1988: CIFRA 233, 647), (EXPOSICIÓN SOBRE CARTOGRAFÍA DE MADRID, 1992), (EXPOSICIÓN SOBRE CARTOGRAFÍA DE MADRID, 1997), (EXPOSICIÓN SOBRE CARTOGRAFÍA DE MADRID, 2001: CIFRA 21, 136-137), (MARÍN, 2008 A), (EXPOSICIÓN SOBRE CARTOGRAFÍA DE MADRID, 2020) Y (MARÍN Y ORTEGA, 2020: 50-52).

EJEMPLARES:

B.N.E., MV/13.
B.R.M., MP. VI/5.
C.G.E., AR.E-T.9-C.2-48.
M.H.M., IN. 15.783.

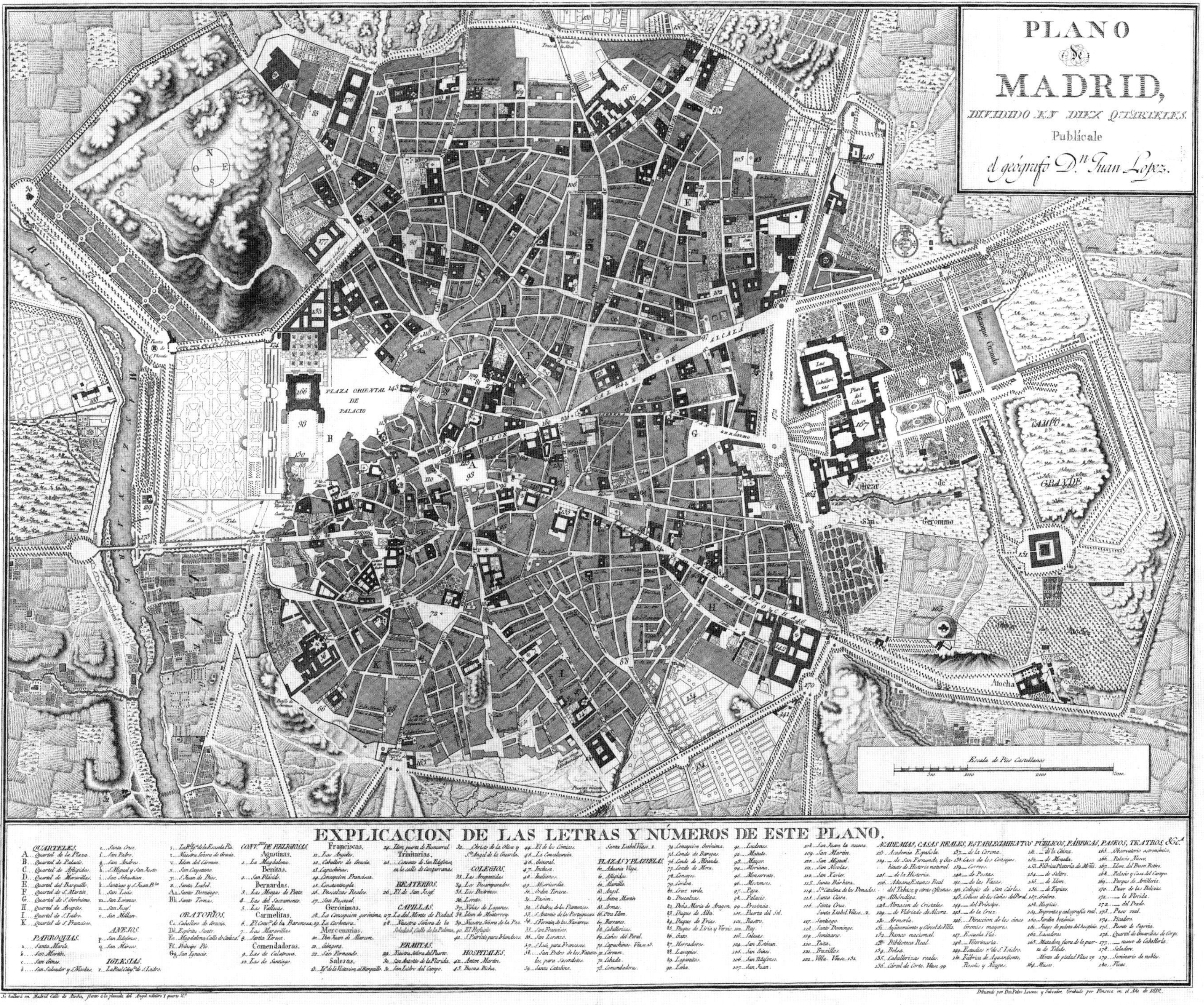

EXPLICACION DE LAS LETRAS Y NÚMEROS DE ESTE PLANO.

M.H.M.

1828-1830
León Gil de Palacio
Modelo de Madrid

[Modelo de la ciudad de Madrid] / León Gil de Palacio.

Escala [ca. 1:816], media línea por vara.
[Madrid:], [1830].
1 maqueta: varios materiales, 320 x 520 cm.

El segundo hito cartográfico del siglo XIX lo constituye la Maqueta de Madrid realizada por León Gil de Palacio, teniente coronel de artillería, que representa en volumen la ciudad de 1828. Ejecutada a lo largo de veintiocho meses, partió de un plano levantado ex profeso a la escala de 1:432, y muestra la ciudad del Antiguo Régimen, antes de las grandes transformaciones que la reformaron por completo a partir de 1837, fecha de la Desamortización de Mendizábal.

BIBLIOGRAFÍA:

(CABALLERO, 1840: CIFRA 15, 88), (PASTOR, 1972), (EXPOSICIÓN SOBRE CARTOGRAFÍA DE MADRID, 1982: 235-237) Y (MARÍN Y ORTEGA, 2020: 56).

EJEMPLARES:

M.H.M., IN. 3.334.

1835
Pedro Martín López
Plano de Madrid

PLANO Topográfico de MADRID, dividido en cinco DEMARCACIONES o COMISARÍAS, y cincuenta BARRIOS, según R[ea]l Orden DE S[U] M[AJESTAD] DE VEINTE DE ENERO DE 1835 / Publicado por [...] D[on] Juan López, delineado por d[o]n Pedro Lezcano y Salvador (dib.), y [Pedro Martín de López, (ed.)].

Escala [ca. 1:7.200], 3.000 pies castellanos [= 10'9 cm].
En Madrid: en el Establecimiento Geográfico, Calle del Príncipe, 1835.
1 plano: l°., sobre papel, 53'4 x 68'8 cm.

El interés testimonial de este ejemplar, heredero de la secuencia cartográfica iniciada por Tomás López en 1785 y continuada por su hijo Juan en 1812, es mostrar la ciudad en el momento previo del segundo ciclo de grandes transformaciones urbanas del siglo XIX: la Desamortización de Juan Álvarez Mendizábal. En lo material, se trata de una reedición del plano de 1812, el cual había sido reimpreso en 1825, pero aprovechando la circunstancia de una nueva división administrativa, la resultante de la Real Orden de 20 de enero de 1835, en la que la ciudad se estructuraba para su policía en cincuenta barrios agrupados en cinco comisarías; así lo delata la tabla inserta y el código de color aplicado manualmente sobre cada ejemplar. Es probable que este plano proceda de un gran plano, hoy perdido, levantado en nueve hojas por el arquitecto Francisco Javier Mariátegui con ese propósito sobre el de Espinosa. En 1846, Pedro Martín de López actualizaría nuevamente la estampa añadiendo tres vistas y un planito de las cercanías de Madrid.

BIBLIOGRAFÍA:

(CABALLERO, 1840: CIFRA 13, 87 Y CIFRA 17, 88-89), (EXPOSICIÓN SOBRE EL ANTIGUO MADRID, 1926: PLANOS, 16-17 Y CIFRA 28, 276), (EXPOSICIÓN SOBRE CARTOGRAFÍA DE MADRID, 1977: CIFRA 13), (C.O.A.M., 1979), (EXPOSICIÓN SOBRE CARTOGRAFÍA DE MADRID, 1982: CIFRA 36, 110-111), (EXPOSICIÓN SOBRE CARTOGRAFÍA DE MADRID, 1992), (EXPOSICIÓN SOBRE CARTOGRAFÍA DE MADRID, 1997) Y (MARÍN, 2008 A).

EJEMPLARES:

B.N.E., MV/13.
C.G.E., AR.E-T.9-C.2-52.
M.H.M., IN. 1.529.

PLANO topografico de Madrid, dividido en cinco DEMARCACIONES ó COMISARIAS, y cincuenta Barrios, segun R.l orden
DE 20. DE ENERO DE 1835.
EXPLICACION DE LAS LETRAS Y NÚMEROS DE ESTE PLANO.

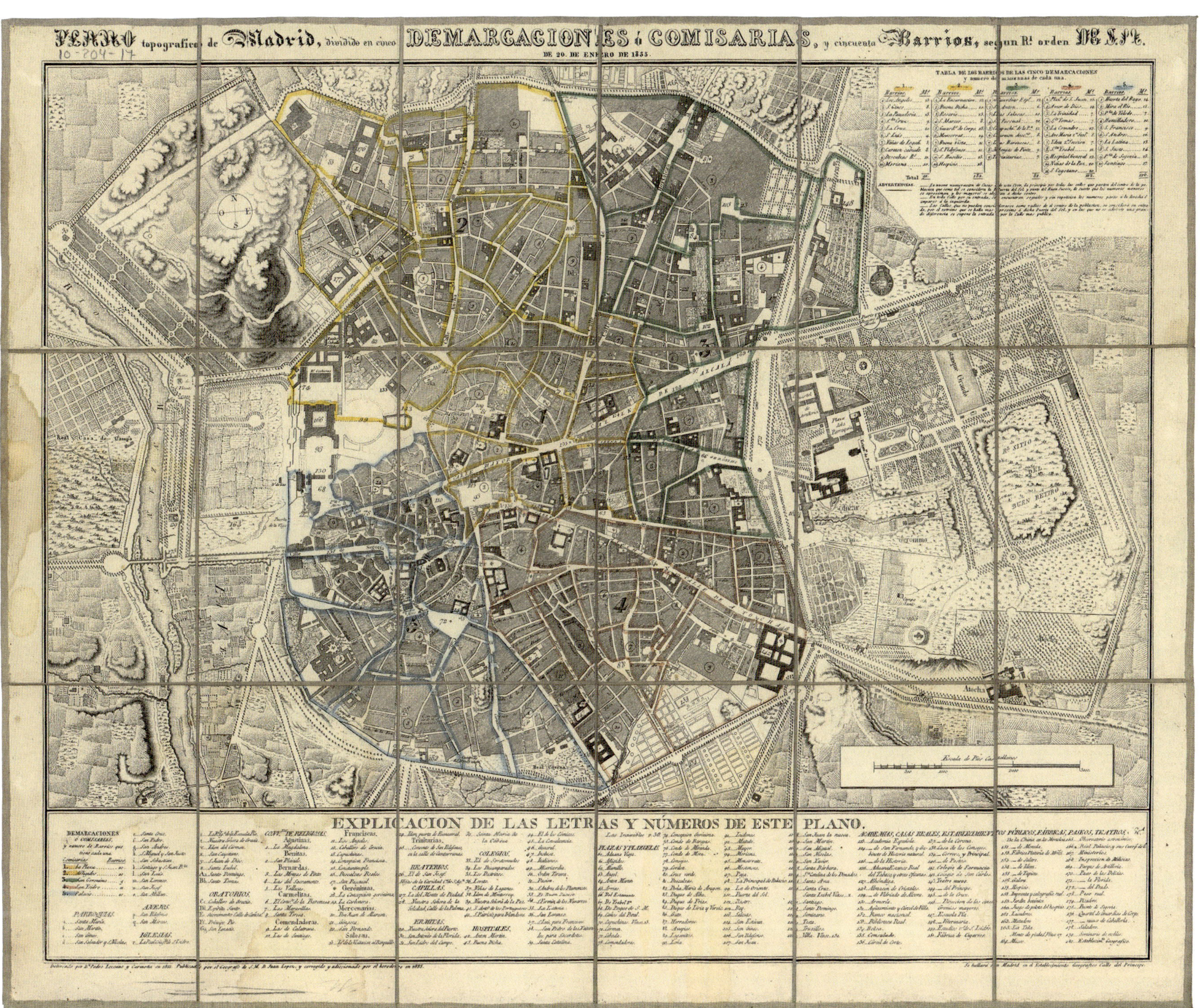

M.H.M.

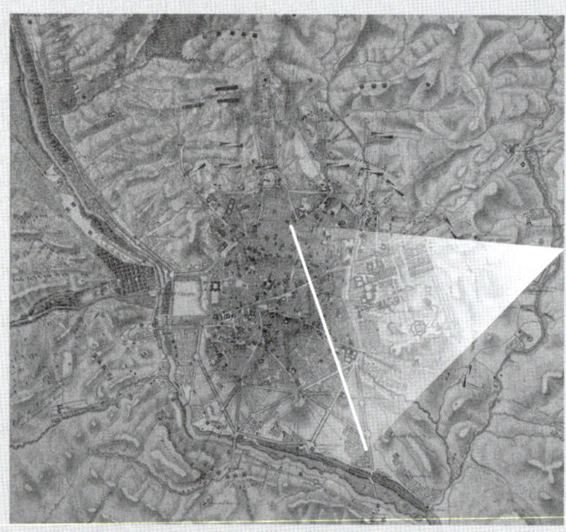

1808-1809. Benjamín Zix, *Rendición del pueblo de Madrid ante Napoleón Bonaparte*. Aguafuerte, 33'3 x 67'3 cm

Este grabado supone un cierto complemento de las aportaciones cartográficas de los cuerpos militares napoleónicos durante la dramática guerra que, además de su componente estratégica, cumplieron también una indudable intención simbólica y de propaganda. Dejando a un lado el argumento fundamental del grabado protagonizado por las figuras humanas, interesa destacar aquí el fondo de la escena en el que se actualiza y describe la imagen de la ciudad desde los altos de San Blas protagonizada por el Buen Retiro y el Prado de Atocha. Tras las imágenes de Baldi y Joli precedentes, ésta es la tercera vez que se utiliza este encuadre parcial como emblema urbano. Con respecto a los anteriores, el punto de vista se desplaza hacia el este registrando mejor el palacio del Retiro antes de su inmediata destrucción, apareciendo la ciudad algo más lejana en la que se reconocen las nuevas presencias a medio construir del Laboratorio Químico y Gabinete de Historia Natural (luego Museo del Prado) y del gran Hospital General.

EJEMPLARES:

C.M.A.

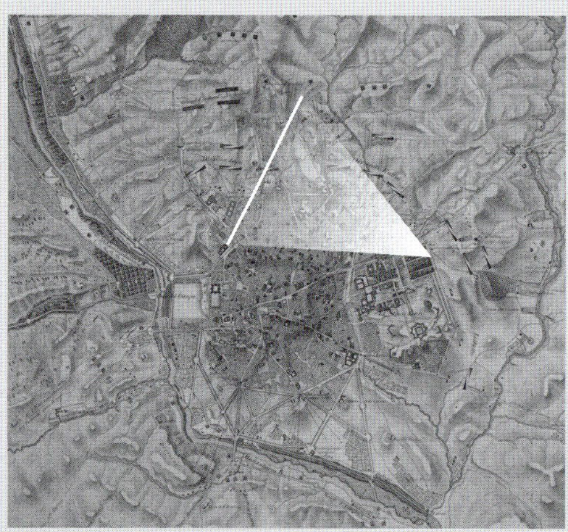

1830 ca. Fernando Brambilla, *Vista general de Madrid tomada desde la montaña del Retiro*. Óleo sobre lienzo, 93'5 x 140'5 cm

Casi al mismo tiempo en que se realiza la maqueta o *Modelo de Madrid*, Fernando Brambila despliega una intensa labor pictórica cumpliendo el encargo del Rey de describir los Sitios Reales, entre los que se encuentra Madrid, a la que dedica trece cuadros; esta serie pictórica se difundirá mediante estampaciones litográficas. De las dos vistas de Madrid que seleccionamos aquí tal vez la más novedosa, al retratar la visión desde el acceso oriental de la ciudad, tomada desde el punto concreto de la montaña artificial del Reservado fernandino del Buen Retiro, por entonces recién construida. De alguna manera, esta vista complementa la anterior al reflejar preferentemente la parte septentrional de la ciudad entre los límites pictóricos del Casón del Retiro y el convento de las Salesas. La imagen del conjunto urbano no resulta de gran precisión debido a su tamaño reducido, ya que el énfasis descriptivo se establece en la parte más próxima del Reservado, en la que destaca el exótico elemento de la Casa Persa.

BIBLIOGRAFÍA:

(EXPOSICIÓN SOBRE EL MADRID PINTADO, 1992: 170-171) Y (SANCHO, 2002: 84-85).

EJEMPLARES:

P.N., PALACIO DE LA MONCLOA (10006116).

Vista general de Madrid tomada desde la montaña del Retiro.

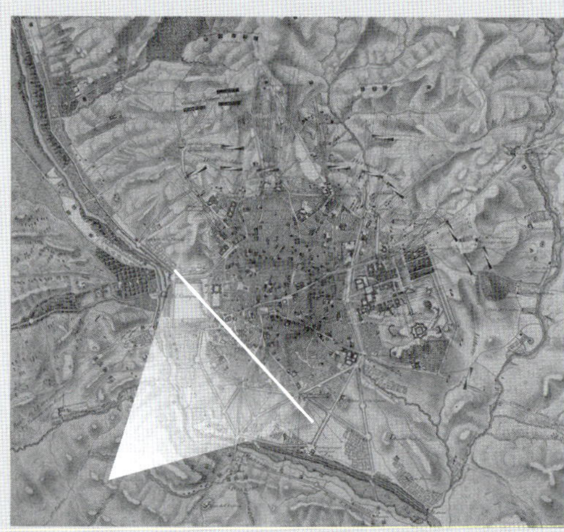

1830 ca. Fernando Brambilla, *Vista general de Madrid tomada desde poniente y sur*. Óleo sobre lienzo, 93 x 141 cm

La segunda vista seleccionada del Madrid de Fernando Brambilla nos traslada al costado suroccidental de la ciudad. Al igual que en el caso anterior, la composición del cuadro se estructura con un primer plano que describe el entorno inmediato de la ciudad y un fondo con los edificios y la silueta urbana. La gran curva del río Manzanares se jalona por los grandes puentes de Segovia (izquierda) y de Toledo (derecha), apareciendo en el medio el pontón que conducía a la ermita de San Isidro que no aparece en el cuadro; entre los puentes y la ciudad aparecen las nuevas vías arboladas de los paseos imperiales, tendidas en las últimas décadas del siglo XVIII. Tanto el caudaloso río como la abundante vegetación de la ladera transmiten una sorprendente exuberancia. Tras este primer plano, la apretada silueta urbana discurre desde el Palacio Real hasta el Hospital General, apareciendo entre ambos extremos el conjunto de San Francisco el Grande y la nueva Puerta de Toledo. Tiene interés relacionar esta vista con la realizada por Goya, presentada en el epígrafe anterior, así como las realizadas posteriormente con un encuadre similar.

BIBLIOGRAFÍA:

(SANCHO, 2002: 86-87).

EJEMPLARES:

P.N., PALACIO REAL (100215777).

Vista general de Madrid, tomada entre Poniente y Sur.

1836 ca. José María Avrial, *Vista de Madrid desde la montaña del Príncipe Pío*. Óleo sobre lienzo, 45 x 67 cm

Junto a Fernando Brambilla, José María Avrial podría ser considerado como el otro retratista de Madrid en esta época. De la considerable producción de este autor, normalmente ceñida a encuadres parciales de ámbitos urbanos, seleccionamos aquí esta composición que supone una visión más general de la ciudad contemplada desde el noroeste. Esta perspectiva supone un complemento casi coetáneo a la imagen anterior, y también puede ser considerada en cierta relación con la vista realizada por Houase con más de un siglo de antelación. La mitad inferior de la vista se ocupa por una ambientación bucólica, apareciendo en segundo plano las novedades edificatorias al norte del Palacio Real del final del siglo anterior, como el Cuartel de San Gil y las Caballerizas Reales; tras éstas se observa la cubierta del Cocherón de Palacio recién terminado. Al fondo se despliega una silueta urbana erizada de cimborrios, cúpulas y chapiteles un tanto difusa en la que no resulta inmediato el reconocimiento preciso de los edificios.

BIBLIOGRAFÍA:

(EXPOSICIÓN SOBRE EL MADRID PINTADO, 1992: 182-183).

EJEMPLARES:

M.H.M., IN. 6.570.

El plano de los ingenieros, nueva base para el proyecto de la ciudad

Es triste, a la par que excitante, constatar la pérdida, o acaso la deslocalización momentánea, de otro de los grandes hitos de la cartografía madrileña. Se trata del gran plano realizado a la escala de 1:1.250 por los ingenieros Juan de Rivera, Juan Merlo y Fernando Gutiérrez, siendo los dos últimos también arquitectos. El plano fue el resultado de las gestiones, iniciadas por Fermín Caballero en 1840, con la intención de producir una planta rigurosa que sirviera a los efectos de la gestión de la ciudad para la rectificación de alineaciones de calles y plazas. Después de seis años de trabajo, el proceso se concretó en un conjunto de planos de detalle -nada menos que 580- a la escala de 1:312,5 y el montaje general con la incorporación de las plantas de los edificios singulares. En 1846 Mesonero Romanos propone la reducción y grabado del plano a la escala de 1:5.000, labor asumida por Francisco Coello en relación con el *Diccionario* de Pascual Madoz. En 1848 se edita la primera versión, que deviene en 1849 como plano oficial de la Villa: esta versión incorpora la altimetría en curvas de nivel realizada por Juan Rafo y Juan de Rivera, en relación con el proyecto de traída de aguas.

Esta base servirá igualmente de corazón o núcleo a diversos productos cartográficos que se extienden al entorno urbano. En 1856, la cartografía militar produce el plano de los alrededores de Madrid a la escala de 1:20.000, mientras que la sección municipal de Paseos Arbolados genera el interesante documento de reciente localización que aquí se presenta. No obstante, la producción gráfica de mayor interés es la generada por el proyecto de ensanche concretado por Carlos María de Castro entre 1856 y 1860. Además de las diversas versiones o ediciones ya conocidas grabadas a la escala de 1:12.500, se ha localizado en fecha reciente el gran conjunto por hojas que sirvió de base, constituyendo un manuscrito dibujado a la escala de 1:2.500. Este interesante plano, aún por estudiar en profundidad, se puede entender como un palimpsesto de trabajo en el que se mezclan distintas fases del proyecto en evolución, borrando y añadiendo líneas y superficies en diversas zonas del documento. La base del plano de los ingenieros será igualmente utilizada por José Pilar Morales para las sucesivas ediciones de sus Planos y Guías de Madrid, que generan una cierta crónica gráfica del crecimiento del ensanche.

El complemento visual volumétrico al profuso conjunto de plantas urbanas de esta época se concreta en tres testimonios gráficos realizados en dos momentos. El primero es la singular vista aérea editada por León Rico en 1849, que ilustra en primer plano parte de la Puerta del Sol antes de su reforma, dilatando su encuadre en dirección este hasta alcanzar el conjunto del Retiro. El segundo y tercer testimonio son los reflejados por Alfred Guesdon en sus magníficas vistas de Madrid editadas desde París en su obra España a vuelo de pájaro; la panorámica levemente picada desde el suroeste de la ciudad, presidida por el Palacio Real, se complementa con una novedosa vista desde el nordeste, con el protagonismo del Prado de Recoletos y de San Jerónimo, en la que se registra lateralmente el menoscabado conjunto del Retiro.

PLANOS:

1848. Francisco Coello, *Plano de Madrid*.

1848. Juan Rafo y Juan de Rivera, *Plano de Madrid con el relieve del terreno*.

1857 ca. Ramón Sevillano, *Plano de Madrid y sus paseos arbolados*.

1856-1864. Carlos María de Castro, *Anteproyecto del Ensanche de Madrid*.

1860. Carlos María de Castro, *Anteproyecto del Ensanche de Madrid*.

1866. José Pilar Morales, *Plano de Madrid*.

VISTAS:

1849. León Rico, *Vista tomada desde el sitio llamado Puerta del Sol*.

1852 ca. Alfred Guesdon, *Vista de Madrid tomada desde encima de la Puerta de Segovia* y *Vista de Madrid con la Plaza de Toros y Puerta de Alcalá*.

1848
Francisco Coello
Plano de Madrid

PLANO DE MADRID / Grabado en Madrid bajo la dirección de D[on] Juan Noguera; el contorno y la topografía por Decorbie y Leclerq, la letra por Bacot.

Escala, 1:5.000, 5.000 pies [castellanos] [= 28 cm], y 1.500 metros [30 cm].
Madrid: Publicado por D[on] Francisco Coello y D[on] Pascual Madoz, 1848.
1 plano: I°., sobre papel, 77 x 108 cm.

Este plano abre el capítulo de la cartografía contemporánea de la ciudad. Atendiendo a sus características técnicas, procede de un levantamiento topográfico realizado a la escala de 1:1.250 por los ingenieros Juan Merlo, Fernando Gutiérrez y Juan de Rivera entre 1841 a 1846 por encargo del Ayuntamiento de Madrid; su reducción a la escala de 1:5.000 fue dirigida por el ingeniero Francisco Coello de Portugal para acompañar al *Diccionario Geográfico-Estadístico-Histórico de España y sus posesiones de Ultramar*, codirigido por él mismo y Pascual Madoz. En lo material, muestra el estado de la ciudad al poco de acometerse las grandes transformaciones interiores de su casco y antes de iniciarse el ensanche del ingeniero Carlos María de Castro. En lo técnico, la calidad de la reducción, la excelente impresión, mediante grabado calcográfico al acero, y la ingente información textual hacen de éste uno de los mejores ejemplares de la cartografía de la ciudad. Todos estos rasgos justifican la elección en 1849 como *Plano Oficial de la Villa* por parte del Ayuntamiento de Madrid, reeditándose en varias ocasiones.

BIBLIOGRAFÍA:

(EXPOSICIÓN SOBRE EL ANTIGUO MADRID, 1926: PLANOS, 17 Y CIFRA 30, 276), (C.O.A.M., 1979), (EXPOSICIÓN SOBRE CARTOGRAFÍA DE MADRID, 1982: CIFRA 40, 116-117), (EXPOSICIÓN SOBRE CARTOGRAFÍA DE MADRID, 1992), (EXPOSICIÓN SOBRE CARTOGRAFÍA DE MADRID, 1997), (EXPOSICIÓN SOBRE CARTOGRAFÍA DE MADRID, 2001: CIFRA 36, 170-171), (MARÍN, 2008 B), (EXPOSICIÓN SOBRE CARTOGRAFÍA DE MADRID, 2020) Y (MARÍN Y ORTEGA, 2020: 60-63).

EJEMPLARES:

B.N.E., MV/13, GMC/4/3, MR/33-41/1206/2 Y MV/13 (ED. DE 1848), Y MR/33-41/1207 (ED. DE 1849).
B.R.M., MP.VIII/10, A (ED. DE 1849).
C.G.E., AR.E-T.9-C.2-56 (ED. DE 1848) Y AR.E-T.9-C.2-57 (ED. DE 1849).
M.H.M., IN. 1.835 (ED. DE 1849).

DICCIONARIO GEOGRAFICO-ESTADISTICO-HISTORICO
PLANO DE MADRID
ATLAS DE ESPAÑA Y SUS POSESIONES DE ULTRAMAR
EDICION DEL AÑO DE 1848
PLANO OFICIAL DE LA VILLA.

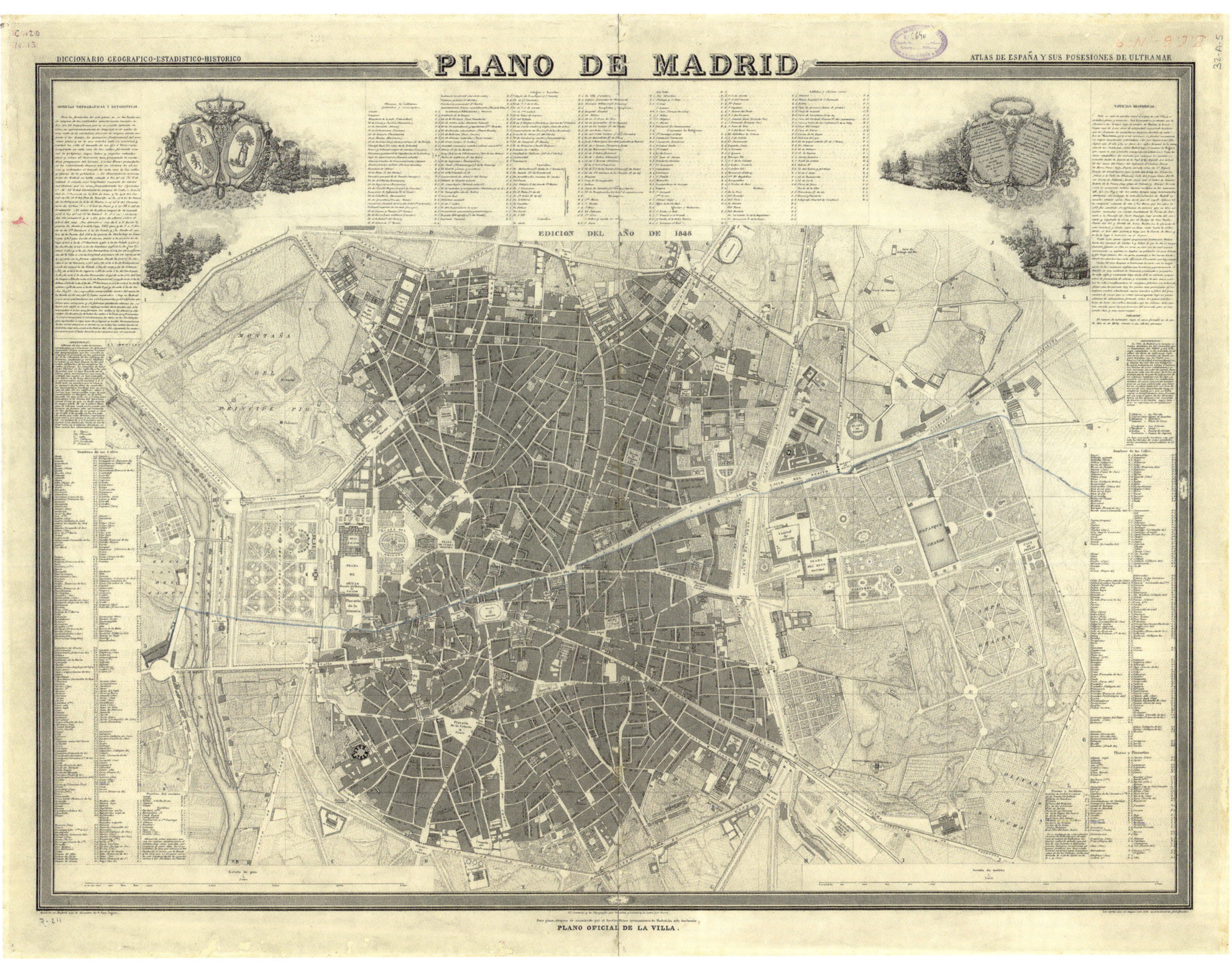

M.H.M.

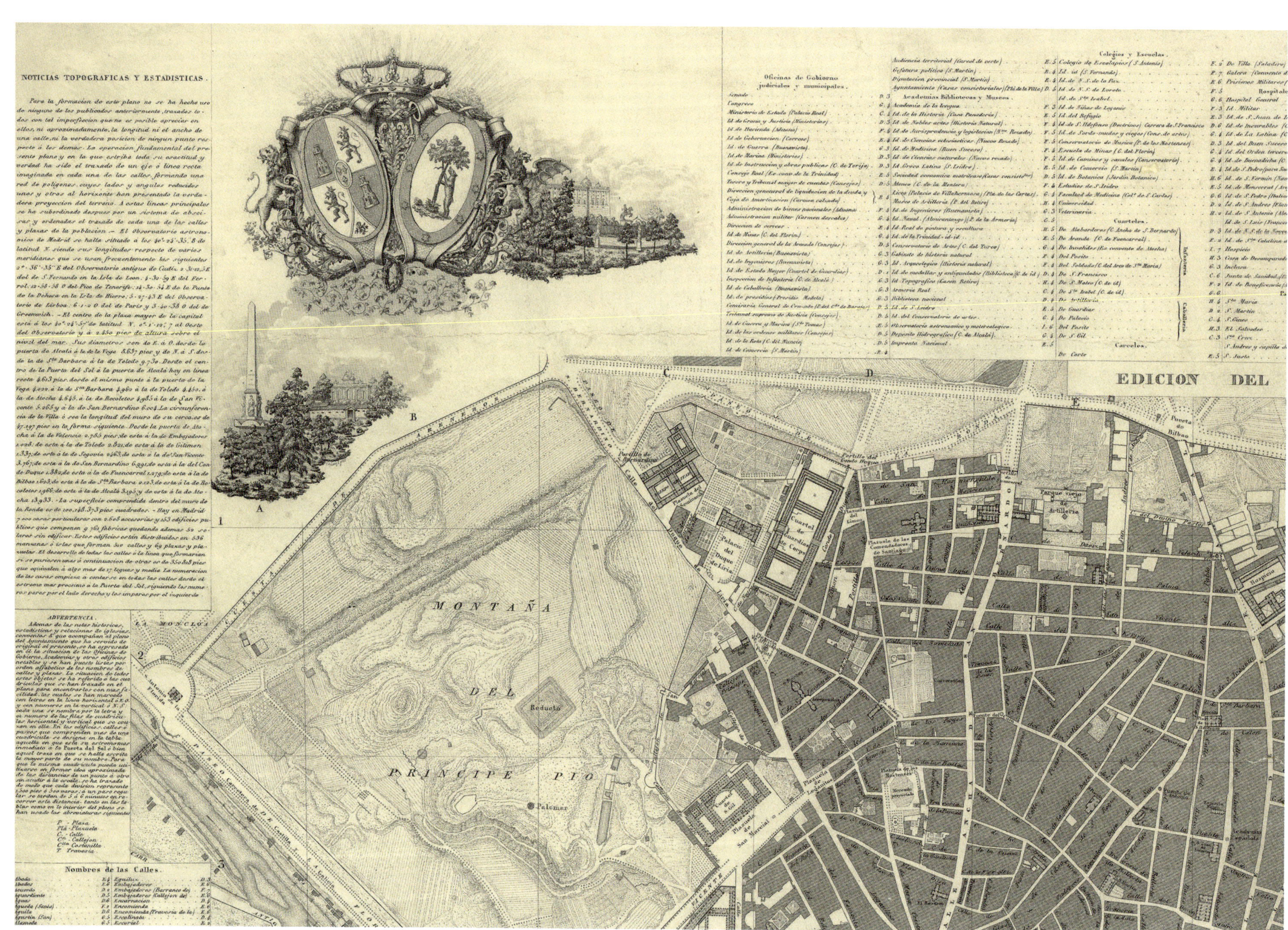

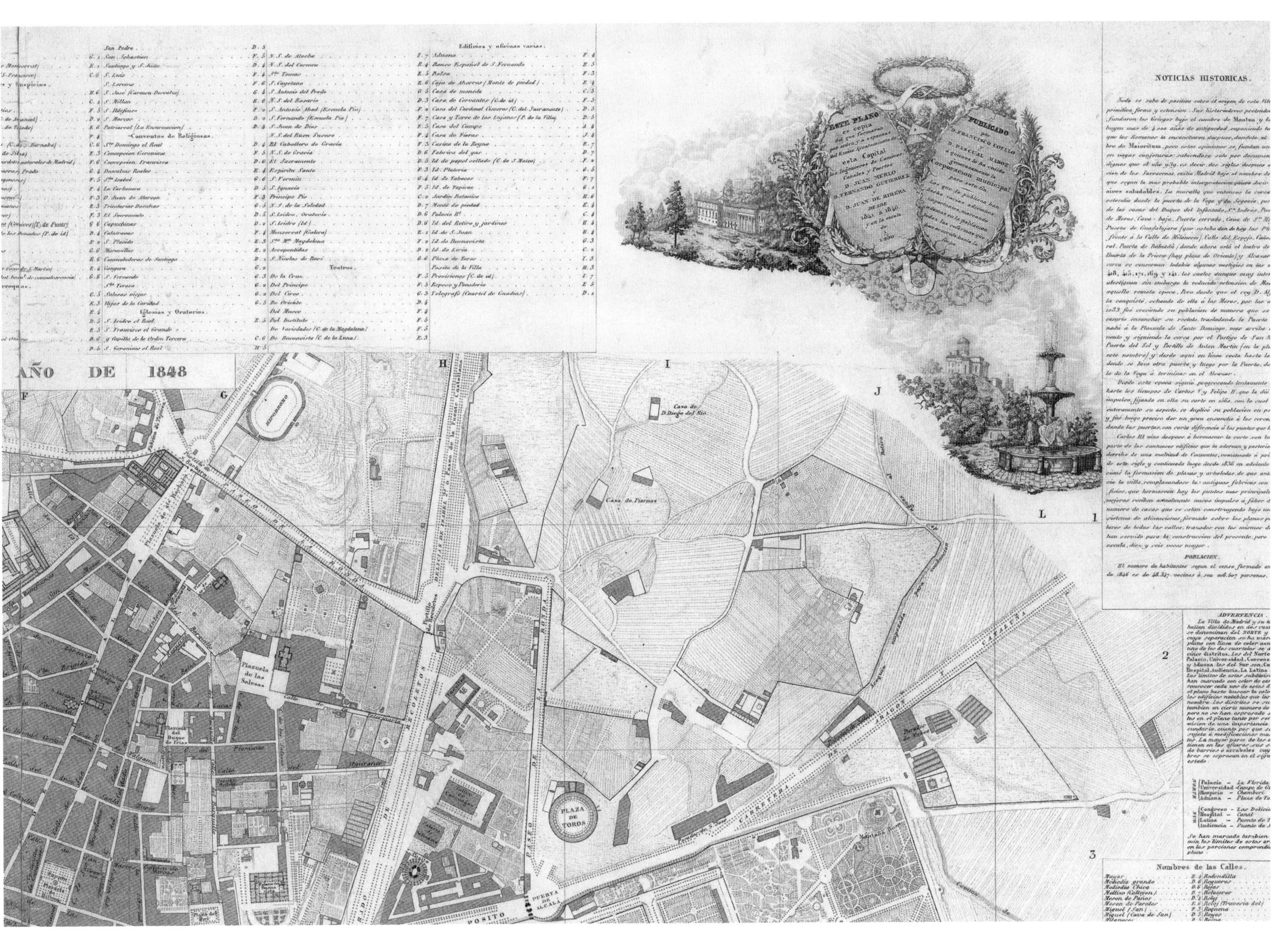

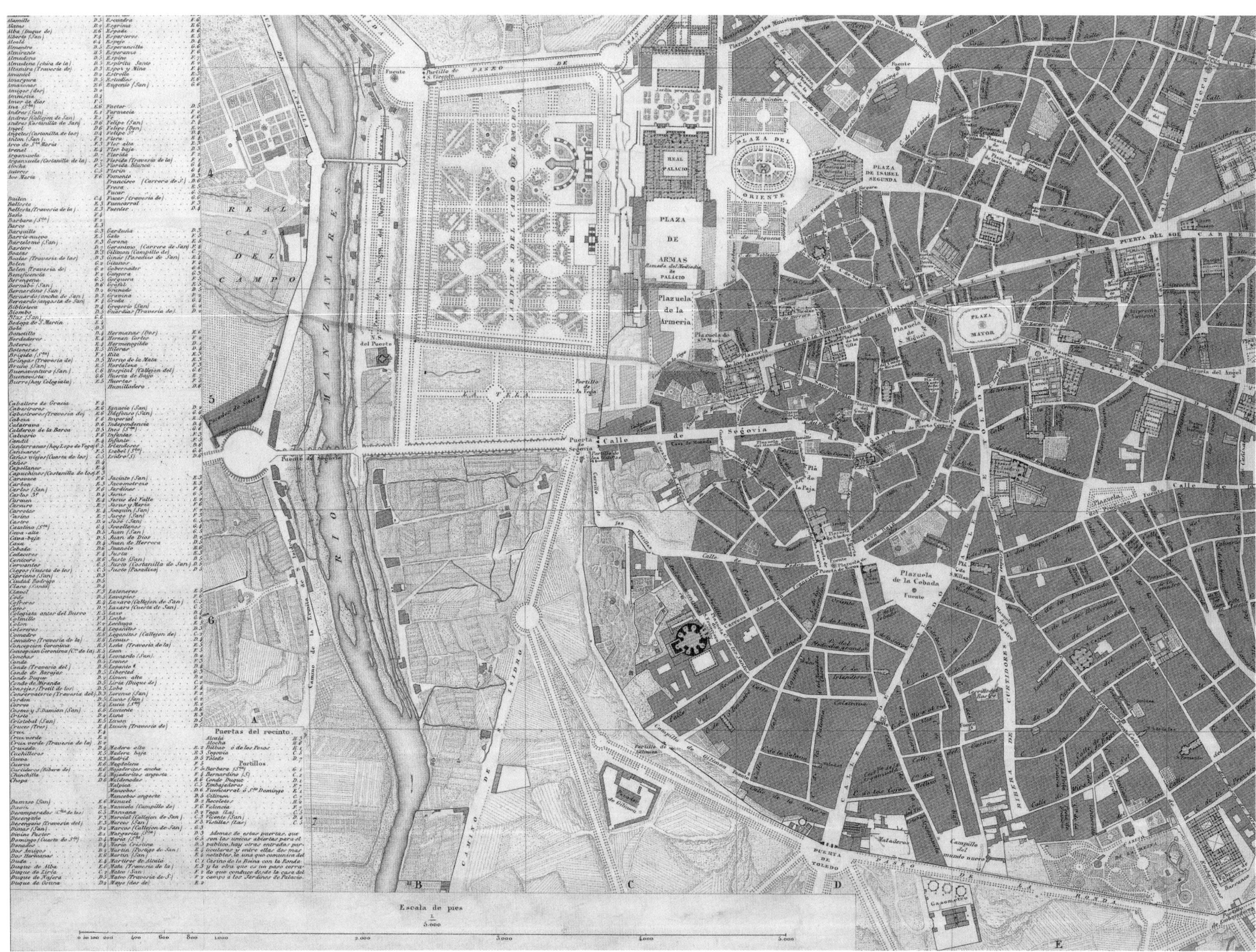

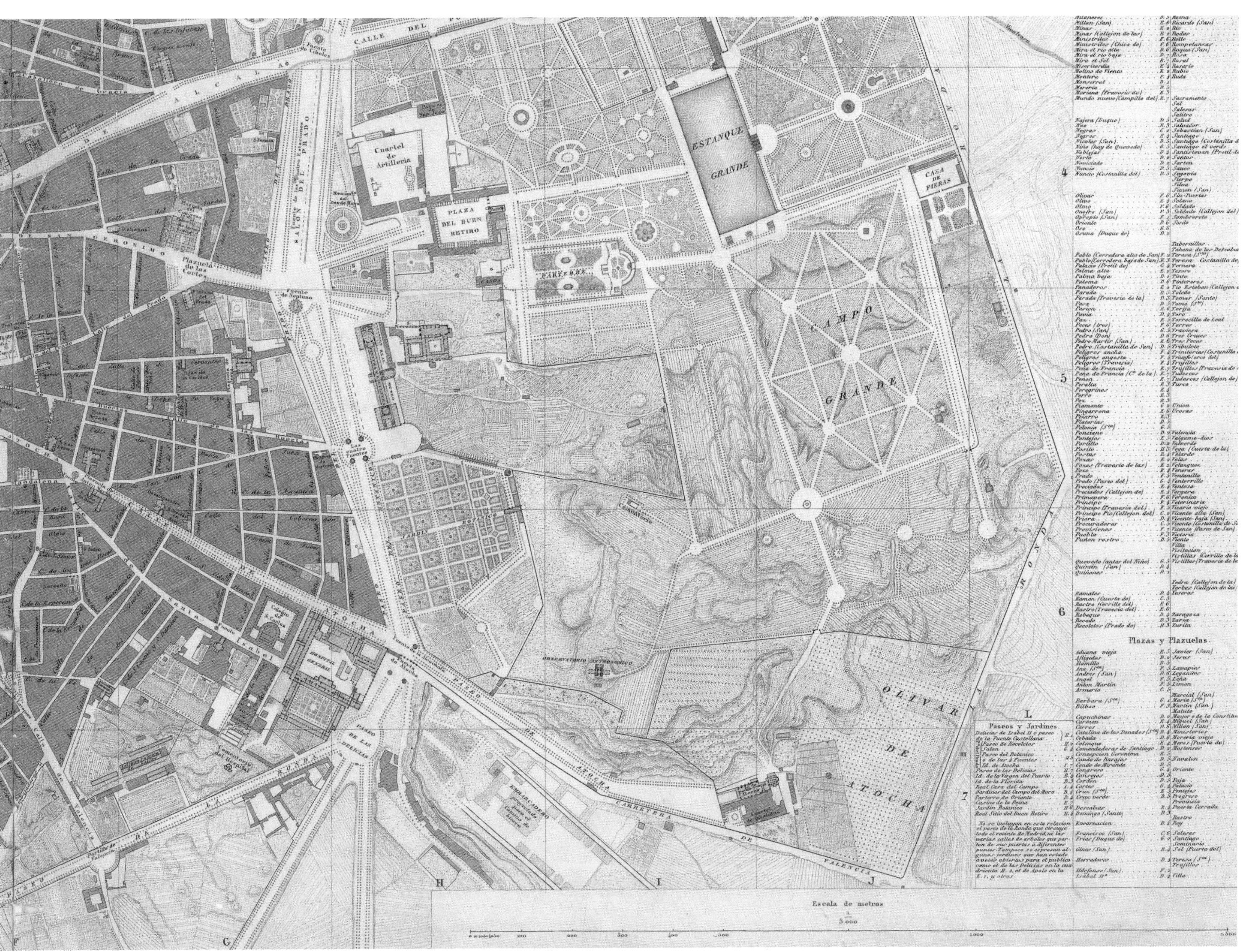
CALLE DEL
ALCALÁ
CALLE DEL PRADO
Cuartel
de Artillería
PLAZA
DEL BUEN
RETIRO
ESTANQUE
GRANDE
CASA
DE
FIERAS
CAMPO
GRANDE
Plazuela
de las
Cortes
Fuente
de Neptuno
OLIVAR
DE
ATOCHA
Paseos y Jardines
Plazas y Plazuelas
Escala de metros
1
5.000

1848
Juan Rafo y Juan de Rivera
Plano de Madrid con el relieve del terreno

PLANO DE MADRID con el relieve del terreno representado por medio de curvas de nivel equidistantes trazadas de 10 en 10 pies de altura / por [...] D[on] Juan Rafo y D[on] Juan de Rivera.

Escala, 1:5.000, 5.000 pies [castellanos] [= 28 cm], y 1.500 metros [30 cm].
[Madrid]: 1848.
1 plano: I°. y manuscrito, tinta roja, sobre papel, 77 x 108 cm.

Realizado sobre un ejemplar impreso del Plano de Madrid de Francisco Coello, al cual se le añade en papel pegado el título -realizado litográficamente-, este plano se encuadra en la serie de trabajos acometidos desde 1841 para establecer una planta rigurosa de la ciudad. En esta ocasión, se trataba de determinar con exactitud la altimetría de Madrid para acometer el trazado de la traída de agua desde el Lozoya, el luego denominado Canal de Isabel II, y constituye el resumen de sus trabajos. El manuscrito se titula *Tablas de nivelación de Madrid, que comprenden todas sus calles y plazas, el Real Sitio del Buen Retiro, la montaña del Príncipe Pío, los jardines del Campo del Moro, y las afueras de la Puerta de Segovia*, compuesto por 8 hojas sin numerar y otras 415 numeradas; el plano está plegado como hoja 415. Ese mismo año, el plano se incluyó convenientemente reducido a la escala de 1:12.500 en la *Memoria sobre la conducción de aguas a Madrid, formada en cumplimiento de la Real Orden de 10 de marzo de 1848, con arreglo a las instrucciones dadas por la Dirección General de Obras Públicas*, editado bajo la dirección del propio Juan Rafo ese mismo año de 1848.

BIBLIOGRAFÍA:

(MARÍN Y ORTEGA, 2020: 60-61).

EJEMPLARES:

B.N.E., MS. 7.829, H. 415 R.

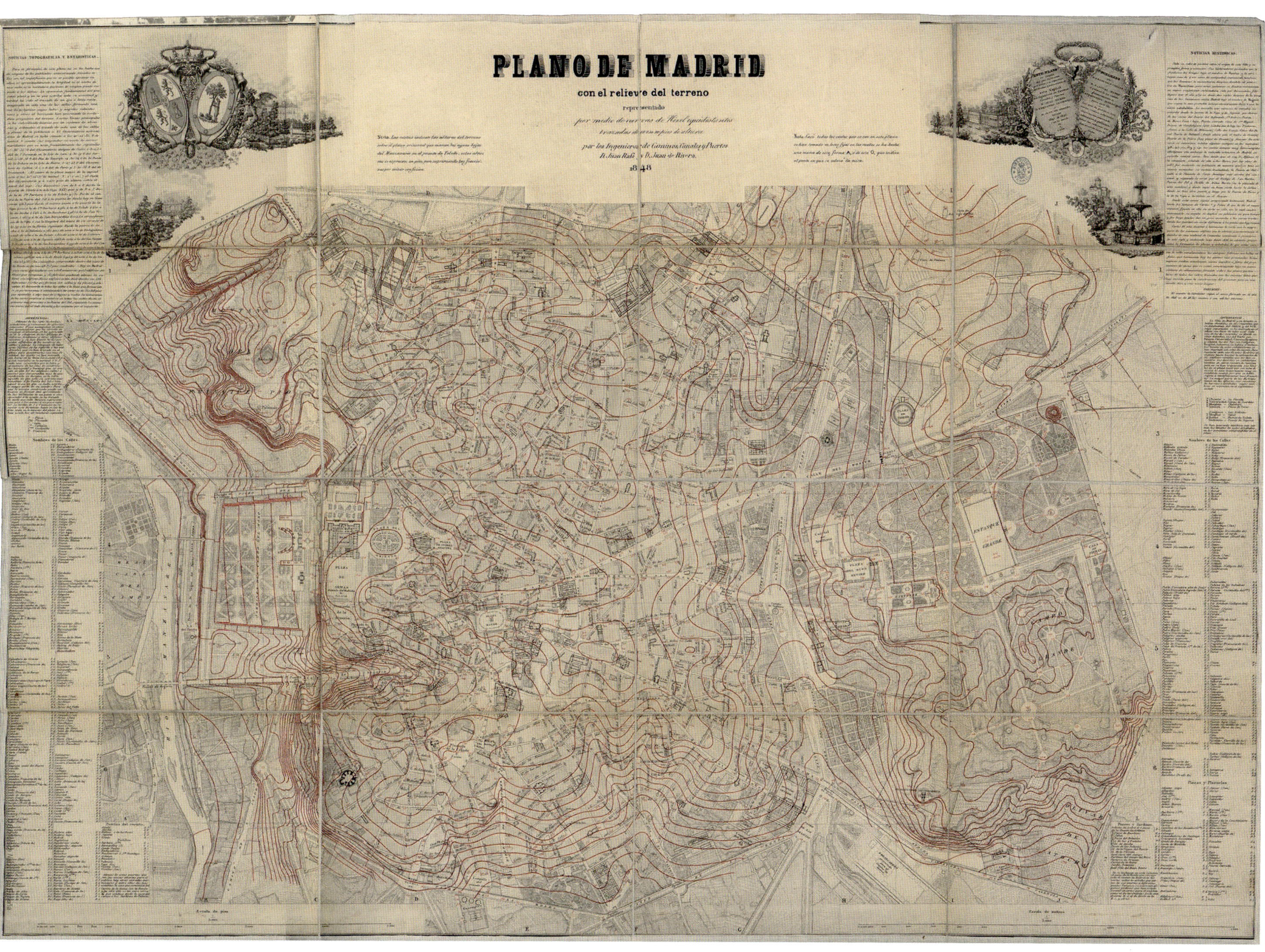
PLANO DE MADRID
con el relieve del terreno
representado
por medio de curvas de nivel equidistantes
1848

1857 ca.
Ramón Sevillano
Plano de Madrid y sus paseos arbolados

PLANO DE MADRID Y SUS ALREDEDORES demostrativo de los caminos y paseos al cargo de su Ex[celentísi]mo Ayuntamiento, [...] DEDICADO AL EX[CELENTÍSI]MO S[EÑO]R COMISARIO DE CAMINOS DUQUE DE FERNANDINA / egecutado [sic] por el Ayudante de Obras Públicas y de empedrados de esta Villa Ramón Sevillano.

Escala, [1:5.000].
[Madrid]: [ca. 1857].
1 plano: ms., tinta negra sobre papel, 2 hh., respec. 60 x 115'5 cm y 61'3 x 115'5 cm, pegadas en 121'3 x 115' 5 cm.

Aunque se trata de una obra de carácter secundario claramente basada en el plano de Coello, su singularidad en varios aspectos explica su incorporación: es rigurosamente inédito, destacando además su atractivo planteamiento gráfico y su novedoso carácter temático. En su propósito de registrar el conjunto de alineaciones de árboles dispuestos en los alrededores de la ciudad, el dibujo cambia la orientación habitual girando el casco urbano, que aparece como un fondo tratado en negro. Se trata de una obra inacabada, al parecer promovida por Pedro Alcántara Álvarez de Toledo y Palafox (1803-1867), duque de Fernandina y marqués de Villafranca, entre otros títulos, quien dimitió de su cargo de Comisario de Paseos y Arbolados del Cuartel Norte un 31 de diciembre de 1857. El autor del dibujo es Ramón Sevillano, ayudante de Obras Públicas, el cual trabajó durante un tiempo para el Ayuntamiento en el ramo de aceras y vías del interior junto a Ricardo Romero, también ayudante y encargado de las vías y aceras del exterior. Ambos trabajaron a su vez al servicio de Carlos María de Castro en los levantamientos para el proyecto del Ensanche de Madrid.

Ejemplares:

A.V.M., 1,40-7-3.

PLANO
DE MADRID Y SUS ALREDEDORES
DEDICADO
AL EXMO. SR. COMISARIO DE CAMINOS
DUQUE DE FERNANDINA.

1856-1864
Carlos María de Castro
Anteproyecto del Ensanche de Madrid

ENSANCHE DE MADRID: ANTEPROYECTO. PLANO GENERAL DE LA ZONA DEL ENSANCHE Y DEL EMPLAZAMIENTO Y DISTRIBUCIÓN DEL NUEVO CASERÍO. Egecutado por Real Decreto de 8 de abril de 1857. / [Carlos María de Castro (ing.)], Ramón Sevillano (dib.), Ricardo Romero (dib.) y José Vega (dib.).

Escala 1:2.250, 3.750 pies castellanos [= 42 cm] y 1.050 metros [42 cm].
Madrid, 1 de mayo de 1859.
1 plano: ms., lápiz, tinta negra y sepia y aguadas, varios colores, sobre papel, 15 hh. unidas, medidas totales, 326 x 326 cm.

Relativamente desconocido para el público, este ejemplar constituye el original del Plan Castro. Levantado en quince hojas, probablemente sobre la base del plano de los ingenieros de 1841 a 1846, constituye la primera materialización de la propuesta de ensanche para Madrid, en la que la ciudad abandonaría para siempre los límites de su casco establecidos por Felipe IV en 1625. El plano posee una extensa leyenda explicativa que detalla los pormenores de la propuesta y un interesante y completo código de colores que lo complementa. Este ejemplar sirvió de base para la elaboración de toda la propuesta del Ensanche en un nuevo plano, realizado mediante la reducción de diez veces menor a su tamaño, con el propósito de explicar todos los pormenores del proyecto, que fue el que finalmente se litografió dos años después.

BIBLIOGRAFÍA:

(SOBRÓN Y MUÑOZ, 2018)

EJEMPLARES:

A.V.M., 1,40-23-2.

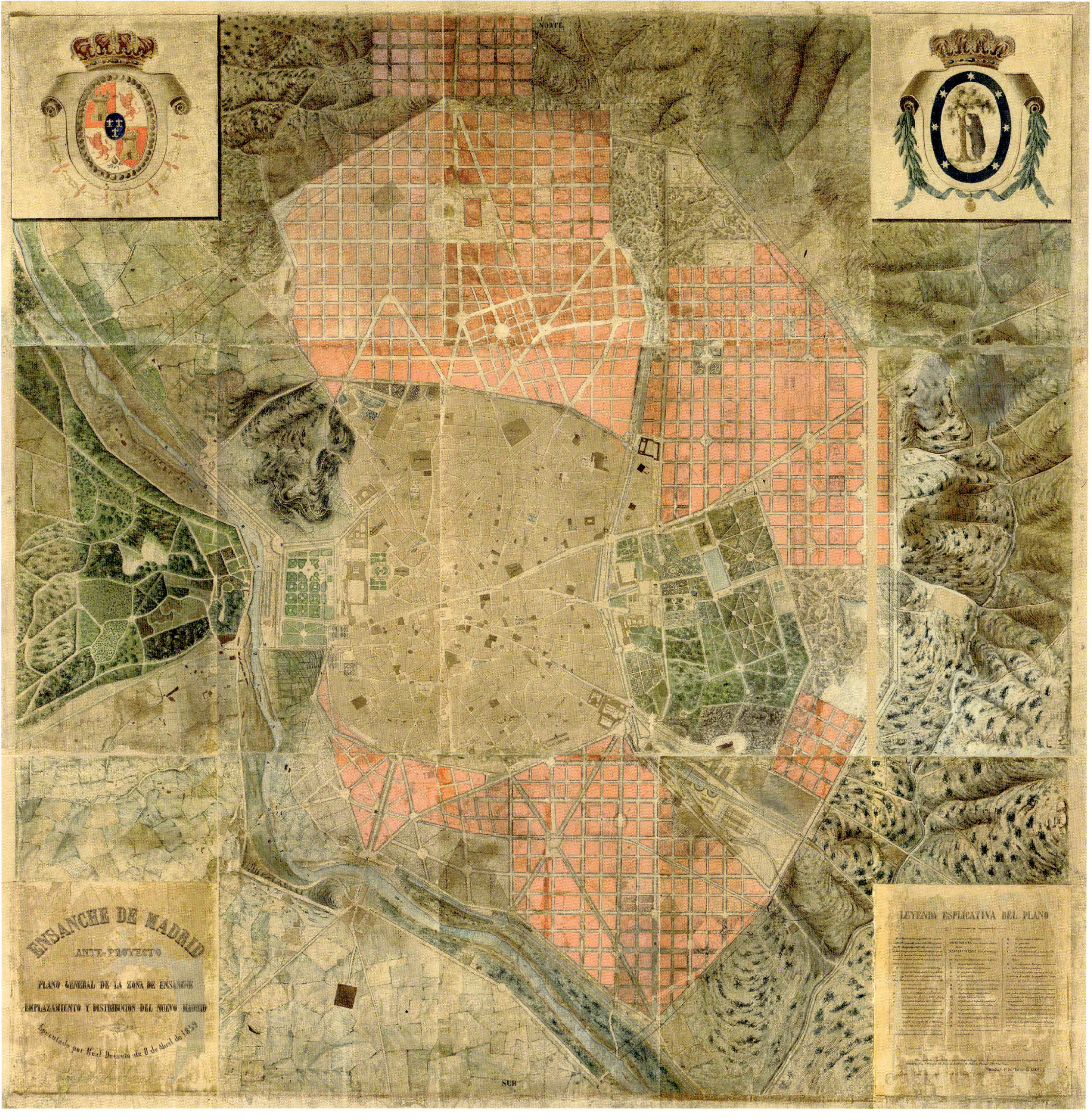
NORTE.
ENSANCHE DE MADRID
ANTE-PROYECTO
PLANO GENERAL DE LA ZONA DE ENSANCHE
EMPLAZAMIENTO Y DISTRIBUCION DEL NUEVO MADRID
Aprovado por Real Decreto de 8 de Abril de 1857
LEYENDA ESPLICATIVA DEL PLANO
SUR

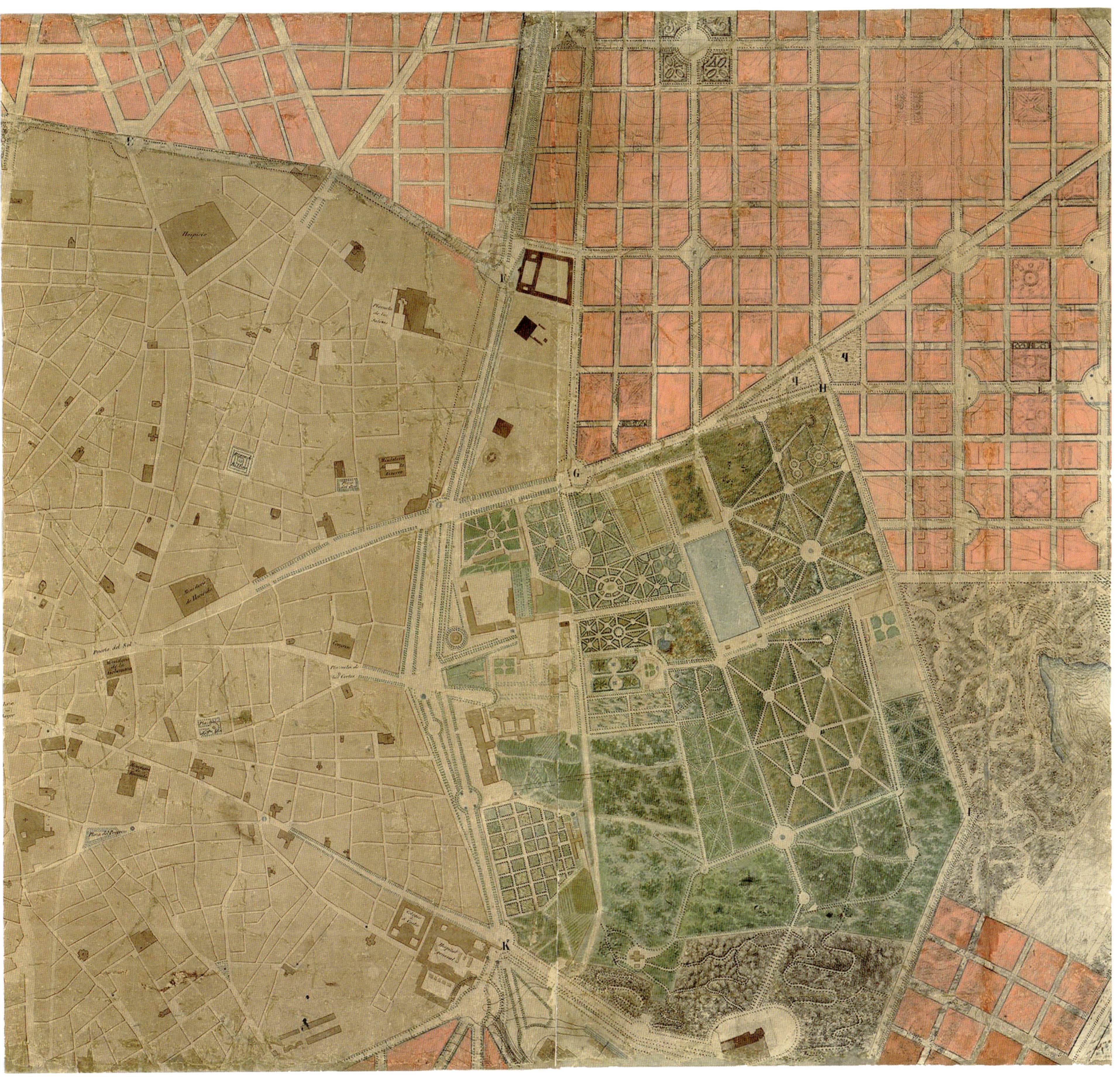

1860
Carlos María de Castro
Anteproyecto del Ensanche de Madrid

ENSANCHE DE MADRID: ANTEPROYECTO. Plano general de la zona del ensanche y del emplazamiento y distribución del nuevo caserío. Ejecutado por Real Decreto de 8 de abril de 1857. Aprobado por Real Decreto de 19 de julio de 1860 / Carlos M[arí]a de Castro (ing.), Ramón Sevillano, Ricardo Romero, José Vega, y Pérez Baquero (lit.)

Escala 1:12.500, 3.750 pies castellanos [= 8'4 cm] y 1.050 metros [8'4 cm].
[Madrid]: Lit[ografía] Heráldica de J. Donón, 1861.
1 plano: I°., litografía en bitonos, sobre papel, 65 x 63 cm.

Reducción a la escala de 1:12.500 sobre el anterior, el proyecto de Ensanche del ingeniero Carlos María de Castro se editó junto a la correspondiente memoria en 1861. No es un plano de grandes dimensiones, pues la pequeña estampa representa el casco urbano de la ciudad y el área proyectada en torno al casco antiguo. Fue impreso en los talleres de la Litografía Heráldica de J. Donón en dos planchas litográficas grabadas por Pérez Baquero en 1861, responsable de su apariencia en bitonos. Pese a su reducido tamaño, este plano incorpora un abultado elenco de datos en distintas cartelas y presenta el proyecto de ciudad más ambicioso del siglo XIX: el Ensanche fuera de la cerca de Felipe IV.

BIBLIOGRAFÍA:

(C.O.A.M., 1979), (EXPOSICIÓN SOBRE CARTOGRAFÍA DE MADRID, 1997), (EXPOSICIÓN SOBRE CARTOGRAFÍA DE MADRID, 2001: CIFRA 34, 166-167), (MARÍN, 2008 D), (EXPOSICIÓN SOBRE CARTOGRAFÍA DE MADRID, 2020) Y (MARÍN Y ORTEGA, 2020: 66-67).

EJEMPLARES:

B.R.M., AG. 73.
C.G.E., AR.E-T.9-C. 2-63.

ENSANCHE DE MADRID.
ANTEPROYECTO.
PLANO GENERAL DE LA ZONA DE ENSANCHE Y DEL EMPLAZAMIENTO Y DISTRIBUCION DEL NUEVO CASERIO.
Egecutado por Real orden de 8 de Abril de 1857.
NORTE
Noticias referentes al proyecto.
Leyenda esplicativa del plano.
Escala

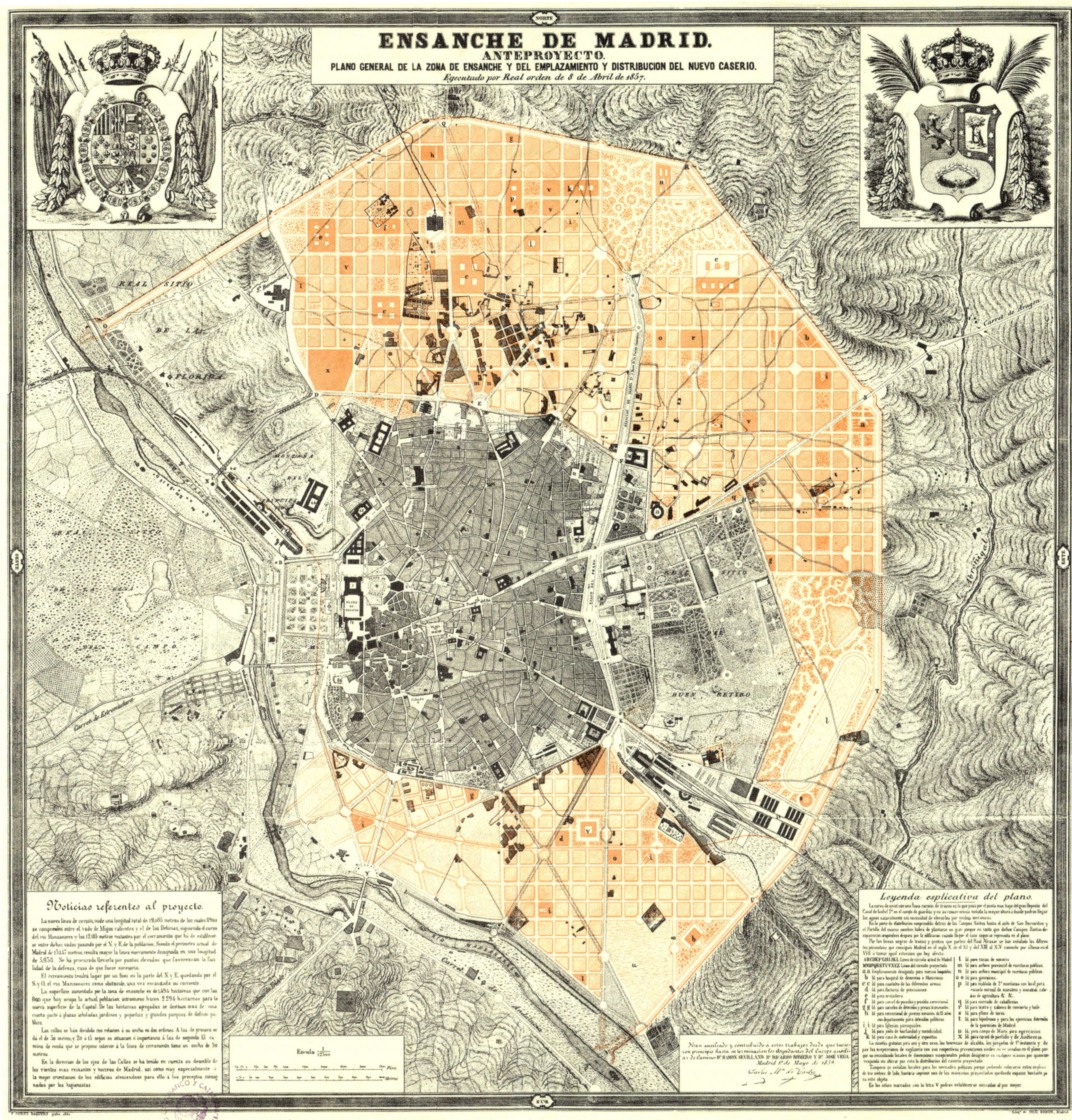

B.R.M.

1866
José Pilar Morales
Plano de Madrid

PLANO DE MADRID / […] por D[on] José Pilar Morales [Ramírez]; Pedro Peña grabó.

Escala 1:10.000, 6.000 pies castellanos [= 18'5 cm] y 2.000 metros [20 cm].
[Madrid]: Lit[ografía] de J. Aragón, Urosas, 10, 1866.
1 plano: l°., sobre papel, 61 x 87 cm.

Coetáneo de los trabajos realizados por la Junta General de Estadística, este plano presenta la planta de la ciudad en los primeros momentos del trazado del ensanche de Castro, pero también las notables transformaciones que se habían acometido en el interior del casco urbano. Es también uno de los primeros editados por iniciativa privada para servir de Guía de Madrid; a ese propósito se presenta una completa información urbana (nombres de las vías públicas y el elenco de los diversos establecimientos religiosos, civiles, militares, culturales y lúdicos), la cual se localiza doblemente, en el propio plano y en una extensa tabla con cuadrícula, trazada en el mismo a razón respectiva de doscientos cincuenta metros por cada una de ellas. Es cierto que el modelo de este plano, y de los sucesivos debidos a su mano, no es otro que el ejemplar editado bajo la dirección de Francisco Coello en 1848, pero ese hecho no desmerece la precisión del dibujo ni la calidad de la litografía. En el terreno comercial, los trabajos de José Pilar Morales se difundieron ampliamente a través de las reediciones actualizadas del plano con su correspondiente guía urbana.

BIBLIOGRAFÍA:

(EXPOSICIÓN SOBRE EL ANTIGUO MADRID, 1926: PLANOS, 17 Y CIFRA 32, 276), (C.O.A.M., 1979), (EXPOSICIÓN SOBRE CARTOGRAFÍA DE MADRID, 1982: CIFRA 57, 134-135), (EXPOSICIÓN SOBRE CARTOGRAFÍA DE MADRID, 1992), (EXPOSICIÓN SOBRE CARTOGRAFÍA DE MADRID, 1997), (EXPOSICIÓN SOBRE CARTOGRAFÍA DE MADRID, 2001: CIFRA 36, 170-171), (MARÍN, 2010 B), (EXPOSICIÓN SOBRE CARTOGRAFÍA DE MADRID, 2020) Y (MARÍN Y ORTEGA, 2020: 67-69).

EJEMPLARES:

B.N.E., Mv/13 Y Mv/13/2, (ED. DE 1866), Mv/13 Y Mr/33-41/1215 (ED. DE 1879) Y Mv/13 (ED. DE 1880).
B.R.M., Mp. VI/8 (ED. DE 1866).
C.G.E., Ar.E-T.9-C.2-64 (ED. DE 1866).
M.H.M., In. 1.837 (ED. DE 1866) E In. 1.839 (ED. DE 1875).

B.R.M.

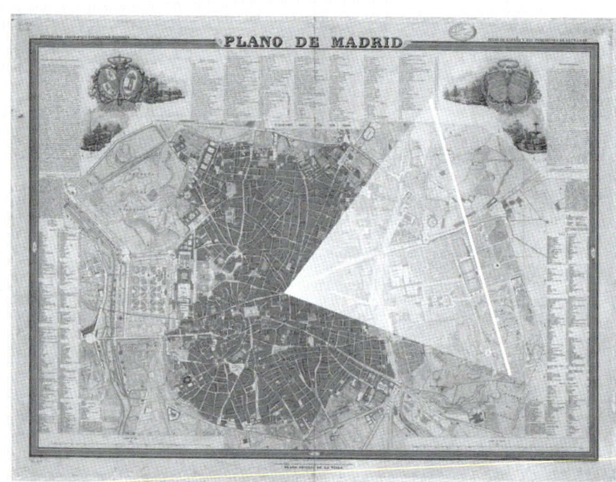

1849. León Rico, *Madrid. Vista tomada sobre el sitio llamado Puerta del Sol, dedicado a s[u] M[ajestad] la Reina de España D[oñ]a Isabel 2ª*. Litografía, 55'5 x 68'3 cm

Eduardo de León Mesonero Rico (1823-d. 1878) aparece como autor de este dibujo, planteado como inicio de un proyecto de publicación titulado *España Panorámica* que, según parece, no pasó de aquí. Se trata de un singular personaje, sobrino de Mesonero Romanos, que combinaba los negocios mineros con el interés en las técnicas fotográficas; sobre sus actividades posteriores a esta iniciativa se conocen datos dispersos asociados a diversas reclamaciones judiciales. Coincidente básicamente con la edición del plano de 1848, este dibujo supone un atractivo complemento parcial del mismo. Frente a lo que sugiere la presencia del globo y las sospechas de un apoyo fotográfico, la base del dibujo más parece descansar en una cierta perspectiva, más intuitiva que científica, sobre la que se construyen las ilustraciones de los edificios. En ellos se reconocen y destacan los elementos monumentales sobre un fondo de caserío más o menos convencional que conforma el volumen de las manzanas. La cierta destreza gráfica inherente a esta imagen, con las limitaciones advertidas, plantea ciertas dudas sobre la autoría de la misma, de modo que no sería descartable así suponer algún colaborador gráfico anónimo o encubierto.

BIBLIOGRAFÍA:

(BOIX, 1926: 28) Y (SIERRA Y TUDA, 2013).

EJEMPLARES:

M.H.M., IN. 1.858 BIS.

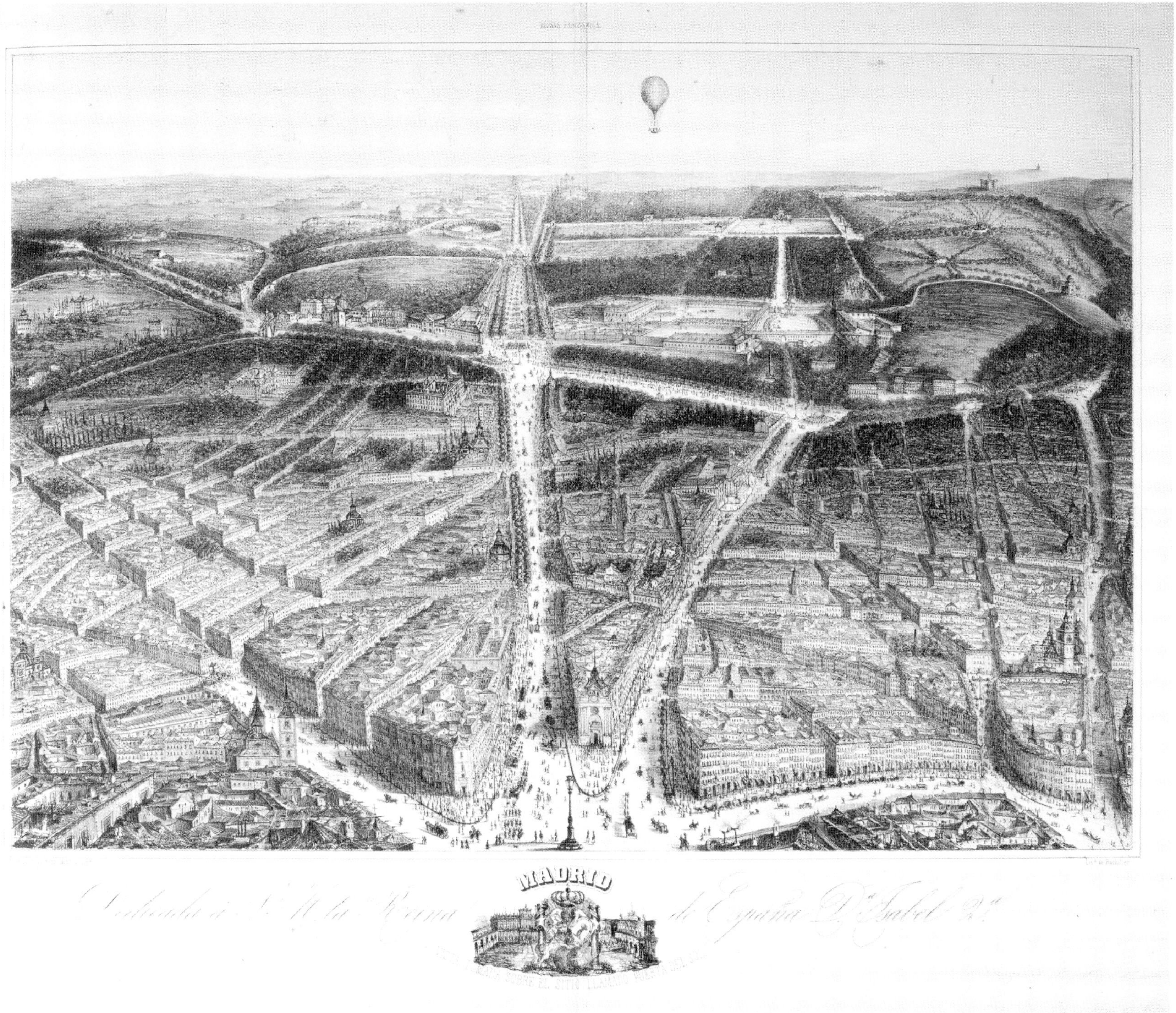

MADRID

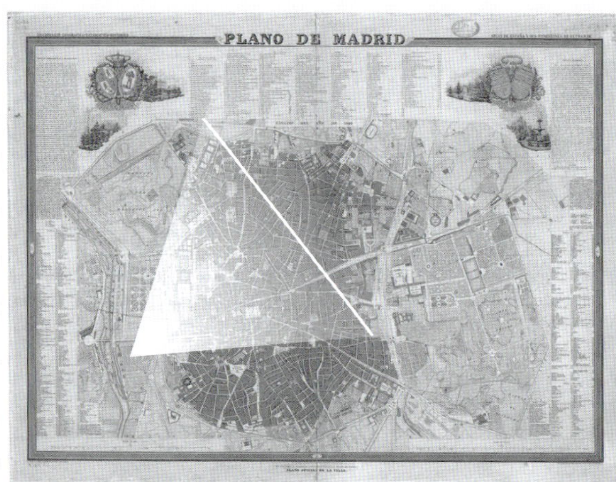

1852 ca. Alfred Guesdon, *Madrid. Vue prise au-dessus de la Porte de Ségovie = Madrid. Vista tomada desde encima de la Puerta de Segovia.* Imp. F[ranc]ois Delarue, Paris. En Madrid, Negocio de J. B. Stampa, calle de Atocha nº. 20. Litografía coloreada, 36 x 50'7 cm

El arquitecto, dibujante y litógrafo Alfred Guesdon (1808-1876) despliega una sorprendente y cautivadora labor de ilustración de ciudades europeas. Las dos vistas de Madrid se publican en París en 1854 como láminas sueltas de la publicación sobre España. Su estancia en la ciudad se supone a finales de 1852 y siguen en debate los medios utilizados para obtener con notable rapidez este conjunto de vistas tan precisas; los extremos se sitúan entre el empleo de plantas urbanas en perspectiva y el uso de tomas fotográficas. La doble y complementaria descripción de Madrid se construye con dos vistas diagonales en el eje suroeste-noroeste; la primera desde el río hacia la ronda norte y la segunda desde la Plaza de Toros hacia la Puerta de Toledo. Los ejes de ambas vistas son casi paralelos y se sitúan aproximadamente a un kilómetro de distancia entre ellos, siendo el ángulo de visión horizontal de cada una próximo a 66 grados. Frente a lo observado en el dibujo de León Rico, tanto la trama urbana como el reflejo de los edificios resultan de una notable precisión. Independientemente de los posibles apoyos técnicos, el matiz atmosférico de las litografías, con su adecuado gradiente de profundidad y efectos lumínicos, es de notable calidad.

BIBLIOGRAFÍA

(BOIX, 1926: 27-28),(GÁMIZ, 2004) Y (HERVÁS, 2017).

EJEMPLARES

M.H.M., IN. 1.856.

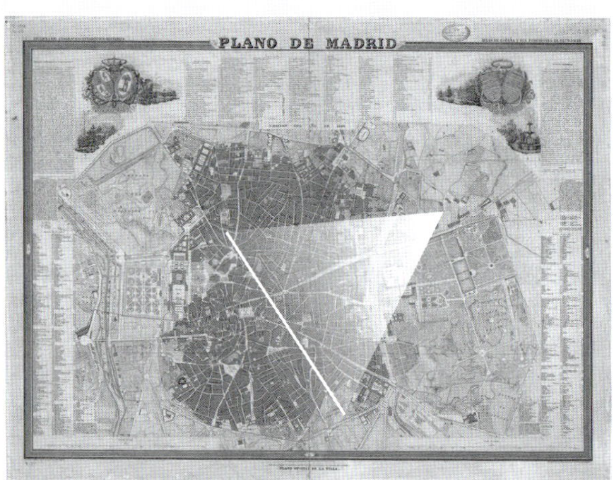

1852 ca. Alfred Guesdon, *Madrid. Vue prise au-dessus de la Porte de Alcala = Madrid. Vista tomada desde encima de la Puerta de Alcalá.* Imp. F[ranc]ois Delarue, Paris. En Madrid, Negocio de J. B. Stampa, calle de Atocha n°. 20. Litografía coloreada, 35'5 x 53'7 cm

BIBLIOGRAFÍA

(BOIX, 1926: 27-28), (GÁMIZ, 2004) Y (HERVÁS, 2017).

EJEMPLARES

M.H.M., IN. 1.857.

De la Junta de Estadística al Instituto Geográfico

Las bases casi definitivas de la cartografía madrileña hasta finales del siglo XX se inician y concretan en el último tercio del siglo XIX. Su origen es la renovación de la antigua Comisión de Estadística, denominada en 1865 Junta de Estadística General del Reino, en la que Francisco Coello planteó las bases de un ambicioso proyecto catastral y geográfico asociado a la creación de la Escuela Práctica de Ayudantes. La estrategia encadenada de escalas se basaba en levantamientos de detalle a 1:500 (cascos urbanos), enlazados con síntesis a 1:2.000 (Hojas Kilométricas), términos municipales y Hojas Miriamétricas, hasta alcanzar el Mapa General de España. Los intereses económicos y lo costoso del planteamiento provocaron la dimisión de Coello, con la relegación de la faceta catastral y su preferente enfoque geográfico que se materializa en 1870 con la creación del Instituto Geográfico, cuyo director inicial fue Carlos Ibáñez de Íbero. En el caso de la ciudad de Madrid, esta actividad se concretó en los planos de manzanas a 1:500 y una primera edición de las Hojas Kilométricas a 1:2.000, así como en la producción de una cartografía por Distritos, también a la escala de 1:2.000. Entre 1872 y 1874 el Instituto compuso y grabó el magnífico plano de Madrid, referencia fundamental para su historia urbana, en la que cabe destacar el reflejo de su parcelario, las alturas y patios de todos los edificios, las plantas a nivel de calle de los edificios públicos y la altimetría con curvas de nivel.

Esta base cartográfica de la planta de Madrid conoce una segunda edición de 1877, en la que se actualiza el caserío y se incorporan con códigos de color las redes de instalaciones de gas y de agua. Al poco tiempo, en 1879 se produce y graba una versión reducida a la escala de 1:5.000, y en 1886 se edita una nueva versión doblemente reducida a la escala de 1:10.000 en una virtuosa labor gráfica obra de Benito Martínez y José Méndez. En estas décadas finales del siglo XX y coexistiendo con las obras de Pilar Morales, se generan diversos planos con la finalidad de servir para guías, eventos, planos temáticos y publicitarios, muchos de ellos a la escala de 1:10.000, que estarían pendientes de un estudio general más preciso. De entre ellos cabe destacar las contribuciones de Emilio Valverde, quién edita hacia 1885 un atractivo plano orlado con vistas de edificios singulares, y en 1898 otra versión que sirvió de plano guía para el IX Congreso Internacional de Higiene y Demografía celebrado en Madrid.

Frente a los atractivos documentos visuales de la etapa anterior, la producción gráfica dibujada en el último cuarto del siglo XX es de menor intensidad. Tal vez esta cierta carencia tenga que ver con la potente aparición y consolidación de la fotografía, centrada en el caso madrileño en las figuras de Charles Clifford y Jean Laurent. También estaría por estudiar la nueva relación entre el dibujo y la fotografía, en el contexto de los nuevos recursos de reproducción y difusión. Como acompañamiento de esta época se ofrecen dos imágenes. La primera, de mayor calidad visual, es la vista desde el suroeste de Deroy, fechable hacia 1865. La segunda es la vista de Madrid desde el oeste de Martorell, grabada y publicada en 1873; a pesar de su cuestionable calidad gráfica, la intención narrativa del dibujo tiene su interés, ya que ofrece una imagen general de la ciudad así como de sus elementos significativos.

PLANOS:

1872-1874. Carlos Ibáñez Íbero, *Plano parcelario de Madrid*.

1877. Carlos Ibáñez Íbero, *Plano parcelario de Madrid*.

1886. Benito Martínez y José Méndez, *Plano de Madrid*.

VISTAS:

1865 ca. Isidore Laurent Deroy, *Vue generale de Madrid*.

1873 ca. Guillermo Martorell, *Vista general de Madrid tomada desde la Casa de Campo*.

1872-1874
Carlos Ibáñez Íbero
Plano parcelario de Madrid

PLANO PARCELARIO DE MADRID / FORMADO Y PUBLICADO POR EL INSTITUTO GEOGRÁFICO Y ESTADÍSTICO BAJO LA DIRECCIÓN DEL EXC[ELENTÍSIM]O SEÑOR DON CARLOS IBÁÑEZ E IBÁÑEZ ÍBERO […] AÑOS DE 1872, 1873 Y 1874, J. Reinoso (grab.).

Escala 1:2.000, 220 metros [11 cm].
Madrid: Litografía del Instituto Geográfico y Estadístico, 1874.
1 plano: Iº., litografía sobre papel, 1 h. (portada) + 16 hh. de 85'8 x 68'5 cm.

Carlos Ibáñez Íbero, director general del Instituto Geográfico y Estadístico, dirigió la edición del primer plano parcelario de Madrid en 1874. Ese trabajo condensa los cometidos realizados desde el decenio de 1860 por la Junta General de Estadística, antecesora directa del Instituto Geográfico y Estadístico: los trabajos de medición geodésica para establecer la red de medición, los levantamientos parcelarios de todo el casco urbano del término municipal a la escala de 1:500, el levantamiento de la Hoja Kilométrica de Madrid a la escala de 1:2.000 y la formalización de miles de cédulas catastrales. El resultado es este monumental plano, estampado litográficamente en blanco y negro en 1874 –hubo una segunda edición litográfica en color, con la red de gas y agua-, formado por dieciséis hojas de gran tamaño y que serviría de base para posteriores trabajos cartográficos, tanto públicos como privados.

BIBLIOGRAFÍA:

(EXPOSICIÓN SOBRE EL ANTIGUO MADRID, 1926: PLANOS, 17 Y CIFRA 34, 276), (C.O.A.M., 1979), (EXPOSICIÓN SOBRE CARTOGRAFÍA DE MADRID, 1982: CIFRA 63, 140), (EXPOSICIÓN SOBRE CARTOGRAFÍA DE MADRID, 1992: 244-261), (EXPOSICIÓN SOBRE CARTOGRAFÍA DE MADRID, 1997), (MARÍN, 2009 A), (EXPOSICIÓN SOBRE CARTOGRAFÍA DE MADRID, 2020) Y (MARÍN Y ORTEGA, 2020: 70-73).

EJEMPLARES:

A.V.M., 0,69-51-2, 0,69-5-4, Y 2,60-1-4, 8 Y 9.
B.N.E., GMG/54, GMG/57, MR/33-41/1213, 1.213/2 Y 8.007.
B.R.M., MP. VI/10.
C.G.E., AR.E-T.9-C. 2 ESPECIAL-67.
I.G.N., 32-B-1.
M.H.M., IN. 15.519.

B.N.E.

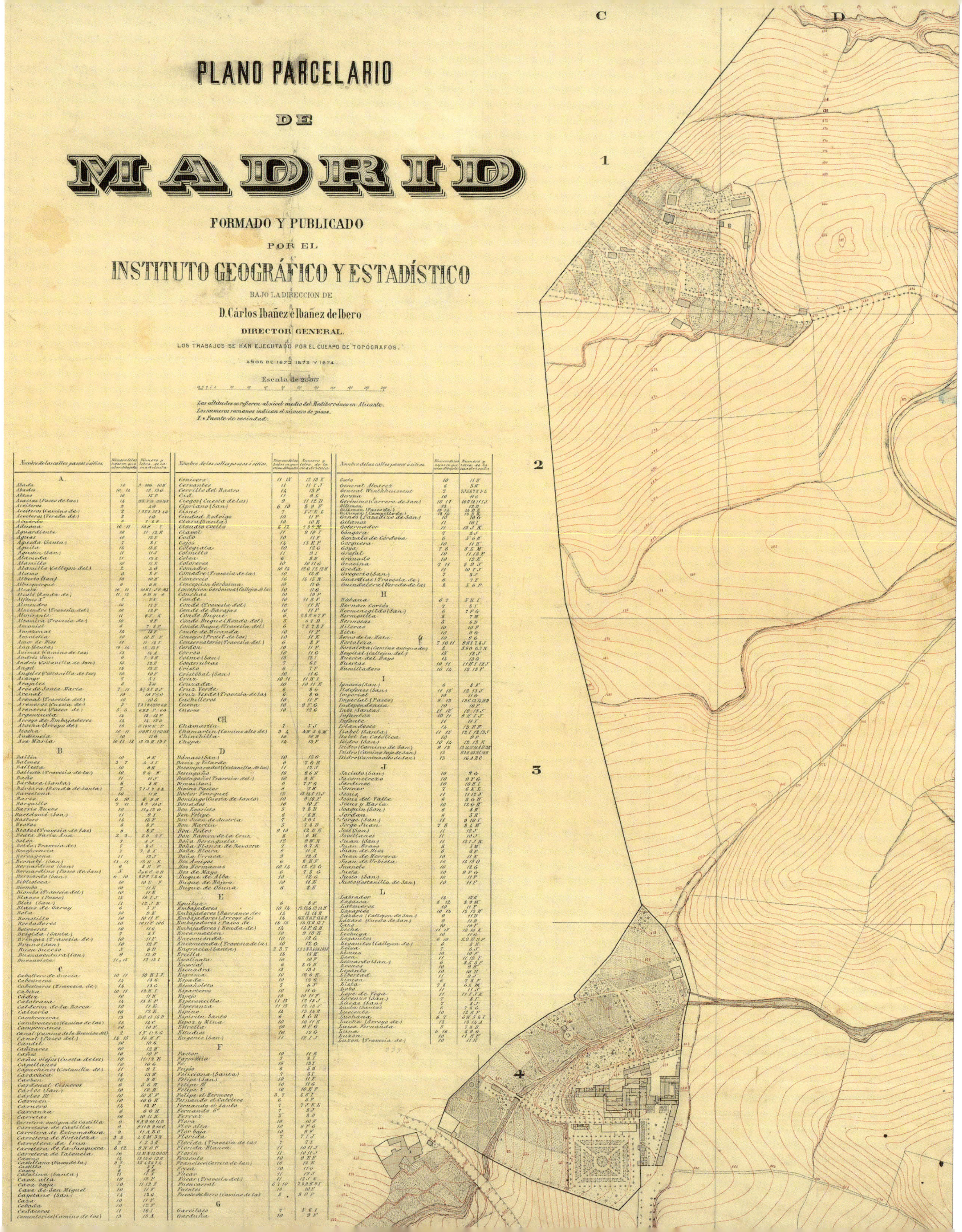

PLANO PARCELARIO

DE

MADRID

FORMADO Y PUBLICADO

POR EL

INSTITUTO GEOGRÁFICO Y ESTADÍSTICO

BAJO LA DIRECCION DE

D. Cárlos Ibañez é Ibañez de Ibero

DIRECTOR GENERAL.

LOS TRABAJOS SE HAN EJECUTADO POR EL CUERPO DE TOPÓGRAFOS.

AÑOS DE 1872 1873 Y 1874.

Escala de 1/2000

Las altitudes se refieren al nivel medio del Mediterráneo en Alicante.
Los números romanos indican el número de pisos.
I = Fuente de vecindad.

E
F
G
H
1
2
3
4
Glorieta de los Cuatro Caminos
Cementerio de La Sacramental de Sn Martin
Deposito de aguas en construccion
Cementerio Britanico
Calle
Arroyo

Mapa de Madrid — Índice de calles, paseos y sitios, y edificios públicos.

Nombre de las calles, paseos y sitios.	Hojas en que están dibujadas	Número y letra de la cuadrícula.
M		
Madera alta	6.	8 G, 8 H.
Madera baja	6.10.	8 G, 9 G.
Madrid	10.	11 E, 11 F.
Magallanes	2.6.	4 G, 5 G.
Magdalena	10.11.	12 H, 11 I.
Mala de Francia	2.6.	4 G, 5 G.
Malasaña	6.	7 G, 7 H.
Maldonadas	10.	12 F.
Maldonado	8.	5 K.
Malpica	10.	11 D, 10 E.
Mancebos	10.	12 F.
Mancebos (Angosta de los)	10.	12 F.
Manuel	6.	7 E, 8 E.
Manzana	6.	8 E.
Manzanares (Ayuso de)	13.	13 A.
Márcos (San)	11.	9 I, 9 J.
Márcos (Callejón de San)	11.	9 J.
Margarita (Santa)	6.	8 F.
María (Santa)	11.	12 I, 12 J.
Marina Española	16.	15 O, 15 P.
Marqués de la Romana	3.	4 I.
Marqués de Villamagna	7.	6 L.
Martín (San)	10.	10 G.
Martín de Vargas	14.	15 H.
Martínez de la Rosa	7.8.	5 L, 5 M.
Mártires de Alcalá	6.	7 E.
Mata (Travesía de la)	10.	9 G, 9 H.
Mateo (San)	7.	7 I, 8 I.
Mateo (Travesía de San)	7.	8 I, 8 I.
Mayor	10.	11 E, 11 F, 11 G.
Medellín	7.	5 I.
Mediodía grande	14.	13 H, 13 I.
Mediodía chica	14.	13 H.
Melancólicos (Paseo de los)	9.13.	[illegible]
Meléndez Valdés	6.	5 L.
Mellizo (Callejón del)	14.	13 F.
Mendizábal	5.	7 G, 7 H, 8 H.
Mesón de Paredes	10.14.	12 G, 13 G, 14 H.
Mesón de Paños	10.	11 F, 11 F.
Miguel (San)	11.	9 I, 10 I.
Milaneses	10.	11 E.
Millán (San)	10.	12 F.

Nº	Edificios públicos.	Hojas en que están dibujados	Cuadrículas donde están situados.
1	Asilo de San Bernardino	1.	4 G.
2	Cementerio de la Sacramental de San Martín	2.	2 F, 3 F.
3	Depósito de Aguas del Canal del Lozoya	2.	3 G.
4	id. id. (en construcción)	2.	3 E.
5	Almacén gral. de la Villa	2.3.	3 H, 3 I.
6	Cementerio Patriarcal	2.6.	4 F, 5 G.
7	Cementerio de la Sacramental de St. Luis	2.5.	4 F, 5 F, 6 G, 5 G.
8	Iglesia parroquial y hospital de N.S. del Buen Suceso	5.	6 B, 7 B.
9	Hospital Militar	5.6.	7 B, 6 F, 7 F.
10	Iglesia parroquial de St. Antonio de la Florida	5.	8 A.
11	Estación del Ferro-carril del Norte	5.9.	8 B, 9 B.
12	Cuartel de la Montaña	5.	8 C, 8 B.
13	Cementerio General	6.	5 G.
14	Hospital Nacional (Princesa)	6.	6 G, 7 G.
15	Cuartel de Guardias de Corps	6.	7 B, 7 F.
16	Convento de las Comendadoras de Santiago	6.	7 G.
17	Cárcel de Mugeres	6.	7 E.
18	Capilla Evangélica	6.	7 G.
19	Convento de las Salesas nuevas	6.	7 G.
20	Escuela Normal	6.	7 G.
21	Escuela Modelo	6.	7 G.
22	Iglesia de N.S. de las Maravillas	6.	7 G.
23	Hospital de Jesús Nazareno (Mugeres incur.)	6.	6 F, 7 F.
24	Tribunal de Cuentas del Reino	6.	7 H, 8 H.
25	Registro de Madrid	6.7.	7 H, 8 H, 7 I, 8 I.
26	Iglesia parroquial de St. Marcos	6.	8 H.
27	Convento de Arrepentidas	6.	8 H.
28	Convento de las Capuchinas	6.	8 F.
29	Universidad Central é Instituto del Noviciado	6.	8 F.
30	Ministerio de Gracia y Justicia	6.	8 F.
31	Cuartel de St. Gil, Parque y Maestranza	6.10.	8 H, 9 H.
32	Mercado de los Mostenses	6.10	8 F, 9 F.
33	Oratorio	6.	8 G.
34	Convento de San Plácido	6.10.	8 G, 9 G.
35	Mercado de St. Ildefonso	6.	8 H.
36	Iglesia parroquial de St. Ildefonso	6.	8 H.
37	Iglesia parroquial de Chamberí	7.	5 I.

1 2 3 4
5 6 7 8
9 10 11 12
13 14 15 16

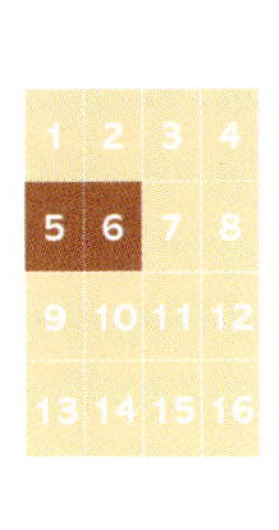

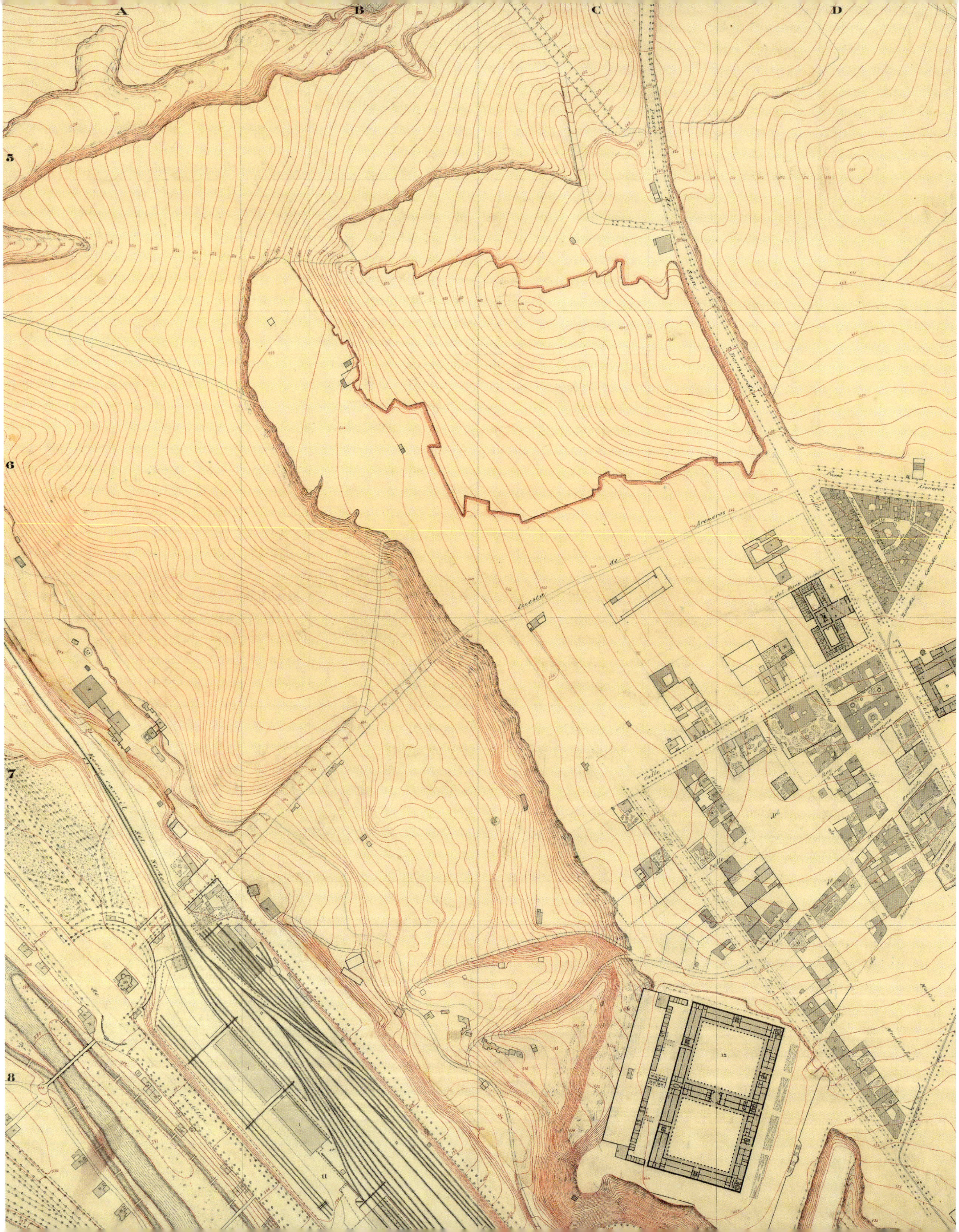
A
B
C
D
5
6
7
8
Areneros

E
F
G
H
5
6
7
8
Tejar
Glorieta
de
Quevedo.
Plaza
de
Olavide.
Calle de San Rafael
Calle de Sandoval
Calle de Sandoval
Calle
Calle
Plazuela del
Limon
Plazuela
de las
Comendadoras
Plaza
de los
Mostenses

1 2 3 4
5 6 7 8
9 10 11 12
13 14 15 16

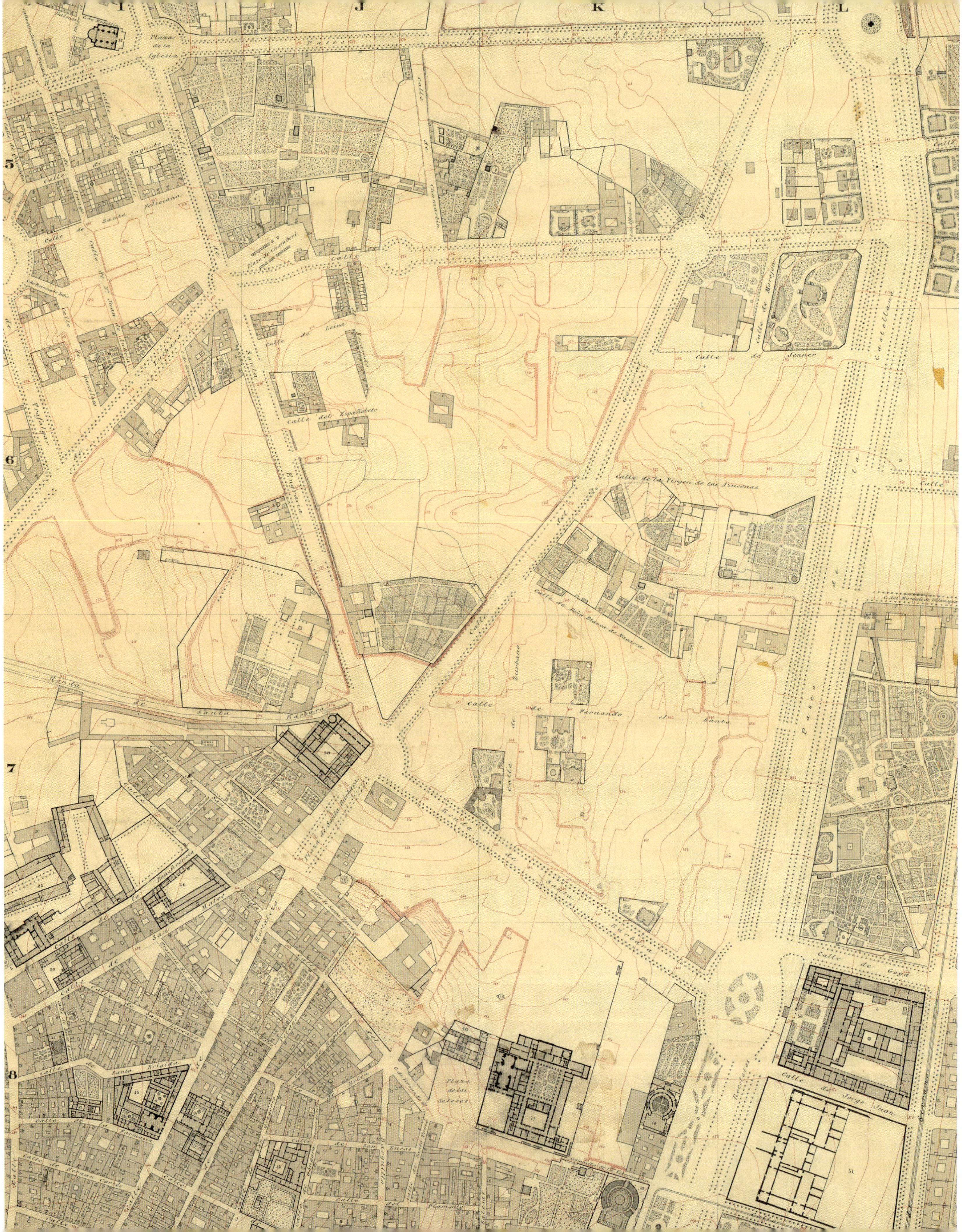
I
J
K
L
5
6
7
8
Plaza de la Iglesia
Calle de Santa Feliciana
Calle de Jenner
Calle de la Virgen de las Nieves
Calle de Fernando el Santo
Ronda de Santa Bárbara
Paseo de la Castellana
Calle de Goya
Calle de Jorge Juan
Plaza de las Salesas

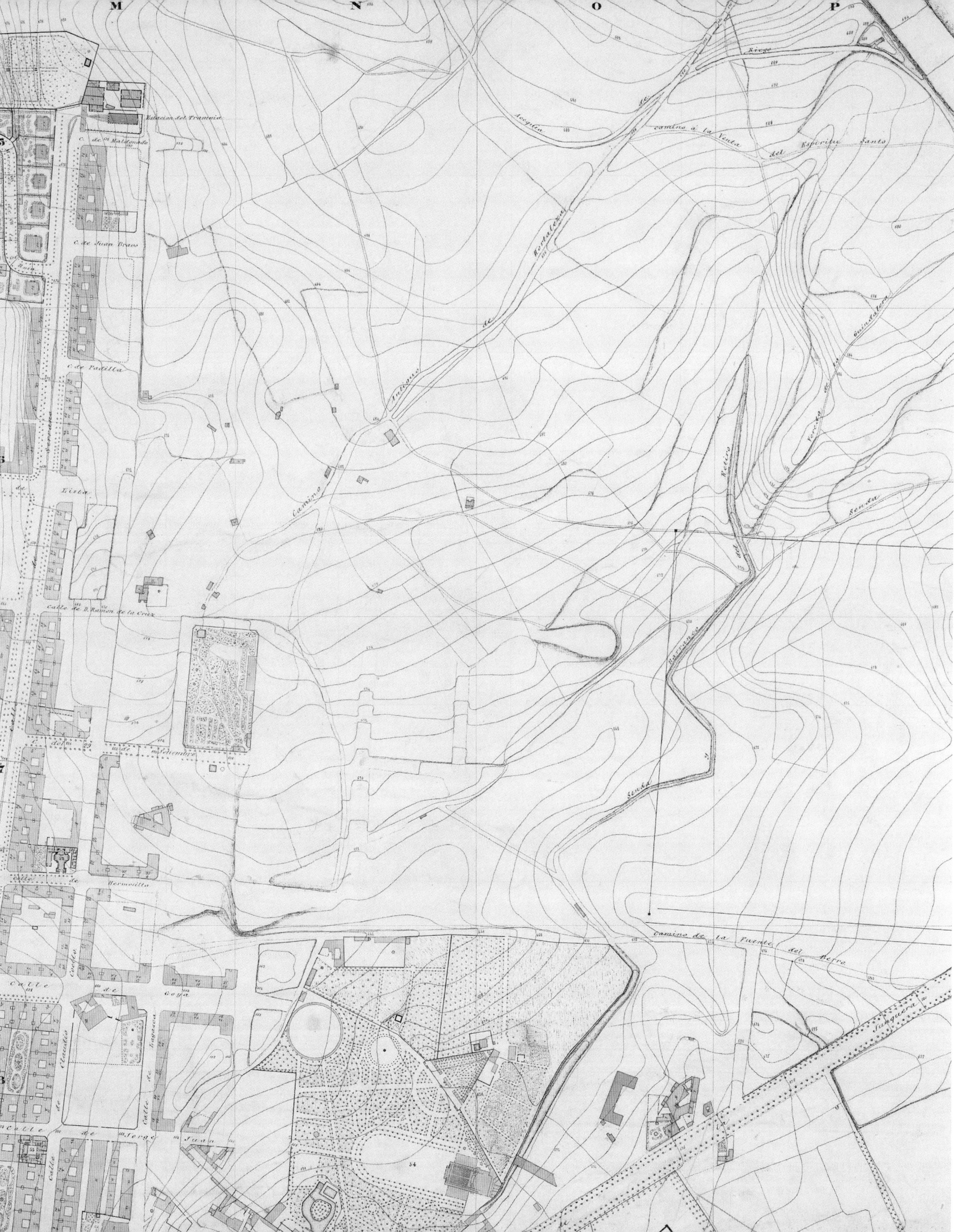
M
N
O
P
Estacion del Tranvia
C. de Sta. Maldonado
C. de Juan Bravo
C. de Padilla
Lista
Calle de D. Ramon de la Cruz
de Septiembre
Calle de Hermosilla
Calle de Goya
Acequia
camino a la Venta del Espiritu Santo
Riego
camino
Senda
Senda
Camino de la Fuente del Berro

Paseo de San Vicente
Puente del Rey
Carretera de Castilla
Cuesta de la Vega
PLAZA DE ARMAS
Plaza de la Armería
Plaza del Puente de Segovia
Puente de Segovia
Carretera de Estremadura
Carretera de Estremadura
Carretera de Segovia
Calle

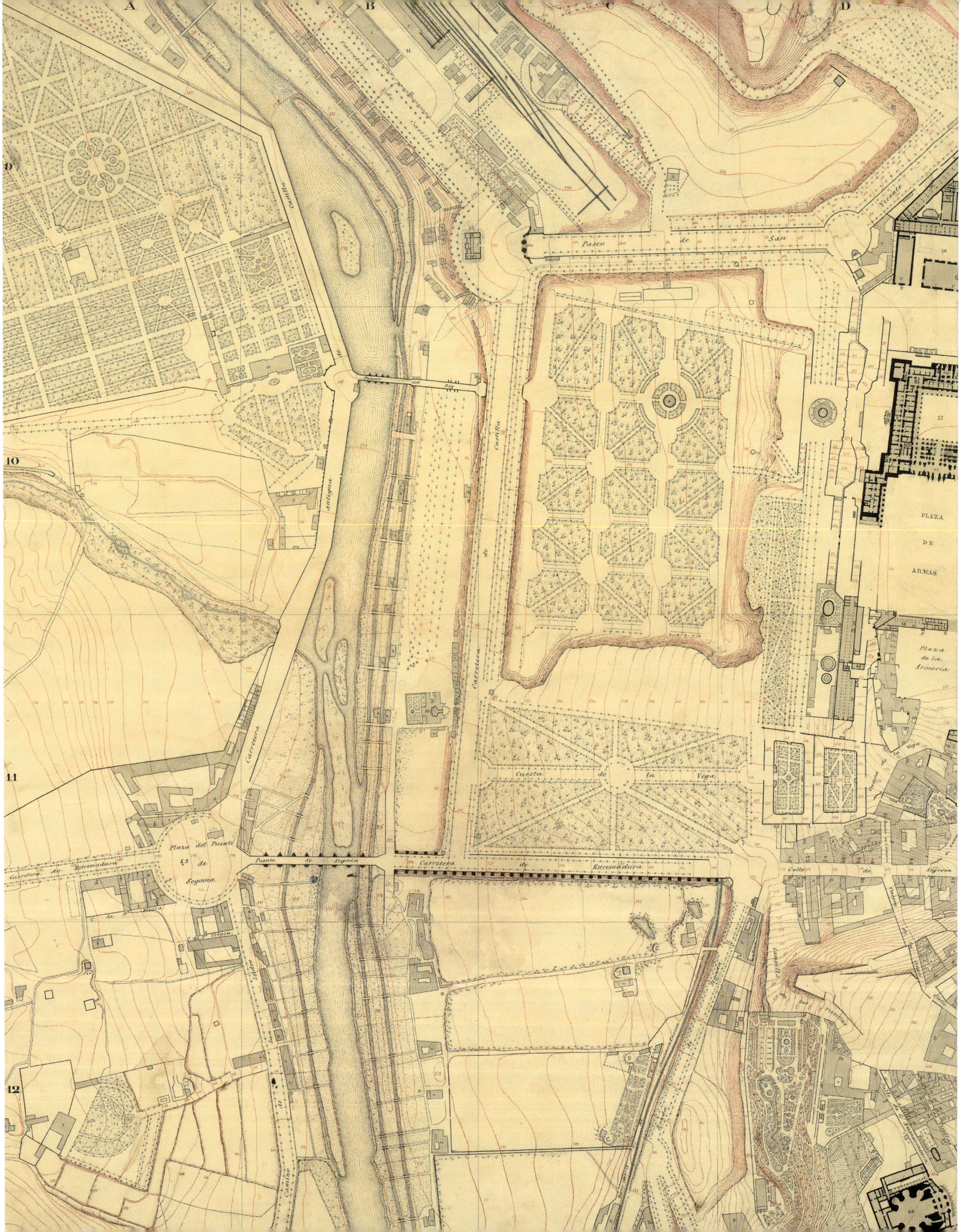

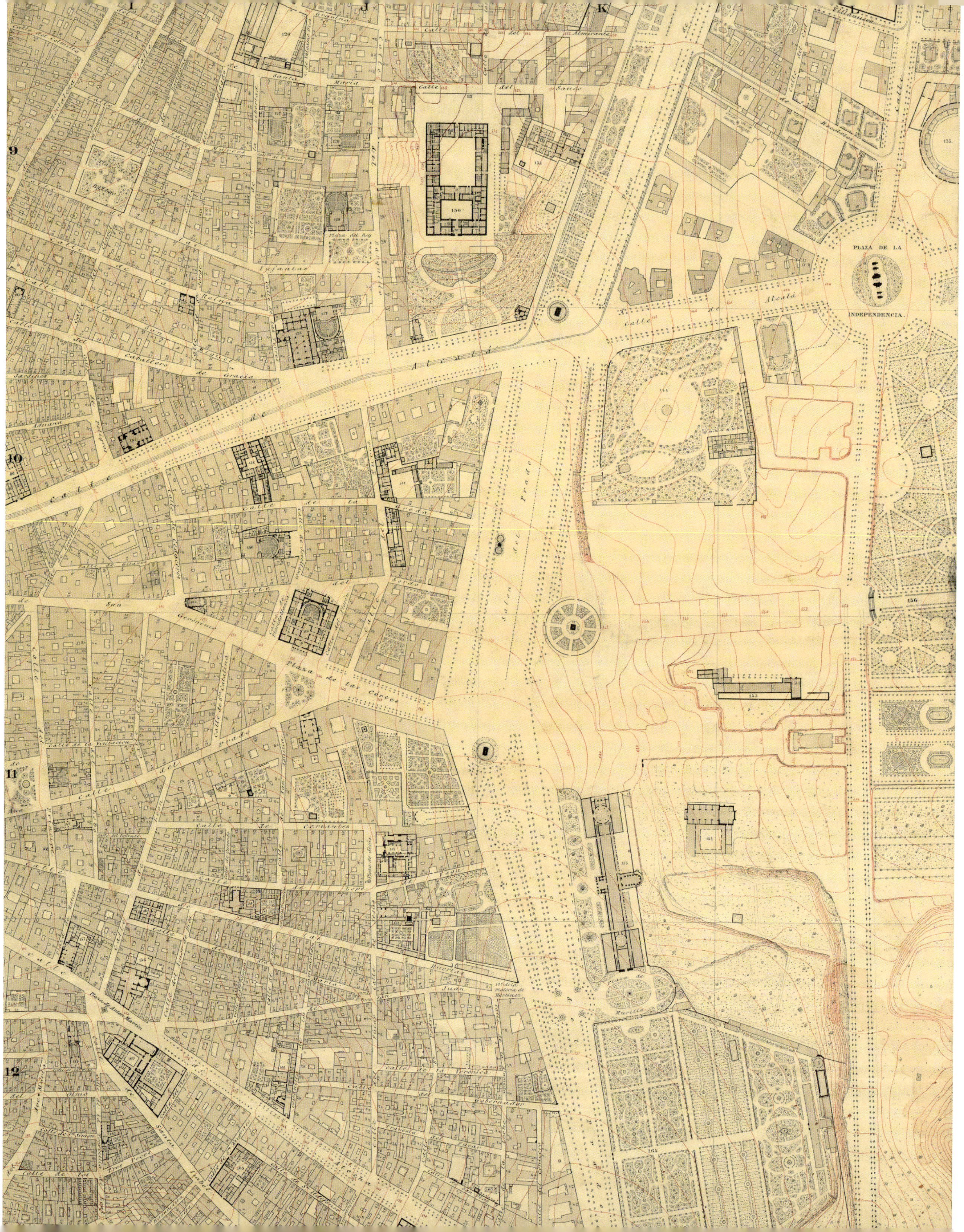
I
J
K
9
10
11
12
PLAZA DE LA
INDEPENDENCIA
Calle de Alcalá
Salon del Prado
Plaza de las Cortes
Calle de Cervantes

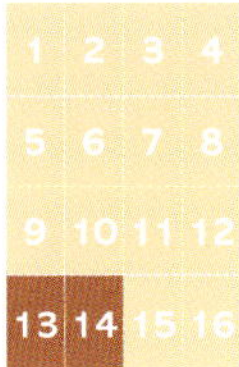

1	2	3	4
5	6	7	8
9	10	11	12
13	**14**	15	16

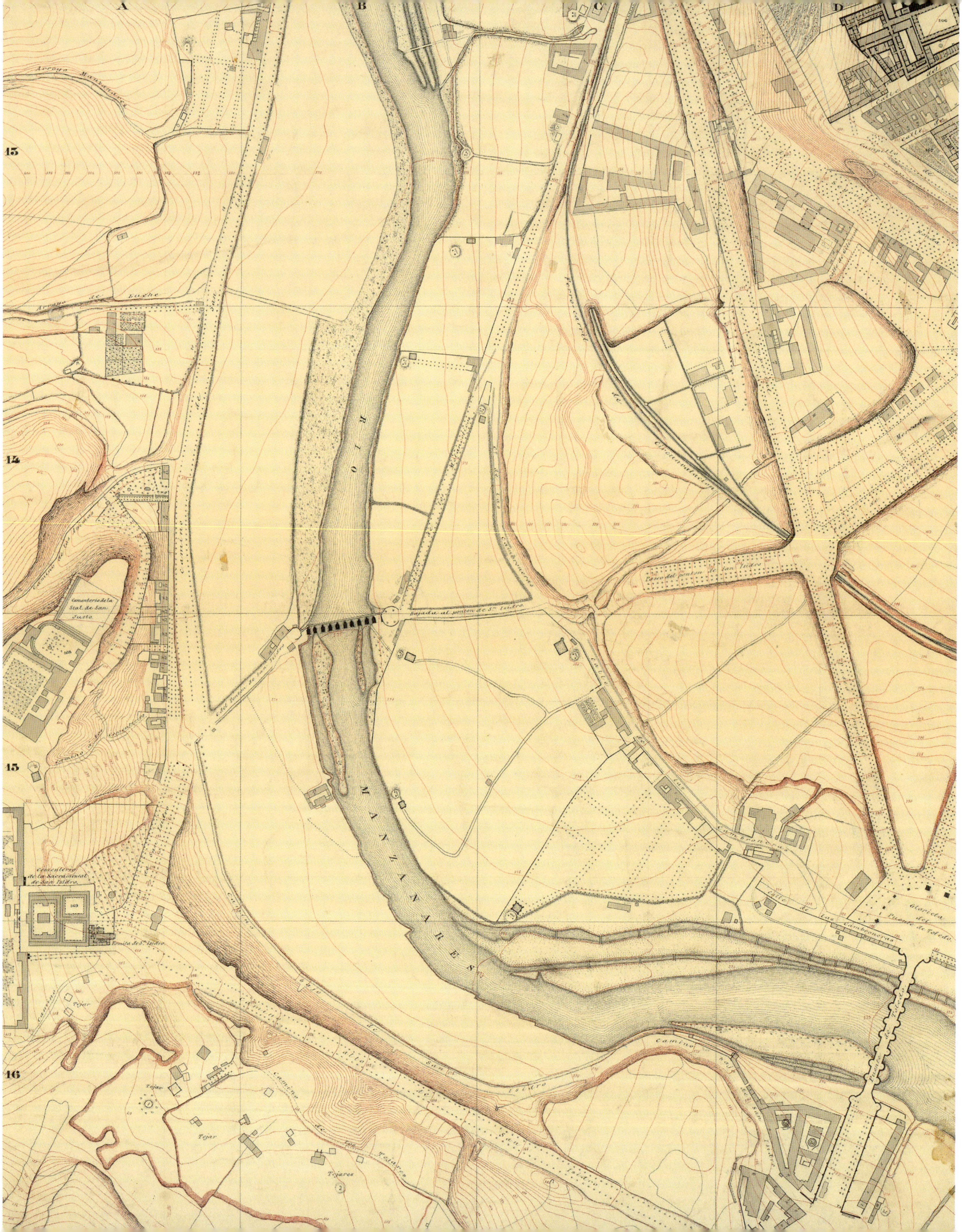
A
B
C
D
13
14
15
16
RIO
MANZANARES
Cementerio de la Stal. de San Justo
Cementerio de la Sacramental de San Isidro
Ermita de Sn. Isidro
Bajada al ponton de Sn. Isidro
Paseo del ponton de San Isidro
Calle de las Cambroneras
Glorieta del Puente de Toledo
Tejar
Tejares

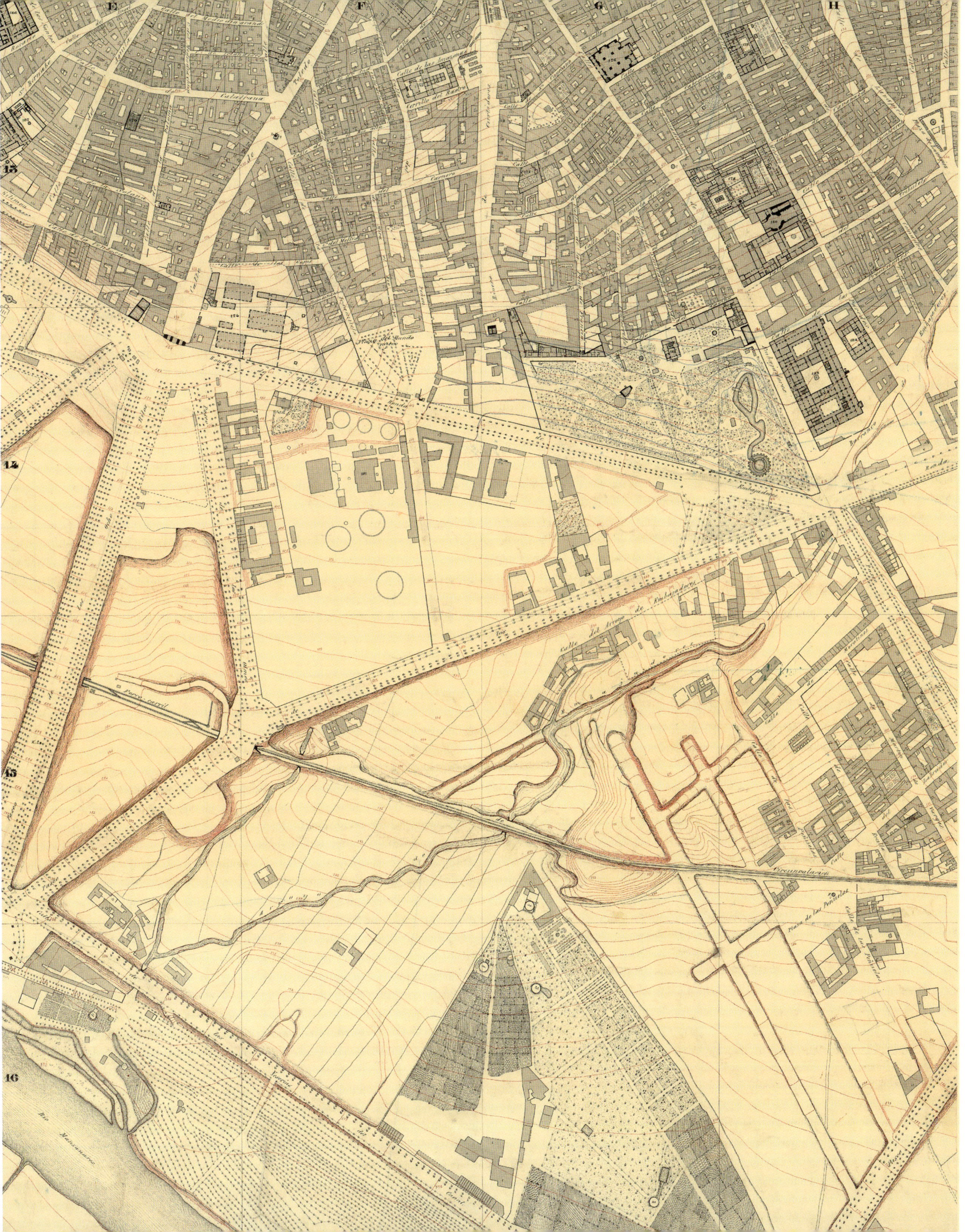

194

1877
Carlos Ibáñez Íbero
Plano parcelario de Madrid

PLANO PARCELARIO DE MADRID / por el Instituto Geográfico y Estadístico bajo la dirección del exc[elentísim]o señor [...] don Carlos Ibáñez e Ibáñez Íbero [...], F. Noriega [...] (grab.) y E. Hernández [...] (grab.).

Escala 1:5.000, 1.100 metros [= 20'5 cm].
Madrid: Litografía del Instituto Geográfico y Estadístico, 1877.
1 plano: l°., litografía sobre papel, 3 hh. unidas en h. de 179 x 101 cm.

La reducción del plano parcelario de 1874 a la escala de 1:5.000 se acometió tan solo tres años después de su 1ª. edición, reeditándose nuevamente en 1879. A diferencia del anterior, constituye un apreciable plano mural gracias a su reducción y su estampación litográfica en negro y color. Aunque no incorpore las extensas tablas que acompañaban a su modelo, el fino trabajo de los litógrafos del Instituto Geográfico y Estadístico, tanto los grabadores del plano como los de la letra, permiten incluir un notable acervo informativo sobre la ciudad. Al igual que el Plano parcelario de 1874, serviría como base para sucesivas ediciones que partieron de la iniciativa privada, sobre todo en su formato vertical, el cual se ajustaba a la extensión del casco urbano de Madrid a finales del decenio de 1870.

BIBLIOGRAFÍA:

(EXPOSICIÓN SOBRE CARTOGRAFÍA DE MADRID, 1982: CIFRA 66, 141, Y CIFRA 70, 146), (EXPOSICIÓN SOBRE CARTOGRAFÍA DE MADRID, 1997), (EXPOSICIÓN SOBRE CARTOGRAFÍA DE MADRID, 2020) Y (MARÍN Y ORTEGA, 2020: 70 Y 74).

EJEMPLARES:

A.V.M., 1,40-21-1 Y 1,40-22-1.
B.N.E., MR/33-41/8.007/3.
B.R.M., MG. III/16.
C.G.E., AR.E-T.9-C. 2 69.
I.G.N., 32-B-2 Y S2-35-42-08.
M.H.M., IN. 15.615.

M.H.M.

REAL CASA
DE
CAMPO
PLAZA DE ARMAS
Plaza de la Armería
Plaza de Oriente
Isabel II
PUERTA DEL SOL
RIO
Plaza del Puente de Segovia
Carretera de Estremadura

PLAZA DE LA INDEPENDENCIA
PARQUE DE MADRID
Calle de Alcalá
Calle del Prado
Salón del Prado
Calle de la Lealtad
Plaza de los Ministerios
Camino de la Fuente del Berro
Camino de la Plazuela
Camino alto de Vicálvaro
Vereda de Pajarillos
Hermosilla
Goya
Calle de Jorge Juan
del Conde de Aranda

1886
Benito Martínez y José Méndez
Plano de Madrid

[PLANO DE MADRID, REDUCIDO CON LA AUTORIZACIÓN COMPETENTE DEL PUBLICADO POR EL INSTITUTO GEOGRÁFICO Y ESTADÍSTICO EN 1877 Y AMPLIADO CON LAS NUEVAS CONSTRUCCIONES / por los topógrafos don Benito Martínez (dib.) y don José Méndez (dib. y grab.).

Escala, 1:10.000.
[Madrid]: [Establecimiento Tipográfico de Ricardo Fe], [1886].
1 plano: lº., cromolitografía sobre papel, 1 h., 100'5 x 79'5 cm.

Al igual que la serie iniciada en 1866 por José Pilar Morales, este plano inicia otra secuencia de ejemplares comerciales, en este caso siguiendo el modelo de los distintos planos parcelarios editados por el Instituto Geográfico y Estadístico a partir de 1874. Los trabajos, acometidos por los topógrafos Benito Martínez y José Méndez, se plasmaron en sucesivas ediciones actualizadas, que acompañaban a la homónima *Guía del Plano de Madrid, reducido con la autorización competente del publicado por el Instituto Geográfico y Estadístico en 1877 y ampliado con las nuevas construcciones*, editada a expensas del Establecimiento Tipográfico de Ricardo Fe.

BIBLIOGRAFÍA:

(EXPOSICIÓN SOBRE CARTOGRAFÍA DE MADRID, 1982: CIFRA 76, 149), (EXPOSICIÓN SOBRE CARTOGRAFÍA DE MADRID, 1992: 270-271), (EXPOSICIÓN SOBRE CARTOGRAFÍA DE MADRID, 2020) Y (MARÍN Y ORTEGA, 2020: 75-77).

EJEMPLARES:

A.V.M., 0,69-52-8.
B.N.E., MV/13.
B.R.M., MP. XXXVIII/58.
C.G.E., AR.E-T.9-C. 2-71 BIS.

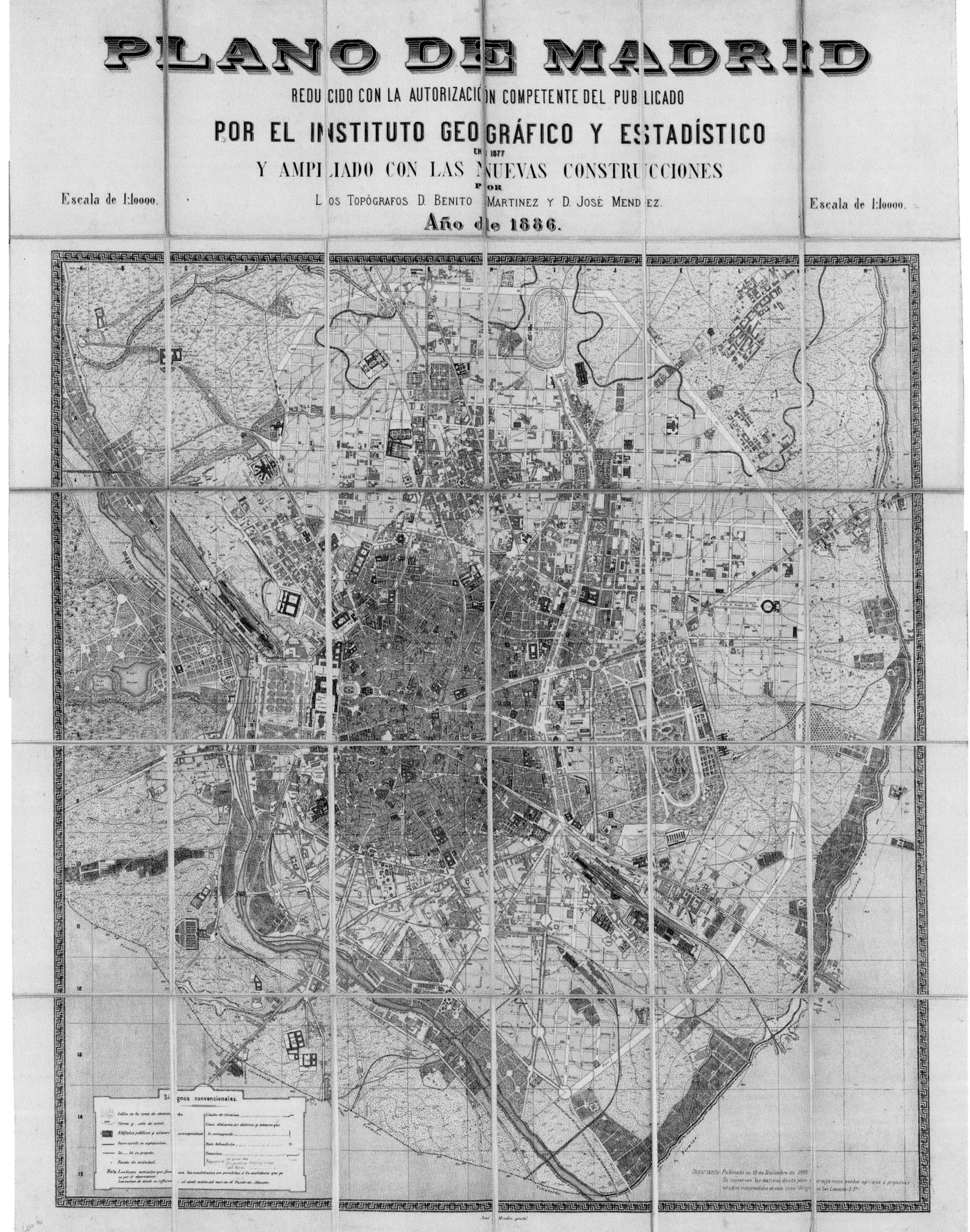

B.R.M.

Plaza de Oriente
Plaza de Armas
Campillo de las Vistillas
Plaza de

Parque de Madrid
C. de la Plaza de Toro
S. Gerónimo
660
670
680
650
630

1865 ca. Isidore Laurent Deroy, *Vue Generale de Madrid*. Litografía en color, 44'5 x 60'5 cm. *Album de 60 jolies vues en couleurs lithographiées sur l´Espagne*. París: Emile Becquet Dardoize, 1865

En las décadas centrales del siglo XIX se produce la eclosión de las tomas fotográficas urbanas, lo que acarreará un detrimento momentáneo de las vistas tradicionales. La intensidad y calidad de la producción cartográfica de este período se puede complementar así con las tomas de Clifford, Tenison, Muriel o Laurent que, como ya advertimos, no se incorporan en esta publicación. Por ello tiene especial valor esta vista general de Madrid, escasamente conocida, que se conserva en la Biblioteca Nacional de España. Supone una vista suroccidental realizada por Isidore Laurent Deroy (1797-1886) sin fecha precisa, que cabe suponer de hacia 1865 cuando publica en Paris el "Album de 60 jolies vues en couleurs lithographiées sur l'Espagne". La litografía abarca desde el Palacio Real hasta la Puerta de Toledo, reflejando con bastante precisión topográfica los diversos elementos urbanos, destacando los hitos de San Francisco, la capilla de San Isidro en San Andrés y la iglesia de San Cayetano, que aparece "montada" sobre la Puerta de Toledo, aunque se rotula equivocadamente como la Basílica de Atocha. Como ya se dijo, tiene interés relacionar esta vista con las realizadas anteriormente por Goya y Brambila.

Ejemplares:

B.N.E., Invent. 80.079.

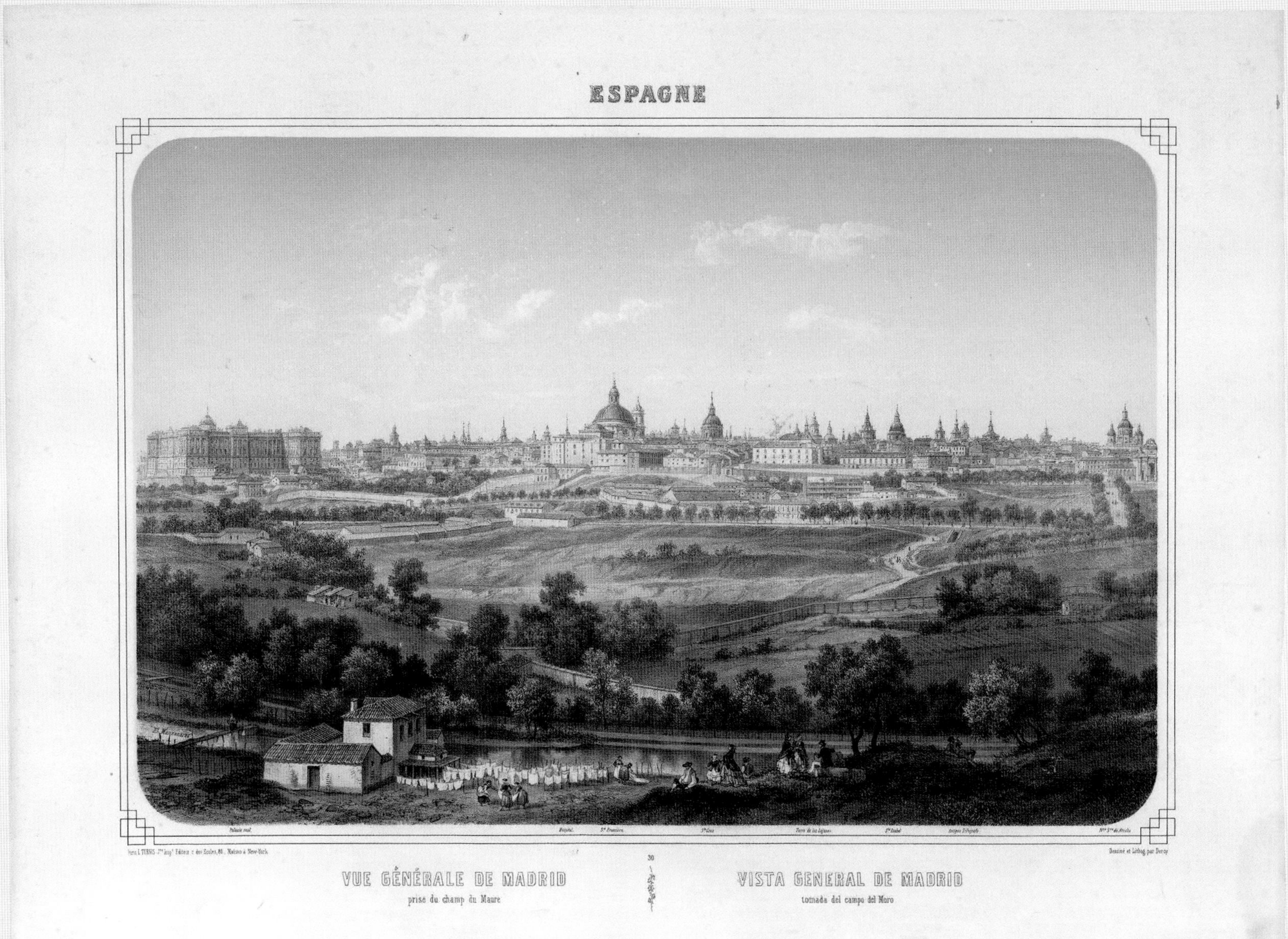

© Biblioteca Nacional de España

1873. Guillermo Martorell, *Vista General de Madrid tomada desde la Casa de Campo*. 53 x 68 cm en h. de 59,2 x 79,7 cm. Madrid: *La Ilustración Española y Americana*, 1873

Del autor de esta obra tan solo conocemos que era ingeniero industrial y que en 1876 ingresó en la Sociedad Económica Matritense; de esta descripción gráfica de Madrid tan solo hay datos de su fecha y relación con la revista *La Ilustración Española y Americana*, siendo editada como regalo a los suscriptores. La base proyectiva y topográfica de este dibujo, que transmite la imagen de Madrid desde el oeste, resulta difícil de clasificar. Se puede describir como un agregado de edificios que se disponen sobre unas relaciones aproximadas de posición relativa, estando casi totalmente ausente la traza real de la planta urbana; paradójicamente la gran planta del Instituto Geográfico fue editada casi al mismo tiempo de este dibujo. La cierta condición "ingenua" de esta imagen goza sin duda de un atractivo que conecta con un interés popular, unida a un afán descriptivo de los hitos edificados; la leyenda numérica establece 47 referencias urbanas que resultan difíciles de leer sobre el dibujo. Existe al menos otra edición de la lámina por la Editorial Renacimiento, así como un librito monográfico de Pedro de Répide sobre esta imagen en el que no aparece la fecha de edición, la cual suponemos próxima a 1925.

BIBLIOGRAFÍA:

(BOIX, 1926: 28-29) Y (RÉPIDE, 1925).

EJEMPLARES:

A.V.M., 0,59-31-5.
M.H.M., IN. 1.532.

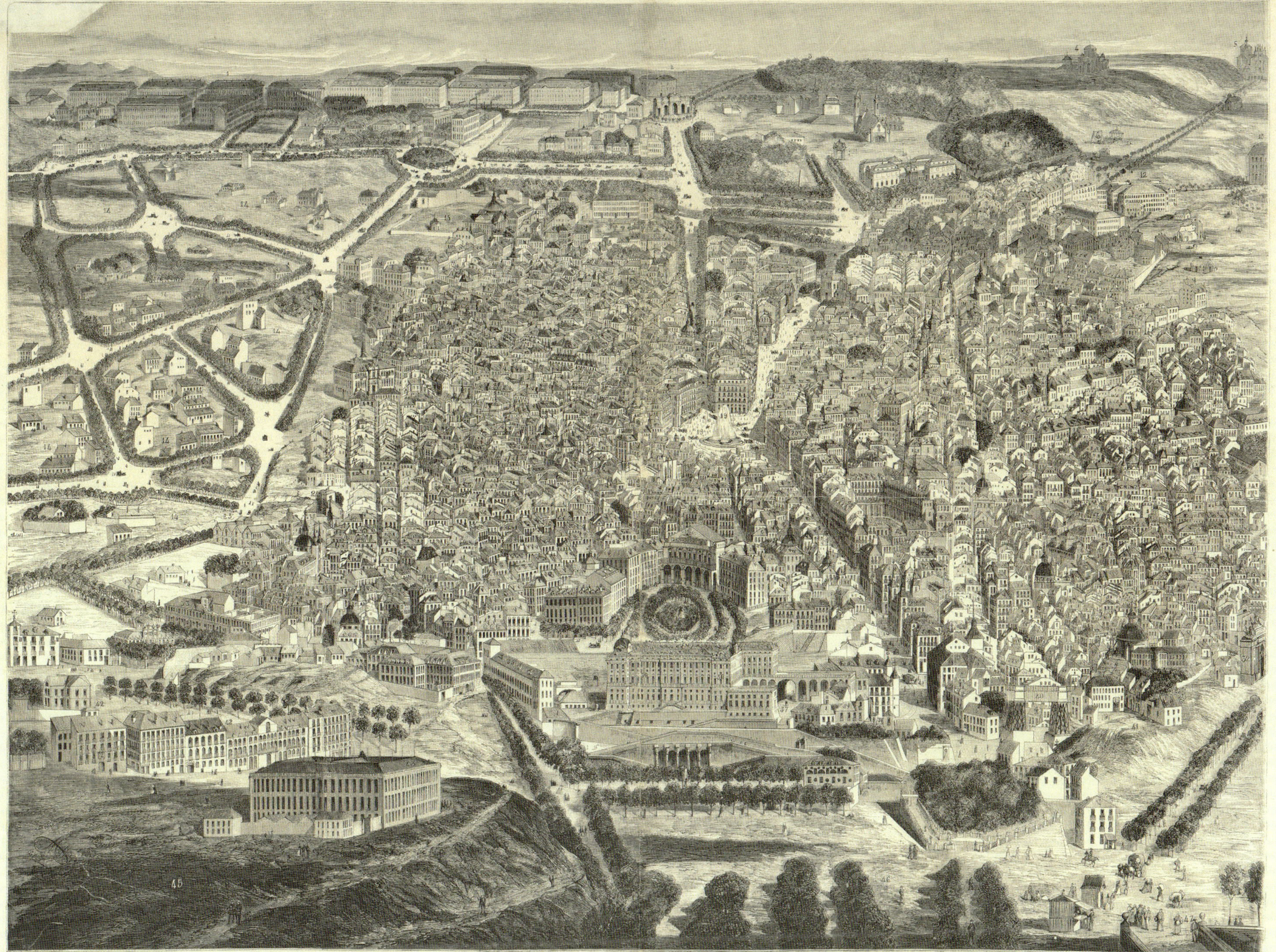

VISTA GENERAL DE MADRID, TOMADA DESDE LA CASA DE CAMPO.

Dibujo del ingeniero D. Guillermo Martorell.

EXPLICACION.

1. Barrio de Salamanca.
2. Plaza de Toros y puerta de Alcalá.
3. Parque de Madrid (Retiro).
4. Observatorio astronómico.
5. Basílica de Atocha.
6. Paseo de la Fuente Castellana.
7. Paseo de Recoletos.
8. Jardines del Buen Retiro.
9. Paseo del Prado.
10. Museo del Prado.
11. Jardín botánico.
12. Hospital general.
13. Estacion del ferro-carril del Mediodía.
14. Barrio de Chamberí.
15. Palacio de Justicia (Salesas Reales).
16. Ministerio de la Guerra.
17. Congreso de los Diputados.
18. Hospicio.
19. Puerta del Sol.
20. Ministerio de la Gobernacion.
21. Banco de España.
22. Museo arqueológico.
23. Hospital nacional.
24. Monteleon (Plaza del Dos de Mayo).
25. Plaza Mayor.
26. Plaza y mercado de la Cebada.
27. Teatro Nacional de la Opera.
28. Torre de los Lujanes.
29. Casa de la Villa.
30. Gobierno civil de la provincia.
31. San Francisco el Grande.
32. Puerta de Toledo.
33. Cuartel llamado de Guardias de Corps.
34. Cuartel de San Gil.
35. Caballerizas.
36. Palacio real.
37. Plaza de armas.
38. Armería nacional.
39. Los Consejos.
40. Via lacto de la calle de Segovia.
41. Alto de las Vistillas.
42. Barrio de Argüelles.
43. Cuartel de la Montaña.
44. Cuesta de la Vega.
45. Montaña del Príncipe Pío.
46. Campo del Moro.
47. Posito de Segovia.

M.H.M.

De Facundo Cañada
a Núñez Granés

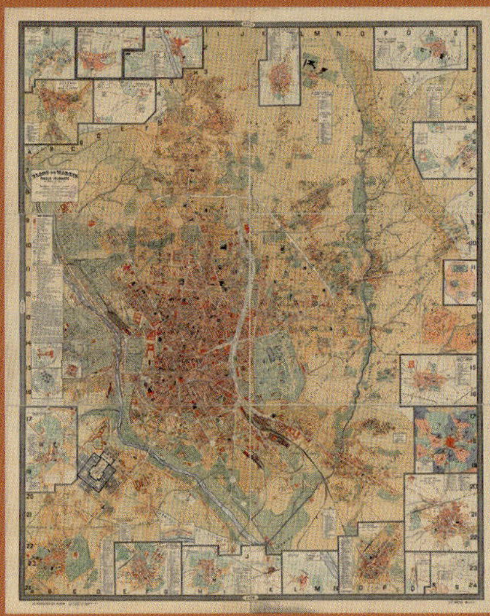

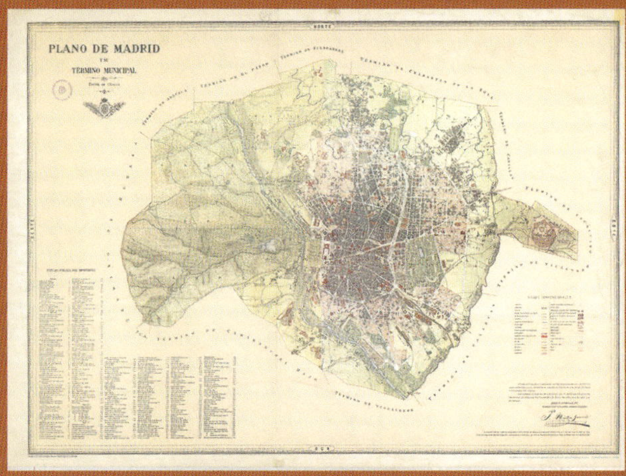

En el primer cuarto del siglo XX se editan dos planos que suponen una aportación a la cartografía madrileña. El primero de ellos es el promovido por Facundo Cañada López, que presenta la fecha de 1900, jalonando así la transición del siglo; se trata de la base gráfica asociada a la *Guía de Madrid y sus Pueblos Colindantes*. Aparte de su calidad gráfica y densidad informativa, la gran novedad que aporta es el conjunto de representaciones de la planta de los cascos históricos de las poblaciones cercanas a Madrid. En la composición de seis hojas se representa la ciudad a la escala de 1:7.500, adoptándose otras escalas en los encuadres de las pequeñas poblaciones situadas con un criterio de posición relativa. El otro plano significativo es la síntesis editada en 1910 por el ingeniero municipal de vías públicas Pedro Núñez Granés que representa el estado general de Madrid; esta obra es la base del fallido proyecto redactado para intentar controlar y ordenar el extrarradio del término municipal, más allá del ensanche de Castro. El plano, editado en cuatro hojas a la escala de 1:10.000, se acompaña de una intensa labor cartográfica de detalle a la escala de 1:2.000 en la que, con códigos de color, se distingue el estado previo y el proyecto propuesto.

Ambos planos de conjunto utilizaron como base la procurada por el Instituto Geográfico, con la aportación de Andrés Bonilla en el primer caso, y la integración en la misma de los datos de los ingenieros municipales. La labor de actualización por parte del Instituto Geográfico se desarrolla con gran intensidad en los tres primeros lustros del siglo en su estrategia de producción de los planos de distritos; éstos adoptan un doble criterio de encuadre y escalas. Se realizan así planos generales a distintas escalas según su tamaño y el desarrollo particular de cada distrito por hojas a la escala de 1:2.000. Se trata de unos documentos de notable calidad gráfica que se van actualizando progresivamente. En otros registros y finalidades continúa igualmente la numerosa edición de planos asociados a guías urbanas y otras finalidades, entre las que cabría mencionar la base grabada por José Méndez desde 1900 en adelante con ediciones casi anuales, más o menos actualizadas, y el singular caso del plano turístico de Madrid de hacia 1925. Otra novedad se establece en la cartografía del transporte en la que cabe destacar la aparición del Metropolitano y su consecuente serie de actualizaciones.

En el apartado visual continúa en estas fechas la intensa labor de los fotógrafos, que probablemente bloquearon gran parte de la producción de otros agentes gráficos; señalemos así la aparición de tomas fotográficas aéreas, las cuales inician un nuevo registro de gran interés y desarrollo posterior. Por no renunciar al complemento visual y pictórico de estos años, es de justicia referir sintéticamente la atractiva labor pictórica de Aureliano de Beruete; de alguna manera, su registro temático resuena con la cartografía periférica de Núñez Granés, aunque los intereses y objetivos de ambos estuvieran tan distanciados.

PLANOS:

1900. Facundo Cañada, *Plano de Madrid y pueblos colindantes al empezar el siglo*.

1911. Pedro Núñez Granés, *Plano de Madrid y su término municipal*.

VISTAS:

1906. Aureliano de Beruete, *Afueras de Madrid (barrio de Bellas Vistas)*.

1908. Aureliano de Beruete, *Madrid desde el Manzanares*.

1909. Aureliano de Beruete, *Vista de Madrid desde la Pradera de San Isidro*.

1900
Facundo Cañada
Plano de Madrid y pueblos colindantes al empezar el siglo

PLANO DE MADRID Y PUEBLOS COLINDANTES AL EMPEZAR EL SIGLO / POR FACUNDO CAÑADA LÓPEZ, Comandante de la Guardia Civil; Andrés Bonilla (dib. y grab.).

Escala, 1:7.500, 750 metros [=10 cm].
Madrid: Lit[ografía] Mateu, [1900].
1 plano: lº., cromolitografía sobre papel, 6 hh. unidas en h. de 190 x 154 cm.

Otro de los planos de Madrid pioneros que se escapan de la órbita de la cartografía producida por la administración es el realizado por el Comandante de la Guardia Civil Facundo Cañada López. Como otros tantos planos comerciales, aprovecha los datos proporcionados por las series cartográficas del Instituto Geográfico y Estadístico pero tiene la peculiaridad de incluir los cascos urbanos de las localidades limítrofes. La hoja nº. 1 incluye los planos de los barrios de la Estación y de Húmera, ambos dependientes de Pozuelo de Alarcón y el de esa misma localidad, y los de Aravaca y Real Sitio de El Pardo; la nº. 3, los de Carabanchel Alto y Bajo, Leganés y Villaverde, la nº. 4, los de Fuencarral, Chamartín, Hortaleza, Canillas y Canillejas, la nº. 5, el de Vicálvaro, y la nº. 6, por último, el de Vallecas y los dependientes barrios de Nueva Numancia y Doña Carlota, el de Getafe y el de sus barrios de Cerro de los Ángeles, Estación del Mediodía y Perales del Río. Estos veintidós planos parciales, igualmente levantados a la escala común de 1:7.500, suponen el primer corpus impreso de las localidades que rodeaban el término municipal de Madrid; cada uno de ellos se completa con una pequeña leyenda, variable en extensión según cada caso, que enumera el elenco de sus localizaciones respectivas.

BIBLIOGRAFÍA:

(EXPOSICIÓN SOBRE CARTOGRAFÍA DE MADRID, 1982: CIFRA 79, 151), (EXPOSICIÓN SOBRE CARTOGRAFÍA DE MADRID, 1992: 279-285), (EXPOSICIÓN SOBRE CARTOGRAFÍA DE MADRID, 2001: CIFRA 44, 186-193) Y (MARÍN, 2010 A).

EJEMPLARES:

B.N.E., Mv/13.
C.G.E., Ar.E-T.3-C. 3-93.
M.H.M., IN. 15.794.

NORTE
PLANO DE MADRID
Y
PUEBLOS COLINDANTES
POR
FACUNDO CAÑADA LOPEZ
SUR
OESTE
ESTE
ES PROPIEDAD DEL AUTOR
LIT. MATEO. Madrid.

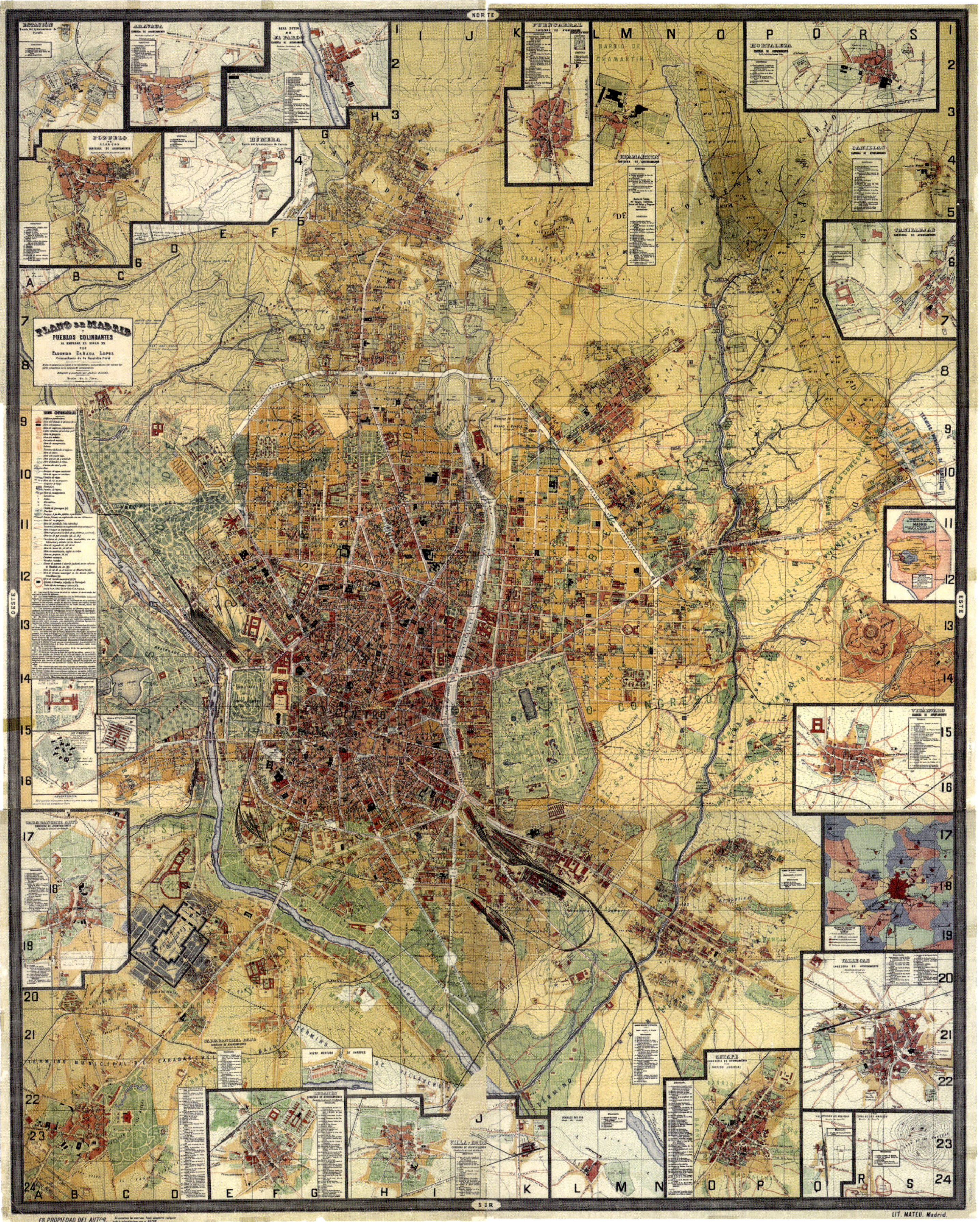

M.H.M.

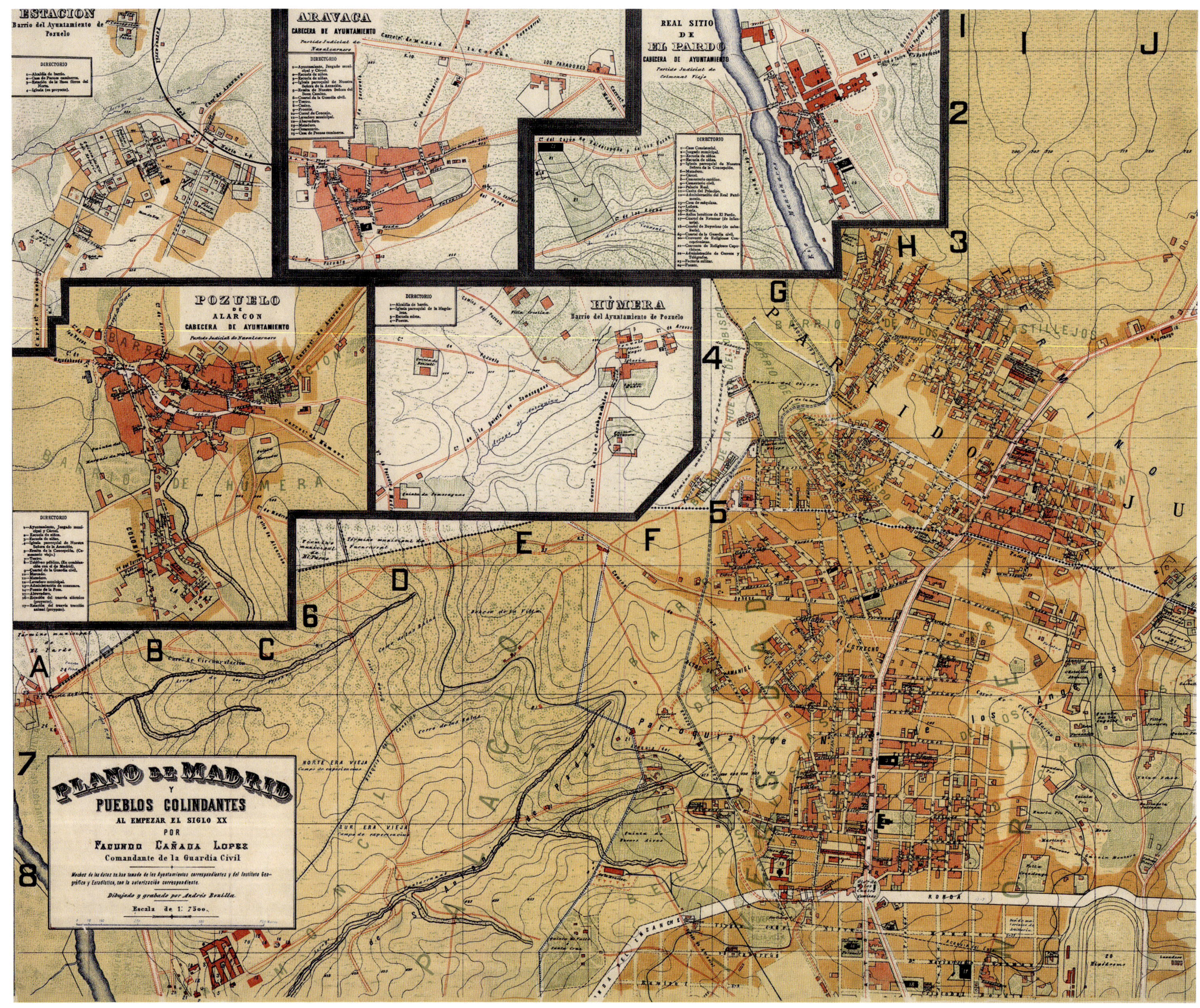
ESTACION
Barrio del Ayuntamiento de Pozuelo
DIRECTORIO
ARAVACA
CABECERA DE AYUNTAMIENTO
DIRECTORIO
REAL SITIO
DE
EL PARDO
CABECERA DE AYUNTAMIENTO
Partido Judicial de Colmenar Viejo
DIRECTORIO
POZUELO
DE
ALARCON
CABECERA DE AYUNTAMIENTO
Partido Judicial de Navalcarnero
DIRECTORIO
HÚMERA
Barrio del Ayuntamiento de Pozuelo
DIRECTORIO
PLANO DE MADRID
Y
PUEBLOS COLINDANTES
AL EMPEZAR EL SIGLO XX
POR
FACUNDO CAÑADA LOPEZ
Comandante de la Guardia Civil
Dibujado y grabado por Andrés Benilla
Escala de 1:7500

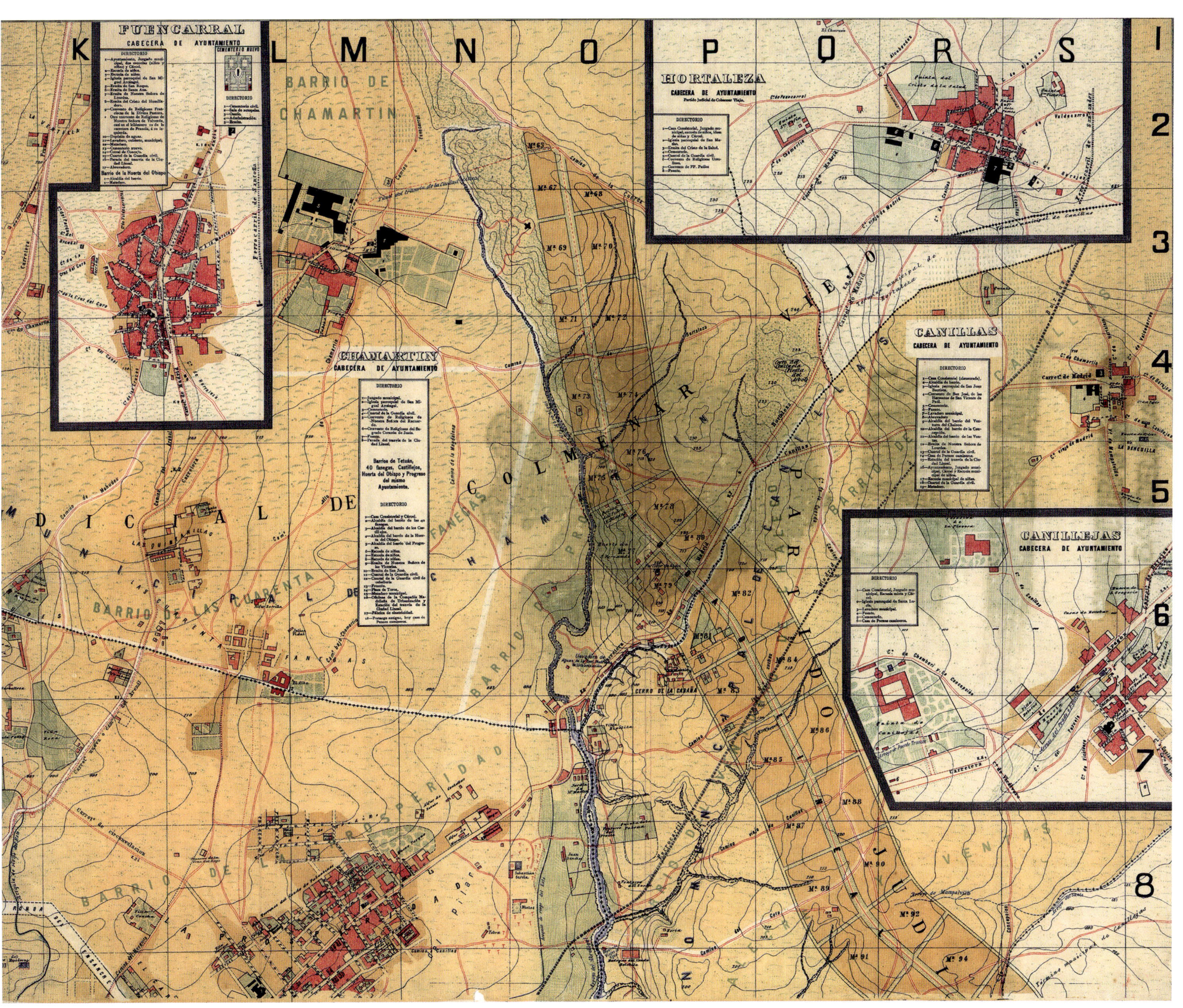
FUENCARRAL
CABECERA DE AYUNTAMIENTO
DIRECTORIO
BARRIO DE CHAMARTIN
HORTALEZA
CABECERA DE AYUNTAMIENTO
Partido Judicial de Colmenar Viejo.
DIRECTORIO
CHAMARTIN
CABECERA DE AYUNTAMIENTO
DIRECTORIO
CANILLAS
CABECERA DE AYUNTAMIENTO
DIRECTORIO
CANILLEJAS
CABECERA DE AYUNTAMIENTO
DIRECTORIO
BARRIO DE LA PROSPERIDAD
BARRIO DE LAS CUARENTA FANEGAS
BARRIO DE GUINDALERA

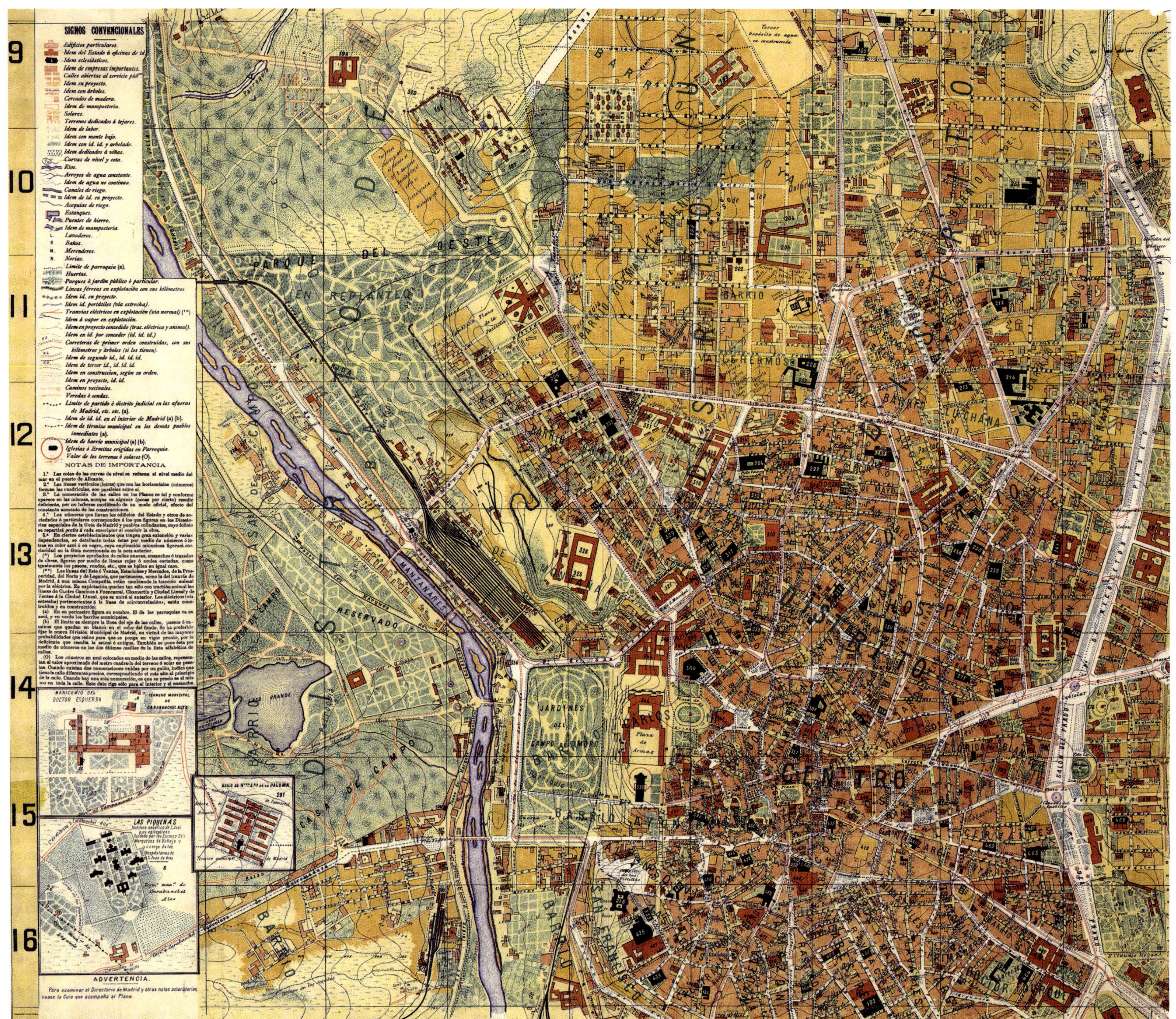

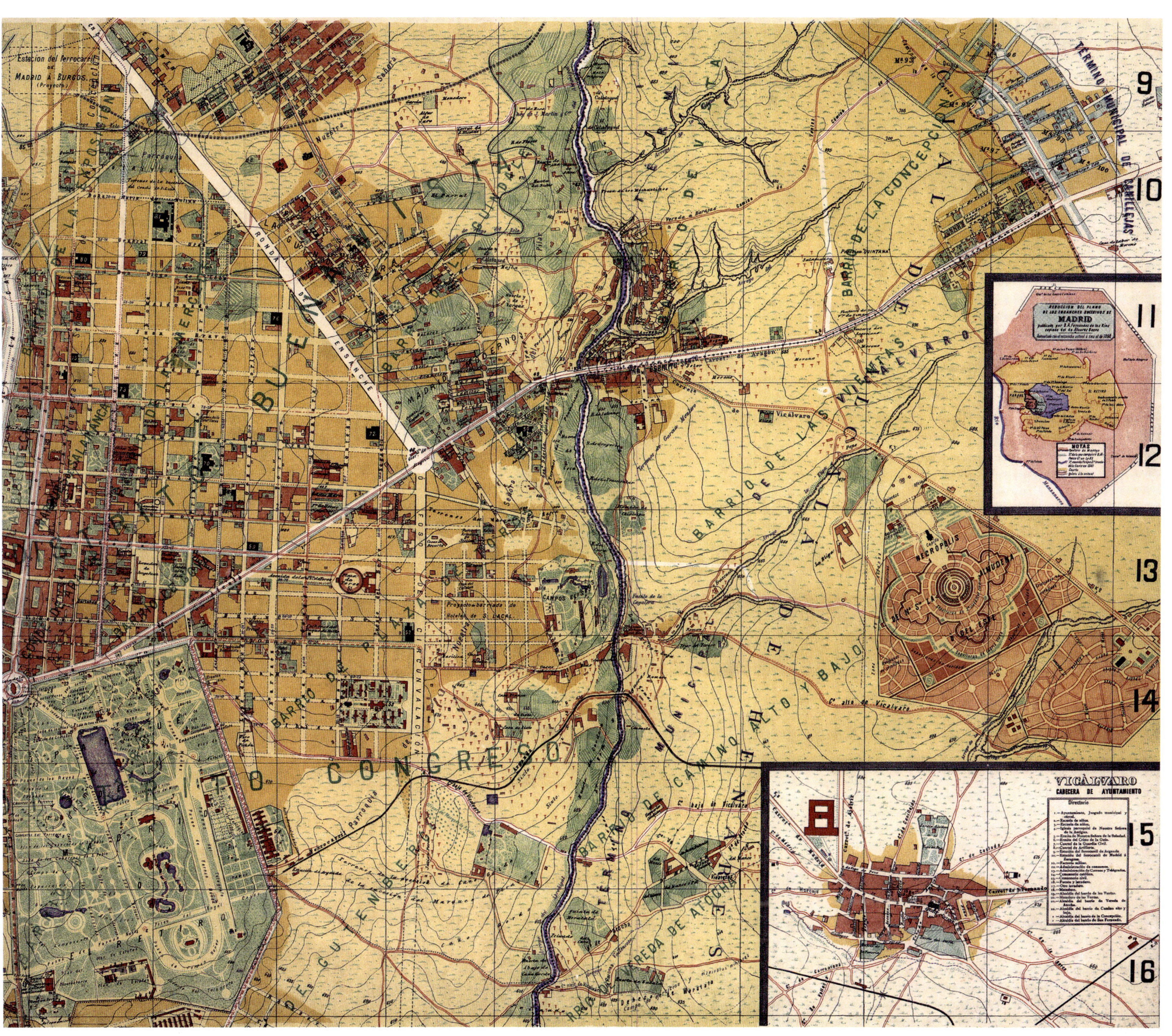

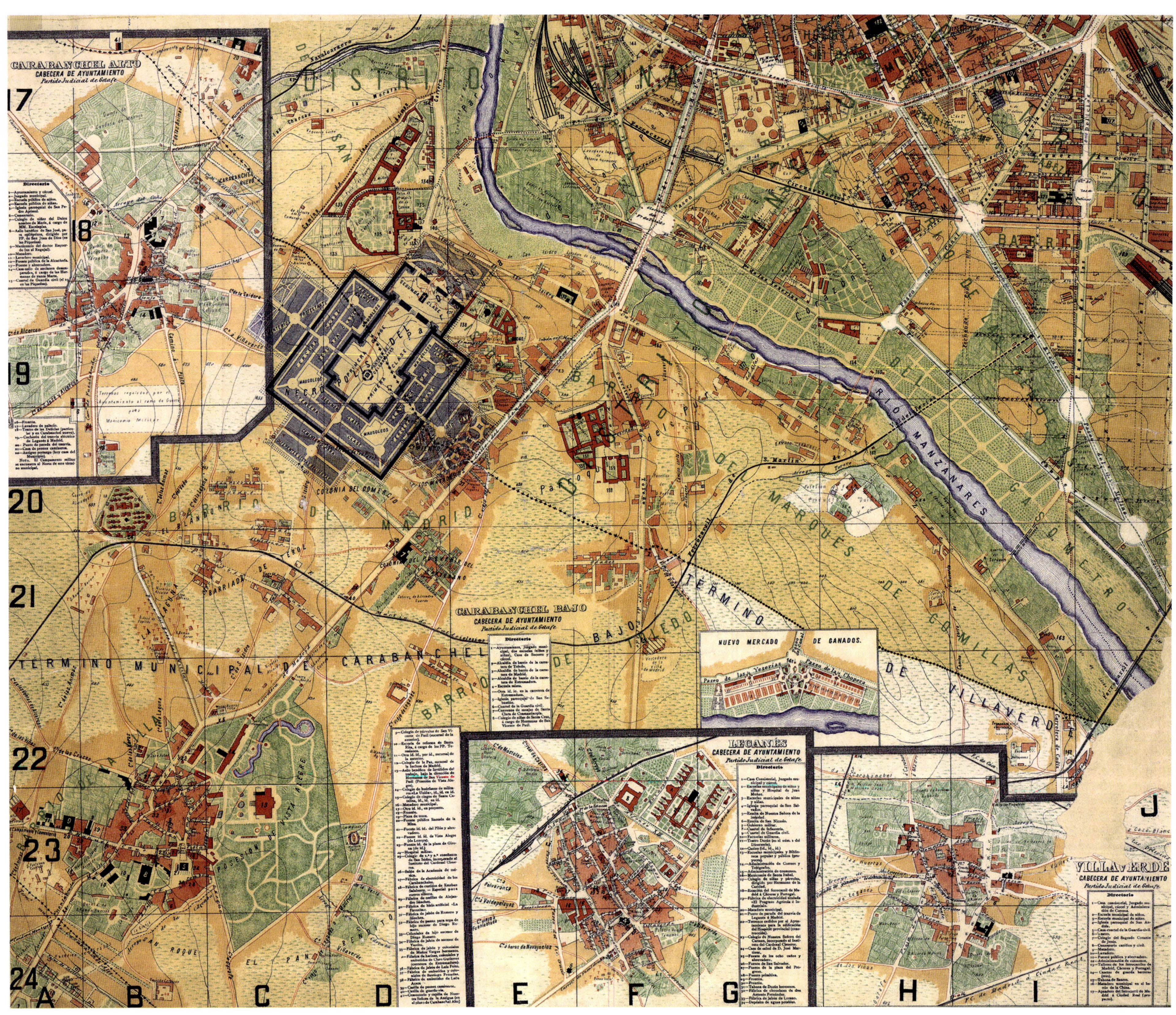

CARABANCHEL ALTO
CABECERA DE AYUNTAMIENTO
Partido Judicial de Getafe
CARABANCHEL BAJO
CABECERA DE AYUNTAMIENTO
Partido Judicial de Getafe
COLONIA DEL COMERCIO
BARRIO DE MADRID
TERMINO MUNICIPAL DE CARABANCHEL BAJO
TERMINO DE VILLAVERDE
RÍO MANZANARES
NUEVO MERCADO DE GANADOS.
LEGANÉS
CABECERA DE AYUNTAMIENTO
Partido Judicial de Getafe
VILLAVERDE
CABECERA DE AYUNTAMIENTO
Partido Judicial de Getafe

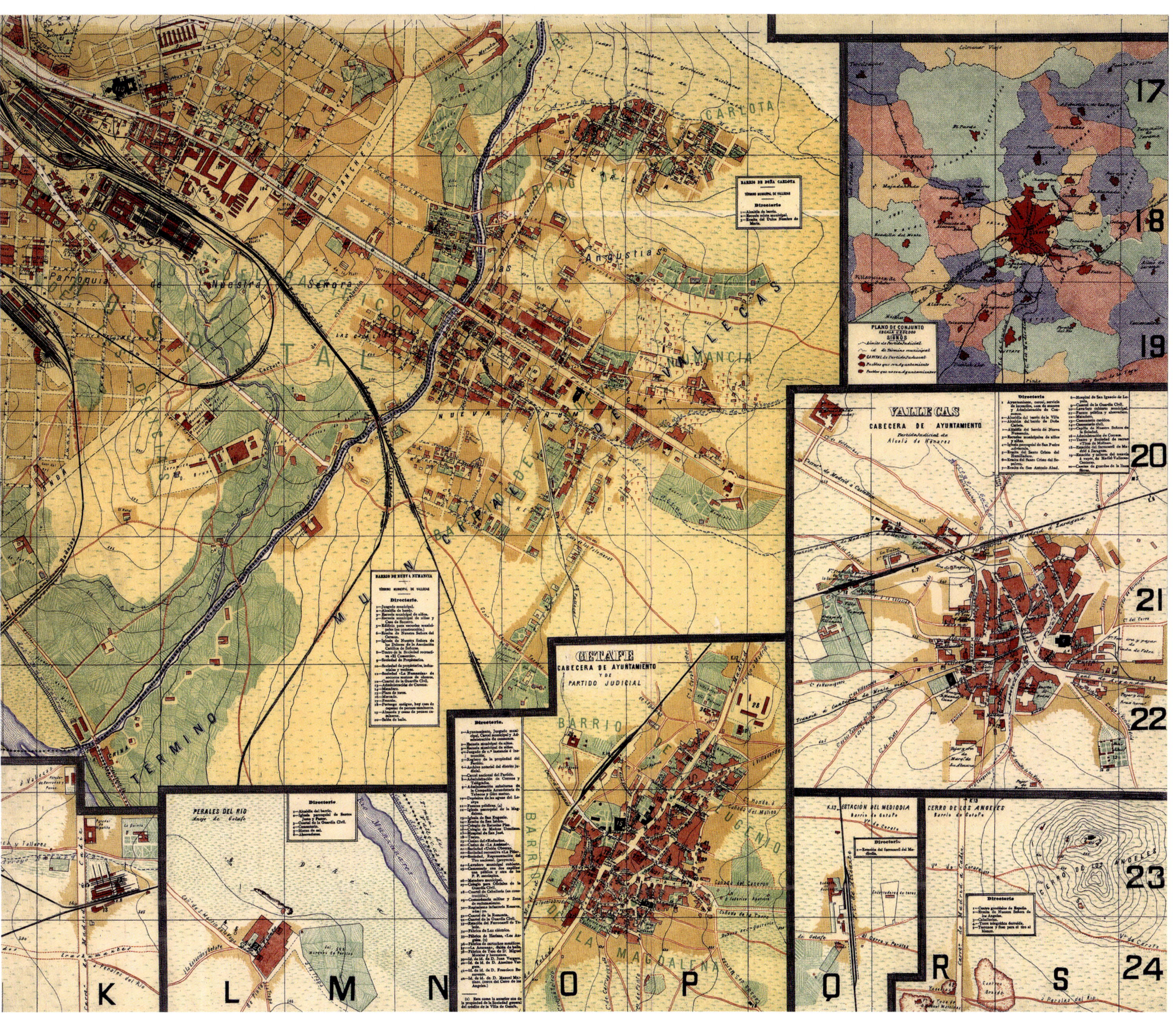

1911
Pedro Núñez Granés
Plano de Madrid y su término municipal

PLANO DE MADRID Y SU TÉRMINO MUNICIPAL / P[edro] Nuñez Granés, ingeniero
Director de Vías Públicas y Fontanería, Narciso Amigó (ing.), Fernando Ribed (dib.),
Ricardo Oteyza (dib.), Arturo Allas (dib.) y Leandro Guisasola (dib.).

Escala, 1:10.000.
[Madrid]: Sección de Artes Gráficas de la Dirección General del Instituto Geográfico, 1911.
1 plano: I°., heliograbado en cobre sobre papel, varios colores, 4 hh. de 80 x 105 cm, unidas en h. de
160 x 210 cm.

El siglo XX se inicia con un plano capital para la cartografía de Madrid: el de Pedro Núñez Granés de
1911. Por una parte, constituye el primer gran proyecto para acometer ordenadamente el crecimiento
del extrarradio de la ciudad acaecido tras el Plan Castro de 1857; por otra, es un magnífico ejemplo
de la colaboración eficaz entre los topógrafos del Instituto Geográfico y Estadístico y los técnicos del
Ayuntamiento de Madrid, dirigidos por el propio Núñez Granés como ingeniero de Obras Públicas; por
último, y no es menos importante, constituye un gran ejemplar mural en color, formado por cuatro
grandes hojas estampado mediante la técnica del heliograbado. Por demás, la representación, escala,
códigos utilizados, tabla de signos convencionales y demás aparato crítico del propio plano poseen la
calidad y rigor adecuados para servir a su propósito: servir como instrumento para la proyección de la
ciudad del siglo XX.

BIBLIOGRAFÍA:

(C.O.A.M., 1979), (EXPOSICIÓN SOBRE CARTOGRAFÍA DE MADRID, 1982: CIFRA 99, 168-169), (EXPOSICIÓN SOBRE
CARTOGRAFÍA DE MADRID, 1992: 320-321), (EXPOSICIÓN SOBRE CARTOGRAFÍA DE MADRID, 2001: CIFRA 50, 204-205)
Y (MARÍN, 2010 C).

EJEMPLARES:

A.V.M., 1,40-11-3 Y 4, 1,40-22-2 Y 0,69-52-3.
C.G.E., AR.C-T.3-C. 3-113.
I.G.N., 22-F-6 Y S2-35-42-06, 10 A 12.
I.M.A.L., S.S.

PLANO DE MADRID
Y SU
TÉRMINO MUNICIPAL
Escala de 1:10.000
NORTE
ESTE
OESTE
SUR
TÉRMINO DE FUENCARRAL
TÉRMINO DE EL PARDO
TÉRMINO DE CHAMARTÍN DE LA ROSA
TÉRMINO DE ARAVACA
TÉRMINO DE CANILLAS
TÉRMINO DE VICÁLVARO
TÉRMINO DE VICÁLVARO
TÉRMINO DE VALLECAS
TÉRMINO DE VILLAVERDE
TÉRMINO DE CARABANCHEL BAJO
T.C.A.
CASA DE CAMPO
TÉRMINO DE HÚMERA
Necrópolis
EDIFICIOS PÚBLICOS MÁS IMPORTANTES
SIGNOS CONVENCIONALES

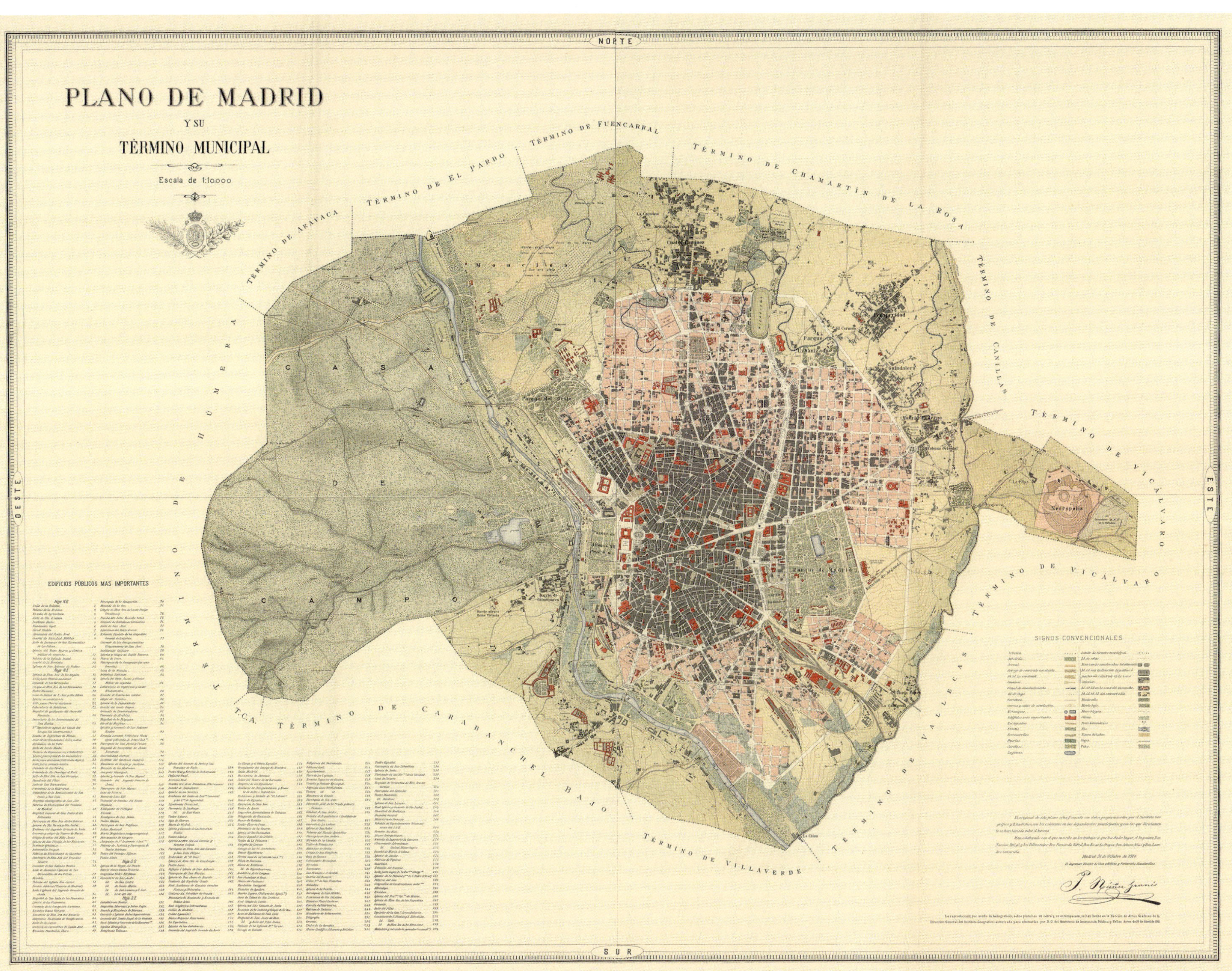

C.G.E.

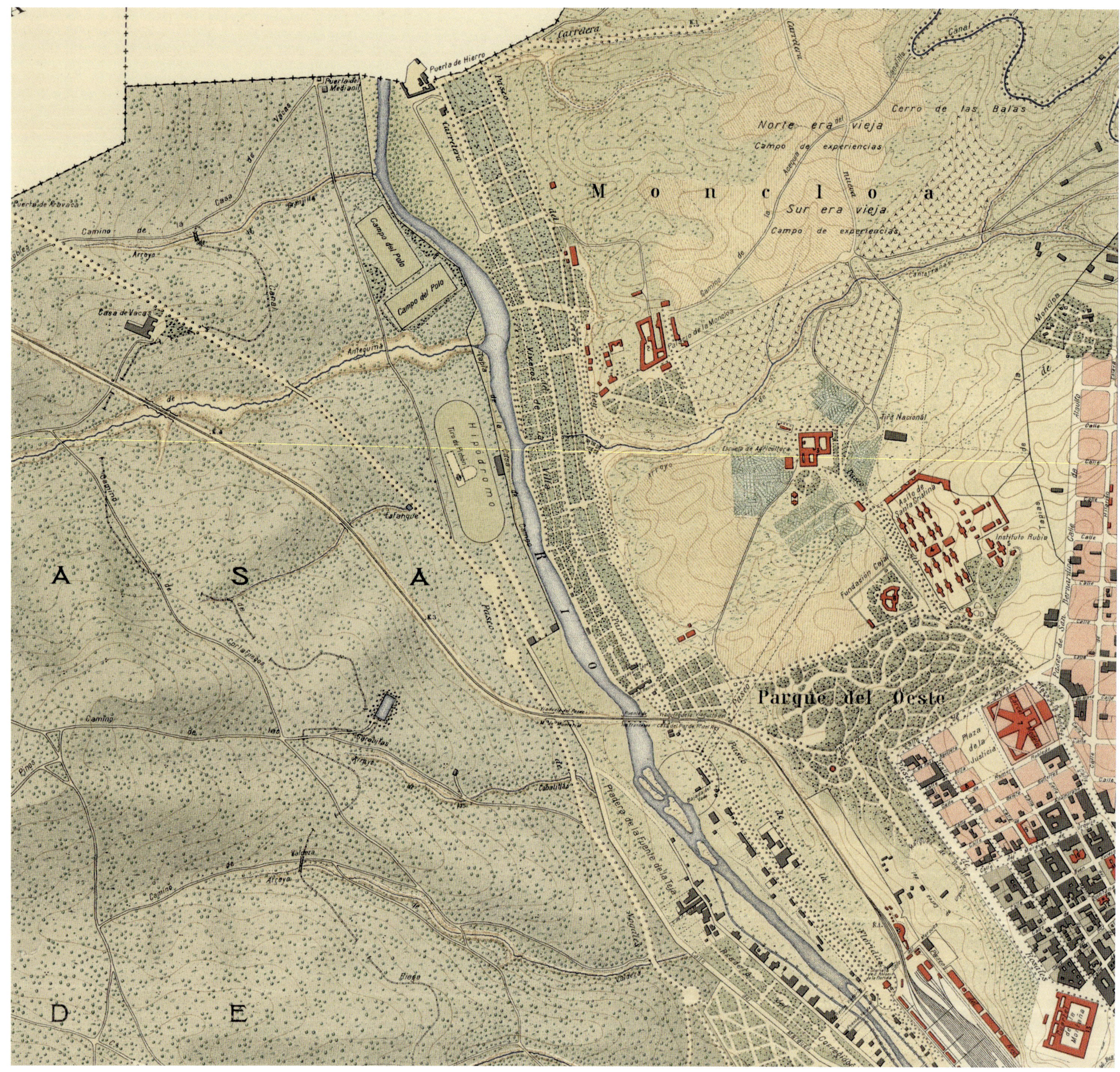
Puerta de Hierro
Puerta de Medianil
Carretera
Puerta de Aravaca
Camino de
Arroyo
Casa de Vacas
Campo del Polo
Campo del Polo
Antequina
Hipódromo
Tiro al Blanco
Tafanque
A S A
Moncloa
Norte era del vieja
Campo de experiencias
Sur era vieja
Campo de experiencias
Cerro de las Balas
Cantarranas
Tiro Nacional
Escuela de Agricultura
Puerta de la Moncloa
Arroyo
Asilo de Santa Cristina
Instituto Rubio
Fundación Caja
Parque del Oeste
Plaza de la Justicia
Río
Manzanares
Caballitas
Valdezarza
Camino de la Arroyo
Riego
D E

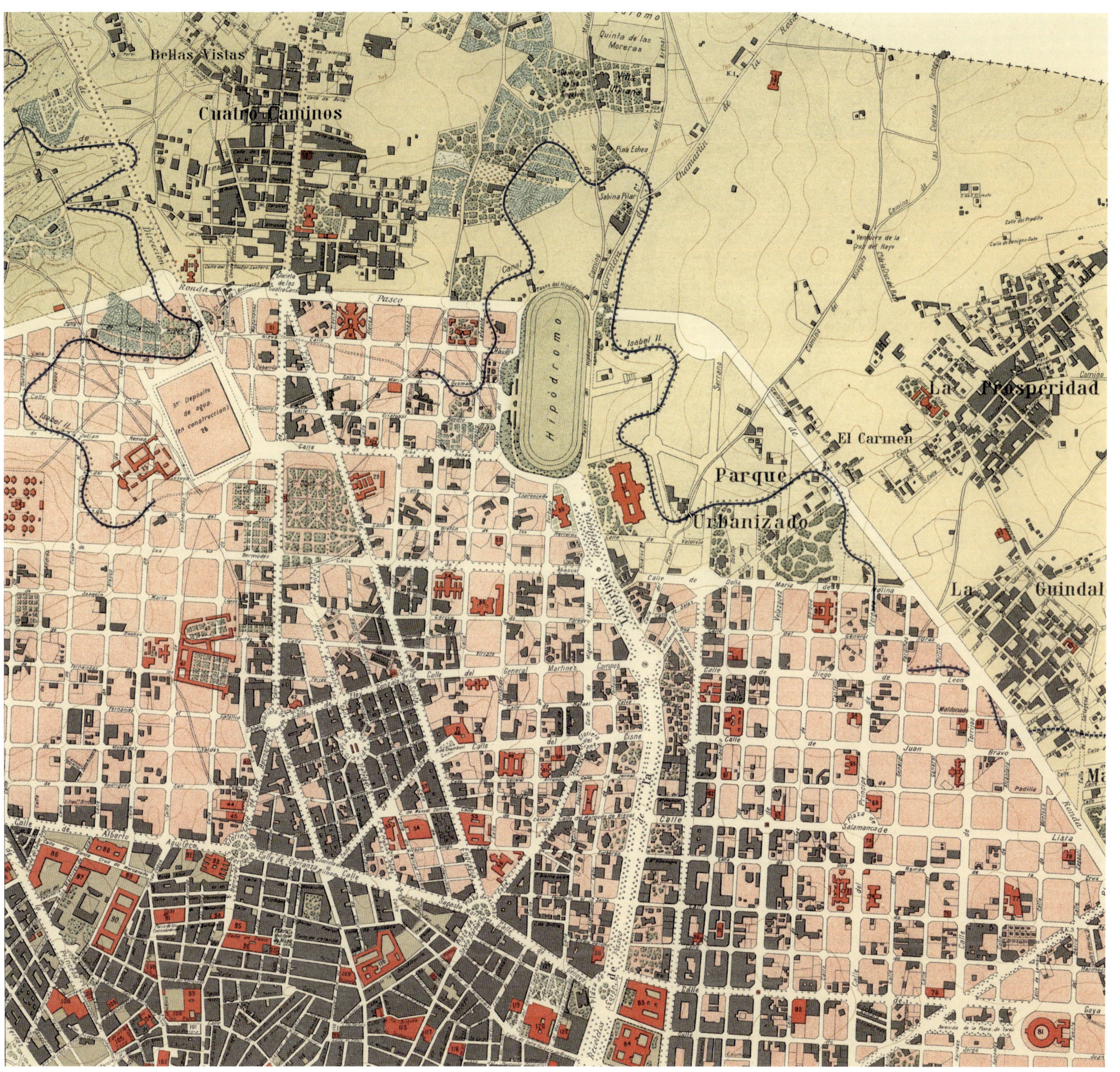
Bellas Vistas
Cuatro Caminos
Quinta de las
Moreras
La Prosperidad
El Carmen
Parque
Urbanizado
La Guindal
Hipódromo
Ronda
Paseo
Isabel II
3er Depósito
de agua
en construcción

Glorieta
El Casón
Mezquita
Casa del Gobernador
Torrecilla
Lago grande
los
Platanos
Fuente del Pingüé
Lago de patinar
Mezquita
Fuente de Humera
Casa de los Pozos
Camino de los Pozos
Extremadura
Barrio de
Colmenares
M   P   O
Batán
Carretera
Barrio obrero
Reina Victoria
Fuente del Álamo Negro
del
Camino
Vaquería de Luche
Cementerio de S. Isidro
Cerro del Cuervo
Cementerio de Santa María
Estación Imperial
Paseo de los Pontones
Quinta de Goya
Posesion de la Condesa de Bornos
Quinta de Valdemoro
Parque de
Alfonso XII
(Campo del Moro)
Estación del Norte
IN O   D E   C A R A B A N C H E L

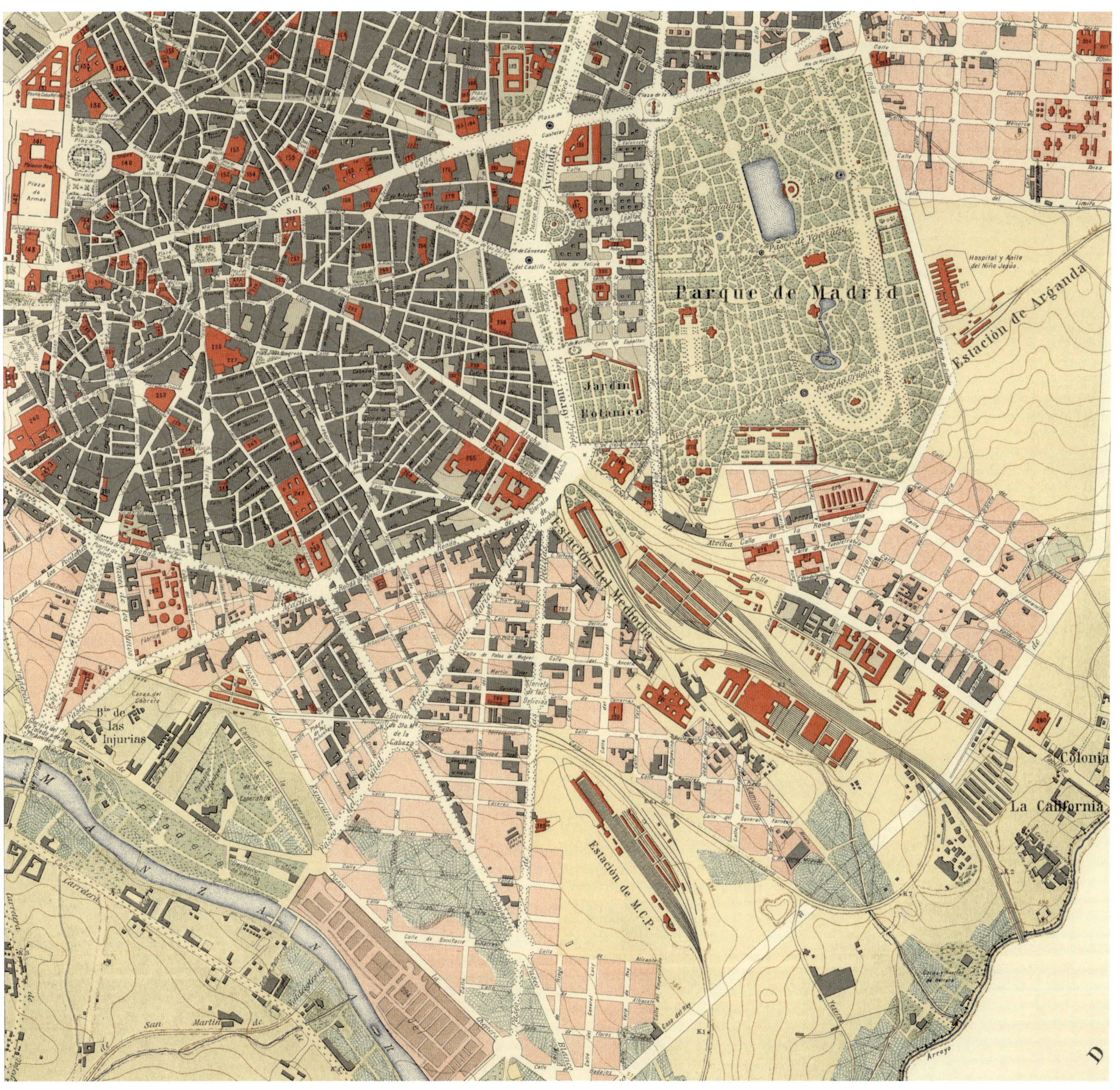
Parque de Madrid
Jardín Botánico
Puerta del Sol
Plaza de Armas
Estación de Arganda
Hospital y Asilo del Niño Jesús
Estación del Mediodía
Estación de M.C.P.
Colonia
La California
B.º de las Injurias
San Martín de
Casas del Cabrero

Vistas de Aureliano de Beruete

De la amplia obra pictórica de Aureliano de Beruete (1845-1912), destaca su insistencia en interpretar y describir el paisaje circundante de la ciudad de Madrid. La muestra que aquí se ofrece corresponde a su etapa madura, que se enmarca con notable precisión cronológica entre los planos de esta sección. El inicio de esta pequeña narración se establece en el novedoso protagonismo del humilde enclave de Bellas Vistas al norte de la ciudad; esta obra supone un hito en la temática sobre la periferia urbana madrileña, que conocerá un admirable desarrollo a lo largo del siglo. Las siguientes imágenes corresponden a los perfiles urbanos del añejo escenario del río y el frente occidental de Madrid; acompañando al sentido descendente del agua, la vista desde el noroeste de la ciudad se complementa con la imagen desde la pradera de San Isidro, observándose así en cierta estereoscopia cromática y lumínica los edificios antiguos y las nuevas presencias en el perfil urbano.

BIBLIOGRAFÍA:

(PENA, 1983) Y (EXPOSICIÓN SOBRE PAISAJISTAS ESPAÑOLES, 1990).

1906. Aureliano de Beruete, *Afueras de Madrid
(Barrio de Bellas Vistas)*. 57 x 81 cm. M.N.P.,
P004246.

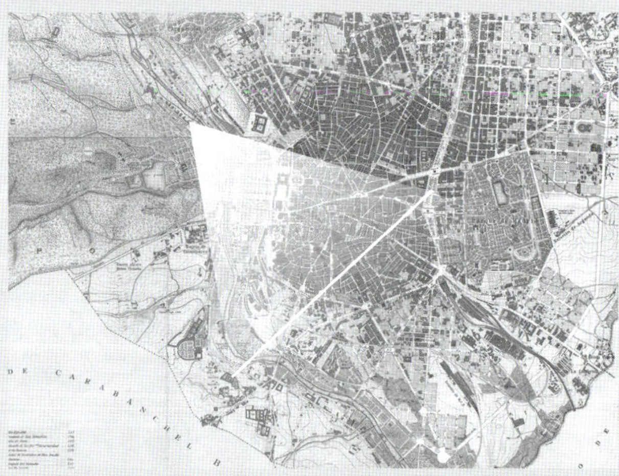

1908. Aureliano de Beruete, *Madrid desde el Manzanares*. 57'5 x 81 cm. M.N.P., P004252.

1909. Aureliano de Beruete, *Vista de Madrid
desde la Pradera de San Isidro.* 62 x 103 cm.
M.N.P., P004245.

La plataforma cartográfica
Información de la Ciudad

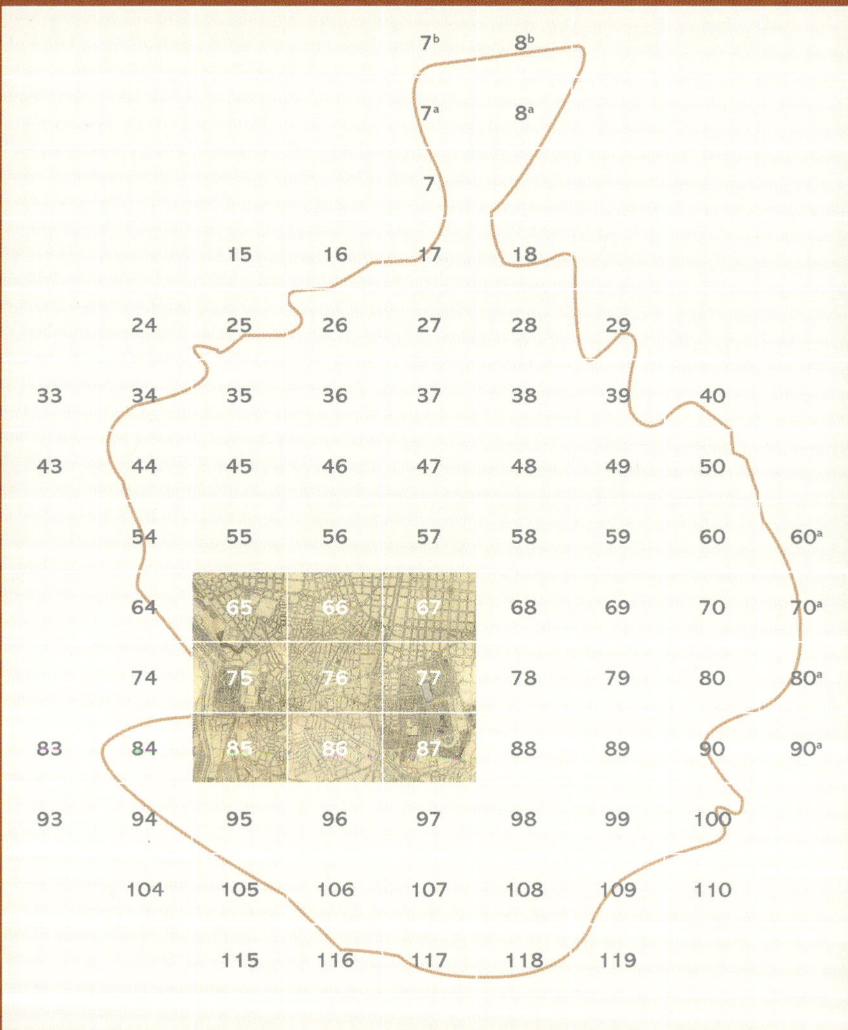

Tras diversos intentos previos de planificación del crecimiento de Madrid, en 1927 se decide la convocatoria de un concurso internacional de ideas sobre el asunto, planteándose al tiempo la actualización del estado de la base cartográfica. Este proceso se acompañó además de un esfuerzo complementario denominado *Información de la Ciudad*, que produjo en paralelo una cartografía temática de gran interés, abarcando la síntesis de muy diversos aspectos de la misma. Este trabajo se gestó bajo la dirección del arquitecto Eugenio Fernández Quintanilla, suponiendo una referencia importante para el conocimiento de Madrid. No obstante, el enfoque aquí planteado hace que nuestra atención particular se centre en la actualización cartográfica del estado de la ciudad en estos momentos. Esta nueva producción cartográfica es el producto del acuerdo de colaboración firmado en 1925 entre el Instituto Geográfico y los servicios de cartografía municipales, abarcando la totalidad del término municipal del momento.

La gran novedad de este episodio cartográfico consistió en la adopción de un sistema de hojas a la escala de 1:2.000, que alcanzó un total de sesenta y tres encuadres parciales, enmarcado en rectángulos que abarcaban un área de 1.000 por 1.400 metros. El registro actualizado del estado de la ciudad se centró en las alineaciones de manzana, indicando sobre las mismas las referencias de borde de las parcelas o propiedades, con la denominación de las calles y plazas adjuntando la numeración de las mismas. Se incorporó también la información altimétrica mediante curvas de nivel con intervalo de un metro. Otra novedad de gran trascendencia para el registro del estado de la ciudad y su conocimiento fue la realización del fotoplano de Madrid realizado por la compañía C.E.T.F.A. (acrónimo de la Compañía Española de Trabajos Fotogramétricos Aéreos) en 1927. Menos conocida resulta la síntesis de la planta general de Madrid a la escala de 1:10.000, en la que se dibujan a línea las manzanas y las curvas de nivel en sepia con equidistancia de cinco metros.

Infringiendo levemente las premisas adoptadas en este ensayo de síntesis sobre las cartografías de Madrid, y ante la ausencia de documentos visuales generales de calidad e interés en estos años, parece adecuado contemplar simultáneamente los dibujos de la planta del conjunto de la ciudad y los encuadres parciales de la nueva cartografía con su reflejo en el fotoplano. Esta visión paralela de la abstracción de la planta y la presencia del volumen de los elementos a través de su registro fotográfico supone una relación complementaria que puede ayudar a la comprensión del estado de la ciudad, de la misma manera que sirvió a los efectos de su producción gráfica.

PLANOS Y FOTOPLANO:

1927. C.E.T.F.A., *Fotoplano de Madrid*.

1929. Oficina Municipal de Información de la Ciudad, *Plano parcelario de Madrid*, 1:2.000.

1929. Oficina Municipal de Información de la Ciudad, *Plano de Madrid*, 1:10.000.

1927
C.E.T.F.A.
Fotoplano de Madrid

Información sobre la Ciudad. Año 1929: FOTOPLANO DE MADRID / […] por la
Compañía Española de Trabajos Fotogramétricos Aéreos.

Escala, 1:5.000.
[Madrid]: Ayuntamiento de Madrid, [1929].
1 fotoplano: I°., fototipia sobre papel, 24 hh., recuadro de 41'6 x 57 cm en hh. de 50'4 x 67 cm.

En el segundo cuarto del siglo XX, Madrid seguía sin resolver el espinoso problema de la ordenación del crecimiento urbano. En 1925, la firma de un convenio entre el Instituto Geográfico y Catastral y el Ayuntamiento de Madrid permitió abordar la realización de un plano topográfico parcelario a la escala de 1:2.000 de todo el término municipal que, tras distintas vicisitudes, se materializaría finalmente en 1929, cuando se convocó un concurso internacional para elegir el modelo de ordenación y crecimiento de la ciudad. En estos trabajos, plasmados en distintos documentos cartográficos, tuvo un papel destacado la Compañía Española de Trabajos Fotogramétricos Aéreos, conocida por su acrónimo C.E.T.F.A., fundada y dirigida por Julio Ruiz de Alda y Augusto Aguirre, la cual realizó el primer vuelo fotogramétrico de todo el término municipal de Madrid. Este vuelo agilizó sustancialmente los trabajos de levantamiento mediante las técnicas de restitución fotogramétrica, aplicadas a las bases formadas por el Instituto Geográfico y Estadístico, estableciendo los nuevos cimientos para la formalización del plano parcelario de Madrid.

BIBLIOGRAFÍA:

(MORA, 1997), (AA.VV., 2005), (EXPOSICIÓN SOBRE CARTOGRAFÍA DE MADRID, 2020) Y (MARÍN Y ORTEGA, 2020: 75-77).

EJEMPLARES:

B.N.E., MR/33-41/1.224/2.
C.G.E., AR.C-T.3-C.3B 137.

COMPAÑÍA ESPAÑOLA DE TRABAJOS FOTOGRAMÉTRICOS AÉREOS
PLANO DE MADRID
ESCALA 1:10.000

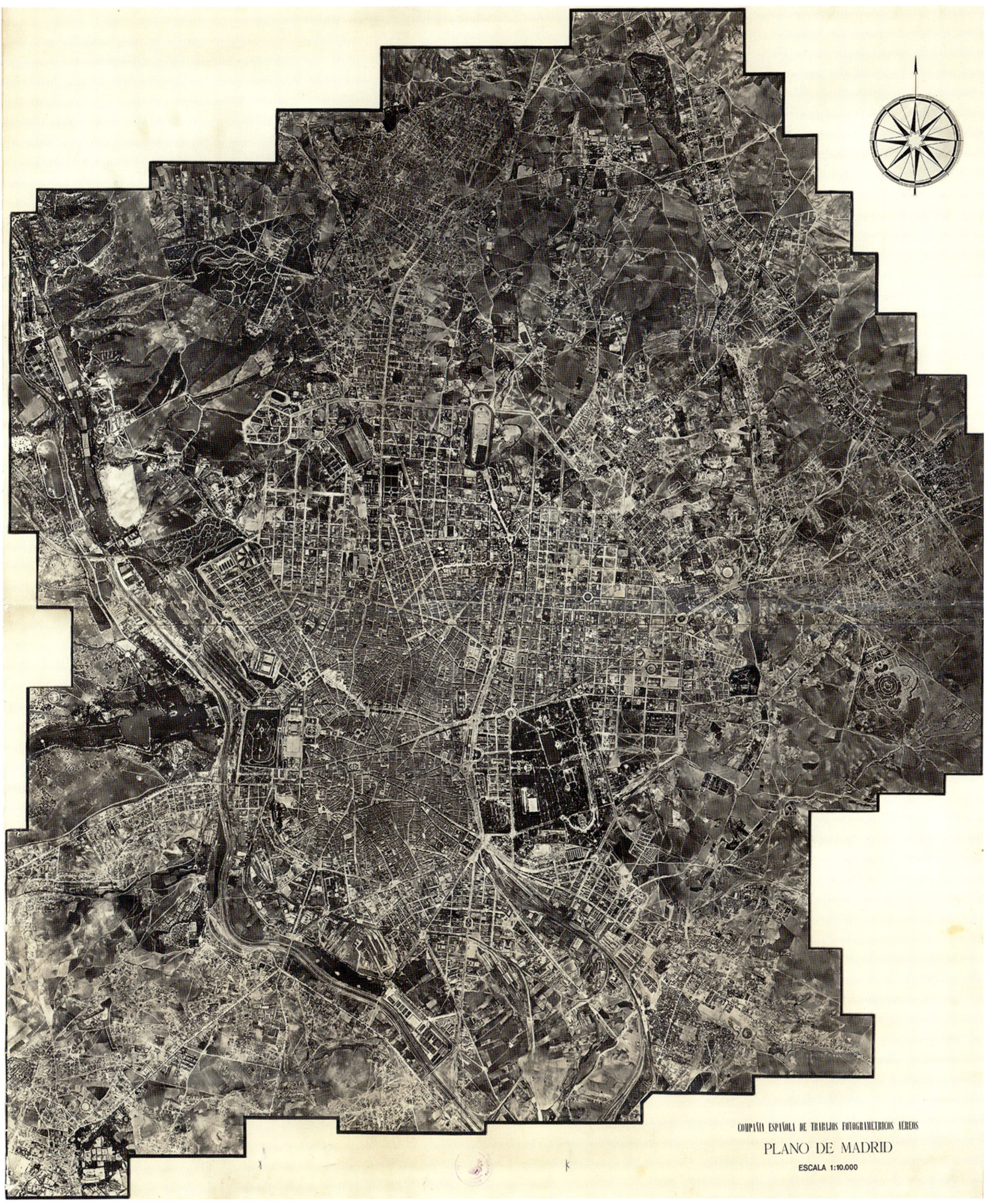

C.G.E.

1929
Oficina Municipal de Información de la Ciudad
Información de la Ciudad

PLANO DE MADRID: INFORMACIÓN SOBRE LA CIUDAD. AÑO 1929 / Ayuntamiento
de Madrid (ed.).

Escala, 1:2.000.
[Madrid]: [Artes Gráficas Municipales], [1929].
1 plano: Iº., litografía sobre papel, 1 h. de índice + 92 hh., 60 x 85 cm.

Los distintos trabajos cartográficos realizados como consecuencia del convenio suscrito en 1925 entre
el Instituto Geográfico y Catastral y el Ayuntamiento de Madrid se materializaron en varios planos de
extraordinario interés: el plano que nos ocupa, levantado a la escala de 1:2.000, formado por noventa
y dos hojas, su reducción a 1:5.000, impreso por la Imprenta y Litografía Municipal y que componen
un total de veintidós hojas, y su reducción consiguiente a la escala de 1:10.000. Todos ellos fueron
publicados para servir de documentación cartográfica para el libro *Información sobre la Ciudad. Año
1929: Memoria*, el compendio técnico realizado por la Oficina Municipal de Información sobre la Ciudad,
que establecía las bases para la materialización de lo que debía ser el primer Plan General de Urbanismo
de Madrid, editado conjuntamente por la Imprenta y Litografía Municipal para el texto del volumen y el
Instituto Geográfico y Catastral para las láminas y planos.

BIBLIOGRAFÍA:

(MARTÍNEZ CAJÉN, 1928), (ALEMANY, 1951), (MORA, 1997), (MORA, 2001), (AA.VV., 2005), (EXPOSICIÓN SOBRE
CARTOGRAFÍA DE MADRID, 1982: CIFRA 106, 174), (EXPOSICIÓN SOBRE CARTOGRAFÍA DE MADRID, 2001: CIFRA 52, 208-
209) Y (MARÍN Y ORTEGA, 2020: 88-89).

EJEMPLARES:

A.V.M., 0,69-50-1.
C.G.E., AR.C-T.3-C. 2-46.

7 b
8 b
7 a
8 a
7
15
16
17
18
24
25
26
27
28
29
33
34
35
36
37
38
39
40
43
44
45
46
47
48
49
50
54
55
56
57
58
59
60
60 a
64
65
66
67
68
69
70
70 a
74
75
76
77
78
79
80
80 a
83
84
85
86
87
88
89
90
90 a
93
94
95
96
97
98
99
100
104
105
106
107
108
109
110
115
116
117
118
119

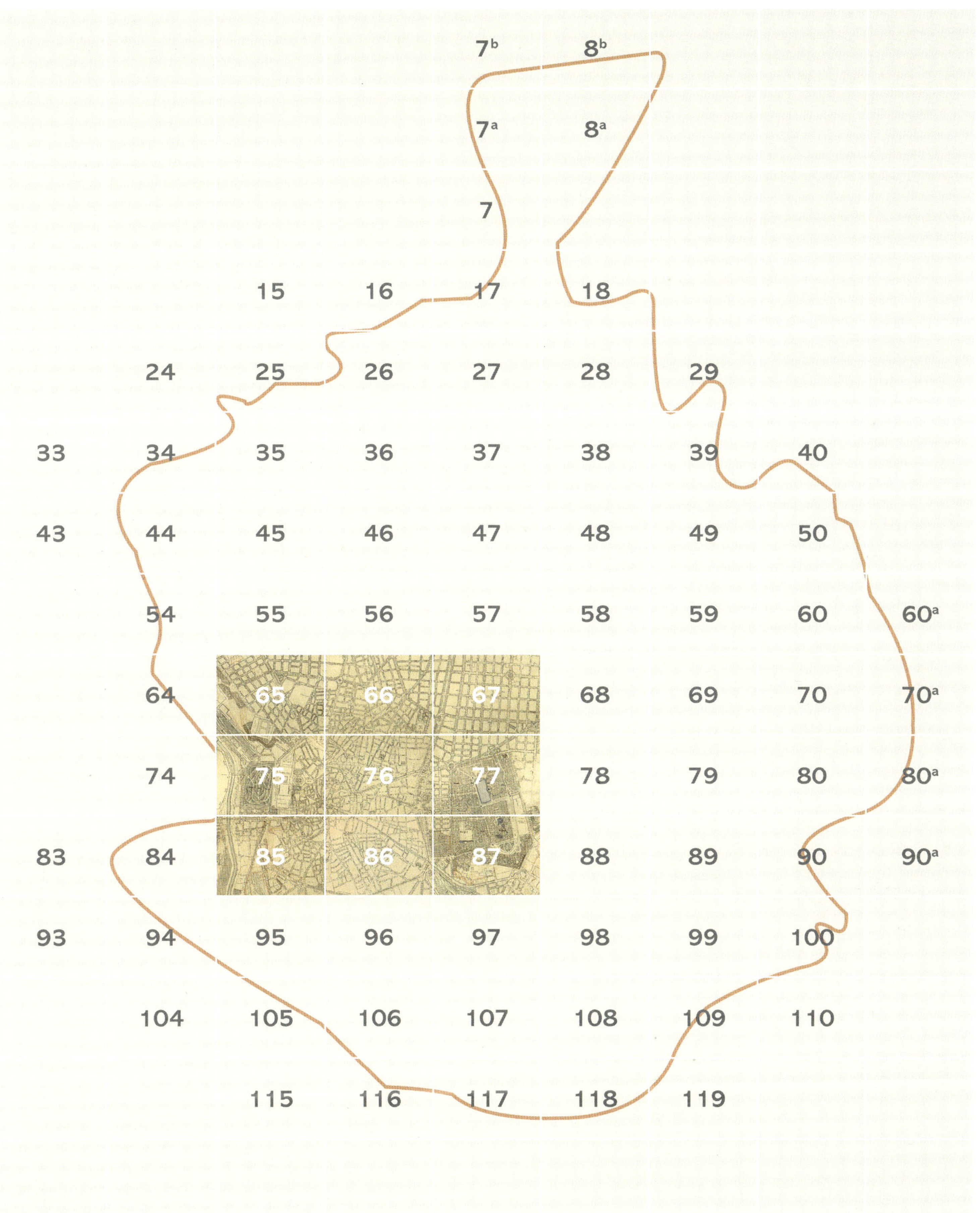

C.G.E.

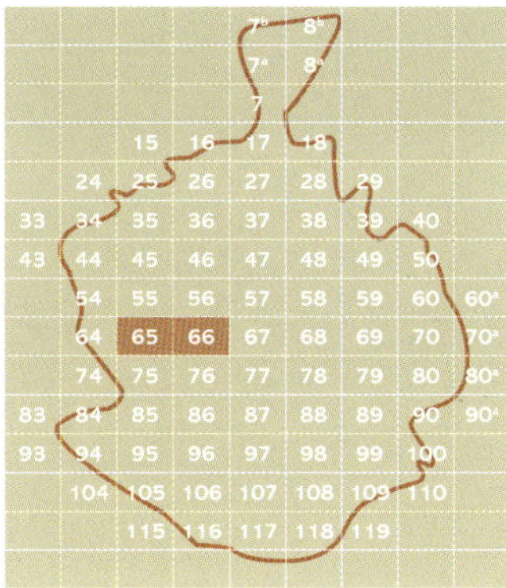

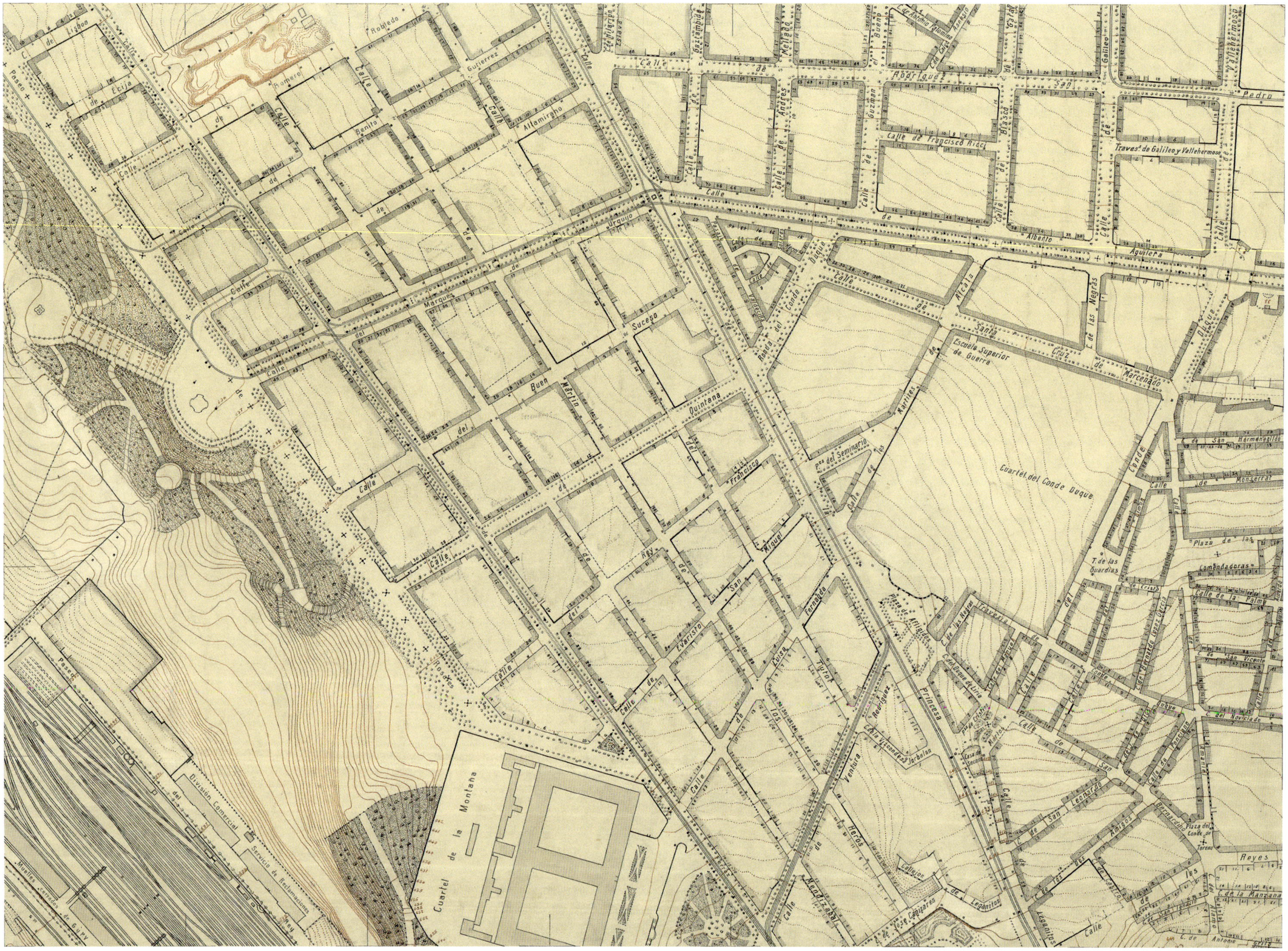

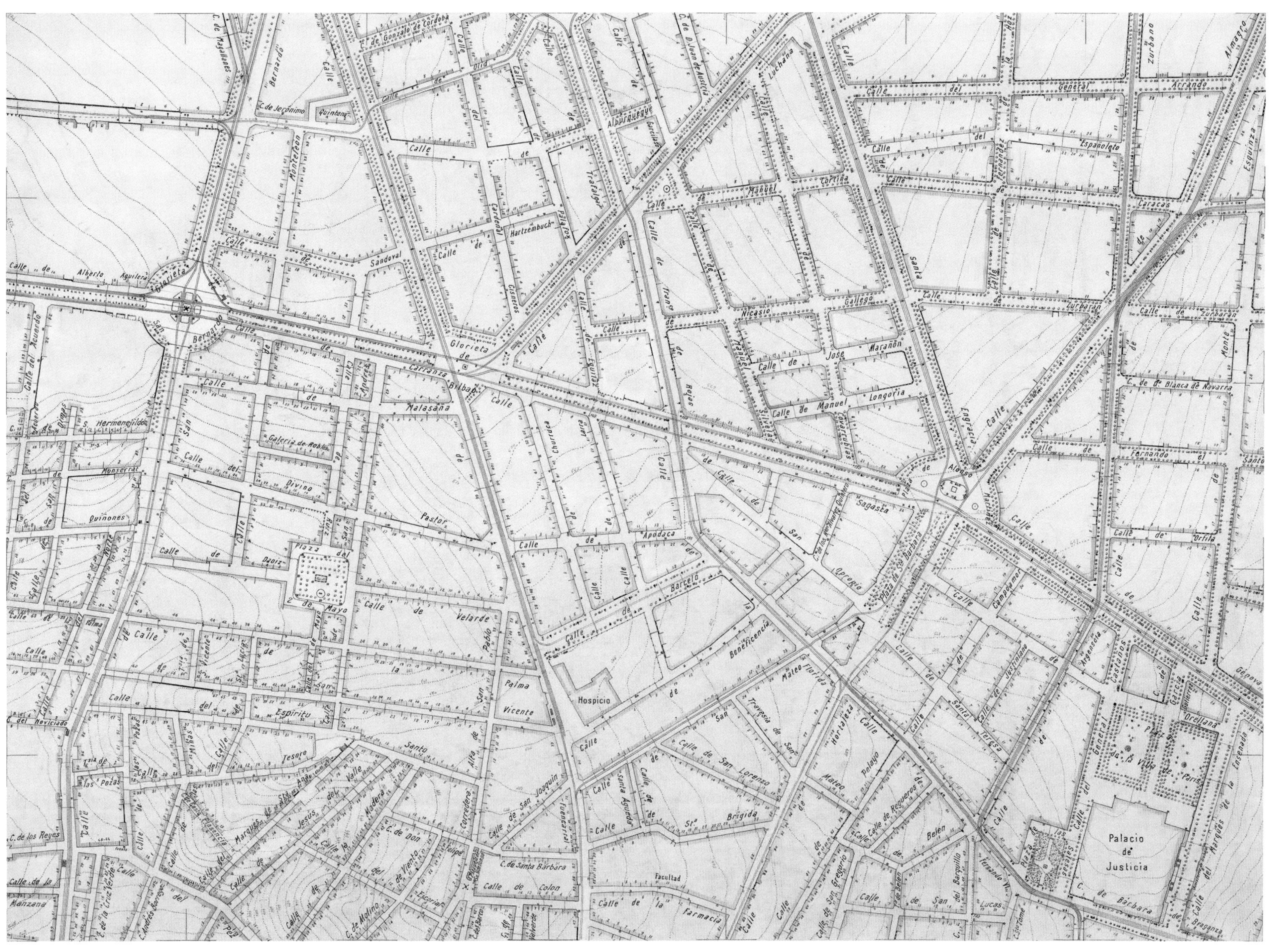

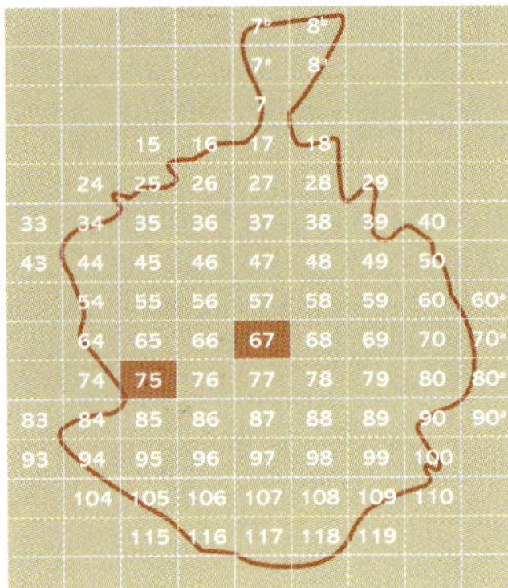
15 16 17 18
24 25 26 27 28 29
33 34 35 36 37 38 39 40
43 44 45 46 47 48 49 50
54 55 56 57 58 59 60 60*
64 65 66 67 68 69 70 70*
74 75 76 77 78 79 80 80*
83 84 85 86 87 88 89 90 90*
93 94 95 96 97 98 99 100
104 105 106 107 108 109 110
115 116 117 118 119

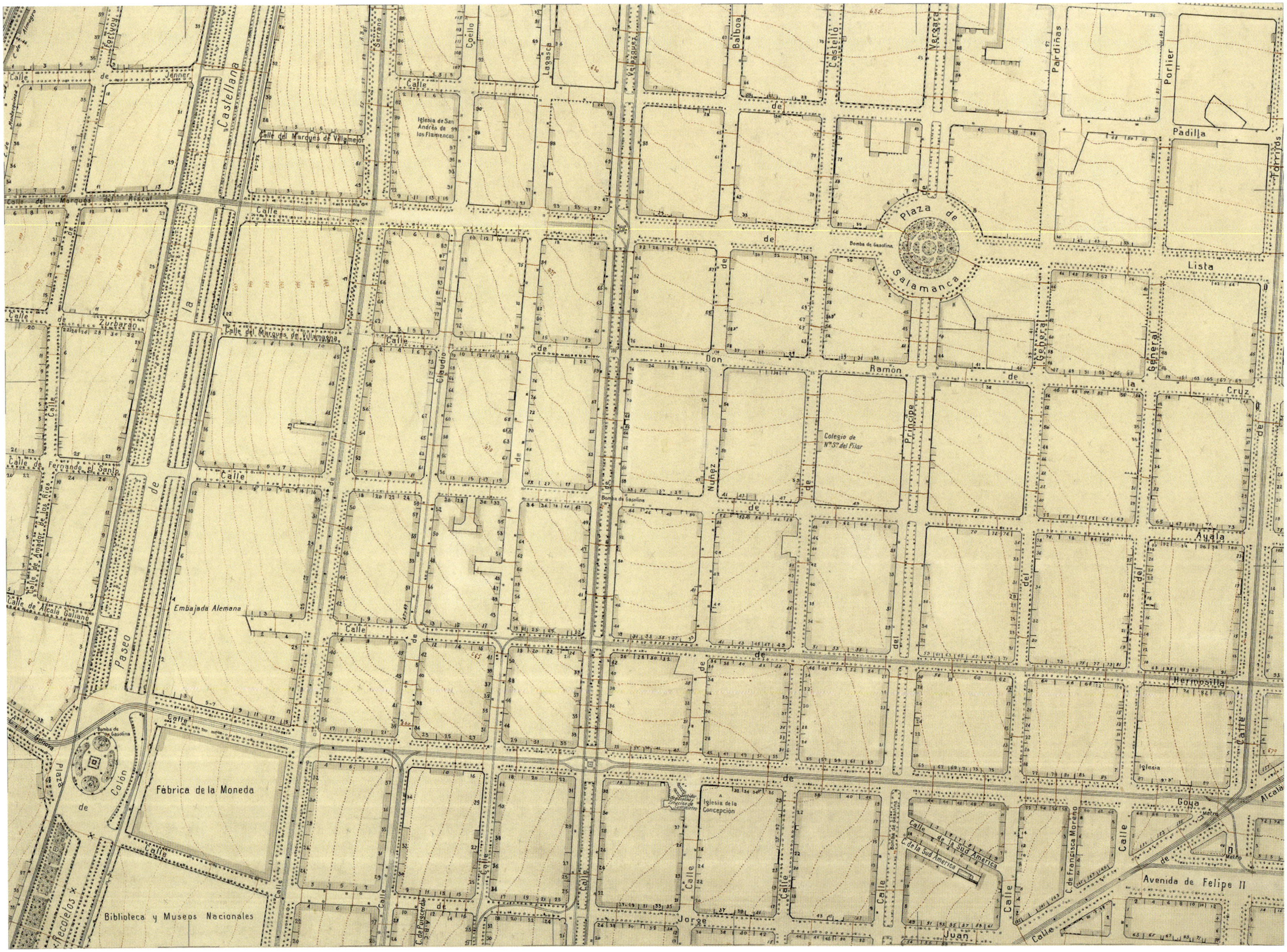

Castellana
Calle del Marqués de Villamejor
Iglesia de San Andrés de los Flamencos
Calle
Calle del Marqués de Villamagna
Zurbano
Calle de Fernando el Santo
Calle de Alcalá Galiano
Embajada Alemana
Paseo
Plaza de Colón
Bomba de Gasolina
Fábrica de la Moneda
Biblioteca y Museos Nacionales
Serrano
Coello
Lagasca
Velázquez
Claudio
Núñez
Don Ramón de la Cruz
Príncipe
Calle
Iglesia de la Concepción
Colegio de N.ª Sª del Pilar
Balboa
Castelló
Vergara
Plaza de Salamanca
Bomba de Gasolina
Lista
General
Calle de la Cruz
Ayala
Hermosilla
Iglesia
Calle de la Sud América
C. de Francisca Moreno
Goya
Avenida de Felipe II
Jorge Juan
Pardiñas
Porlier
Padilla
Torrijos
Alcalá
Metro

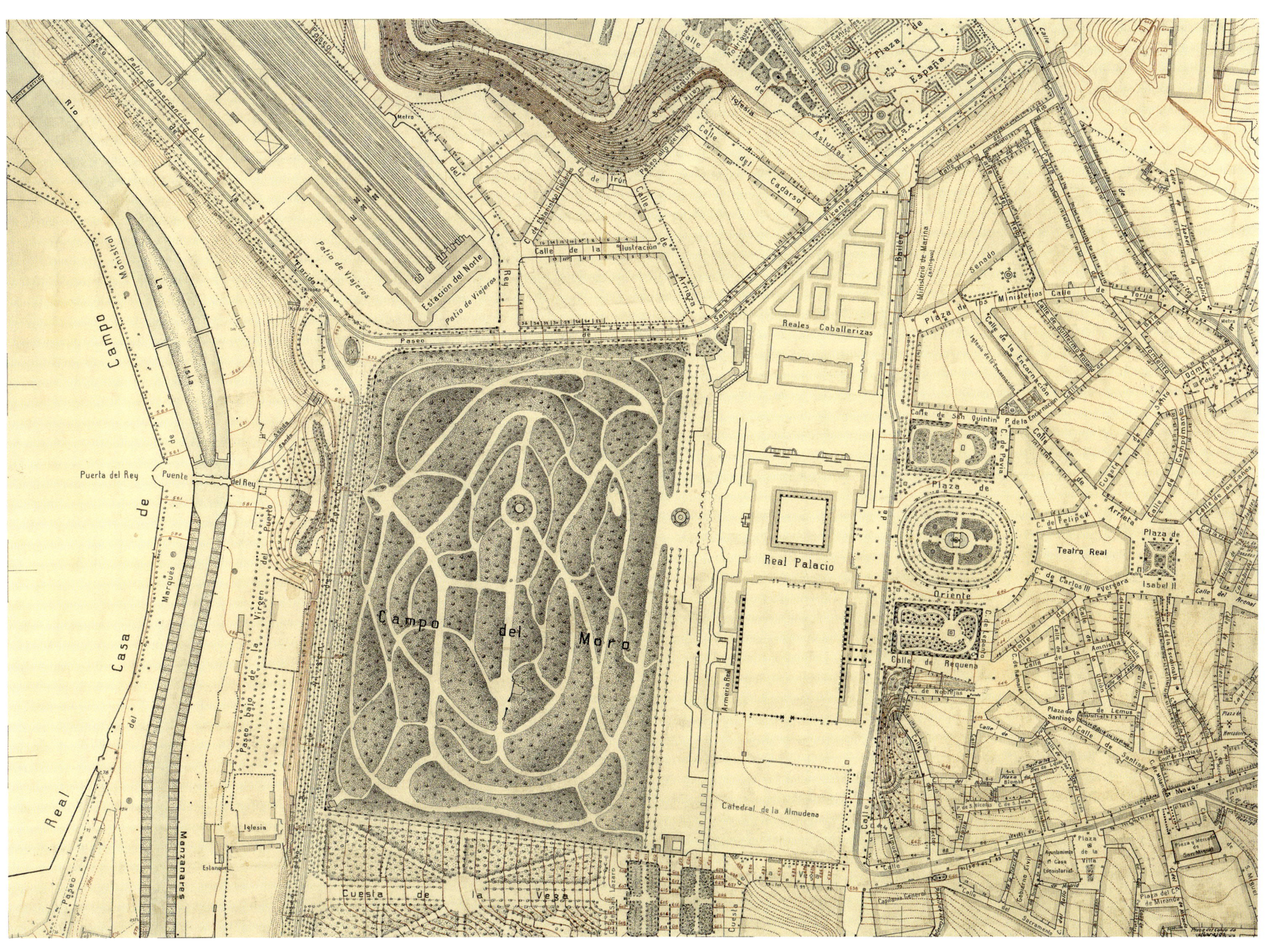
Campo de la Casa de
Real
Manzanares
Rio
Campo
La Isla
Puerta del Rey
Puente del Rey
Patio de encerrados E.V.
Estación del Norte
Patio de Viajeros
Patio de Viajeros
Paseo
Metro
de Irún
Calle de Cadarso
Calle de la Ilustración
Calle de San Vicente
Calle Asturias
Plaza de España
Plaza de Oriente
Reales Caballerizas
Real Palacio
Campo del Moro
Catedral de la Almudena
Cuesta de la Vega
Iglesia
Estanque
Senado
Ministerio de Marina
Teatro Real
Plaza de Isabel II
Plaza de
C. del Felipe
C. de Carlos III
Calle de San Quintín
Plaza de
P. de la Encarnación
Calle de Requena
Plaza de Santiago
Calle de Lemus
Cuesta de
Bailén

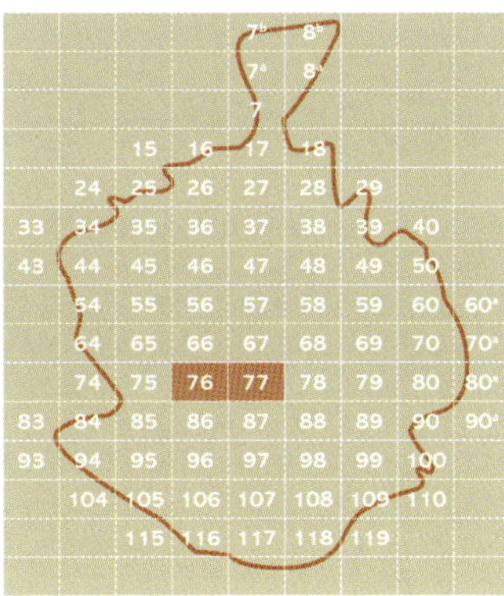

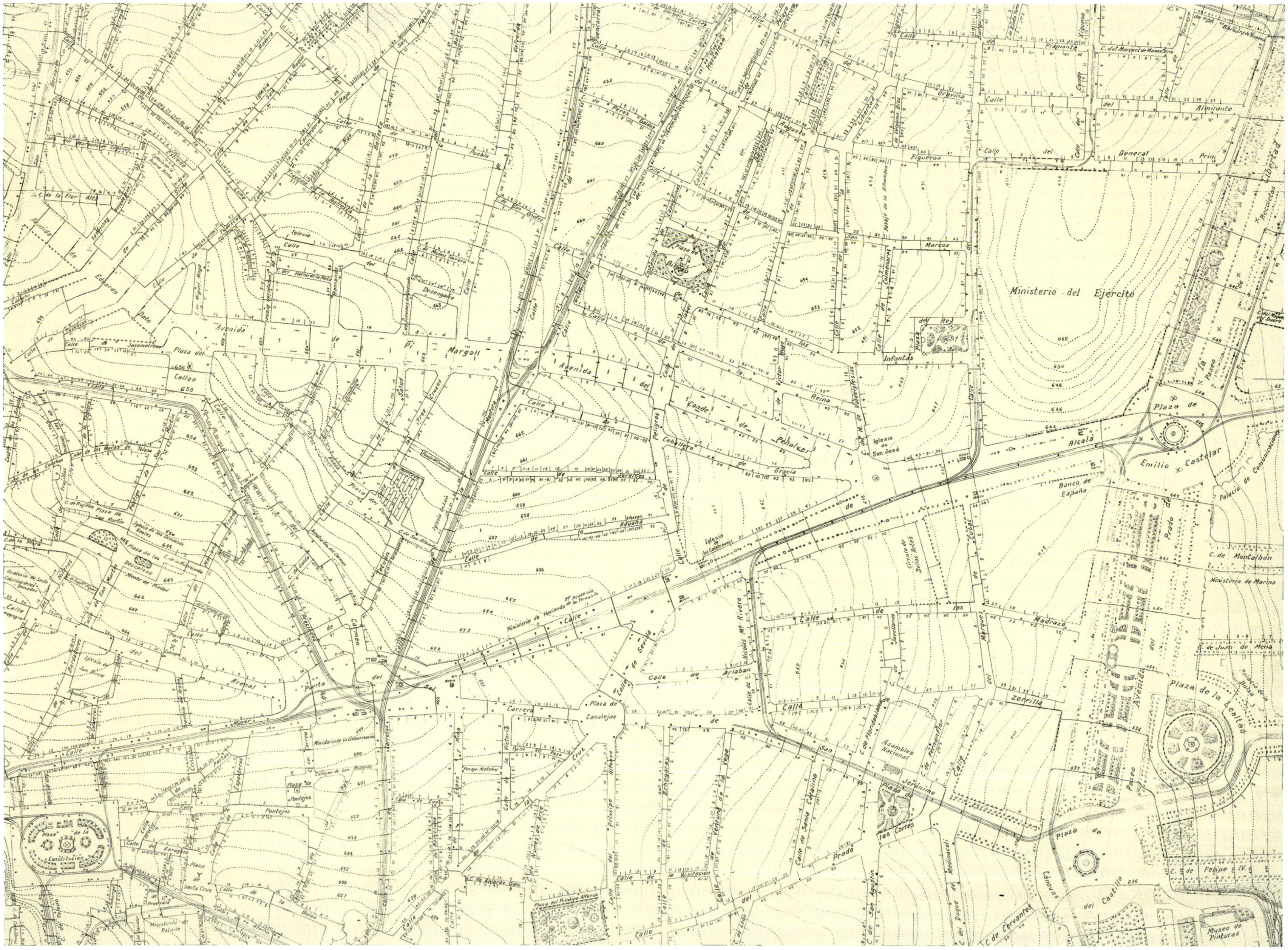

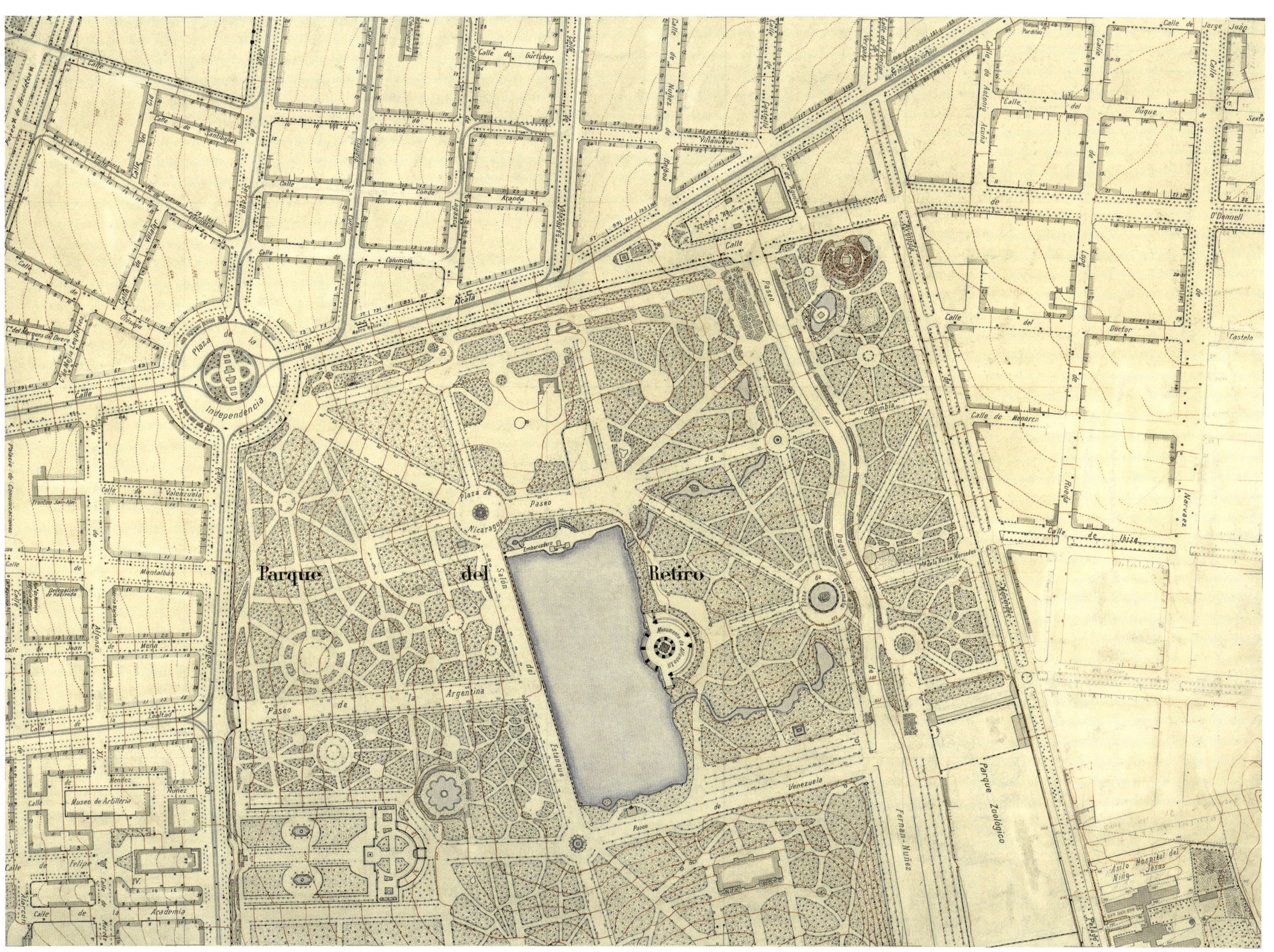
Calle de Jorge Juan
Calle de Gurtubay
Calle de Villanueva
Calle de Goya
O'Donnell
Duque de Sexto
Plaza de la Independencia
Alcalá
Calle del Doctor
Castelo
Calle de Menorca
Calle de Valenzuela
Plaza de Nicaragua
Paseo
Calle de Ibiza
Narváez
Embarcadero
Parque del Retiro
Paseo de la Argentina
Paseo de Venezuela
Parque Zoológico
Museo de Artillería
Calle de Felipe IV.
Calle de Academia
Fernán Núñez
Asilo Hospital del Niño Jesús

Huerta
Fábrica de Cartón
Fábrica
de
Energía eléctrica
Ribera
Muelles
Imperial
Estación
Almacenes de carbón
Huertas
Escuelas Nacionales
Fábrica del Gas
Madrid S.A.
Matadero antiguo
Plaza de la Cebada
Mercado de la Cebada
Iglesia de San Francisco el Grande
Campillo de las Vistillas
Calle de Algeciras
Plaza de San Andrés
Plaza de los Carros
Plaza del Humilladero
Calle de Calatrava
Calle de Gil Imón
Puerta de Toledo

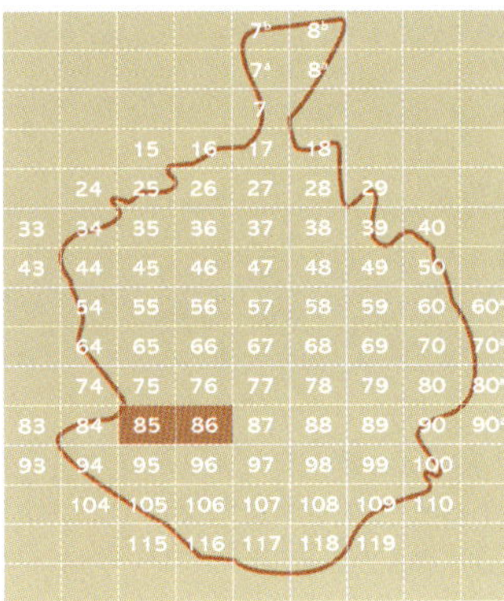

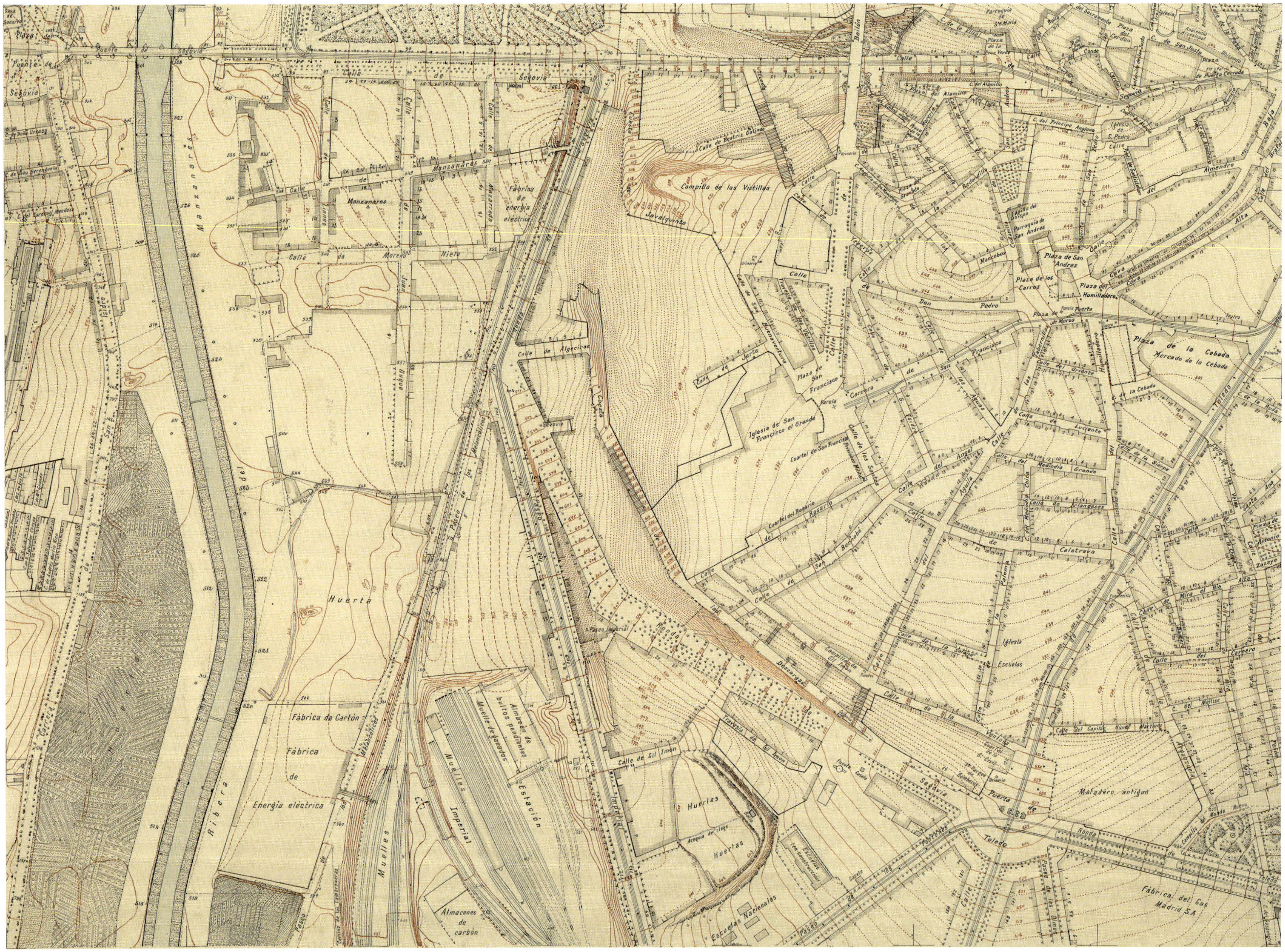

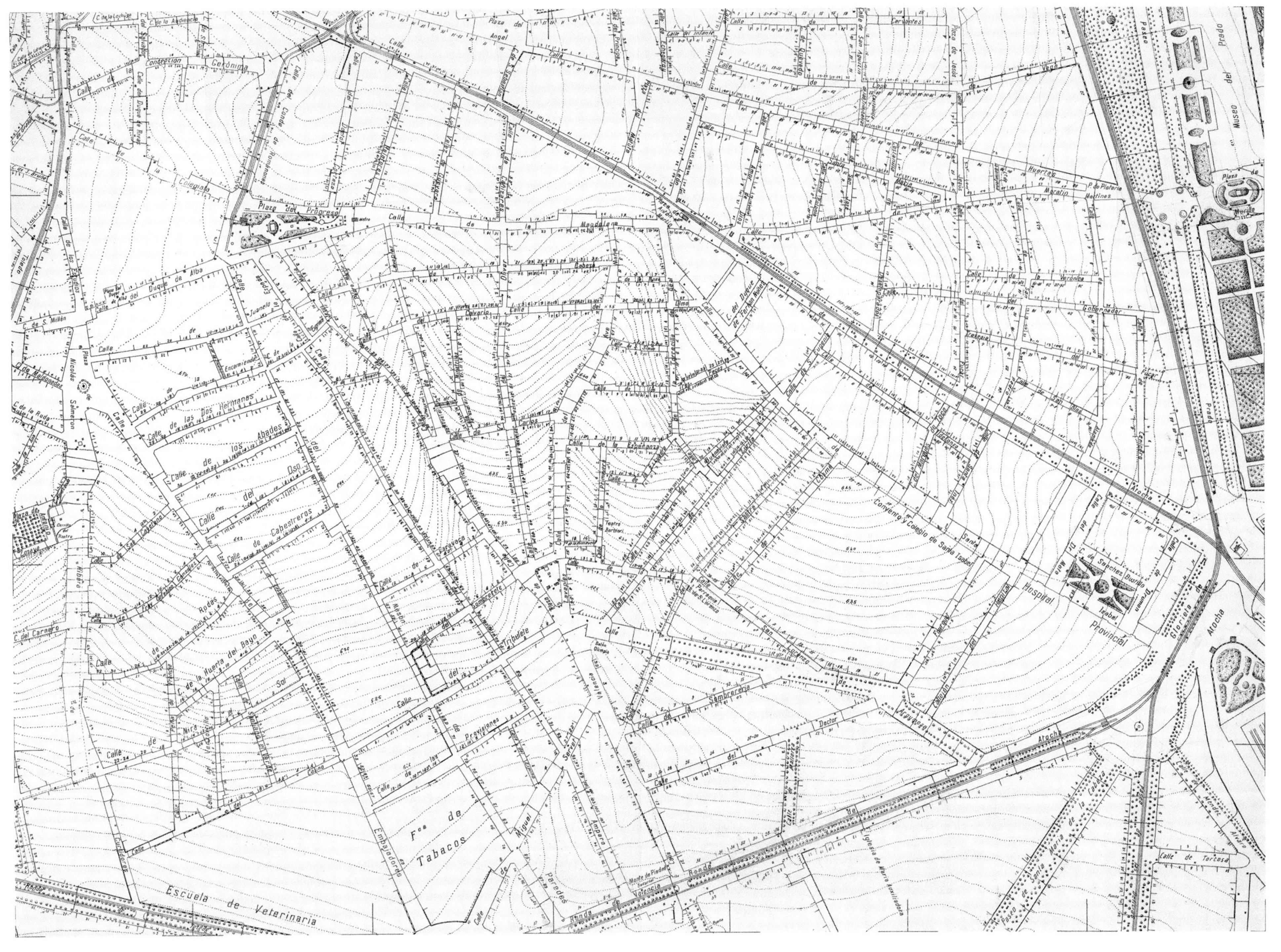

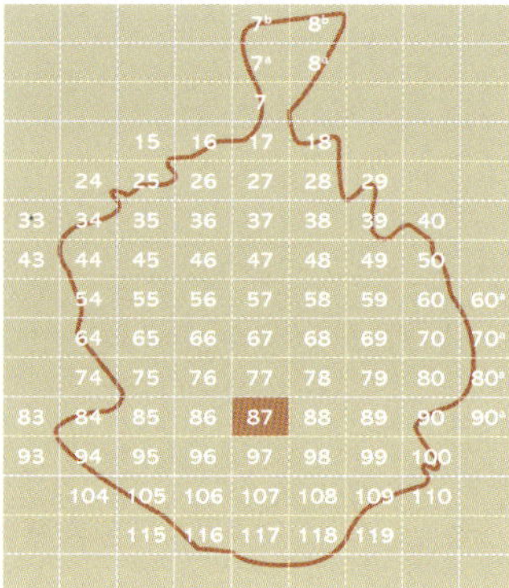
8
8
15 16 7 8
24 25 26 27 28 29
33 34 35 36 37 38 39 40
43 44 45 46 47 48 49 50
54 55 56 57 58 59 60 60º
64 65 66 67 68 69 70 70º
74 75 76 77 78 79 80 80º
83 84 85 86 87 88 89 90 90º
93 94 95 96 97 98 99 100
104 105 106 107 108 109 110
115 116 117 118 119

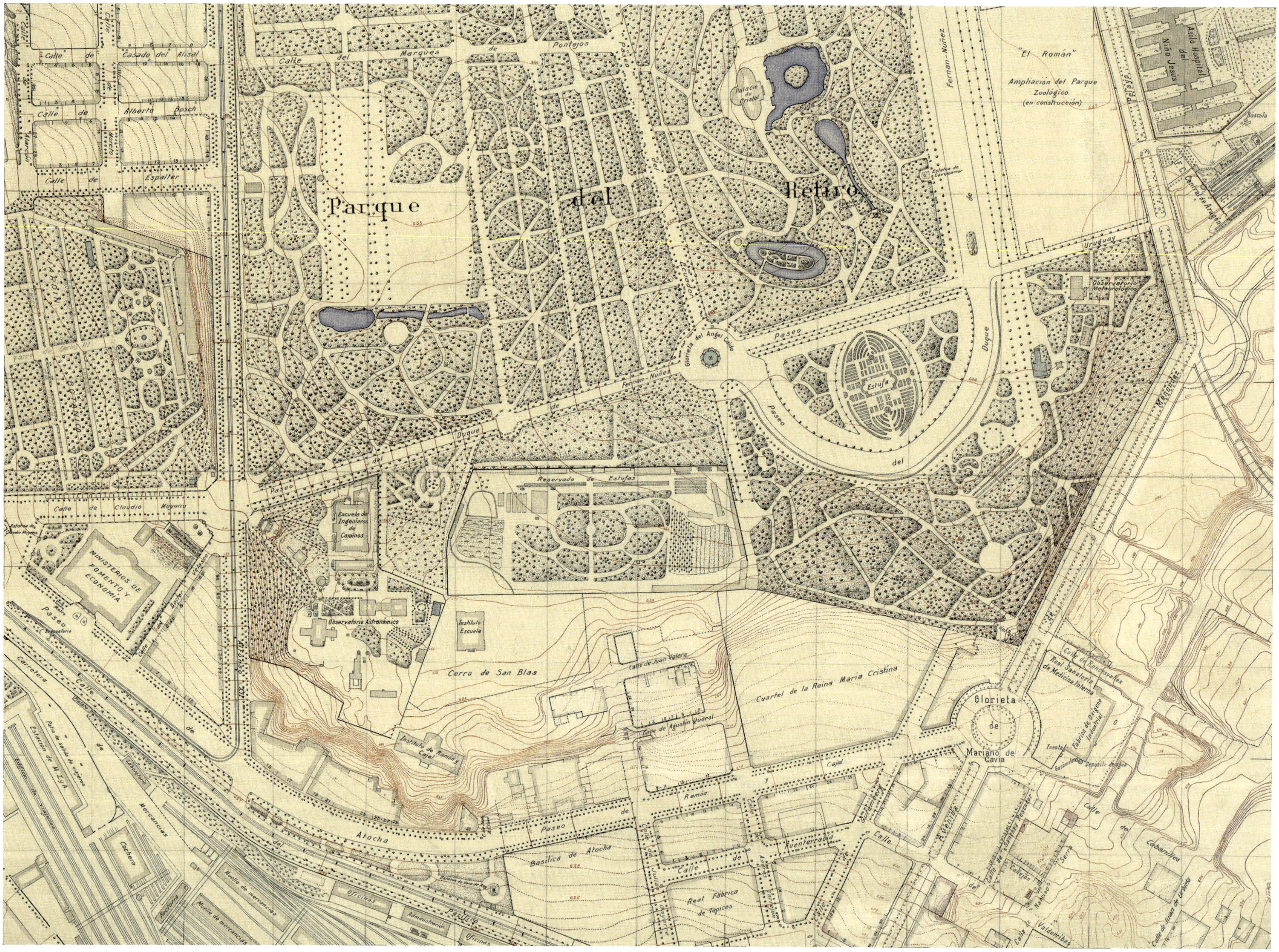

Calle de Casado del Alisal
Calle del Marqués de Pontejos
"El Román"
Ampliación del Parque
Zoológico
(en construcción)
Asilo Hospital del Niño Jesús
Calle de Alberto Bosch
Fernán-Núñez
Báscula
Calle del Marqués
Calle de Espalter
Calle Munición
Parque del Retiro
Palacio Cristal
Parque
del
Retiro
Uruguay
Observatorio
Paseo
Glorieta del Ángel Caído
Fernán-Núñez
Paseo del Duque
Estufa
Calle de Claudio Moyano
Duque
Paseo
del
MINISTERIOS DE FOMENTO Y ECONOMÍA
Escuela de Ingenieros de Caminos
Reservado de Estufas
Observatorio Astronómico
Instituto Escuela
Cerro de San Blas
Calle de José Valera
Cuartel de la Reina María Cristina
Calle de Ronda
Real Sanatorio de Medicina Interna
Instituto Rubio
de Agricultura General
Glorieta de Mariano de Cavia
Carretera de
Estación de M. Z. A.
Mercancías
Cocheras
Atocha
Paseo
Basílica de Atocha
Real Fábrica de Tapices
Calle
Menéndez
Pelayo
Calle de Valderribas
Muelle de mercancías

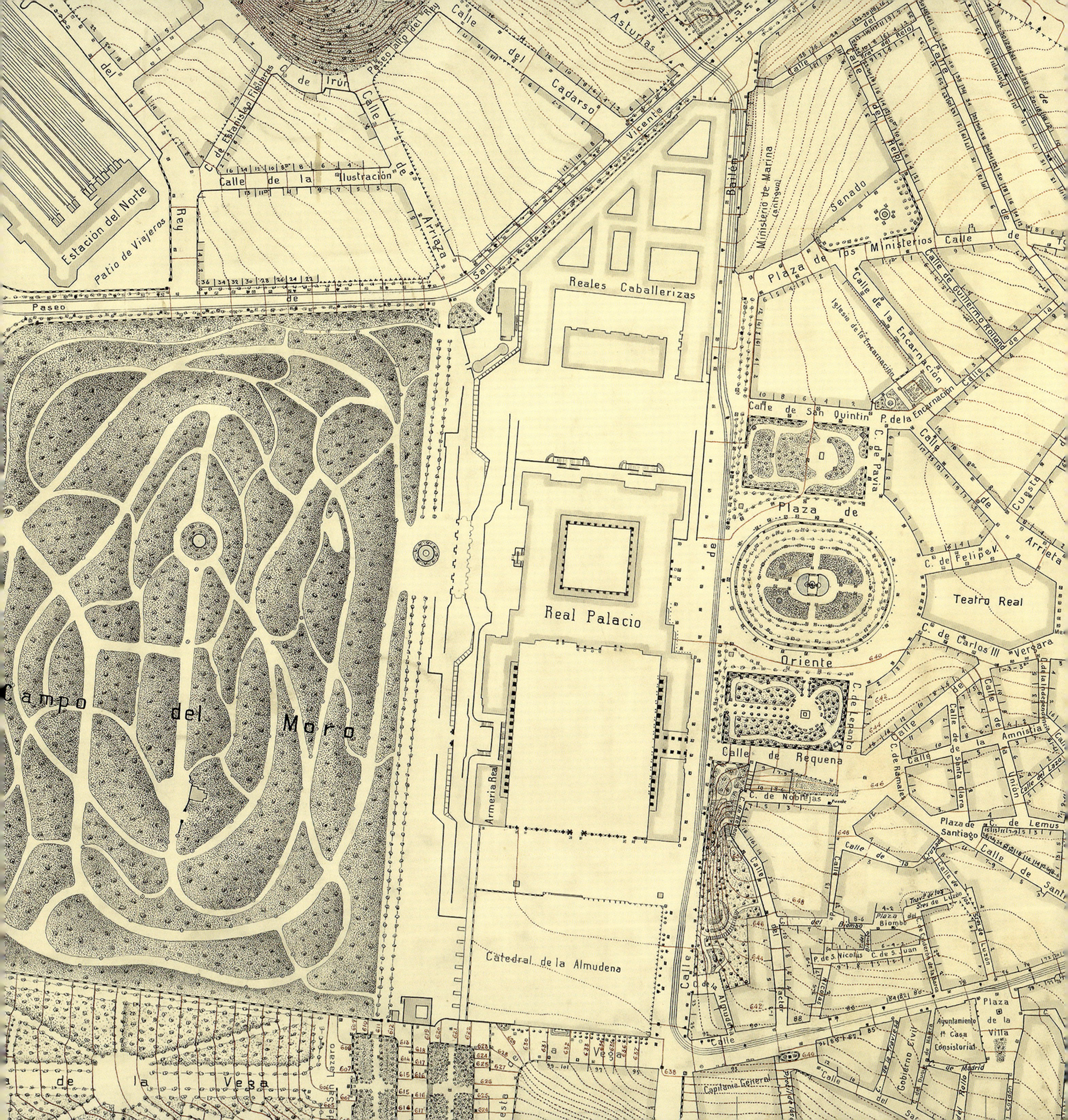

Estacion del Norte
Patio de Viajeros
Paseo de
Rey
Calle de Irún
Paseo alto del Rey
C. de Iriarte
C. de Estanislao Figueras
Calle de la Ilustración
Calle de Arrieza
San
Calle del Cadarso
Calle de la Iglesia
Vicente
Asturias
Batllen
Ministerio de Marina
Reales Caballerizas
Plaza de los Ministerios
Senado
Calle de Guillermo Rolland
Calle de la Encarnación
Iglesia de la Encarnación
Calle de San Quintín
P. de la Encarnación
C. de Pavia
Calle
Calle
Arrieta
Plaza de Oriente
C. de Felipe V.
Teatro Real
C. de Carlos III
Vergara
Campo del Moro
Real Palacio
C. de Lepanto
Calle de Requena
C. de Noblejas
Plaza de Lemus
Santiago
Calle de Santi
Amnistia
Calle de la Unión
Armeria Real
Catedral de la Almudena
Calle
Plaza de Biombo
P. de Nicolás
C. de S. Juan
Plaza de la Villa
Ayuntamiento
1ª Casa Consistorial
Gobierno Civil
Madrid
Campo
de la Vega
Capitania General

1929
Oficina Municipal de Información de la Ciudad
Plano de Madrid

Plano de Madrid / *Oficina Municipal de Información de la Ciudad.*

Escala, 1:10.000, 4.000 metros [= 4 cm].
[Madrid]: Instituto Geográfico y Catastral, [1929].
1 plano: l°., cromolitografía en papel, 4 hh. de 85 x 75 cm, montado en 170 x 150 cm.

Complemento de la serie de 1:2000, este plano constituye la reducción actualizada de todo el término municipal de Madrid a la escala de 1:10.000, aunque se incorpora parte del territorio circundante sin que sepamos realmente la causa que lo justifique. Está impreso mediante el procedimiento de la cromolitografía en bitonos, sepia para las curvas de nivel, representadas con isometría de una para cada diez metros, y azul para la representación geométrica del manzanedo.

EJEMPLARES:

I.G.N., CARTOTECA, 32-C-3.

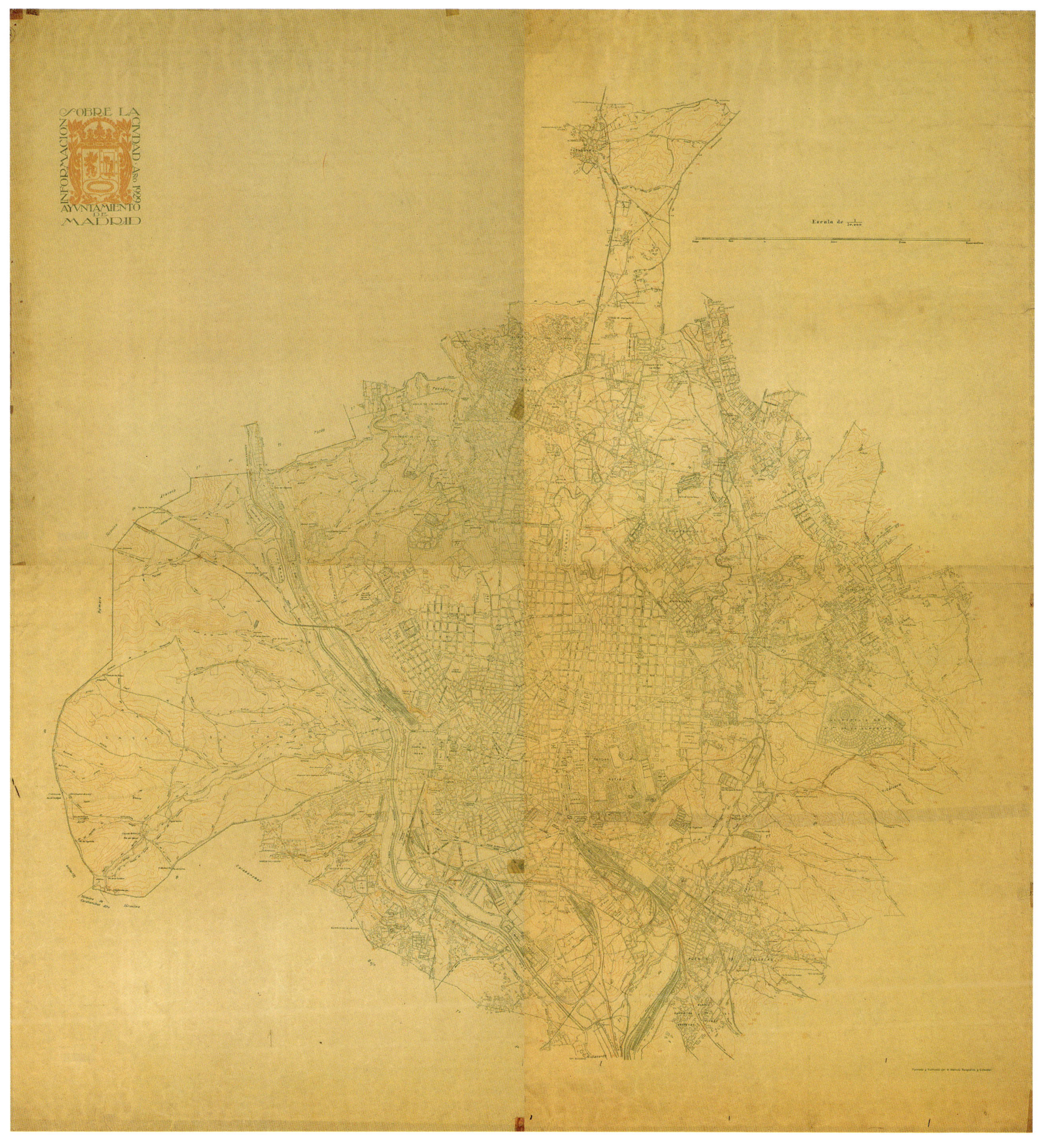
INFORMACION SOBRE LA CIUDAD · AÑO 1929
AYUNTAMIENTO DE MADRID

El plano parcelario a 1:500, de la República a la Postguerra

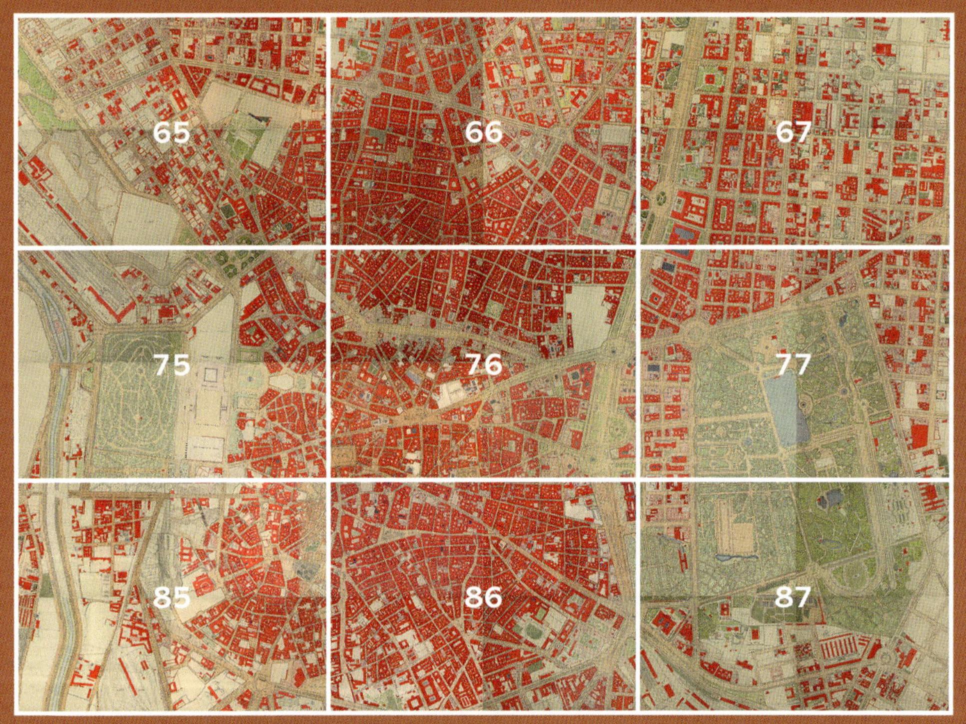

Cumplida la misión prioritaria antes descrita, en 1930 y a instancia de Paulino Martínez Cajén, se acordó el inicio de una tarea ambiciosa que consistió en ampliar de escala la base cartográfica de 1:2.000 a 1:500. Esta operación suponía cuadruplicar la superficie de dibujo, aumentando consecuentemente el grado de detalle y definición de los elementos urbanos. En este proceso se trataba además de completar la cartografía parcelaria, definiendo el recinto o perímetro general de cada unidad de propiedad. En paralelo, la altimetría de las curvas de nivel se estableció con el intervalo de medio metro. De esta manera, cada hoja de la serie de *Información de la Ciudad*, cuyo encuadre tenía un tamaño de 70 por 50 cm, se desdobló en cuatro hojas de 140 por 100 cm, identificando cada cuadrante de partida con números romanos añadidos al número de hoja. Este considerable formato se concretó en papel sobre un alma de cinc, para tratar de minimizar las dilataciones, siendo denominada coloquialmente esta serie como los *Catastrones*.

La tarea total en ese momento era así la producción gráfica de 63 por 4, lo que arrojaba un cómputo total de 252; ésta se inició desde el centro del casco histórico hacia la periferia, en un proceso concreto que sería deseable establecer con precisión. Señalemos que esta labor se inició durante los años de la II República, probablemente se ralentizó en los años de la Guerra, y se continuó en la Postguerra durante un largo período al que le afectarían además las inminentes anexiones de los términos municipales colindantes. De esta manera resulta difícil establecer con precisión la fecha correspondiente a cada hoja, sabiendo además que estas bases se fueron corrigiendo y actualizando con raspados y añadidos. Otro dato de interés en este proceso, a los efectos de la investigación y el conocimiento de Madrid, es referir la revisión y los cambios de la numeración de los edificios en calles y plazas que se produjo en 1931 con respecto a los de las hojas de 1929, con algunas modificaciones posteriores durante la Postguerra. Al mismo tiempo, tras el concurso de 1929, declarado desierto, se gestaron los diversos planes de crecimiento de Madrid y de las Reformas Interiores de la República, así como los de 1939 y los realizados en la Postguerra. En cuanto a los complementos cartográficos tiene interés mencionar el atractivo plano de Madrid y sus vías públicas de 1934 al cargo de la Sección de Estadística del Ayuntamiento e impreso en la Artes Gráficas Municipales. Existen datos de la labor cartográfica de los años de la Guerra en relación con los destrozos de los bombardeos reflejados en algunas hojas de la escala 1:2.000 con la parcelación completa de las propiedades. Para acotar este período podemos adjuntar finalmente el Plano de la Villa de 1945 de las igualmente denominadas Artes Gráficas Municipales, al cargo ahora de la Sección de Cultura e Información.

Tampoco son abundantes los complementos visuales generales de la ciudad en esta época. En el apartado pictórico cabe adjuntar la vista actualizada en 1944 desde el suroeste debida a Álvaro Delgado y la realizada tan solo un año después por Francisco Pompey, mientras que en la producción basada en el dibujo es obligado presentar el documento realizado por Victoriano Nuere entre 1940 y 1950 con el título *Vista panorámica del Madrid histórico*. Como se verá en el apartado siguiente, este mismo autor producirá una segunda entrega, desplazando el encuadre espacial y temporal de la imagen de Madrid.

PLANOS:

1934. Ayuntamiento de Madrid, *Madrid: Plano de sus vías públicas*.

1930-1945. Ayuntamiento de Madrid, *Plano parcelario de Madrid*, 1:500.

1945. Ayuntamiento de Madrid, *Plano de la Villa*, 1:12.500.

VISTAS

1940-1950. Victoriano Nuere, *Vista panorámica del Madrid histórico*.

1944. Álvaro Delgado, *Madrid desde el Manzanares*.

1945. Francisco Pompey, *Vista panorámica de Madrid. Homenaje al Madrid de antaño*.

1934
Ayuntamiento de Madrid
Madrid: Plano de sus vías públicas

MADRID: PLANO DE SUS VÍAS PÚBLICAS / AYUNTAMIENTO DE MADRID, SECCIÓN DE ESTADÍSTICA.

Escala, [1:14.000].
[Madrid]: Artes Gráficas Municipales, 1934.
1 plano: l°., cromolitografía en papel, 79 x 102 cm.

Aunque no se titule como Plano oficial de Madrid, este ejemplar sí ostentaría esa categoría, pues representa la totalidad del término municipal con la división en los diez distritos que lo componían y la trama urbana completa de todo el casco urbano. Se trata del primero además que recoge los trabajos de la recién nacida Oficina Cartográfica del Plano de Madrid, la cual asumió los trabajos de levantamiento del plano de Madrid desde 1927. En lo material, este plano fue de los primeros en realizarse mediante la técnica de la cromolitografía en la propia Imprenta Municipal, sede de las Artes Gráficas Municipales.

BIBLIOGRAFÍA:

(EXPOSICIÓN SOBRE CARTOGRAFÍA DE MADRID, 2001: CIFRA 53, 210-211).

EJEMPLARES:

A.V.M., 0,89-31-9.
C.G.E., AR.C-T.3-C. 3-125.

MADRID
PLANO DE SUS VIAS PÚBLICAS
AYUNTAMIENTO DE MADRID
SECCION DE ESTADISTICA
ABRIL 1934
DISTRITOS QUE COMPRENDE
Número 1 CENTRO
— 2 HOSPICIO
— 3 CHAMBERI
— 4 BUENAVISTA
— 5 CONGRESO
Número 6 HOSPITAL
— 7 INCLUSA
— 8 LATINA
— 9 PALACIO
— 10 UNIVERSIDAD
ESCALA GRAFICA
ARTES GRAFICAS MUNICIPALES
A B C D E F G H I J
1 2 3 4 5 6 7 8

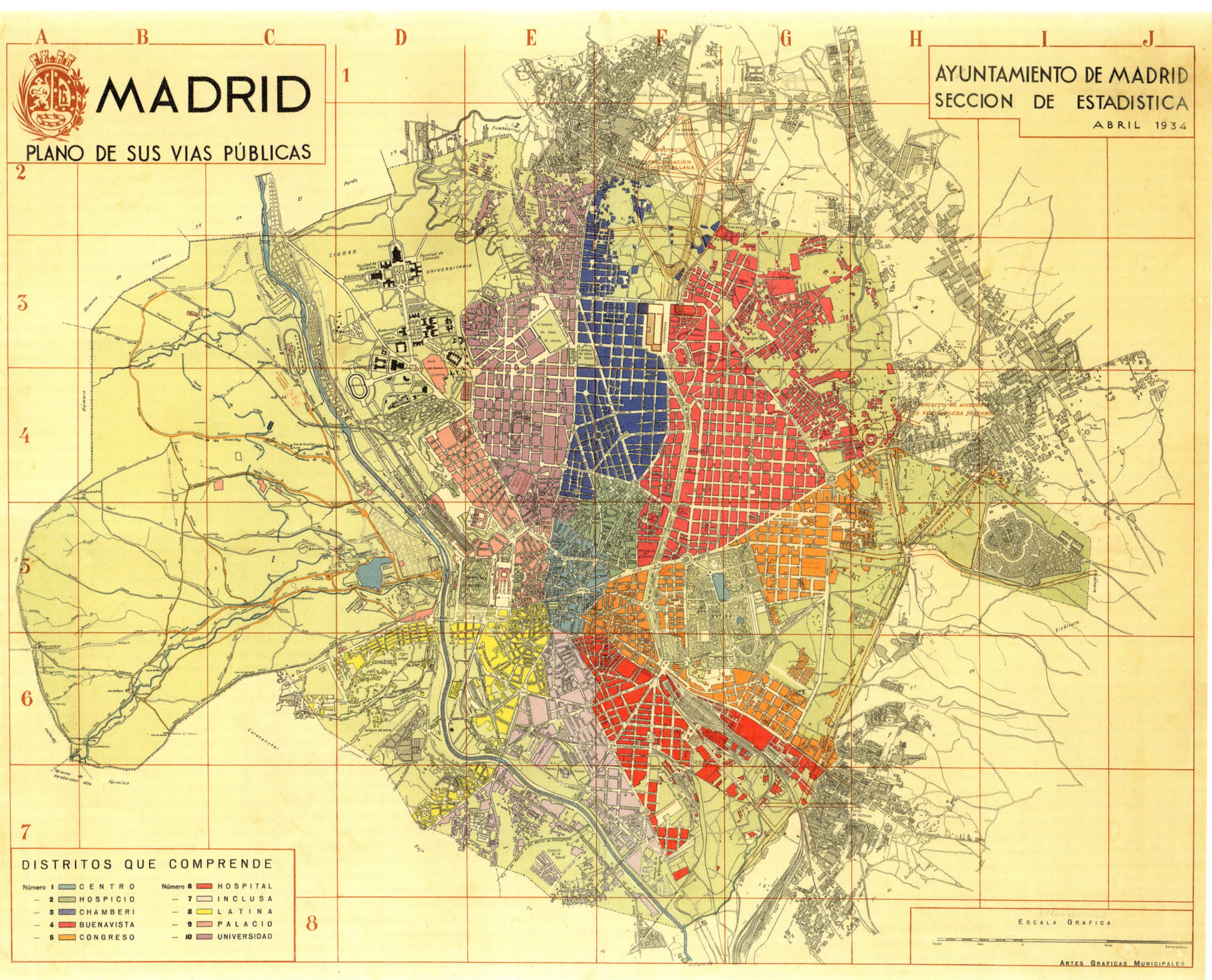

C.G.E.

1930-1945
Ayuntamiento de Madrid
Plano parcelario de Madrid o Catastrones

[MADRID: PLANO PARCELARIO / Ayuntamiento de Madrid.

Escala, 1:500.
[Madrid]: [Ayuntamiento de Madrid], [1930 a 1945].
47 planos: lº., cromolitografía en papel sobre lámina de aluminio, 110 x 150 cm.

En 1929, una vez formalizada la *Información sobre la Ciudad. Año 1929: Memoria*, y su correspondiente parcelario a 1:2.000, el Ayuntamiento prosiguió sin solución de continuidad las tareas de actualización del Plano parcelario de Madrid. La iniciativa partió de Paulino Martínez Cajén, quien razonaba en una memoria interna de 7 de abril de 1927 la conveniencia de abordar un plano parcelario a la escala de 1:500. La propuesta se convino en el pleno del consistorio de 25 de junio de 1928, en pleno proceso de trabajo de la Oficina de Información de la Ciudad, y se materializó en la colaboración ya iniciada con el Instituto Geográfico y Catastral en un plano que, sobre la distribución de hojas que cubrían todo el término municipal, se levantaría a la escala de 1:500 por topografía clásica. En el verano de 1929 se establece la Oficina Cartográfica del Plano de Madrid, dependiente en lo administrativo de la Inspección General de los Servicios Técnicos, iniciándose los trabajos a finales de ese mismo año con la hoja nº. 57, correspondiente al Paseo de la Castellana con el monumento a Isabel la Católica. Así, cada hoja inicial de 1:2.000, de 50 por 70 cm, se desdoblaría en otras cuatro de 100 por 140 cm, identificándose cada una de ellas mediante números romanos Los trabajos, interrumpidos durante la Guerra Civil, se finalizaron en 1945; su resultado, bautizado coloquialmente como los *Catastrones*, es la base de lo que luego se denominaría como Plano Ciudad.

BIBLIOGRAFÍA:

(MARTÍNEZ CAJÉN, 1928), (ALEMANY, 1951), (EXPOSICIÓN SOBRE CARTOGRAFÍA DE MADRID, 1982: CIFRA 106, 174), (EXPOSICIÓN SOBRE CARTOGRAFÍA DE MADRID, 1992: 374-397), (MORA, 1997), (MORA, 2001) Y (EXPOSICIÓN SOBRE CARTOGRAFÍA DE MADRID, 2001: CIFRA 55, 214-217).

EJEMPLARES:

GEOPORTAL DEL AYUNTAMIENTO DE MADRID

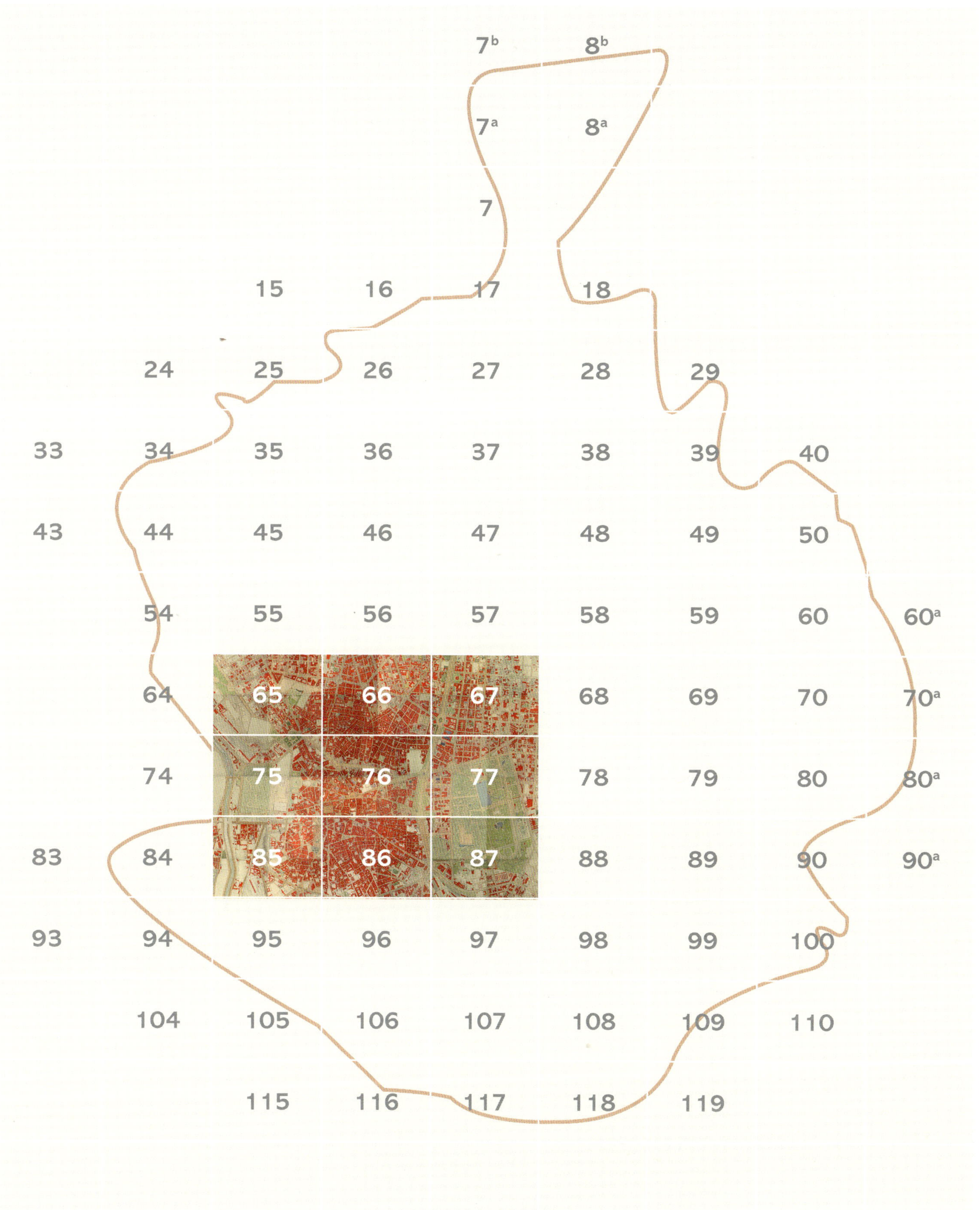
7ᵇ 8ᵇ
7ᵃ 8ᵃ
7
15 16 17 18
24 25 26 27 28 29
33 34 35 36 37 38 39 40
43 44 45 46 47 48 49 50
54 55 56 57 58 59 60 60ᵃ
64 65 66 67 68 69 70 70ᵃ
74 75 76 77 78 79 80 80ᵃ
83 84 85 86 87 88 89 90 90ᵃ
93 94 95 96 97 98 99 100
104 105 106 107 108 109 110
115 116 117 118 119

15 16 17 18
24 25 26 27 28 29
33 34 35 36 37 38 39 40
43 44 45 46 47 48 49 50
54 55 56 57 58 59 60
64 65 66 67 68 69 70
74 75 76 77 78 79 80
83 84 85 86 87 88 89 90
93 94 95 96 97 98 99 100
104 105 106 107 108 109 110
115 116 117 118 119

Cuartel del Infante Don Juan
Patronato Militar
Casas Militares
Colegio del Sag.do Corazón de Jesús
Asilo de la Santísima Trinidad
Cuartel de la Montaña

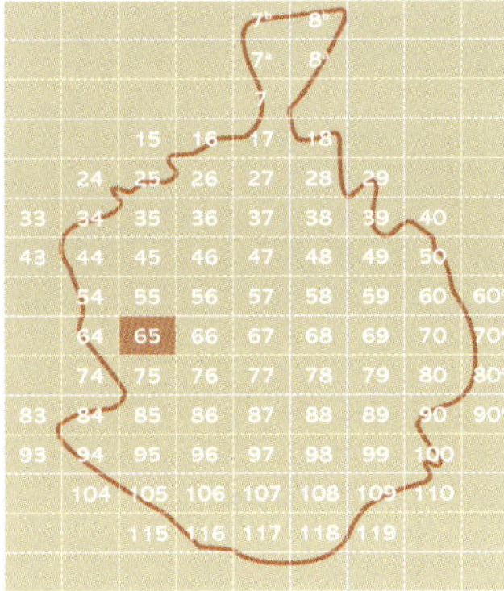

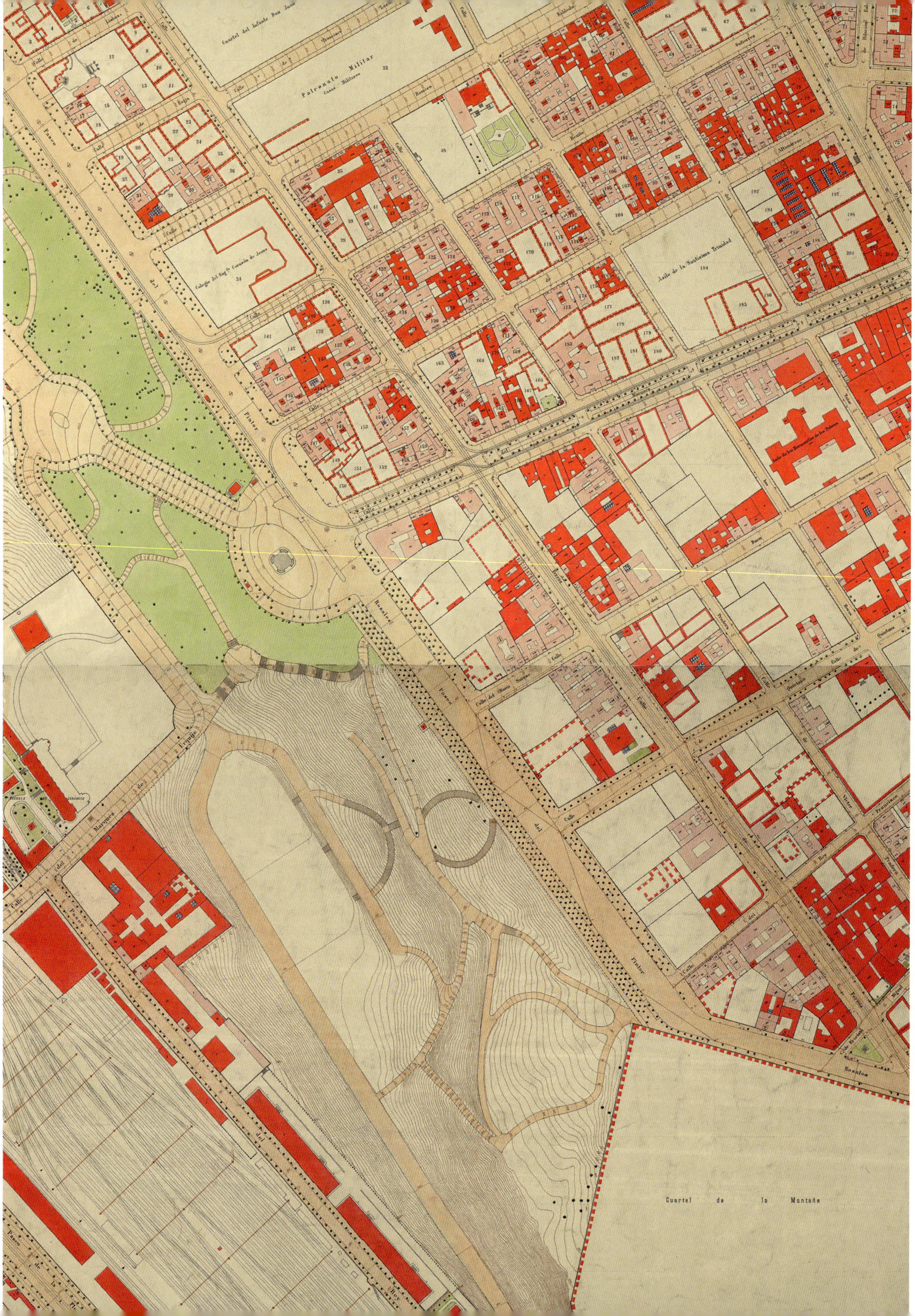

7' 8'
7' 8'
15 16 17 18
24 25 26 27 28 29
33 34 35 36 37 38 39 40
43 44 45 46 47 48 49 50
54 55 56 57 58 59 60 60'
64 65 66 67 68 69 70 70'
74 75 76 77 78 79 80 80'
83 84 85 86 87 88 89 90 90'
93 94 95 96 97 98 99 100
104 105 106 107 108 109 110
115 116 117 118 119

Estación de la Compañía de Tranvías
Glorieta de Bilbao
Calle de San Bernardo
Plaza del Dos de Mayo
Universidad Central
Calle de los Reyes

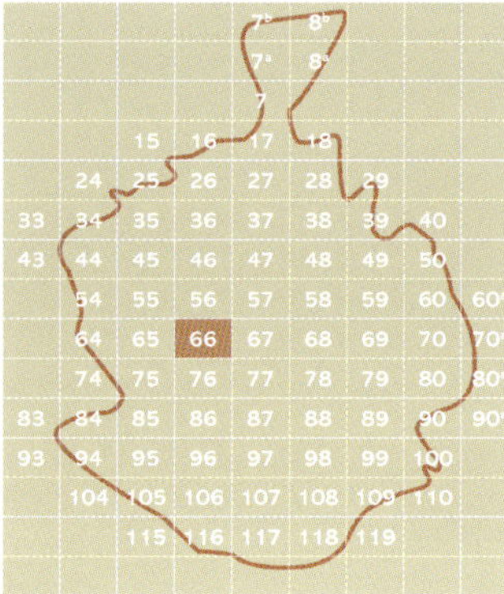

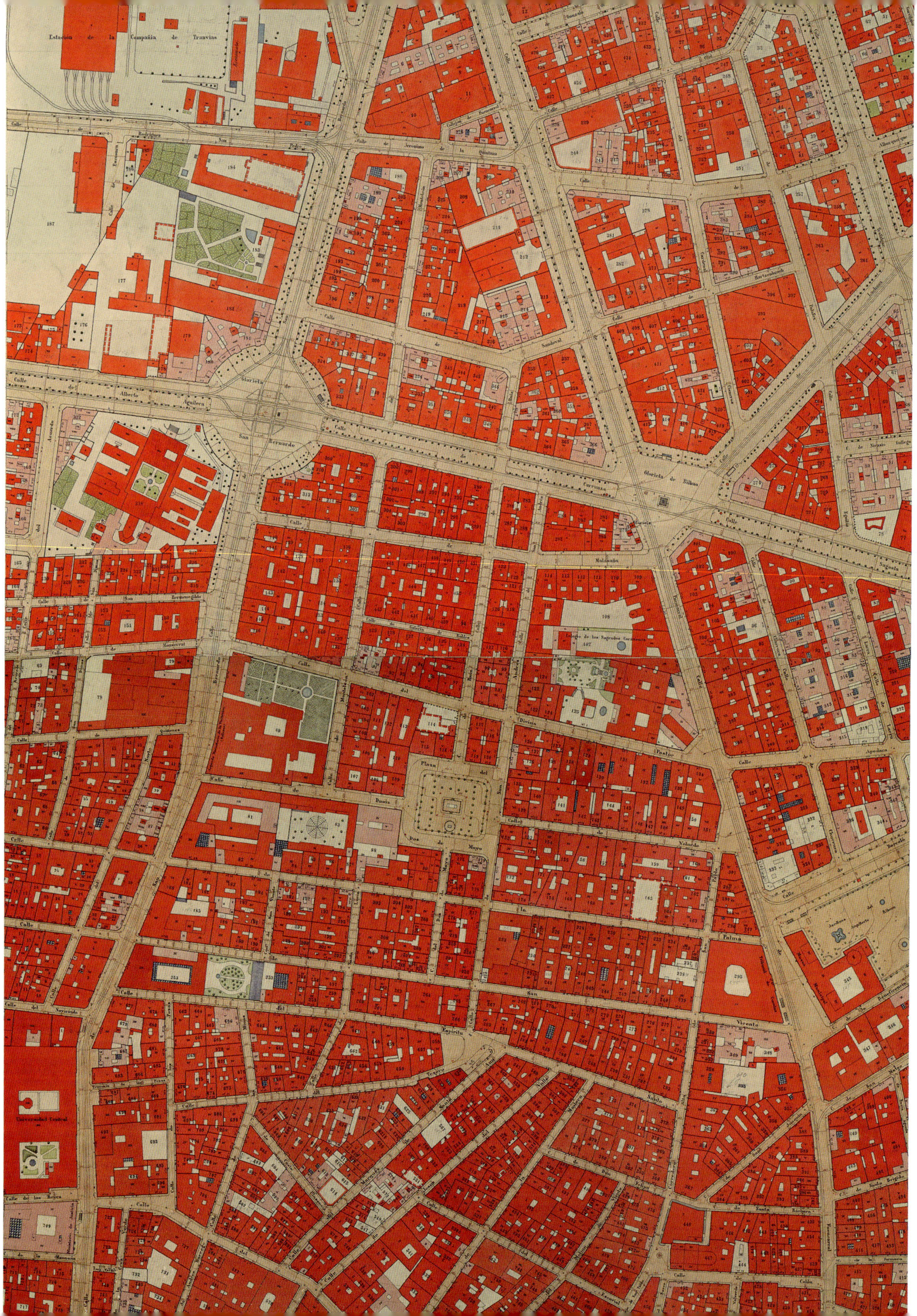

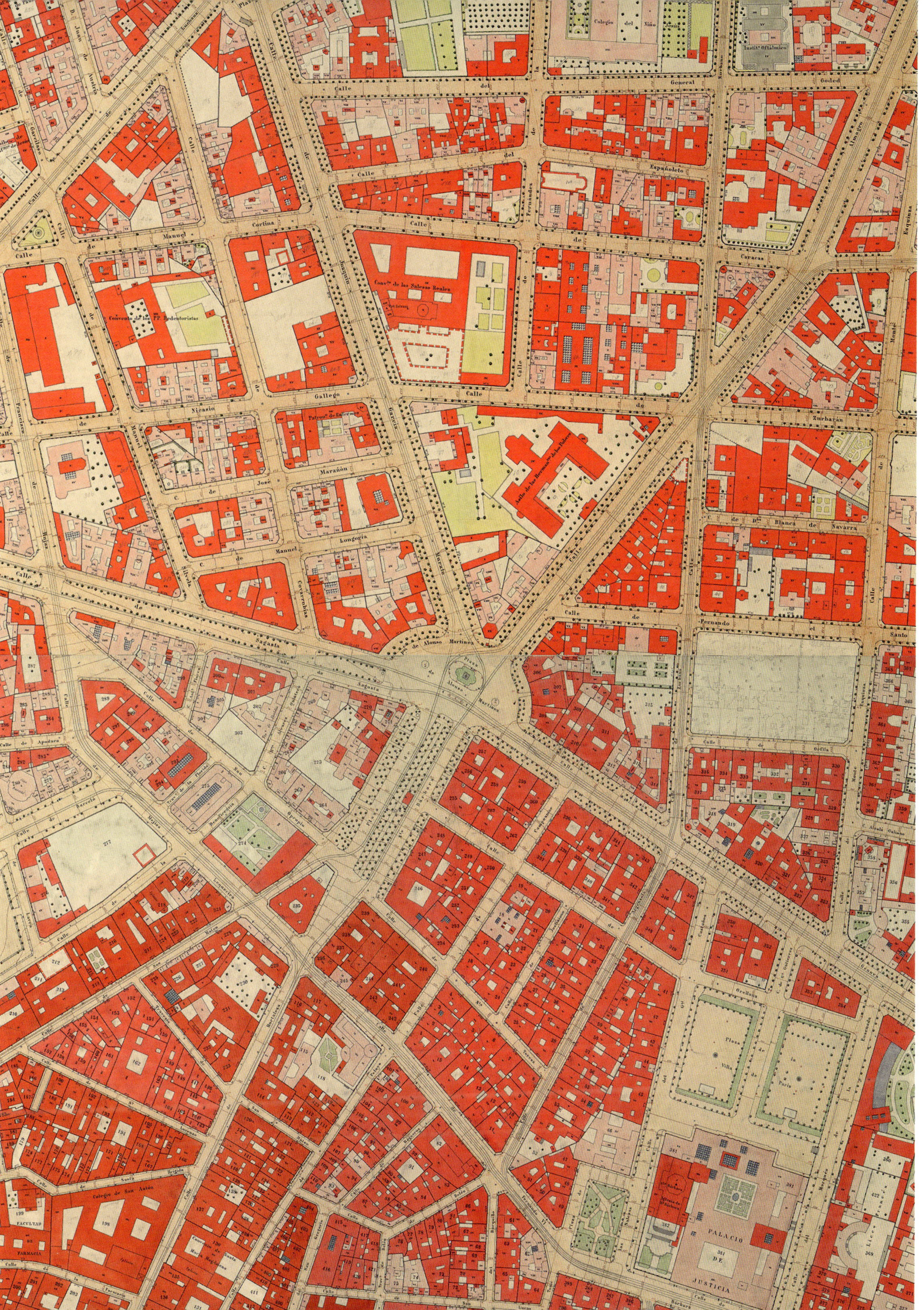

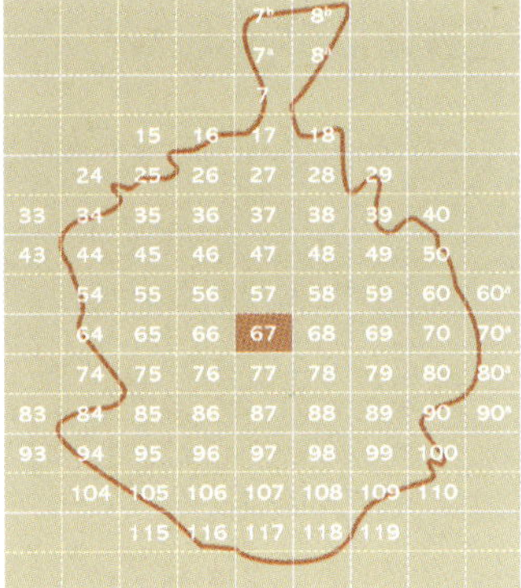

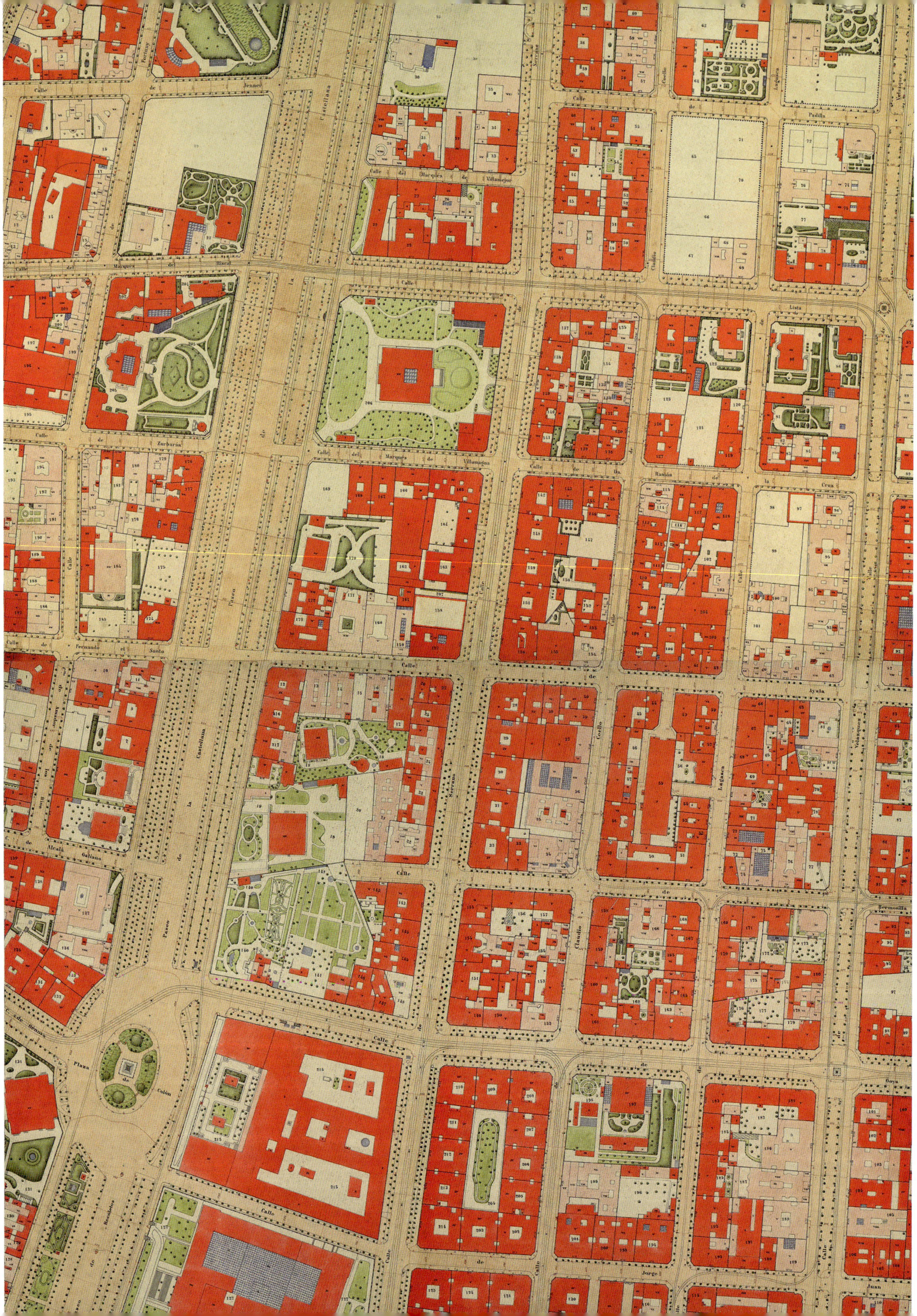

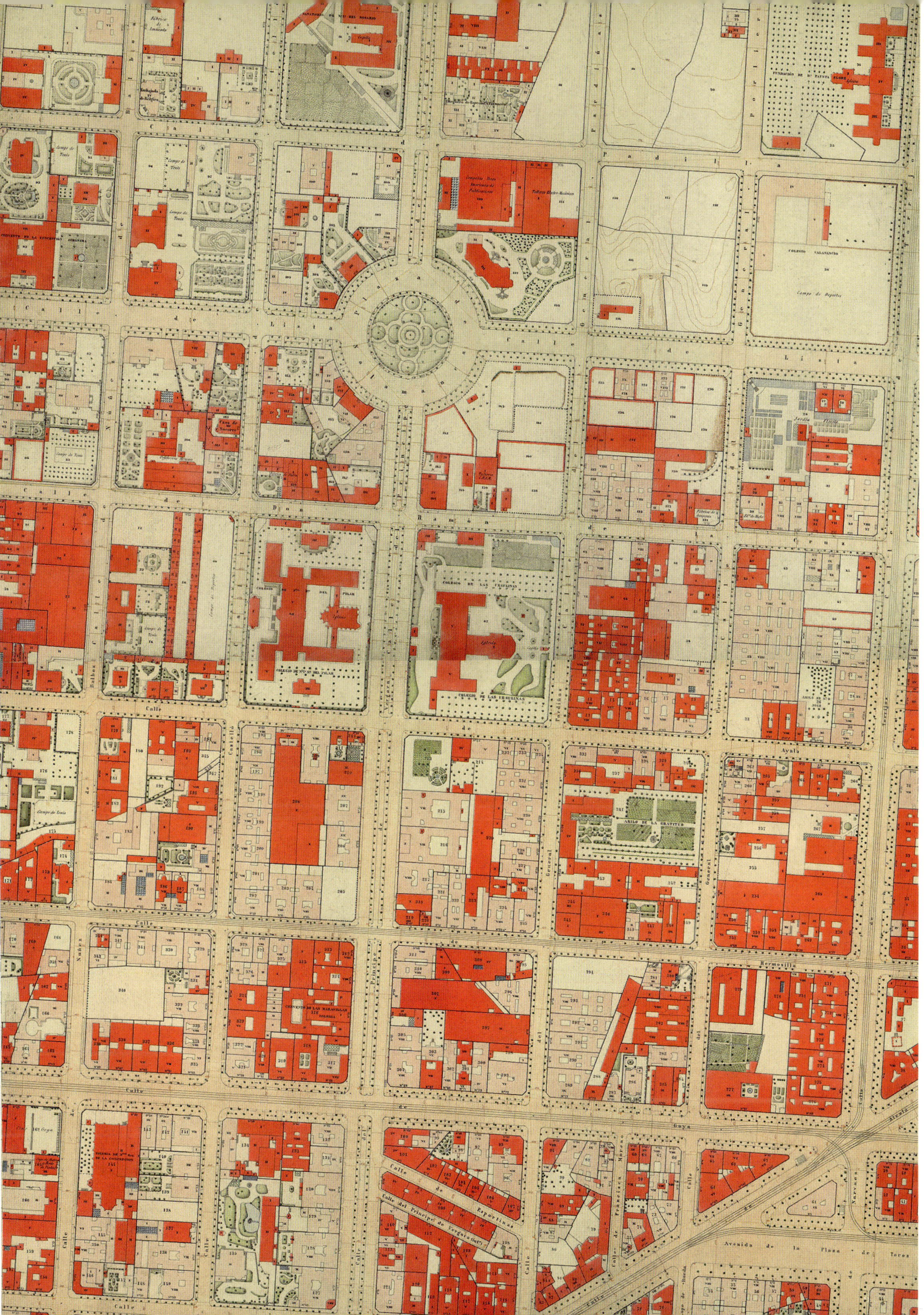

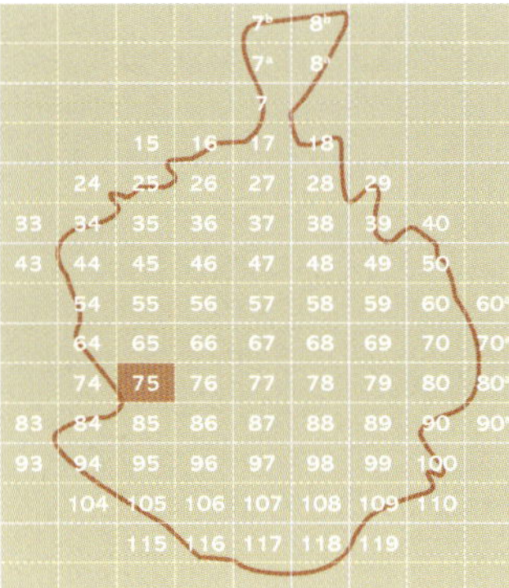

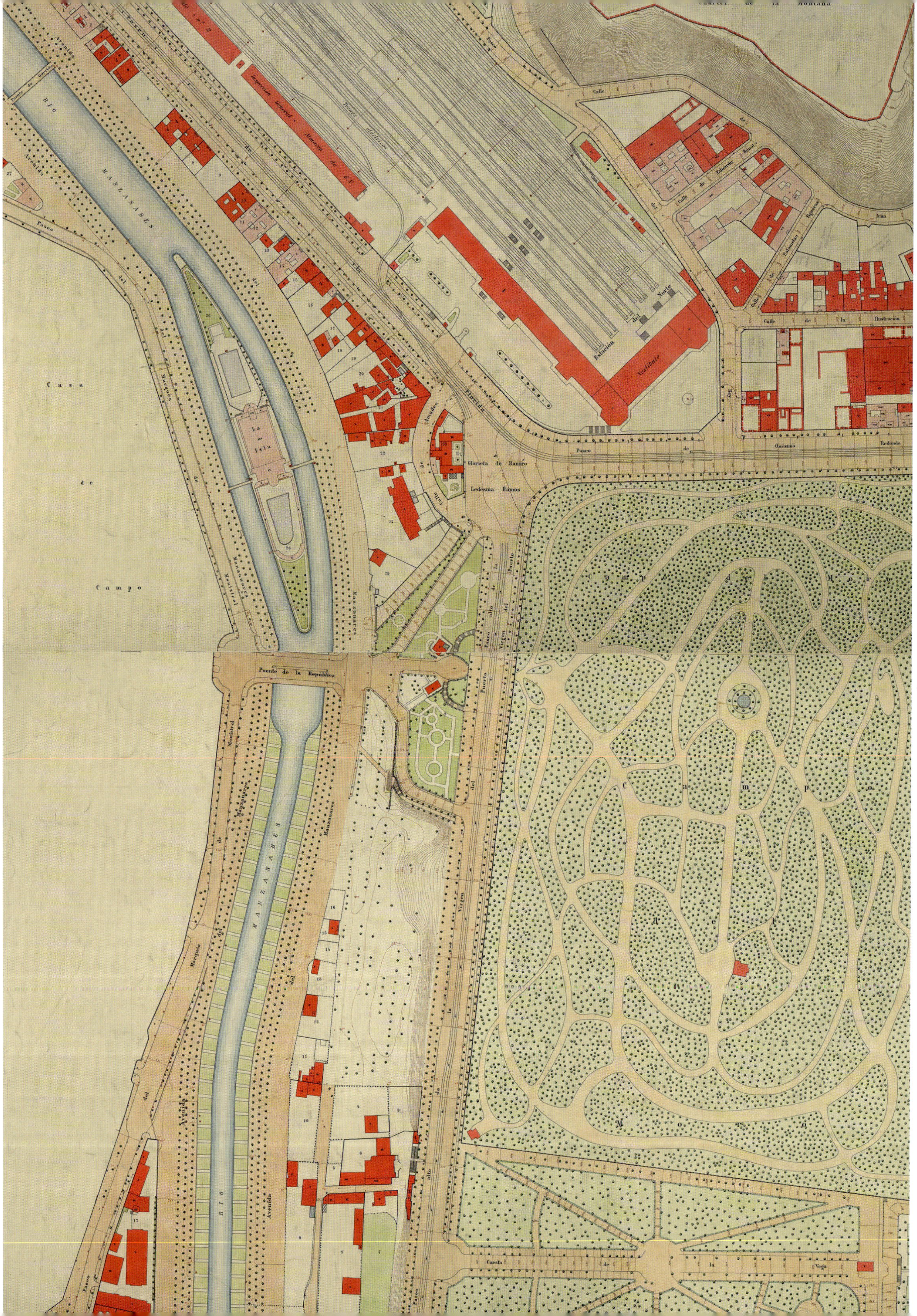

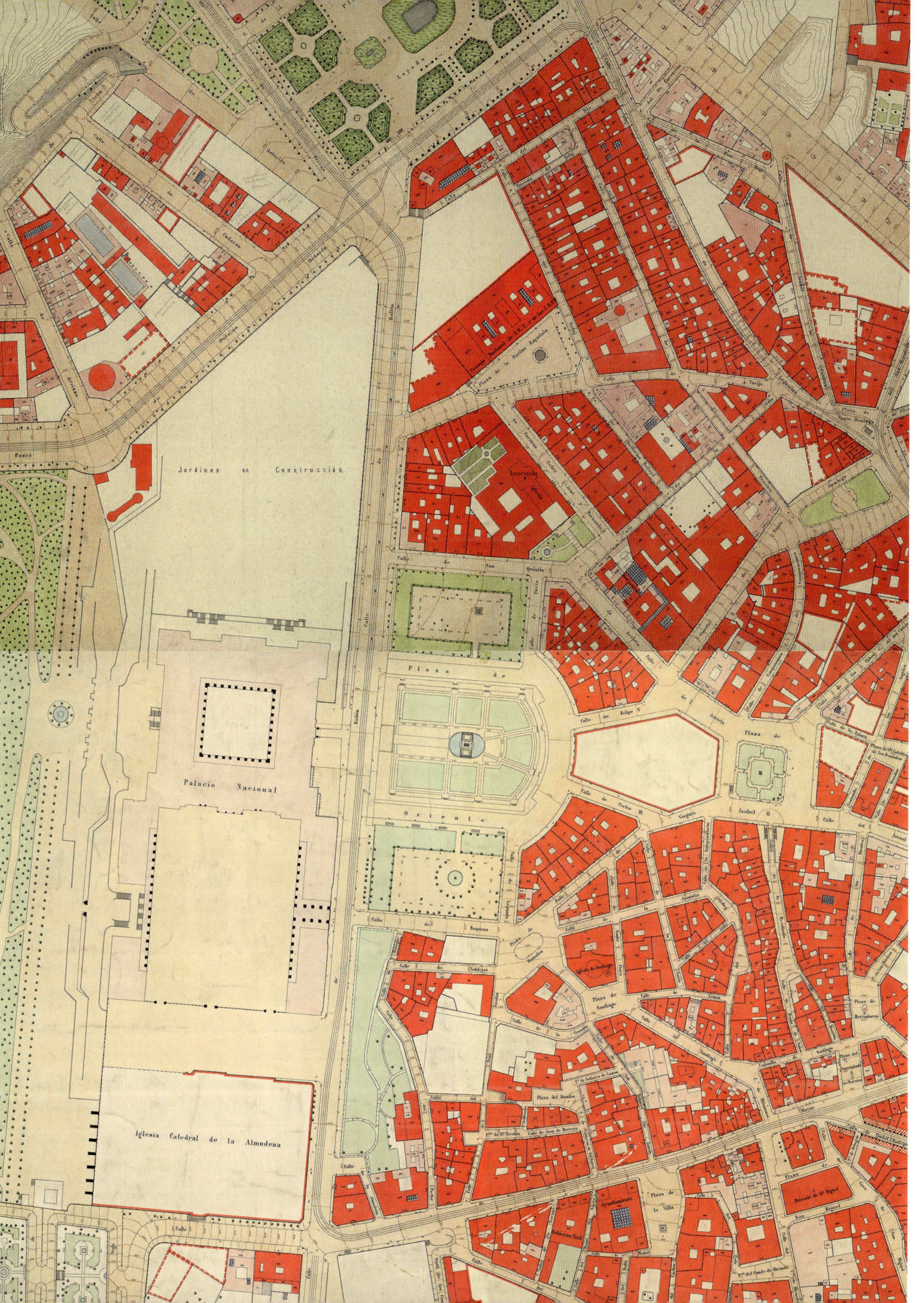

Jardines en Construcción
Palacio Nacional
Plaza de Oriente
Iglesia Catedral de la Almudena
Plaza de Isabel II

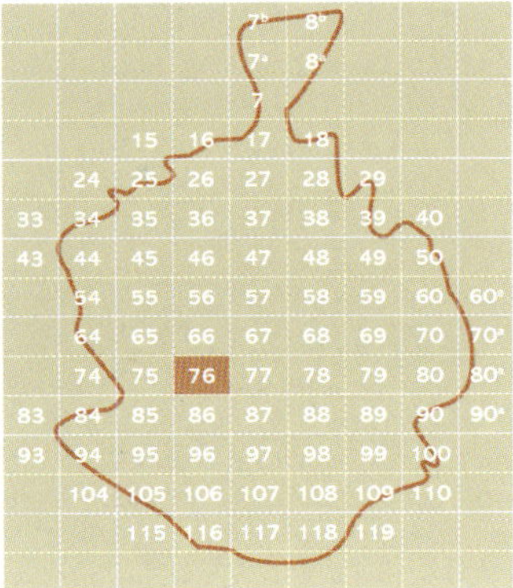

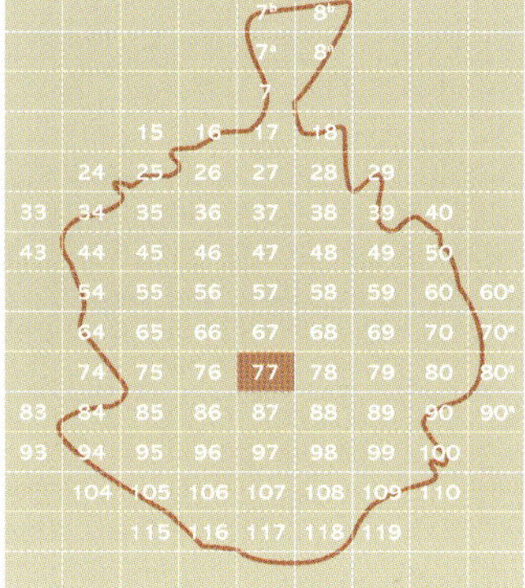

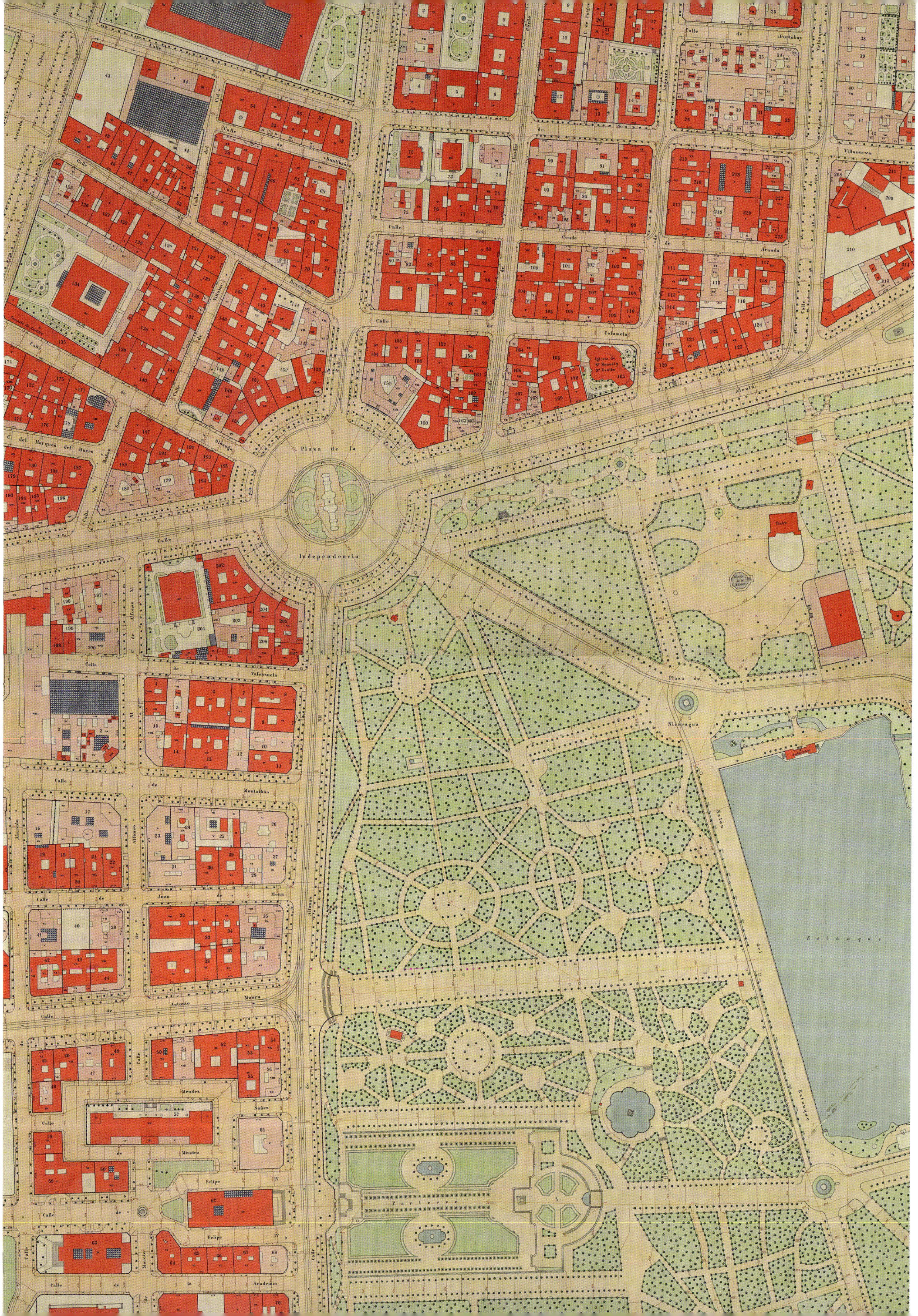

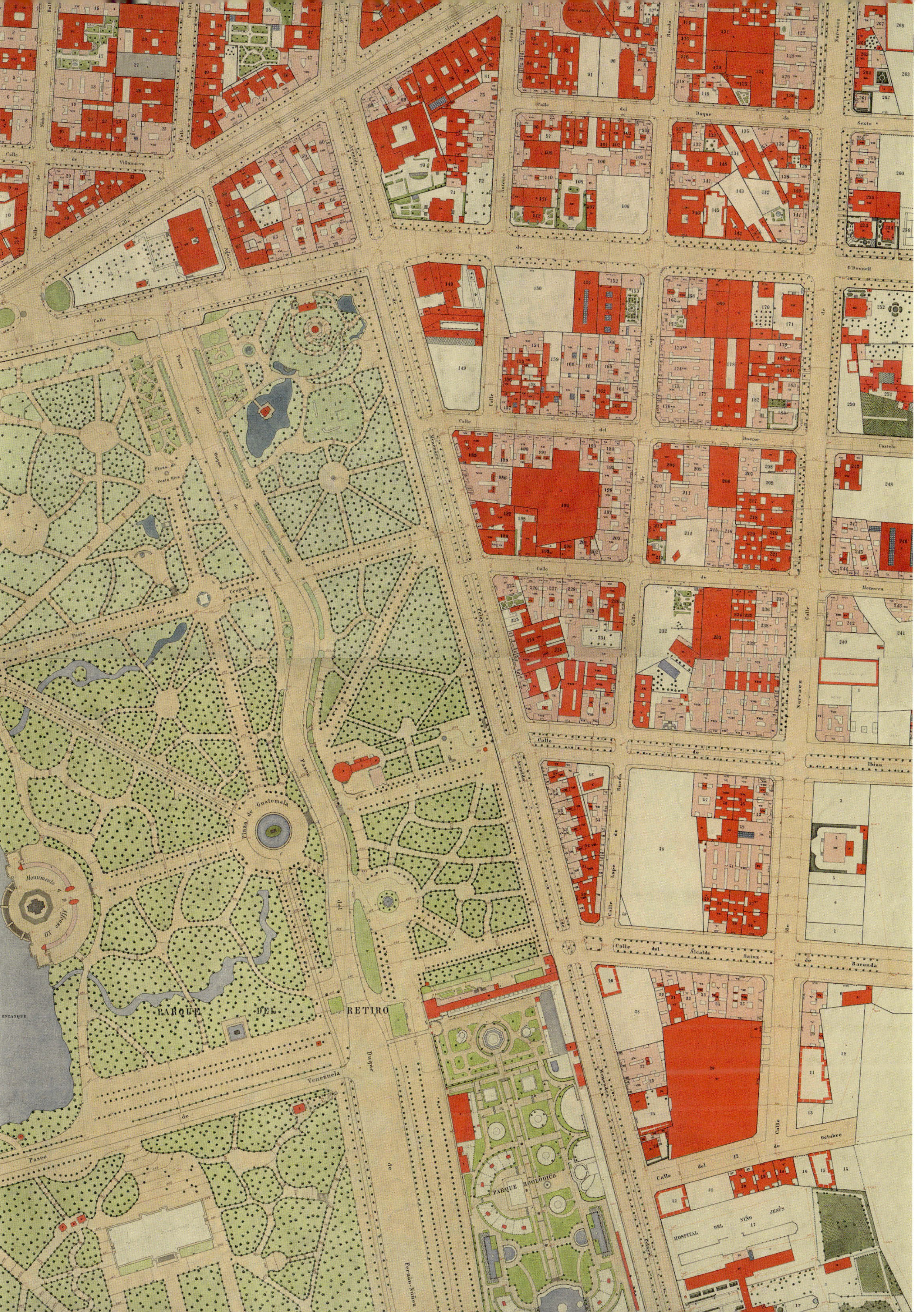

Calle
Villanueva
PARQUE DEL RETIRO
Plaza de Guatemala
Monumento a Alfonso XII
ESTANQUE
Paseo de Venezuela
PARQUE ZOOLÓGICO
HOSPITAL DEL NIÑO JESÚS
O'Donnell
Doctor Castelo
Narvaez
Ibiza
Calle del Alcalde Sainz de Baranda
Calle de Menorca

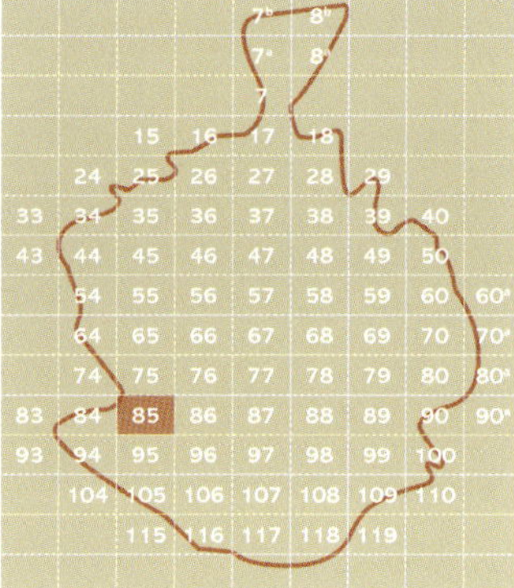

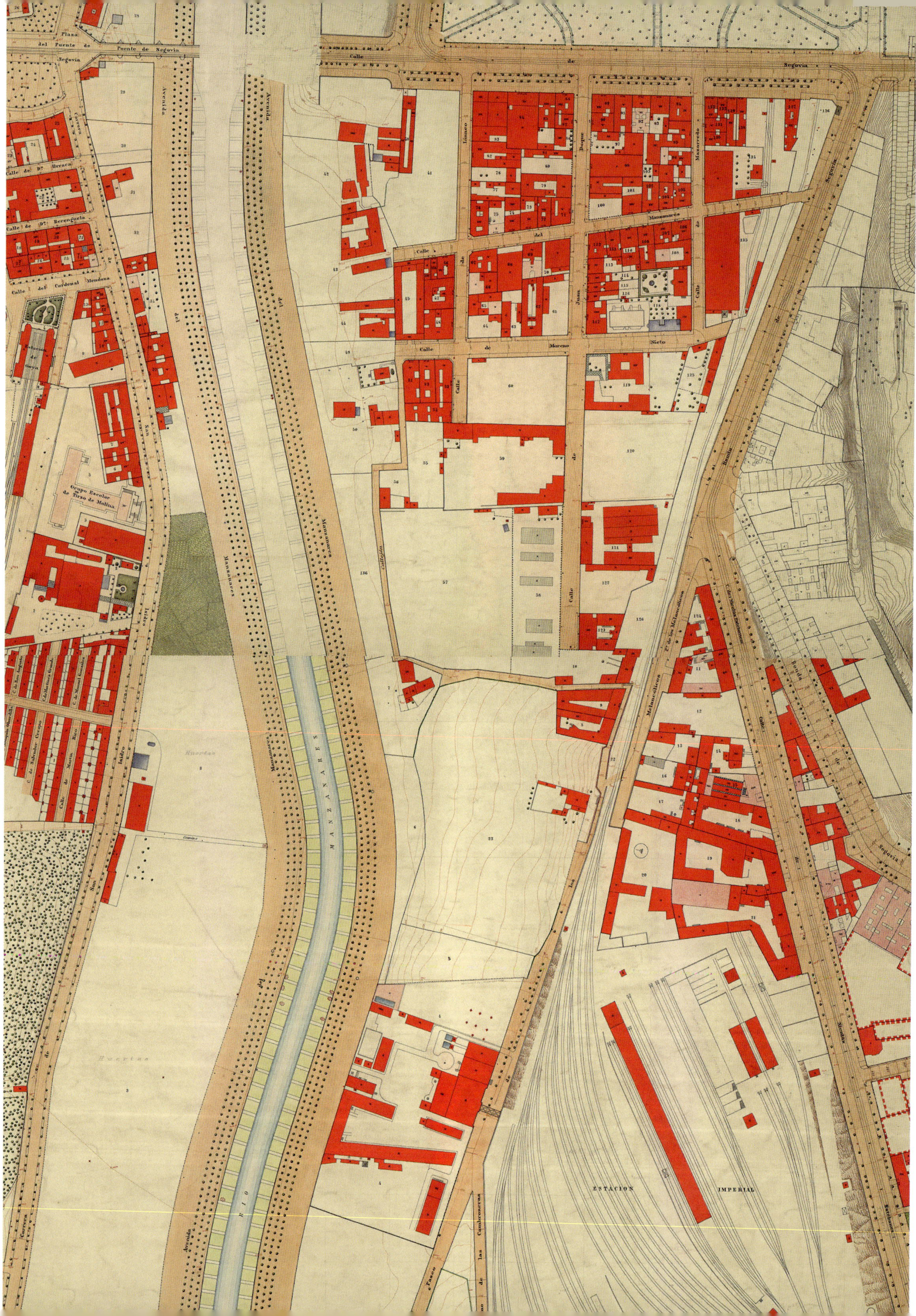
Plaza del Puente de Segovia
Calle de Segovia
Avenida del Manzanares
Grupo Escolar de Tirso de Molina
Calle de Moreno Nieto
Calle de Manzanares
Calle de Juan Duque
Huertas
MANZANARES
ESTACION IMPERIAL

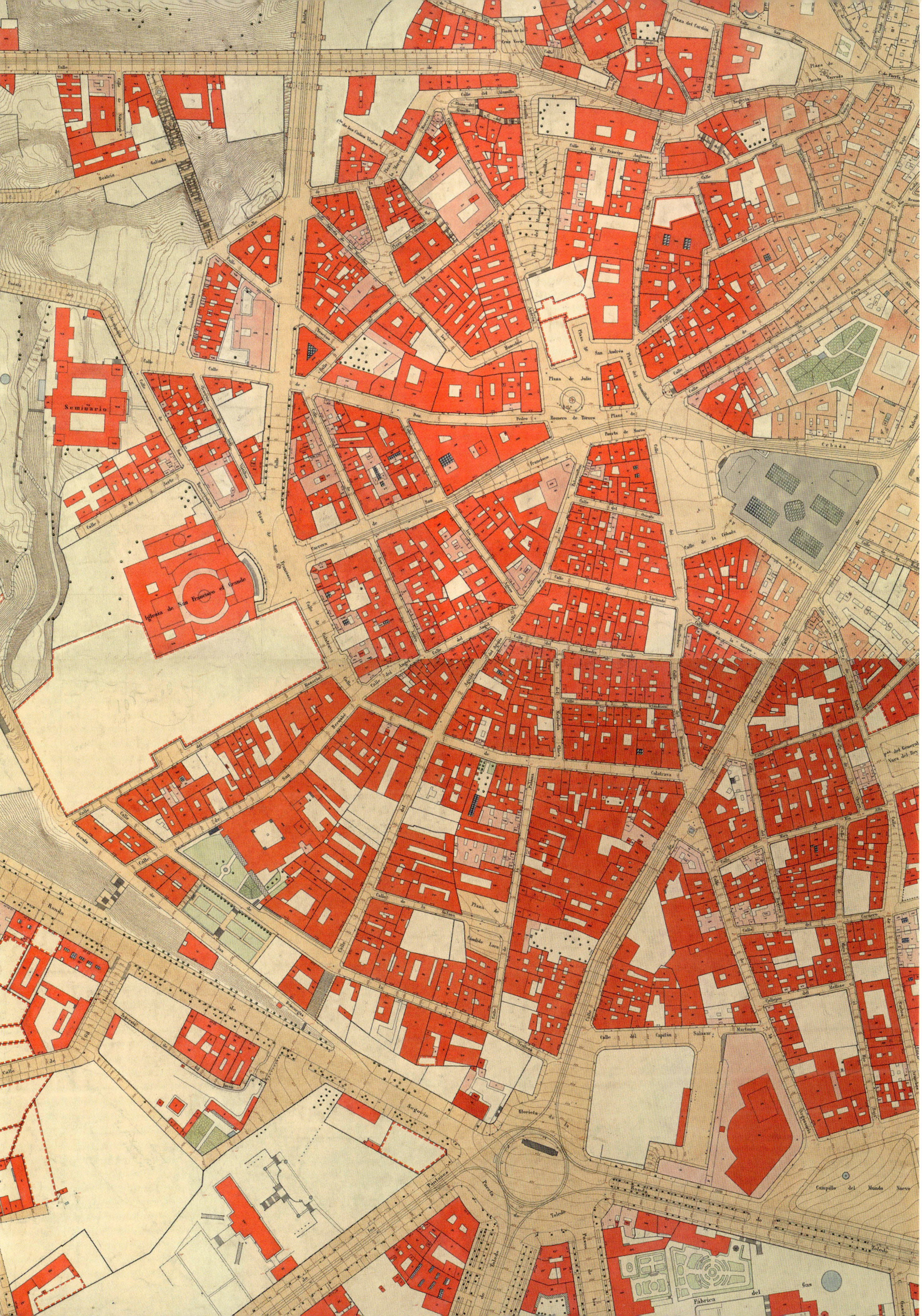

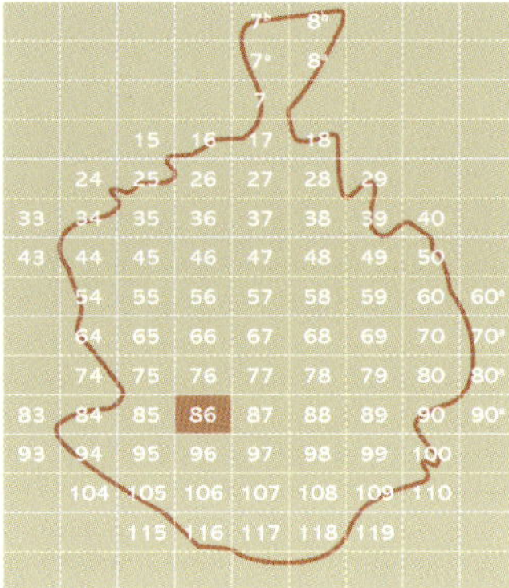

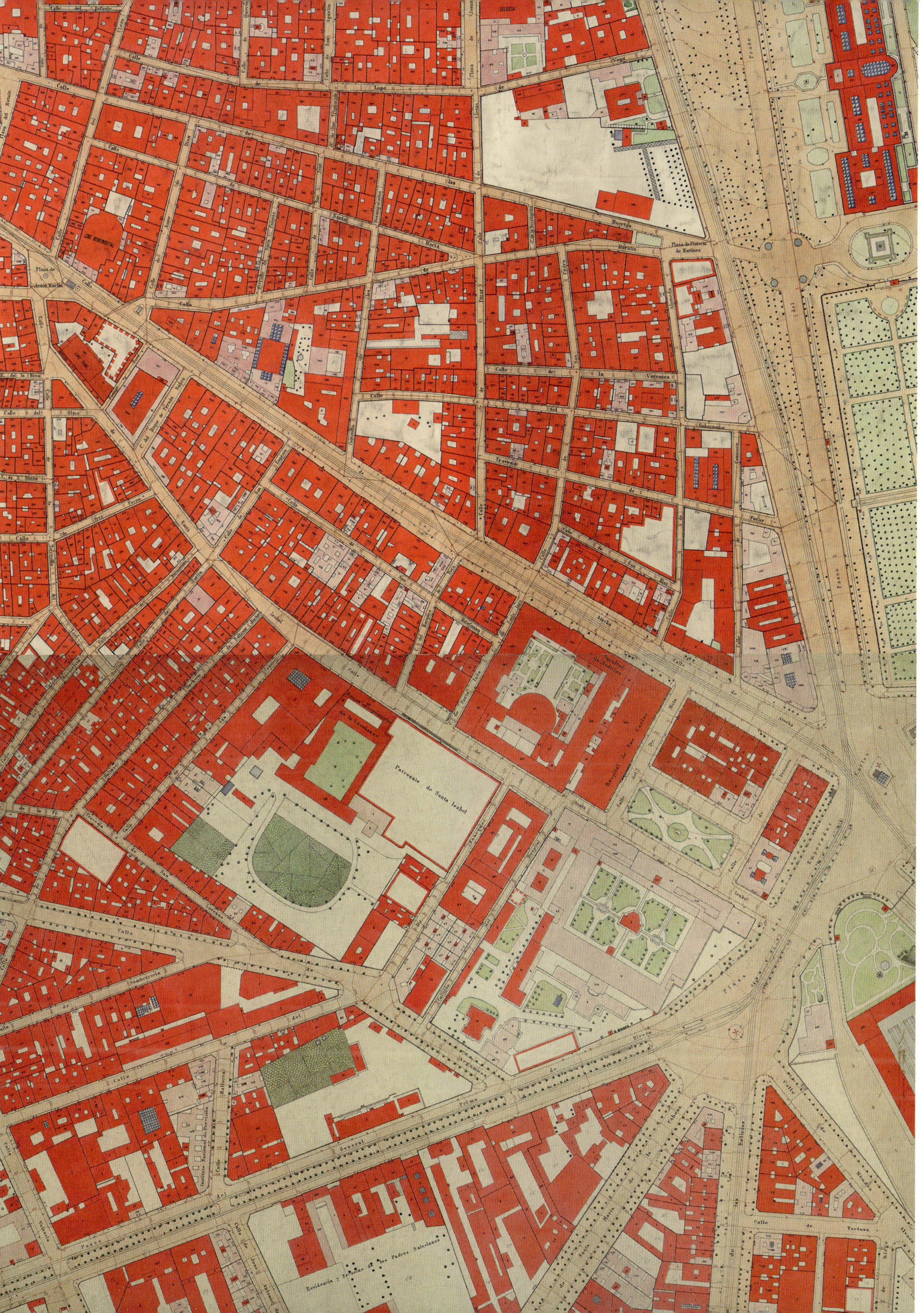

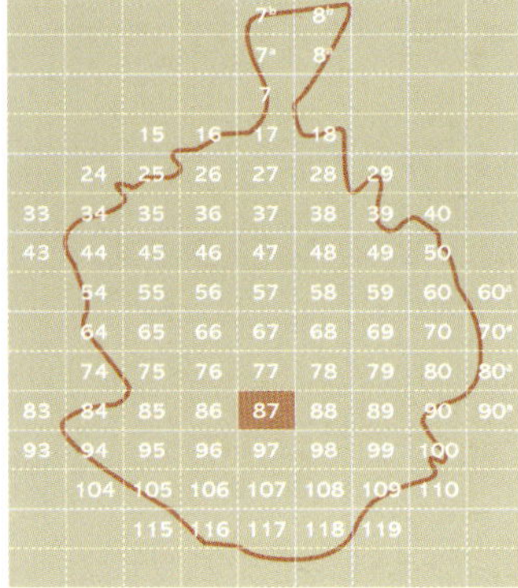

15 16 17 18
24 25 26 27 28 29
33 34 35 36 37 38 39 40
43 44 45 46 47 48 49 50
54 55 56 57 58 59 60 60ª
64 65 66 67 68 69 70 70ª
74 75 76 77 78 79 80 80ª
83 84 85 86 87 88 89 90 90ª
93 94 95 96 97 98 99 100
104 105 106 107 108 109 110
115 116 117 118 119

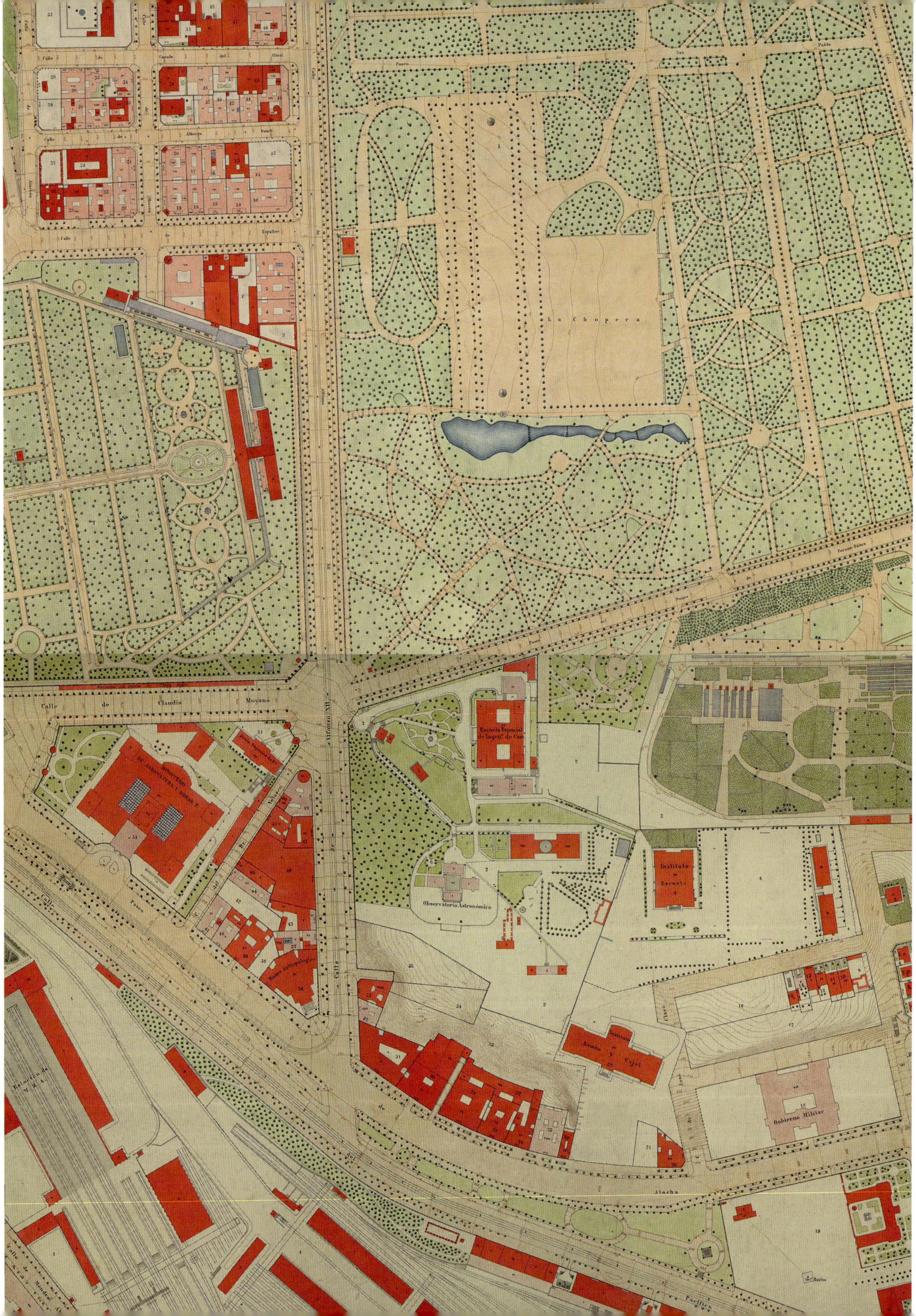

La Chopera
Calle de Claudio Moyano
Escuela Especial de Ingen.l de Cam.
Observatorio Astronómico
Museo Antropológico
Instituto de Escuela
Ramón y Cajal
Gobierno Militar
Atocha

Hospital del Niño Jesús
Glorieta del Angel Caído
CUARTEL DE MARIA CRISTINA
Plaza de
Mariano de Cavia

1945
Ayuntamiento de Madrid
Plano de la Villa

PLANO DE LA VILLA / Ayuntamiento de Madrid.

Escala, 1:12.500.
Madrid: Sección de Cultura e Información, Artes Gráficas Municipales, 1945.
1 plano: I°., cromolitografía en papel, 80 x 104 cm.

Poco antes del nacimiento del Gran Madrid, como consecuencia de los Decretos de anexión de los términos municipales limítrofes, acometidos entre 1947 y 1954, la Oficina Cartográfica del Plano de Madrid publicó este plano de la Villa, el cual venía a constituirse como Plano oficial de la ciudad. La cromolitografía, en grandes dimensiones, representaba el término municipal con la distribución en distritos, señalados mediante números romanos (I, Centro, II, Hospicio, III, Chamberí, IV, Buenavista, V, Congreso, VI, Hospital, VII, Inclusa, VIII, Latina, IX, Palacio y X, Universidad), y la indicación de los términos municipales colindantes.

BIBLIOGRAFÍA:

(MORA, 1997), (EXPOSICIÓN SOBRE CARTOGRAFÍA DE MADRID, 1982: CIFRA 116, 188-189), (EXPOSICIÓN SOBRE CARTOGRAFÍA DE MADRID, 1992: 398-399) Y (EXPOSICIÓN SOBRE CARTOGRAFÍA DE MADRID, 2001: CIFRA 56, 218-219).

EJEMPLARES:

A.V.M., 0,89-32-3.

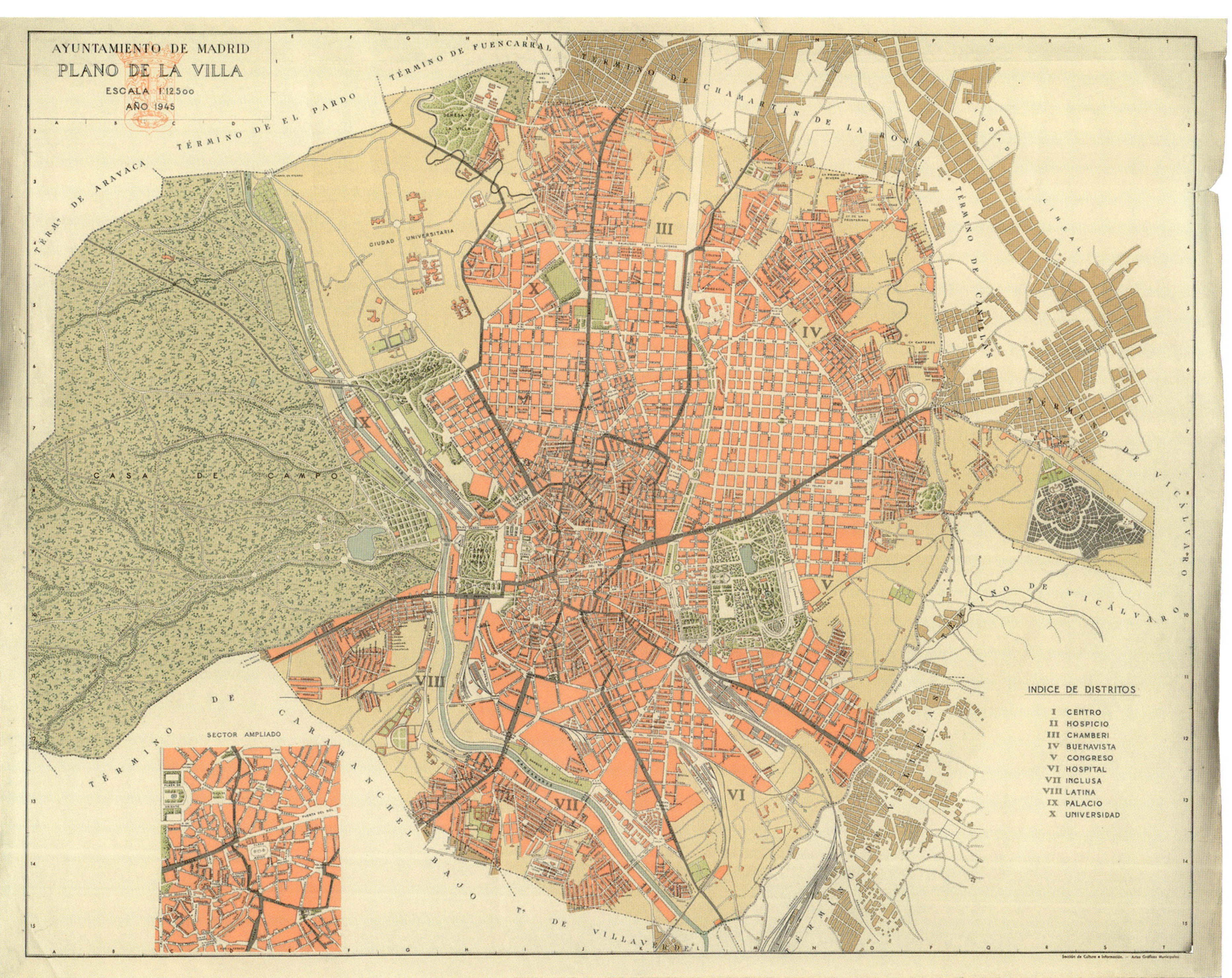

AYUNTAMIENTO DE MADRID
PLANO DE LA VILLA
ESCALA 1:12.500
AÑO 1945
TÉRMINO DE FUENCARRAL
TÉRMINO DE CHAMARTÍN DE LA ROSA
TÉRMINO DE EL PARDO
TÉRMº DE ARAVACA
TÉRMº DE ARAVACA
CIUDAD UNIVERSITARIA
CASA DE CAMPO
TÉRMINO DE CANILLAS
TÉRMINO DE VICÁLVARO
TÉRMINO DE VICÁLVARO
TÉRMINO DE CARABANCHEL BAJO
SECTOR AMPLIADO
PUERTA DEL SOL
Tº DE VILLAVERDE
I
II
III
IV
V
VI
VII
VIII
IX
X
INDICE DE DISTRITOS
I   CENTRO
II   HOSPICIO
III   CHAMBERI
IV   BUENAVISTA
V   CONGRESO
VI   HOSPITAL
VII   INCLUSA
VIII   LATINA
IX   PALACIO
X   UNIVERSIDAD
Sección de Cultura e Información. — Artes Gráficas Municipales

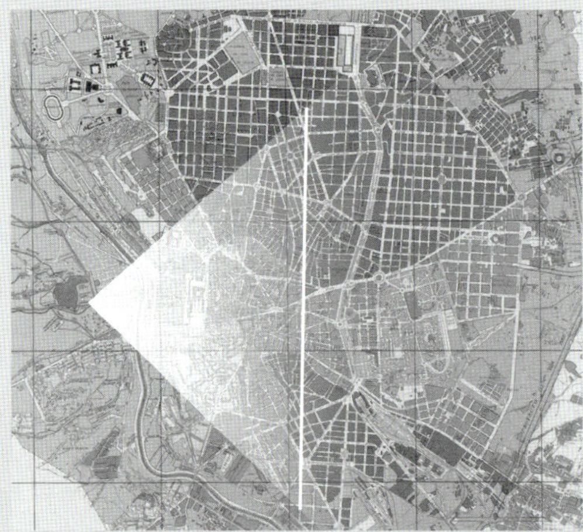

**1940-1950. Victoriano Nuere, *Vista panorámica del Madrid histórico*.
750 x 1.480 cm**

Un documento visual de interés producido en estos años es el dibujo realizado por Victoriano Nuere Beldarraín (1901-1992), centrado en el núcleo histórico de la ciudad, acotado temporalmente en el intervalo de la década inicial de la Postguerra. El dibujante vasco trabaja inicialmente con Secundino Zuazo y más tarde se incorpora a la Comisaría General de Urbanismo en relación con Pedro Bidagor. Además de abarcar la parte antigua de la ciudad, el encuadre se extiende hacia el norte de la misma, con la base de una planta en perspectiva cónica sobre la que se elevan los volúmenes de los edificios. El dibujo adopta una cierta perspectiva atmosférica al detallar en mayor medida los situados en el primer plano, disminuyendo el tamaño y el grado de información de los situados al fondo. La imagen producida parece resonar con la idea de ciudad de la Postguerra urdida por Bidagor, en la que destaca la propuesta de ordenación de la cornisa de la ciudad sobre el Manzanares como emblema de Madrid, a la que el dibujo parece en cierta medida responder.

BIBLIOGRAFÍA:

(EXPOSICIÓN SOBRE CARTOGRAFÍA DE MADRID, 1982: 241).

EJEMPLARES:

C.F.N.

1940.
1950.

Edificios artísticos, religiosos, culturales, oficiales, civiles y otros.

1. Palacio Real.
2. Teatro Real.
3. Palacio de Liria (en ruinas).
4. Cuartel del Conde Duque.
5. Museo del Pueblo Español.
6. Dirección General de Seguridad.
7. Casas Consistoriales.
8. Ministerio de Asuntos Exteriores.
9. Convento de la Encarnación.
10. Monasterio de las Descalzas Reales.
11. Residencia de los Padres Jesuitas.
12. Seminario Conciliar.
13. Casa de Panadería.
14. Antiguo Hospicio y Museo Municipal.
15. Mercado de los Mostenses.
16. Mercado de la Cebada.
17. Hospital Central del E. del Aire.
18. Servicio Histórico del Ejército.
19. Compañía Telefónica.
20. Edificio España.
21. Iglesia de San Francisco el Grande.
22. Catedral de San Isidro.
23. Iglesia de San Ginés.
24. id. de San Andrés.
25. id. de Santa Cruz.
26. Iglesia de San Pedro.
27. id. de San Ildefonso.
28. id. del Carmen.
29. id. de Monserrat.
30. Monumento a Cervantes.
31. Universidad Central.
32. Nuestra Señora de la Almudena.
33. Ministerio de Hacienda.
34. Real Acad. de B. A. de S. Fernando.
35. Real Cinema.
36. Cine Coliseum.
37. id. Lope de Vega.
38. id. Capitol.
39. Edificio de la Prensa.
40. Palacio de la Música.

V. Nudre lo dibujó

Depósito legal M-760-1979   © V. HUERE

VISTA PANORÁMICA DEL MADRID HISTÓRICO

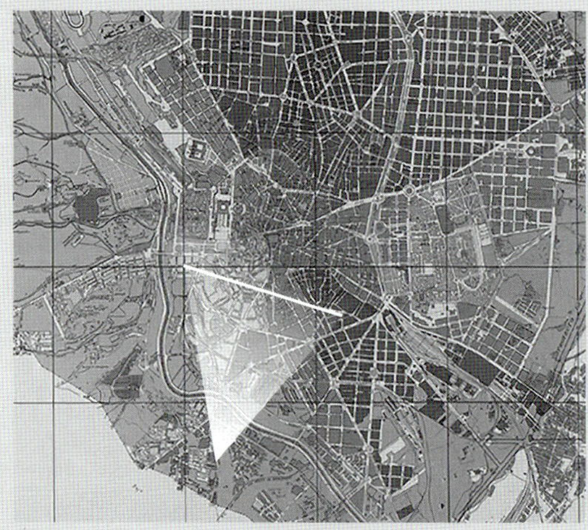

1944. Álvaro Delgado, *Madrid desde el Manzanares*. Óleo sobre cartón, 75 x 105 cm

La temprana obra de Álvaro Delgado Ramos (1922-2016), de carácter singular en su posterior trayectoria, establece un complemento de interés con respecto a la imagen de Victoriano Nuere. En el tiempo se centra en la mitad aproximada de la década y en el espacio nos ofrece la actualizada versión de la ciudad desde el suroeste. Resuena así con las versiones precedentes de Goya, Brambilla, Deroy y Beruete, actualizando el estado de la ciudad en estos años. A modo de cita de añejos recursos, el retrato urbano se enmarca en un primer plano de figuras humanas y árboles, a través del cual se destaca ante todo la presencia de la cúpula de la iglesia de San Francisco el Grande con el convento aún sin derruir. Le acompaña en importancia el Seminario, relegando al fondo el Palacio Real. Bajo ellos se despliega la desordenada ladera de la periferia aún por colmatar, resultando curiosa la ausencia del río. En relación con esta imagen tiene interés reseñar la cierta afinidad de este cuadro con una fotografía de encuadre similar enmarcada por árboles.

BIBLIOGRAFÍA:

(EXPOSICIÓN SOBRE PAISAJISTAS ESPAÑOLES, 1990: 268) Y (EXPOSICIÓN SOBRE EL MADRID PINTADO, 1992: 305).

EJEMPLARES:

M.A.C.M. (23756)

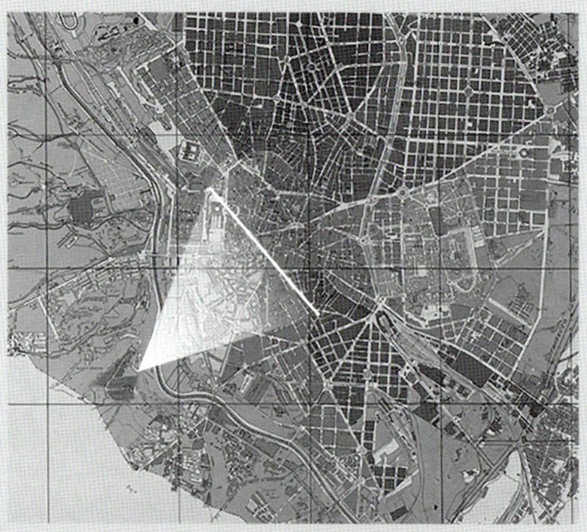

1950. Francisco Pompey, *Vista panorámica de Madrid. Homenaje al Madrid de antaño*. Óleo sobre lienzo, 150 x 175 cm

Resaltando la reiteración de esta visión de Madrid desde el altozano sobre la pradera de San isidro, se ofrece otra versión casi coetánea de la anterior debida al pintor onubense Francisco Pompey Salgueiro (1887-1974). Como expresa su subtítulo, late en esta obra una atmósfera añorante del pasado, que parece presagiar la notable y escasamente atractiva transformación que experimentará esta parte de la ciudad a lo largo del siglo XX. Al mismo artista se debe otra vista de Madrid presidida por la cúpula de San Francisco el Grande tomada desde la Casa de Campo, conservada en una colección particular. Al igual que en la vista anterior, es curiosa la ausencia del río, destacando el tratamiento de las laderas en las que se relegan las presencias industriales y se enfatizan sus aspectos rurales. La silueta de la ciudad, presidida por la cúpula de la iglesia de San Francisco y acompañada a la izquierda por el Palacio Real y el Seminario, refleja a su derecha unas masas emergentes de no inmediata interpretación. Aunque a veces se incorpora a esta obra la fecha de 1967, todo parece indicar que la visión corresponde al año enunciado en el título.

BIBLIOGRAFÍA:

(ALAMINOS, 1999) Y (ZAMBRANA, 2018).

EJEMPLARES:

M.A.C.M. (23737).

Desarrollismo y Municipio

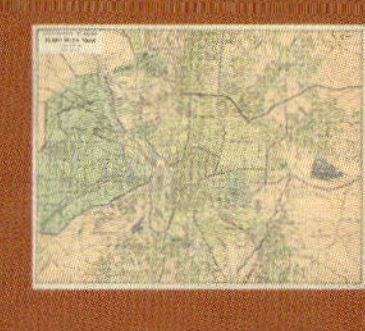

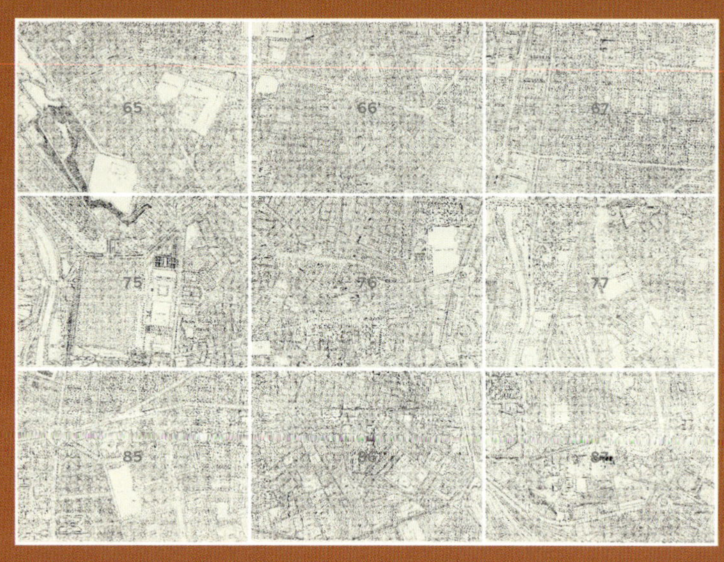

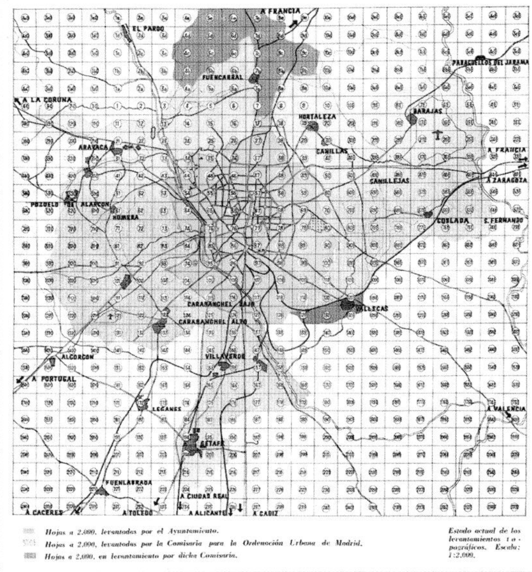

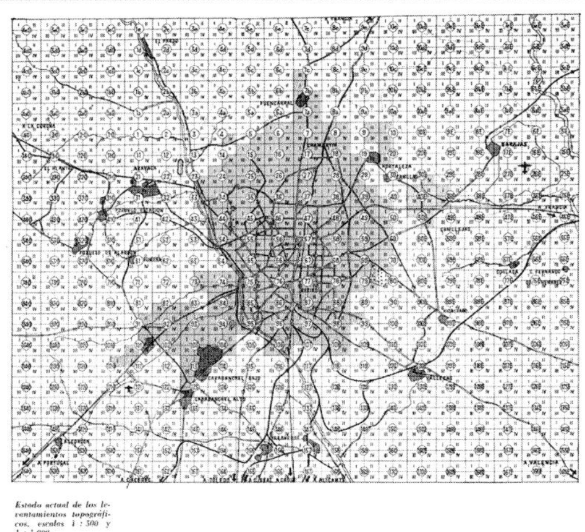

Entre 1948 y 1954 se produce un acontecimiento importante que tendrá consecuentes repercusiones en la cartografía madrileña: la anexión de trece municipios colindantes al propio término municipal de la capital de España. Como ha sido advertido, este hecho significó por un lado la notable ampliación del trabajo a escala 1:500, hasta alcanzar el abrumador número de 1.462 hojas. Al mismo tiempo, se recuperó y actualizó el antiguo formato de cartografía por distritos; como resultado de ello, algunos de los que se encontraban en el área central no se modificaron, mientras que los situados en el área periférica aumentaron notablemente su superficie. En el entorno del año 1955 se produjeron así dos series dibujadas y editadas por la Inspección General de los Servicios Técnicos del Ayuntamiento en dos escalas diferentes: una más general y lejana a 1:20.000 y otra más próxima y detallada a 1:5.000. Los doce distritos se cartografiaron así en la primera serie en trece hojas (tan sólo se desdobló en dos hojas el distrito de Universidad), mientras que la segunda serie supuso la edición del orden de entre ochenta y ciento quince hojas de distintos tamaños. Posteriormente, la división de distritos se aumentó a dieciocho.

Entre tanta producción fragmentaria, la cartografía que intentaba transmitir la planta general de Madrid conoce una edición del plano de la Villa de 1956-57 que correspondía al anterior encuadre y escala de 1:12.500, evidenciando el problema de la falta de registro de las zonas ampliadas delatada por las líneas de división de los distritos. Otra respuesta gráfica a ese problema se concretó entre 1969-1970 con la edición del plano del término municipal a la escala de 1:10.000; no se trataba ya de un plano de conjunto, a no ser que se formara por adición de las veintiocho hojas de que constaba la atractiva edición realizada por el Instituto Geográfico. Entre ambas dinámicas a medio camino entre la cartografía y las divisiones administrativas, durante estos años continuó el desarrollo y actualización del plano parcelario, del que se ofrece aquí la edición de las hojas del casco histórico correspondiente a 1960.

En el criterio aquí seguido de adjuntar algunos complementos visuales a la producción cartográfica de proyección vertical basada en la planta urbana, es curiosa la intensa producción en estas fechas de dibujos volumétricos que recuperan en concepto de vista aérea o de pájaro basados en una cierta proyección paralela o de perspectiva cónica. En el primer caso se puede referir la obra de José Loeches de 1961 realizada para la conmemoración del cuarto centenario de la capitalidad. En el segundo, y a modo de continuación del dibujo antes presentado de Victoriano Nuere, tiene su interés adjuntar la *Perspectiva parcial del centro de Madrid*, fechada entre 1970 y 1979. En el apartado pictórico se rinde aquí un homenaje a Isabel Quintanilla y a los nuevos retratos de la periferia, con la reproducción de su interpretación de Vallecas.

PLANOS:

1957. Ayuntamiento de Madrid, *Plano de la Villa*, 1:12.500.

1960. *Plano parcelario de Madrid*, 1:2.000.

1970. Ayuntamiento de Madrid, Instituto Geográfico Nacional, *Plano de Madrid*, 1:10.000.

VISTAS:

1961. José Loeches, *Plano parcial de la Villa de Madrid*.

1970-1979. Victoriano Nuere, *Perspectiva parcial del centro de Madrid*.

1982. Isabel Quintanilla, *Vallecas*.

1957
Ayuntamiento de Madrid
Plano de la Villa

Plano de la Villa / Ayuntamiento de Madrid

Escala, 1:12.500.
Madrid: Sección de Cultura, Artes Gráficas Municipales, [1957].
1 plano: Iº., cromolitografía en papel, 79'5 x 104'5 cm.

Tras la anexión de trece municipios limítrofes en el término municipal de Madrid, (los de Aravaca, Barajas, Canillas, Canillejas, Carabanchel Alto y Bajo, Chamartín de la Rosa, Fuencarral, Hortaleza, El Pardo, Vallecas, Vicálvaro y Villaverde), la Oficina Cartográfica del Plano de Madrid, convertida en Sección Cartográfica de la Inspección General de los Servicios Técnicos, acometió la tarea de formalizar el plano ciudad incluyendo los territorios de los antiguos términos. Sus trabajos se materializaron en varias series cartográficas a las escalas de 1:50.000, 1:20.000 y 1:5.000, los cuales condensaron toda la información relativa al parcelario urbano. Todos ellos representaban la nueva distribución de los distritos, a saber 1, Centro, 2, Latina, 3, Universidad, 4, Chamberí, 5, Tetuán, 6, Chamartín, 7, Ventas, 8, Buenavista, 9, Retiro-Mediodía, 10, Arganzuela-Villaverde, 11, Carabancheles, y 12, Vallecas. Realizados mediante cromolitografía por las Artes Gráficas Municipales, la distinta extensión de cada distrito se solventó mediante la edición en doce series, una para cada distrito, con un número variable de planos respectivos, desde los representados en una sola hoja, como por ejemplo los de Centro, Buenavista o Chamberí, hasta los cuarenta y dos de uno de los más extensos, el de Universidad. Este plano, editado en 1957, es uno de los resultados de esta serie cartográfica.

BIBLIOGRAFÍA:

(EXPOSICIÓN SOBRE CARTOGRAFÍA DE MADRID, 1982: CIFRA 133, 202-203) Y (EXPOSICIÓN SOBRE CARTOGRAFÍA DE MADRID, 1992: 426-427).

EJEMPLARES:

A.V.M., 0,89-29-6.
I.G.N., CARTOTECA, 10-D-14.

AYUNTAMIENTO DE MADRID
PLANO DE LA VILLA
ESCALA 1:12.500
AÑO 1956-57
TETUAN
CHAMARTIN
UNIVERSIDAD
CHAMBERI
VENTAS
Bº BUENAVISTA
CASA DE CAMPO
LATINA
CENTRO
RETIRO-MEDIODIA
CARABANCHELES 11º
ARGANZUELA-VILLAVERDE 10º
9º
12º VALLECAS

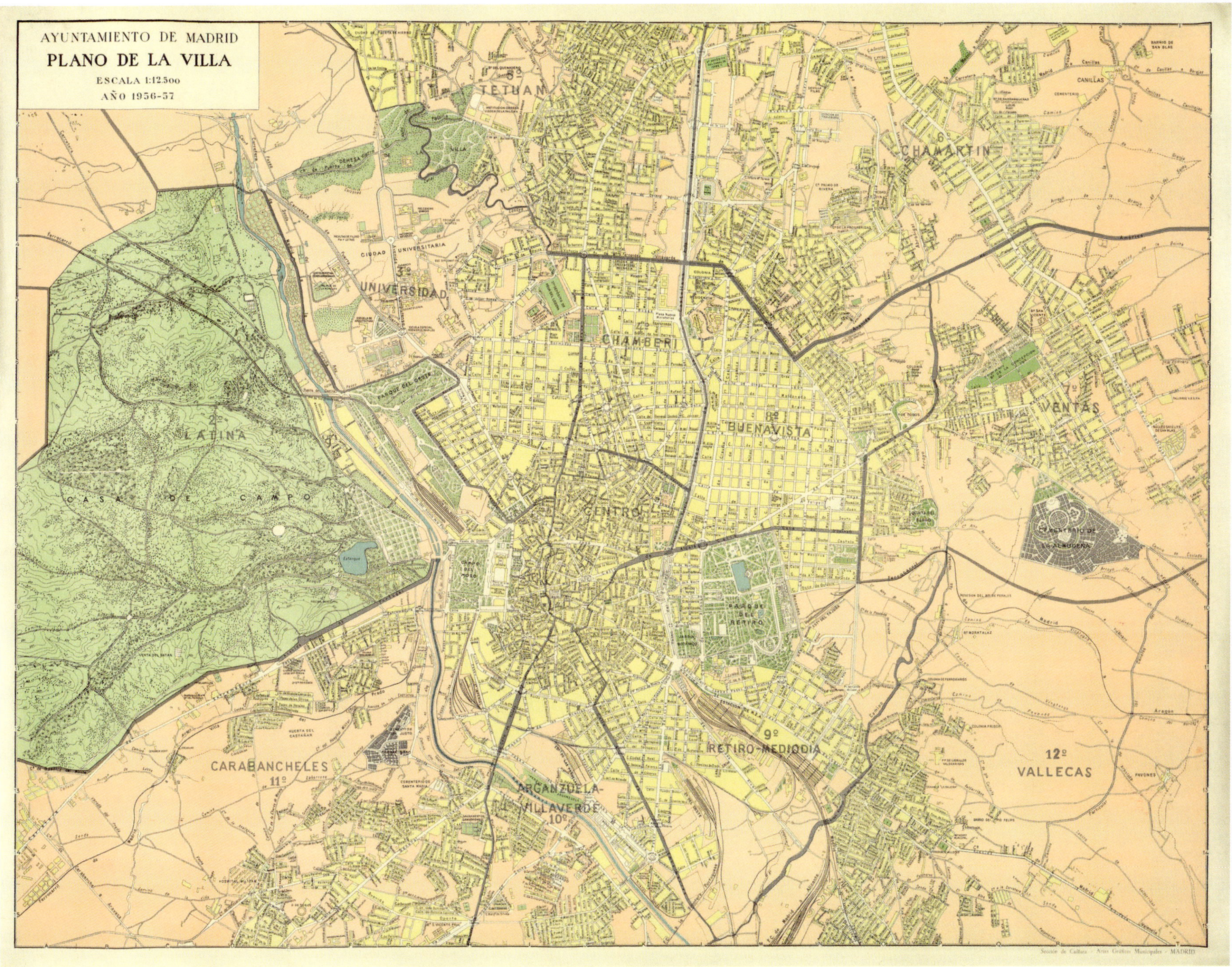

I.G.N.

1960
Ayuntamiento de Madrid
Plano parcelario de Madrid

PLANO PARCELARIO DE MADRID / AYUNTAMIENTO DE MADRID

Escala, 1:2.000.
Madrid: Ayuntamiento de Madrid, 1960.
1 plano: lº., 9 hh., 50 x 75 cm.

Ya se ha advertido que, al margen de la producción cartográfica acometida por las distintas instituciones, el Ayuntamiento de Madrid y el Instituto Geográfico Nacional proseguían con la labor cotidiana de actualización del plano parcelario municipal editado por hojas. Éstas se dibujaban a la escala de 1:500, con versiones reducidas a 1:1.000 y 1:2.000. De la considerable labor realizada, aquí se presentan tan sólo las hojas correspondientes al casco histórico, en las que se advierten las grandes parcelas en blanco de uso militar, cuya representación quedaba reservada al ejército y se excluía de la información pública. Aunque la calidad de la reproducción a línea es limitada, esta tercera secuencia de los mismos encuadres ilustra objetivamente de las transformaciones operadas en la ciudad; como se verá en el epígrafe siguiente, esta serie se completará con las ediciones finales de esta base cartográfica.

EJEMPLARES:

GEOPORTAL DEL AYUNTAMIENTO DE MADRID

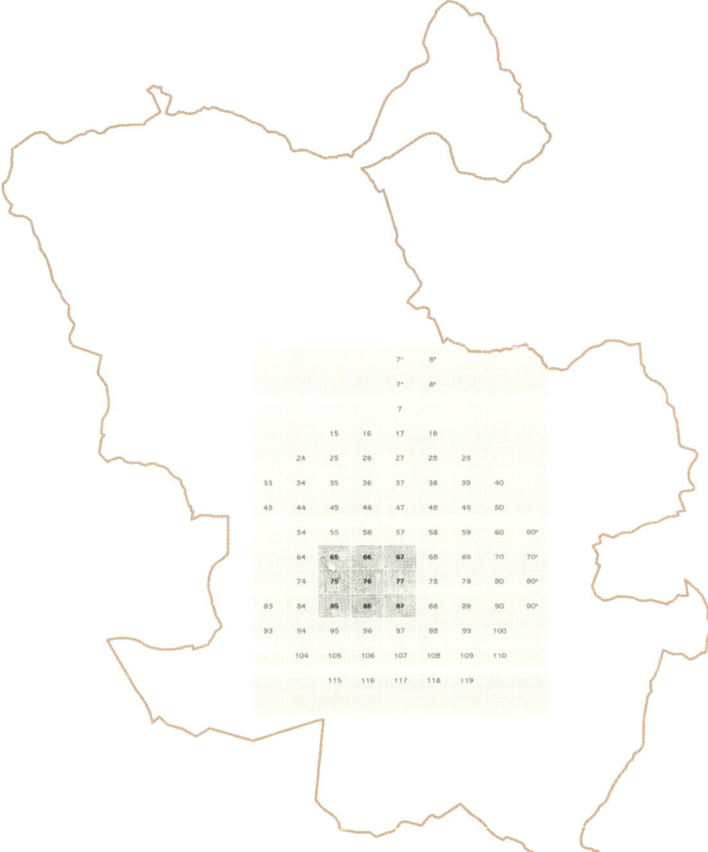

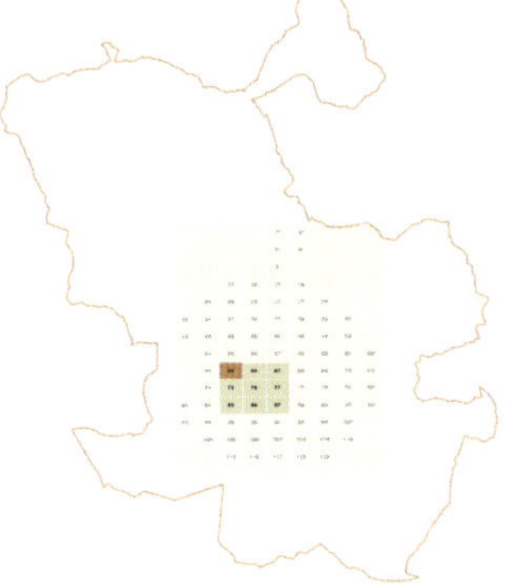

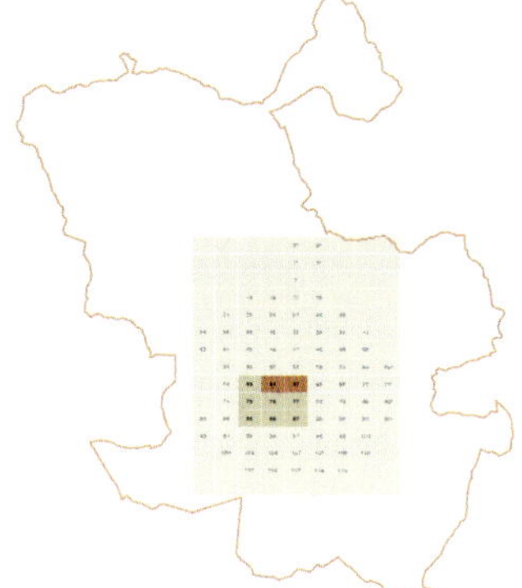

65	66	67
75	76	77
85	86	87

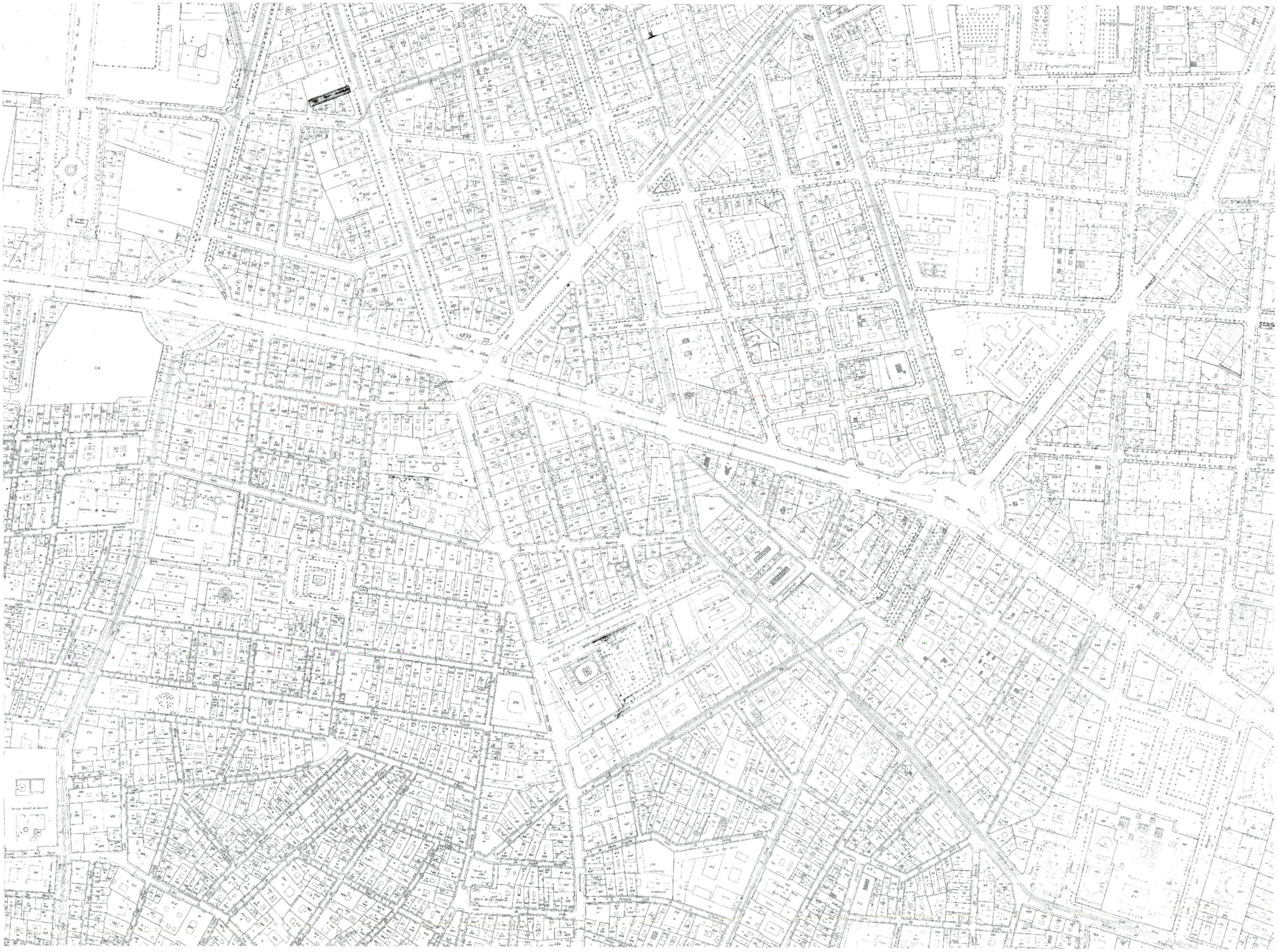

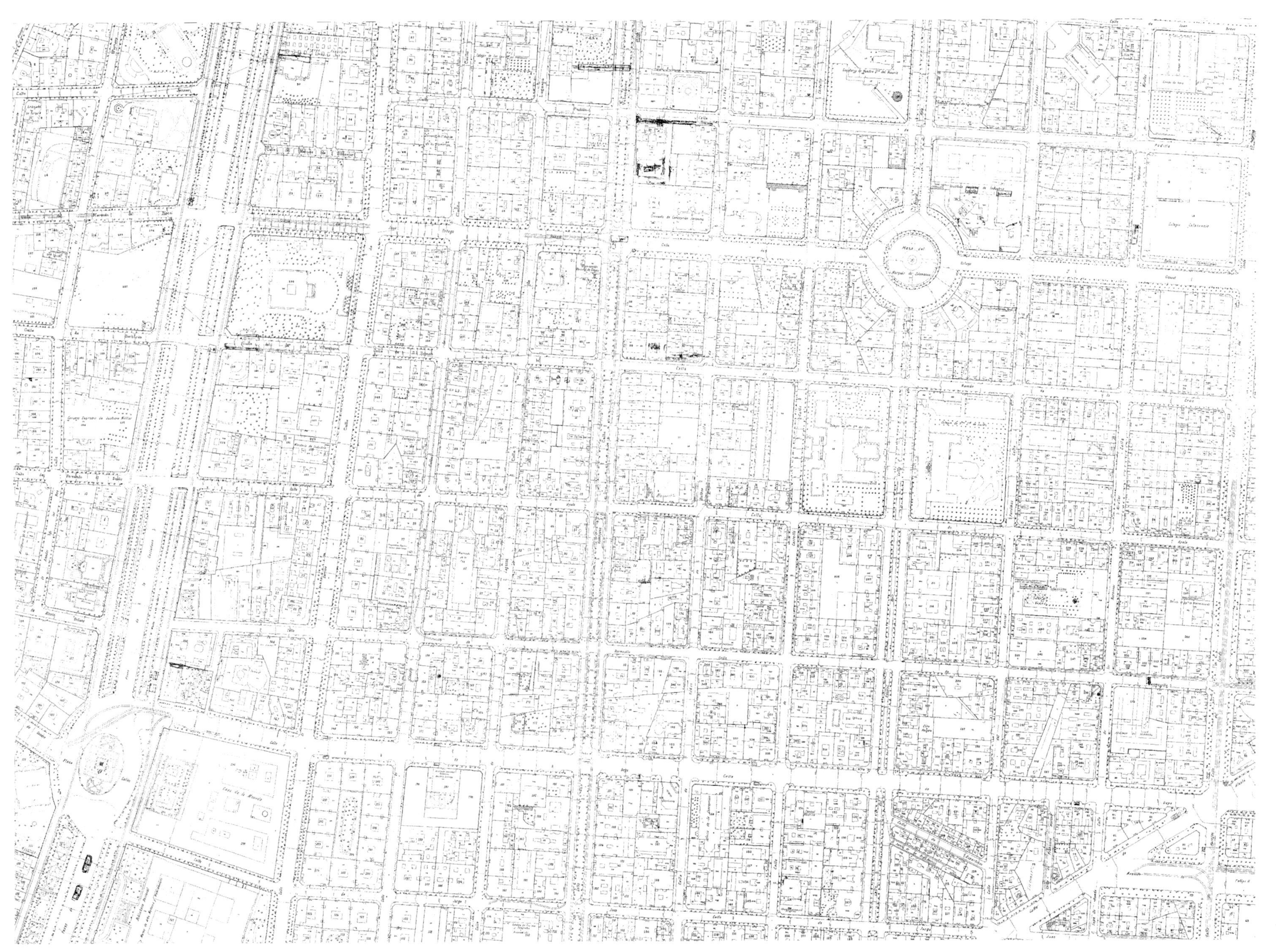

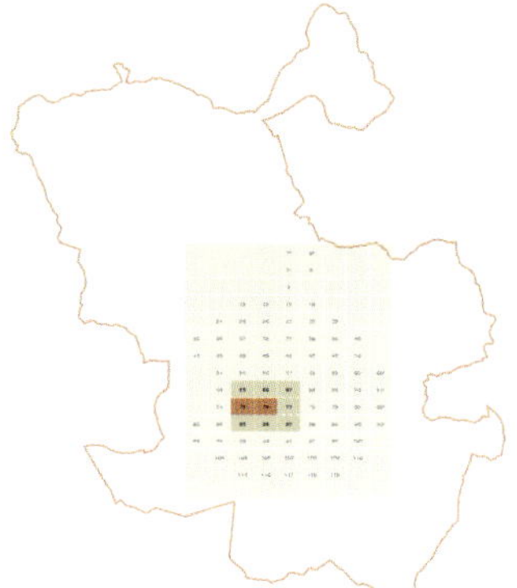

65	66	67
75	76	77
85	86	87

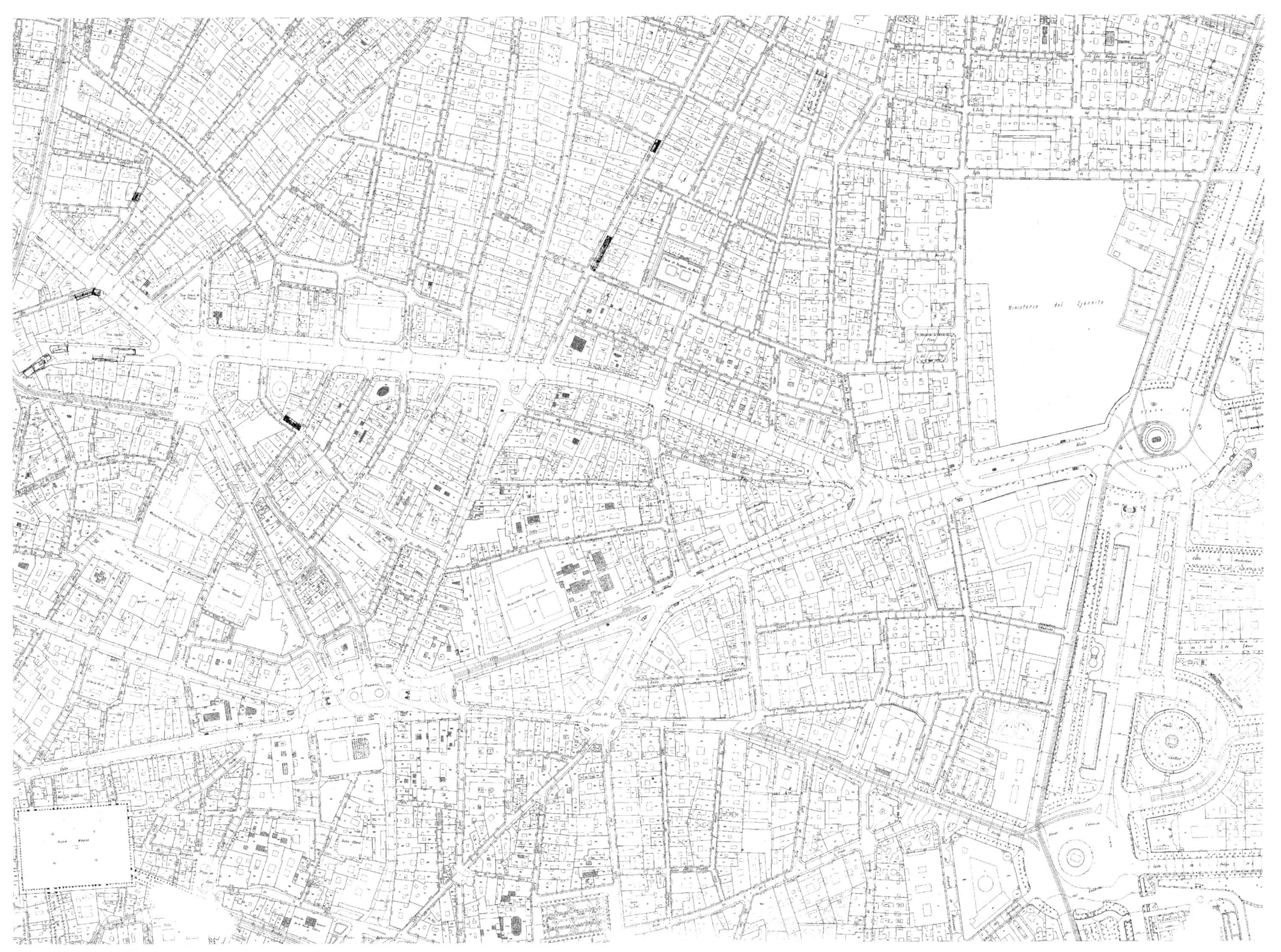

Ministerio del Ejercito

65
66
67
75
76
77
85
86
87

PARQUE DEL RETIRO

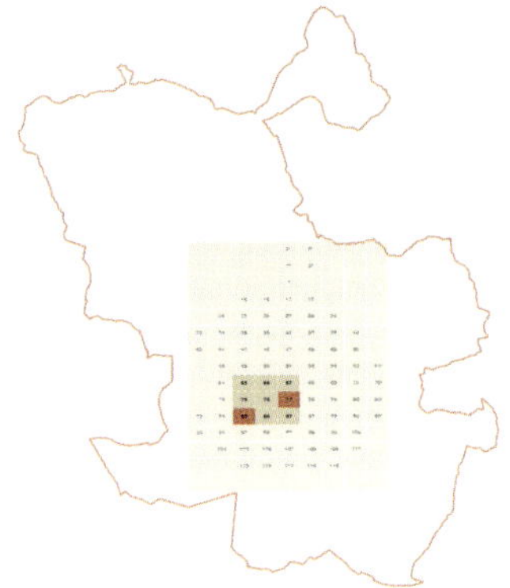

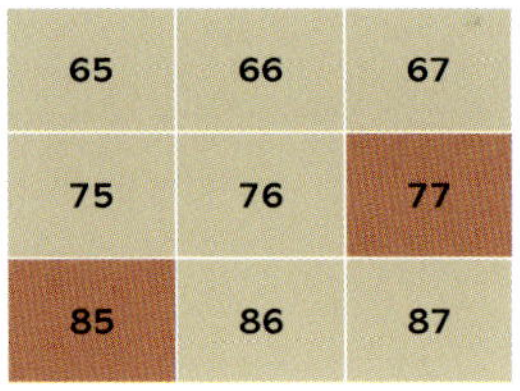

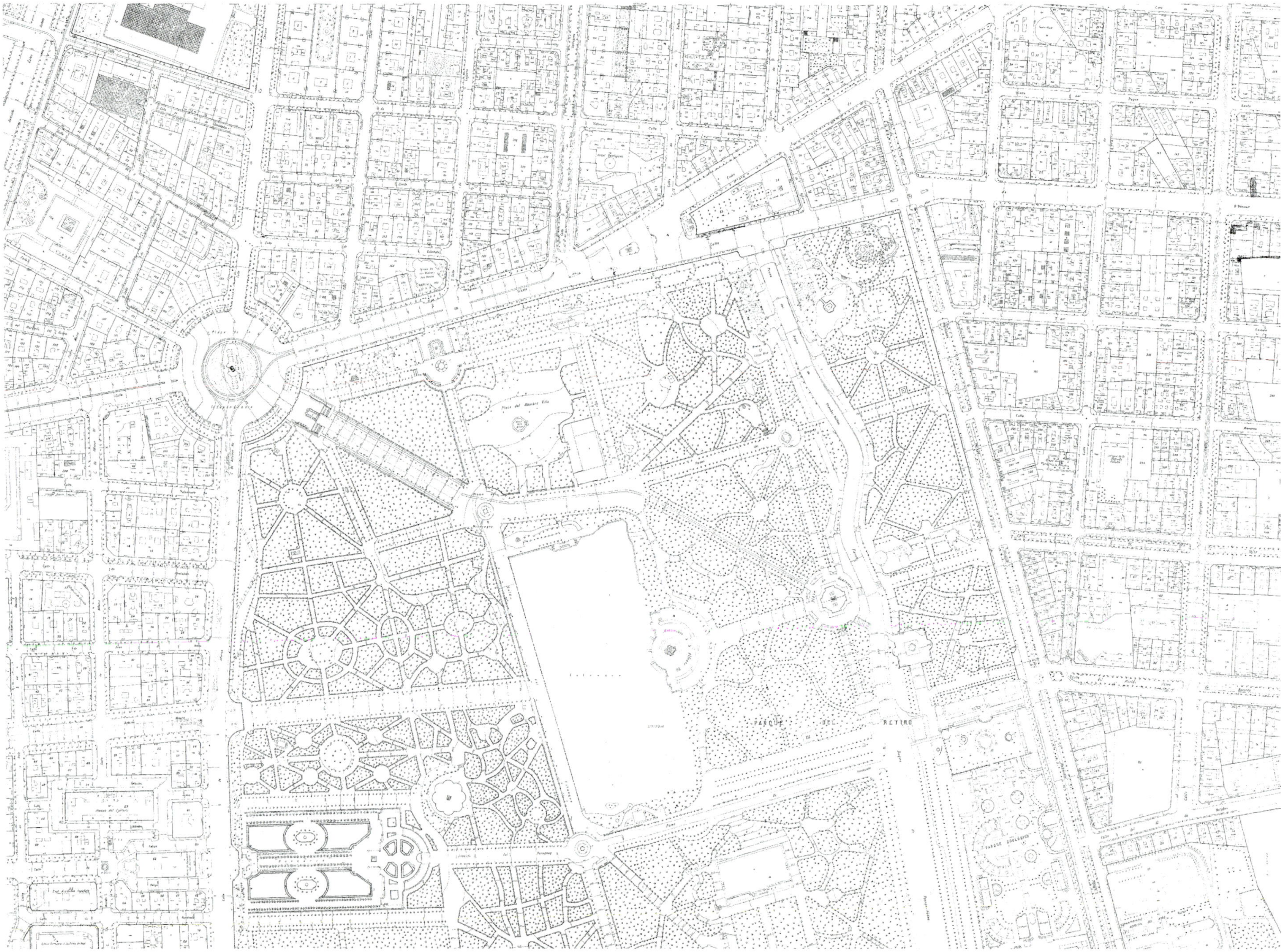

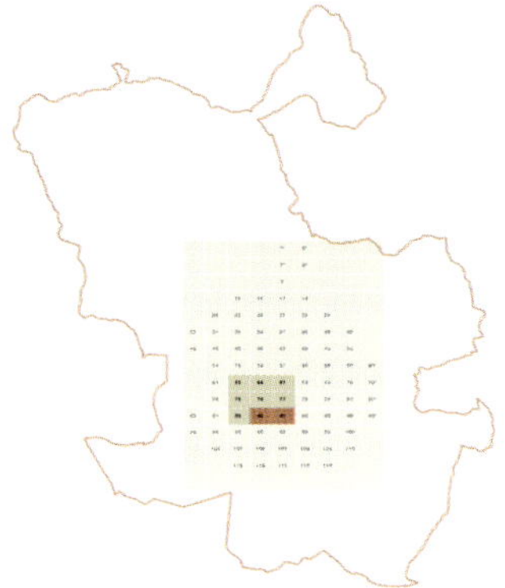

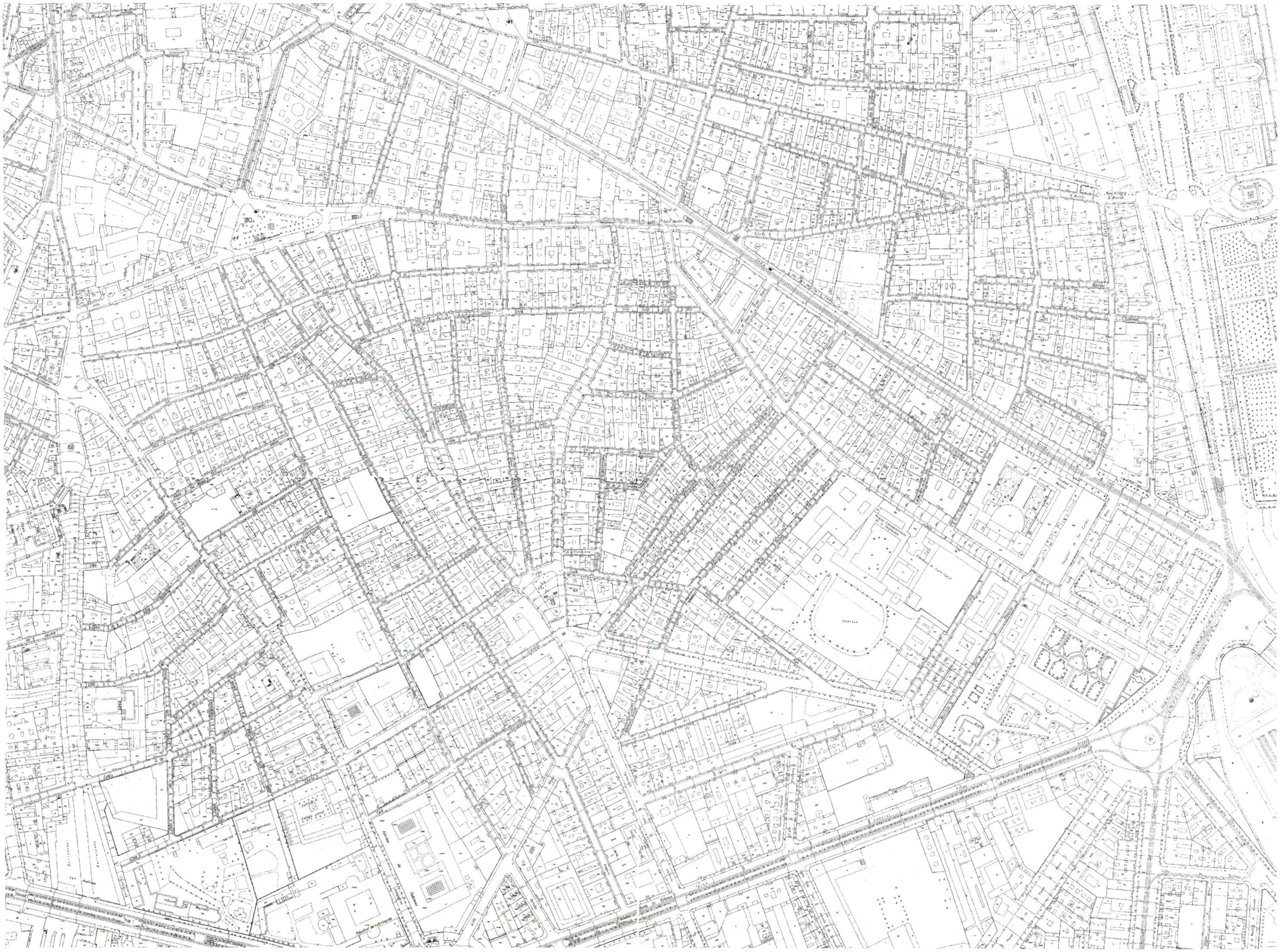

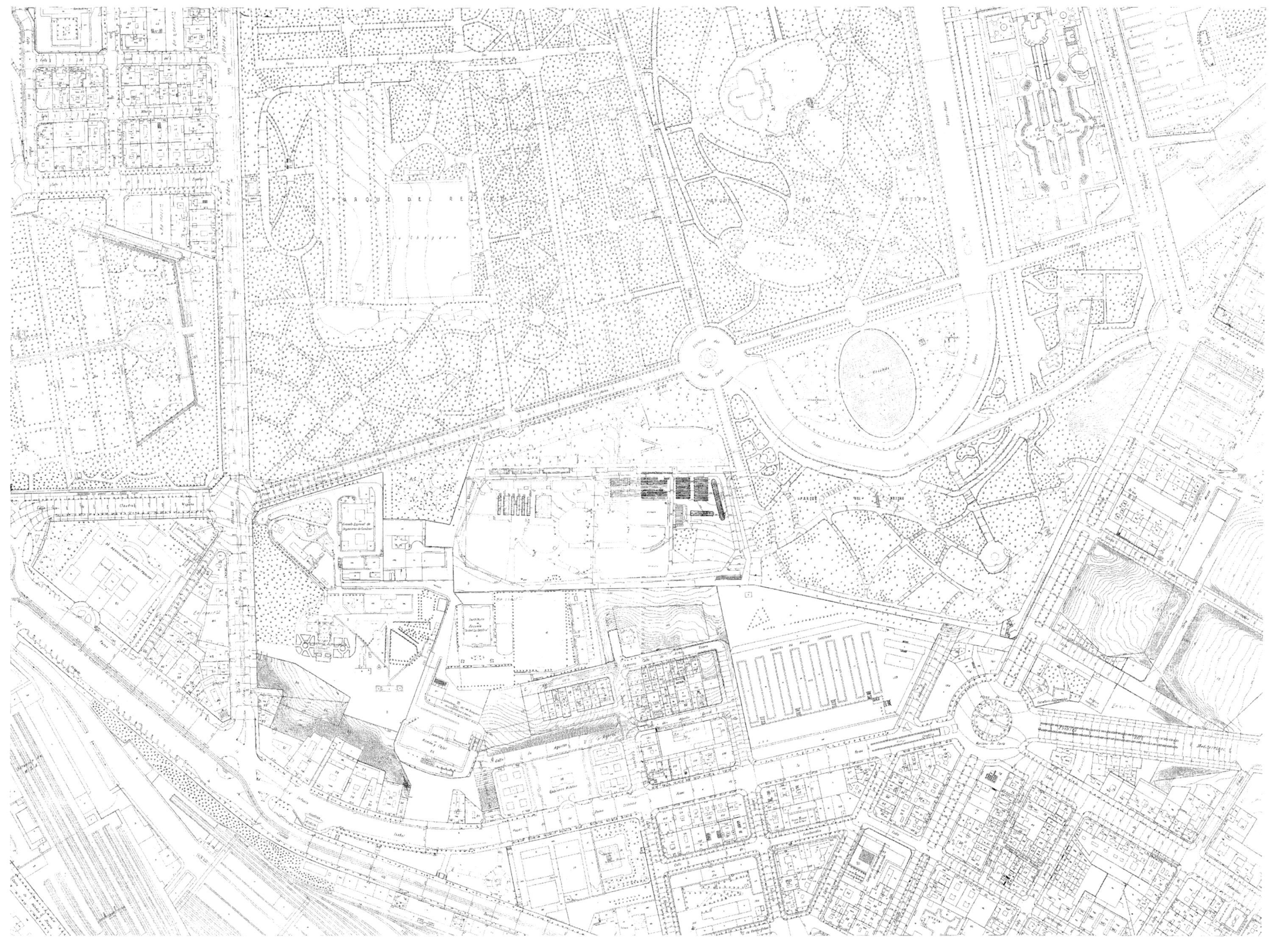

1970
Ayuntamiento de Madrid, Instituto Geográfico Nacional
Plano de Madrid

PLANO DE MADRID / AYUNTAMIENTO DE MADRID

Escala, 1:10.000.
Madrid: Ayuntamiento de Madrid, 1970.
1 plano: I°., cromolitografía en papel, 28 hh., 50 x 75 cm.

Esta obra cartográfica es una síntesis geográfica del término municipal de Madrid, y supuso un importante complemento del plano parcelario por hojas antes presentado. Para su realización se efectuó en 1969 un vuelo fotogramétrico a la escala de 1:15.000, completándose con una labor de campo; el plano incorpora las coordenadas del meridiano de Greenwich, y señala la traza general de la ciudad con la correspondiente demarcación de los barrios y distritos entonces vigente. En el nuevo documento se incorporan en cuadrícula numerada las referencias a las hojas del parcelario, distinguiéndose sobre el fondo malva de la masa edificada algunos edificios emblemáticos con tono anaranjado. El dibujo incorpora curvas de nivel con intervalo de cinco metros, expresando a su vez el reflejo de los elementos naturales. Se trata de una obra escasamente conocida debido probablemente a su fraccionada edición por hojas; para evidenciar el atractivo y calidad de este plano se ofrece aquí un montaje general, cuyo tamaño real sería de cuatro por tres metros, que sirve a su vez como referencia a las cuatro hojas aquí reproducidas, ceñidas al casco histórico y su entorno inmediato.

BIBLIOGRAFÍA:

(EXPOSICIÓN SOBRE CARTOGRAFÍA DE MADRID, 1982: CIFRA 143, 210) Y (EXPOSICIÓN SOBRE CARTOGRAFÍA DE MADRID, 1992: 434-439).

EJEMPLARES:

A.V.M., 0,69-61-1.

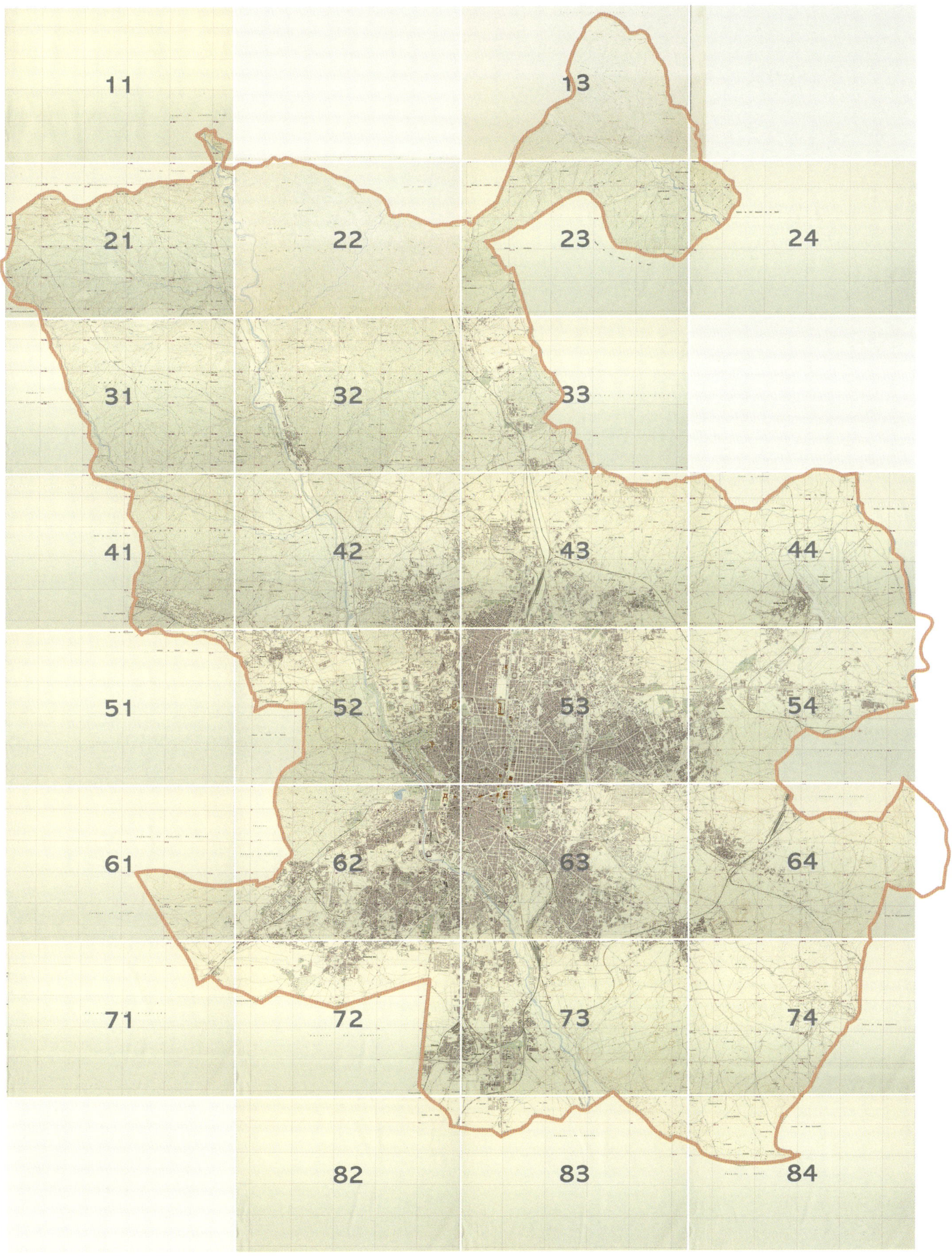
11
13
21
22
23
24
31
32
33
41
42
43
44
51
52
53
54
61
62
63
64
71
72
73
74
82
83
84

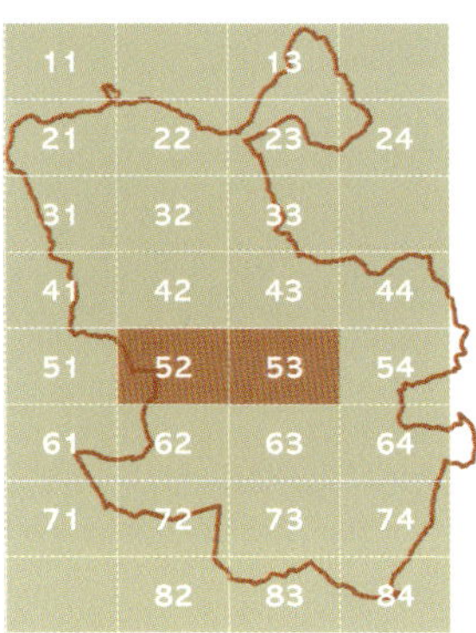

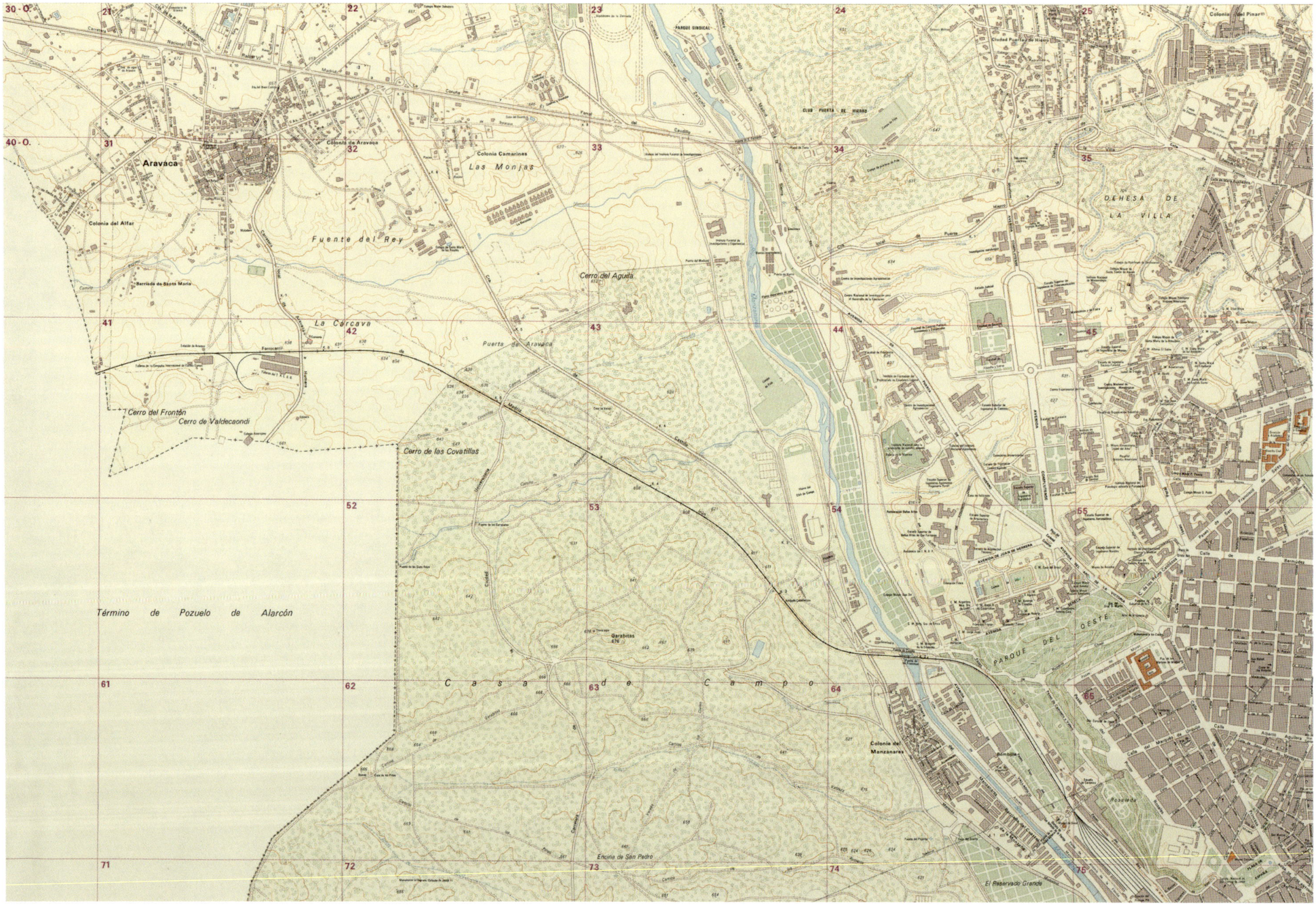

Aravaca
Colonia de Aravaca
Colonia Camarines
Las Monjas
Colonia del Alfar
Fuente del Rey
Barriada de Santa María
Cerro del Águila
La Cárcava
Puerta de Aravaca
Cerro del Frontón
Cerro de Valdecaondi
Cerro de las Covatillas
Término de Pozuelo de Alarcón
Casa de Campo
Colonia del Manzanares
Encina de San Pedro
El Reservado Grande
Colonia del Pinar
Ciudad Puerta de Hierro
Club Puerta de Hierro
Parque Sindical
DEHESA DE LA VILLA
PARQUE DEL OESTE
Garabitas

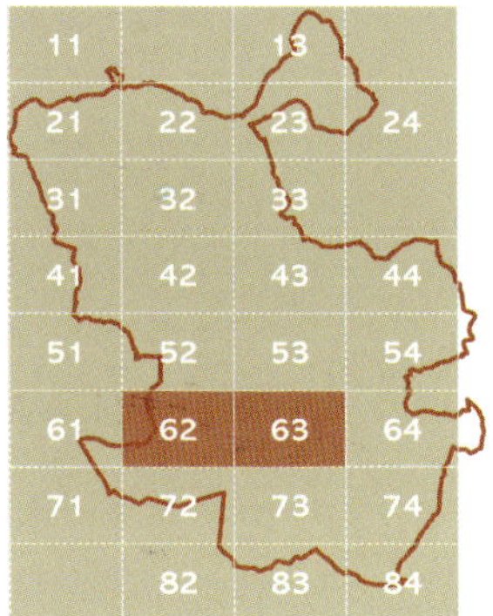

11
13
21
22
23
24
31
32
33
41
42
43
44
51
52
53
54
61
62
63
64
71
72
73
74
82
83
84

Casa de Campo
Término de Pozuelo de Alarcón
Huerta del Castañar
Cerro de Almodóvar
Campo del Moro
Parque de la Arganzuela
Parque del Sur
71
72
73
74
75
81
82
83
84
85
91
92
93
94
95
110-O.
101
102
103
104
105
120-O.
111
112
113
114
115
130-O.
121
122
123
124
125

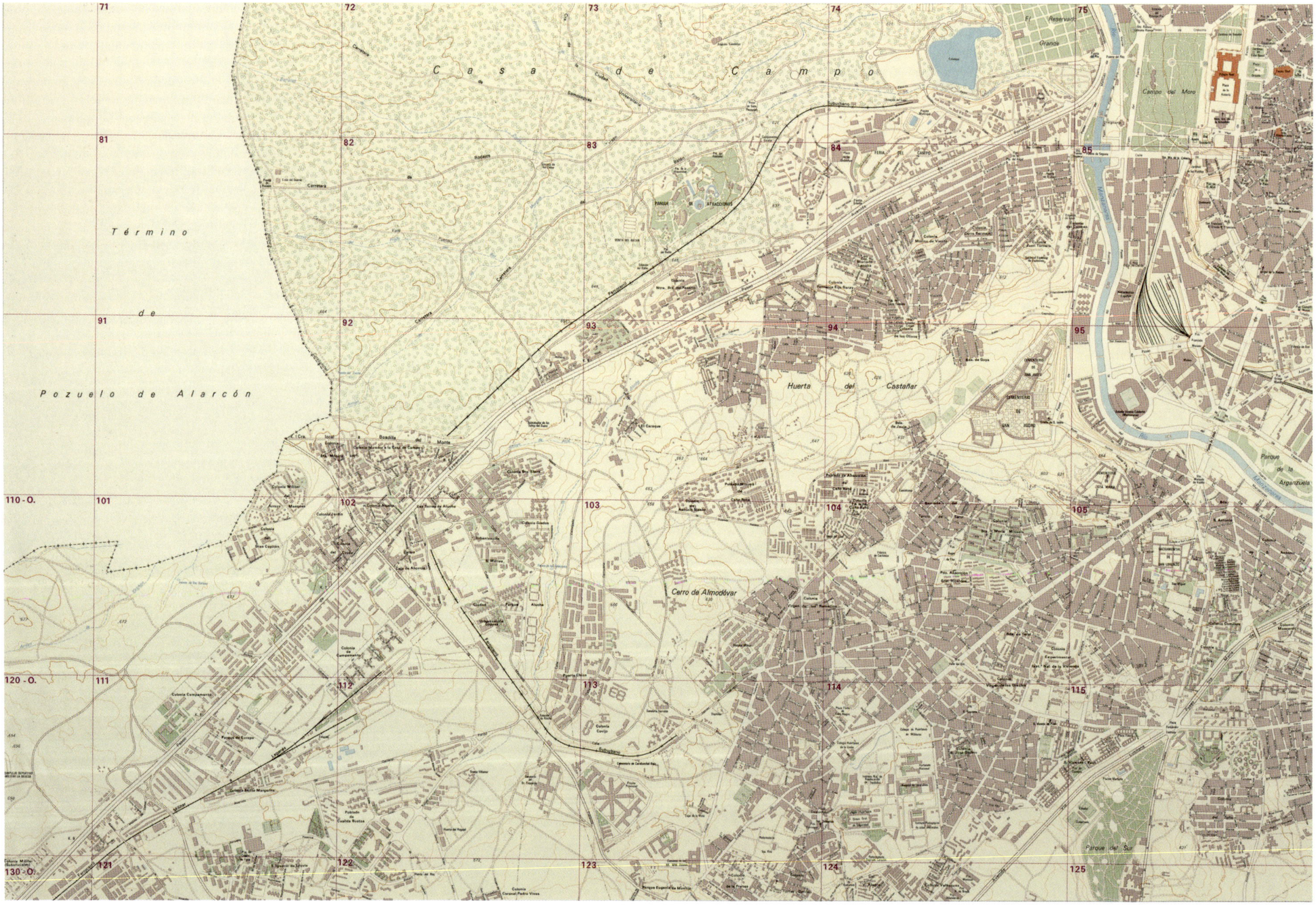

1961. José Loeches, *Plano parcial de la / VILLA DE MADRID/...*
62'5 x 84'2 cm

El dibujo, realizado por José Loeches Martínez (1913-1980) con motivo de la conmemoración del IV centenario de la capitalidad, recupera el planteamiento narrativo de los planos del siglo XVII. El trabajo de construir nuevamente la imagen del volumen de los edificios sobre la planta de la ciudad vista desde el sur se desarrolló al parecer durante tres años; el éxito de este trabajo propició que el autor realizara posteriormente dibujos similares de otras ciudades españolas. El delicado reflejo de los edificios, en color sepia para el conjunto y en verde para algunos monumentos, trata de respetar y sugerir el trazado de las calles. El plano se editó por la Dirección General de Turismo con una tirada de 300.000 ejemplares gratuitos; se trataba de un folleto plegado de 31 por 14 cm presentando en la otra cara informaciones complementarias sobre la ciudad con dibujos de Antonio Mingote y maquetación de José García Ochoa.

BIBLIOGRAFÍA:

(EXPOSICIÓN SOBRE CARTOGRAFÍA DE MADRID, 1982: CIFRA 135, 207-208).

EJEMPLARES:

M.H.M., IN. 10.037.

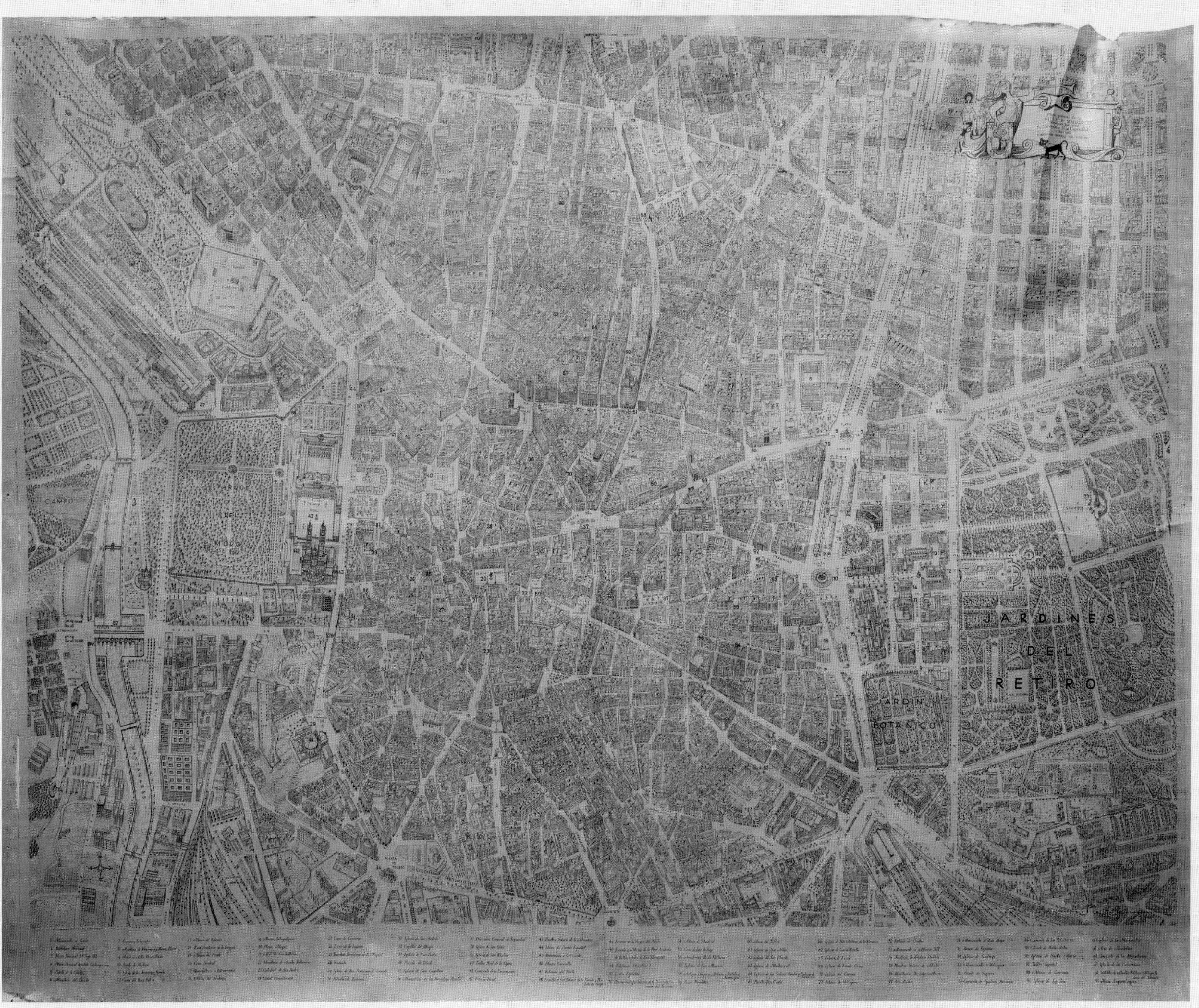

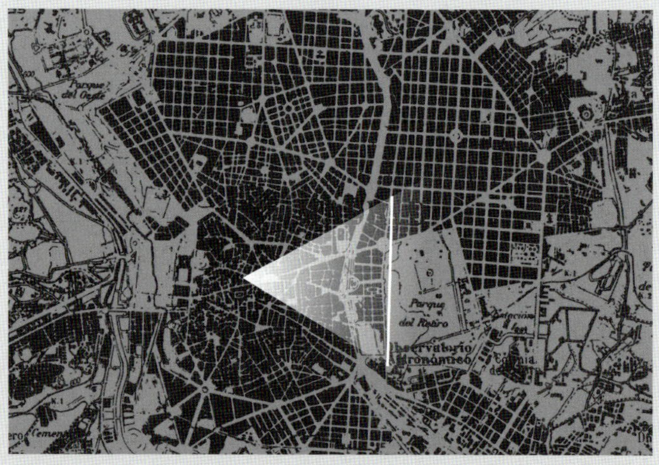

1970-1979. Victoriano Nuere, *Perspectiva parcial del centro de Madrid*.
648 x 1.360 cm

Como si de una segunda entrega del dibujo atrás citado de los años cuarenta se tratase, Victoriano Nuere parece seguir trabajando por decenios, editando esta segunda imagen dibujada de Madrid. Desde la propia coherencia de su peculiar narrativa, al cabo de veinte años avanza en el espacio hacia el este mediante una planta en ligera deformación perspectiva sobre la que emergen los edificios. En ellos se recogen y actualizan las nuevas presencias en la ciudad, constituyendo a su vez un complemento espacial y temporal del Madrid de Loeches. Entre ambas imágenes cabe reseñar las vistas urbanas de 1972 de Ayala y Velasco que repite el encuadre de Loeches, así como la singular vista desde el norte del casco de la ciudad en relación con el Banco Exterior de España.

BIBLIOGRAFÍA:

(EXPOSICIÓN SOBRE CARTOGRAFÍA DE MADRID, 1982: CIFRA 135, 240).

EJEMPLARES:

C.F.N.

1.970
1979
PERSPECTIVA PARCIAL DEL CENTRO DE MADRID

EDIFICIOS ARTISTICOS, RELIGIOSOS, CULTURALES Y OTROS, SITUADOS A LA IZQUIERDA DE CIBELES.
1. Cuartel General del Ejército.
2. Banco Central.
3. Banco Urquijo.
4. Banco de Vizcaya.
5. Parroquia de San José.
6. Casa de las Siete Chimeneas.
7. Organización Nacional de Ciegos.
8. Iglesia de las Calatravas.
9. Banco Vitalicio de España.
10. Casino de Madrid.
11. R. Acad. de Bellas Artes de San Fernando.
12. Ministerio de Hacienda.
13. Parroquia del Carmen.
14. Comp. Telef. Nacional de España.
15. Real Academia de Farmacia.
16. Sdad. Gral. de Autores de España.
17. Parroquia de Santa Barbara.
18. Palacio de Justicia.
19. Colegio Liceo Francés.
20. Centro Colón. Rumasa. S.A.
21. Torres de Jerez. Rumasa. S.A.
22. Presidencia del Consejo de Ministros.
23. Embajada Británica.
24. Hermanitas de los Pobres.
25. Ministerio del Interior.
26. Banco Español de Crédito.
27. Hotel Villamagna. Bº H. Americana.
28. Cine Carlos III. Sanvi Hotel.
29. Biblioteca Nacional. Mº Arqueológico.
30. Vivienda del autor de esta perspectiva.
31. Unión Española de Explosivos.
32. Embajada de Alemania.
33. Banco Intercontinental.
34. Antiguo Hospicio y Mº Municipal.
35. Tribunal de Cuentas del Reino.
36. Iglesia de S. Antonio de los Alemanes.
37. Iglesia de San Antón.
38. Colegio de Santa Isabel.
39. Iglesia de la Magdalena.
40. Mutualidad Laboral de Comercio.
41. Mercado de Barceló.
42. Grupo Escolar Isabel la Católica.
43. Banco de Crédito a la Construcción.
44. Caja de Ahorros y Monte de Piedad.
45. Banca Más Sardá.

EDIFICIOS ARTISTICOS, RELIGIOSOS, CULTURALES Y OTROS, SITUADOS A LA DERECHA DE CIBELES.
1. Banco de España.
2. Palacio de Comunicaciones.
3. Cuartel General de la Armada.
4. Bolsa Oficial del Comercio.
5. Ministerio de Educación y Ciencia.
6. Círculo de Bellas Artes.
7. Cámara de Comercio de Suecia.
8. Teatro de la Zarzuela.
9. Banco de Bilbao.
10. Dirección General de Seguridad.
11. Teatro Español.
12. Real Academia de la Historia.
13. Monumental Cinema.
14. Parroquia de S. Salvador y S. Nicolás.
15. Casa Museo de Lope de Vega.
16. Imprenta de Juan de la Cuesta. (Ruinas)
17. Monasterio M.M. Trinitarias.
18. Palace Hotel.
19. Palacio de las Cortes.
20. Archicofradía de Jesus Nazareno.
21. Ateneo de Madrid.
22. Minist.º de Sanidad y Seguridad Social.
23. Museo de Pinturas del Prado.
24. Hotel Ritz.
25. Parroquia de S. Jerónimo el Real.
26. Real Academia de la Lengua.
27. Museo de Reproducciones Artísticas.
28. Museo del Ejército.
29. Instituto Nacional de Previsión.
30. Grupo Escolar Palacio Valdés.
31. Cine San Carlos.
32. Hospital Provincial.
33. Facultad de Medicina de S. Carlos.
34. Convento de Santa Isabel.
35. Parroquia de San Sebastian.
36. Mercado de Abastos.
37. Teatro Calderón.
38. Frontón Madrid.
39. Ministerio de Agricultura.
40. Museo Nacional de Etnología.
41. Observatorio Astronómico.
42. Cine Albéniz.
43. Cine del Progreso.
44. Cine Fígaro.
45. Dª Gral. del Tesoro Deuda Pyl. Pasivas.

Teodoriano Nieve.
17 de Julio de 1979.

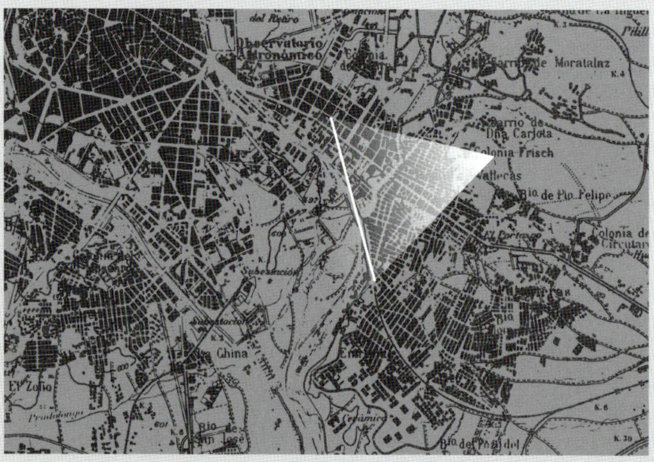

1982. Isabel Quintanilla, *Barrio de Vallecas*. Óleo sobre lienzo, 86 x 105 cm

La imagen pictórica realizada por Isabel Quintanilla (1938-2017) sirve para añadir a los dibujos anteriores un registro distinto, tanto en su temática como en los medios de representación de la imagen; frente a la atención al centro histórico de la ciudad y el añejo recurso ilustrativo de la vista de pájaro, el óleo de la artista se basa en una estricta construcción perspectiva y atiende a una parte de la periferia de Madrid. En lo que a la temática se refiere, sirve aquí de cierto enlace y transición entre el precedente antes observado de Beruete y el conjunto realizado por Antonio López que ilustra el siguiente apartado. En este sentido, resulta curiosa la doble versión de este mismo tema realizada por el pintor, con una primera aproximación coetánea a la aquí presentada y su continuidad con la versión realizada quince años después que se puede observar en el epígrafe siguiente.

BIBLIOGRAFÍA:

(EXPOSICIÓN SOBRE EL MADRID PINTADO, 1992: 334-335) Y (SALUZZO, 2003).

EJEMPLARES:

C.P.

El final de una era cartográfica

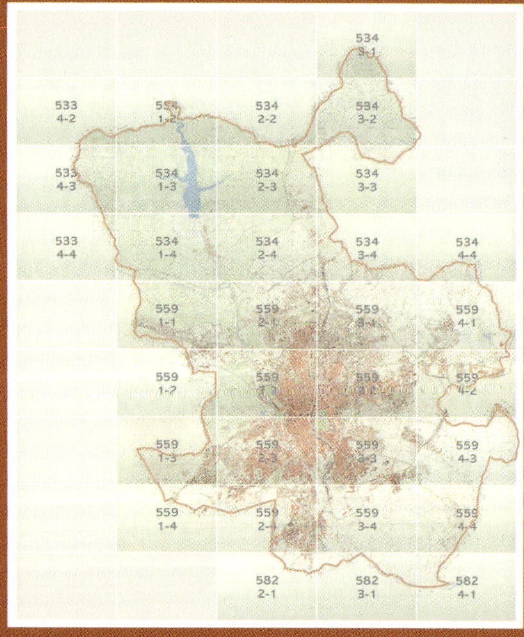

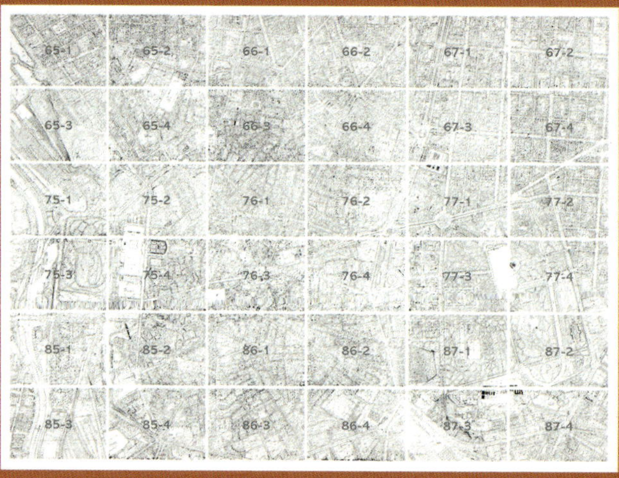

El recorrido hasta aquí efectuado sobre los testimonios cartográficos de la ciudad de Madrid a lo largo de su historia finaliza en las dos últimas décadas del siglo XX. Estos años suponen una etapa de transición entre las técnicas y procedimientos que se pueden denominar como tradicionales o analógicos y la consolidación de los recursos digitales, tanto en la producción cartográfica como en los soportes de edición y disponibilidad de la misma. Las dos primeras décadas del siglo actual, con la acelerada y vertiginosa irrupción de tantos tipos de recursos sobre la información urbana en soportes tan diferentes, necesitan una cierta distancia y reflexión que está por realizar en el futuro. Resaltemos sobre ello dos aspectos que pueden complementar la perspectiva histórica adoptada hasta el momento. El primero se refiere a las novedades en la gestión y visualización de la información urbana del presente, casi accesible en tiempo real. El segundo, de gran interés a nuestros efectos, es la creciente disponibilidad de los testimonios cartográficos de la historia urbana, no sólo de la ciudad de Madrid, sino de una apasionante y abrumadora dimensión global o mundial.

Cerrando así nuestra particular secuencia, la fecha de 1982 podría suponer un cierto hito del final de este proceso al producirse en este año una reedición del plano del término municipal por hojas a la escala de 1:10.000, al mismo tiempo que se producen las últimas actualizaciones del tradicional parcelario municipal a la escala de 1:500, cuya última versión corresponde a 1993. Es interesante resaltar la cierta continuidad de más de ciento diez años de la base topográfica y geodésica establecida por el Instituto Geográfico y las distintas ediciones cartográficas actualizadas, tanto de la cartografía municipal como de otras procedencias e intereses como es el caso de las producciones de la cartografía militar. Así, baste tan sólo resaltar que la secuencia cartográfica de la hoja 559 del mapa de España a la escala de 1:50.000 en sus distintas ediciones supone la ilustración "animada" del crecimiento de la ciudad; en otro orden de cosas se puede resaltar igualmente que las referencias altimétricas del plano de 1872-74 son conformes con las del parcelario municipal. Una primera etapa de transición entre la cartografía analógica y la de soporte informático fue el proceso de digitalización del parcelario en papel, experiencia de escaso recorrido, pues la cartografía actual por hojas Vk, inicialmente en base a la proyección UTM y luego en ERTS 89, significó de hecho la creación de una nueva base.

En este final momentáneo y como cierre de los complementos visuales o figurativos de la ciudad de Madrid, adjuntamos dos testimonios gráficos que se estiman de interés. En primer lugar, el hito del fotoplano del término municipal del año 2000 como elemento de transición y referencia comparativa con el fotoplano de 1927. En segundo lugar, una selección de visiones pictóricas de Antonio López sobre la ciudad de Madrid. Ante la imposibilidad de reflejar en una imagen el inabarcable ámbito espacial de Madrid, este conjunto de visiones, en principio fragmentarias, se podrían entender como una voluntad general de interpretar y describir la ciudad.

PLANOS:

1982. Ayuntamiento de Madrid, *Plano del término municipal de Madrid*.

1993. Ayuntamiento de Madrid, *Plano parcelario de Madrid*.

2001. Ayuntamiento de Madrid, *Ortofotografía de Madrid*.

VISTAS:

1976-2006. Antonio López, *Madrid desde Torres Blancas*, *Madrid desde Capitán Haya*, *Madrid desde la torre de bomberos de Vallecas, Atocha* y *El Campo del Moro*.

1982
Ayuntamiento de Madrid
Plano del término municipal de Madrid

TÉRMINO MUNICIPAL DE MADRID / EXC[ELENTÍSI]MO AYUNTAMIENTO DE MADRID, GERENCIA MUNICIPAL DE URBANISMO.

Escala, 1:10.000.
Madrid: Ayuntamiento de Madrid, 1982.
1 plano: l°. en ofsett, 33 hh., 51 x 77'2 cm.

Este ejemplar se puede entender como edición actualizada del anterior al cabo de una década, aunque cambia en él la división de las hojas, que aparecen referidas en este caso a la numeración correspondiente al Mapa Topográfico Nacional a la escala de 1:50.000; la mayor parte del término corresponde así a la hoja 559, que se fracciona en 16 cuadrantes, apareciendo por el norte algunos fragmentos de las hojas 383 y 384. En este caso el vuelo es de 1979 y la revisión de campo se realiza en 1981. La tirada en ofsett se realizó en nueve colores utilizando un tono rojizo en la masa edificada que deriva a un tono más oscuro, casi marrón, para los edificios significativos. El resto de las características del dibujo repite las de la edición anterior, permitiendo la visión comparada de ambos documentos una lectura de la evolución del término municipal. Se trata del último documento cartográfico realizado en colaboración con el Instituto Geográfico Nacional mediante topografía clásica con apoyo de restitución fotogramétrica procedente de vuelo.

BIBLIOGRAFÍA:

(EXPOSICIÓN SOBRE CARTOGRAFÍA DE MADRID, 1992: 472-475) Y (EXPOSICIÓN SOBRE CARTOGRAFÍA DE MADRID, 2001: CIFRA 69, 244-245).

EJEMPLARES:

A.V.M., 0,69-61-2.

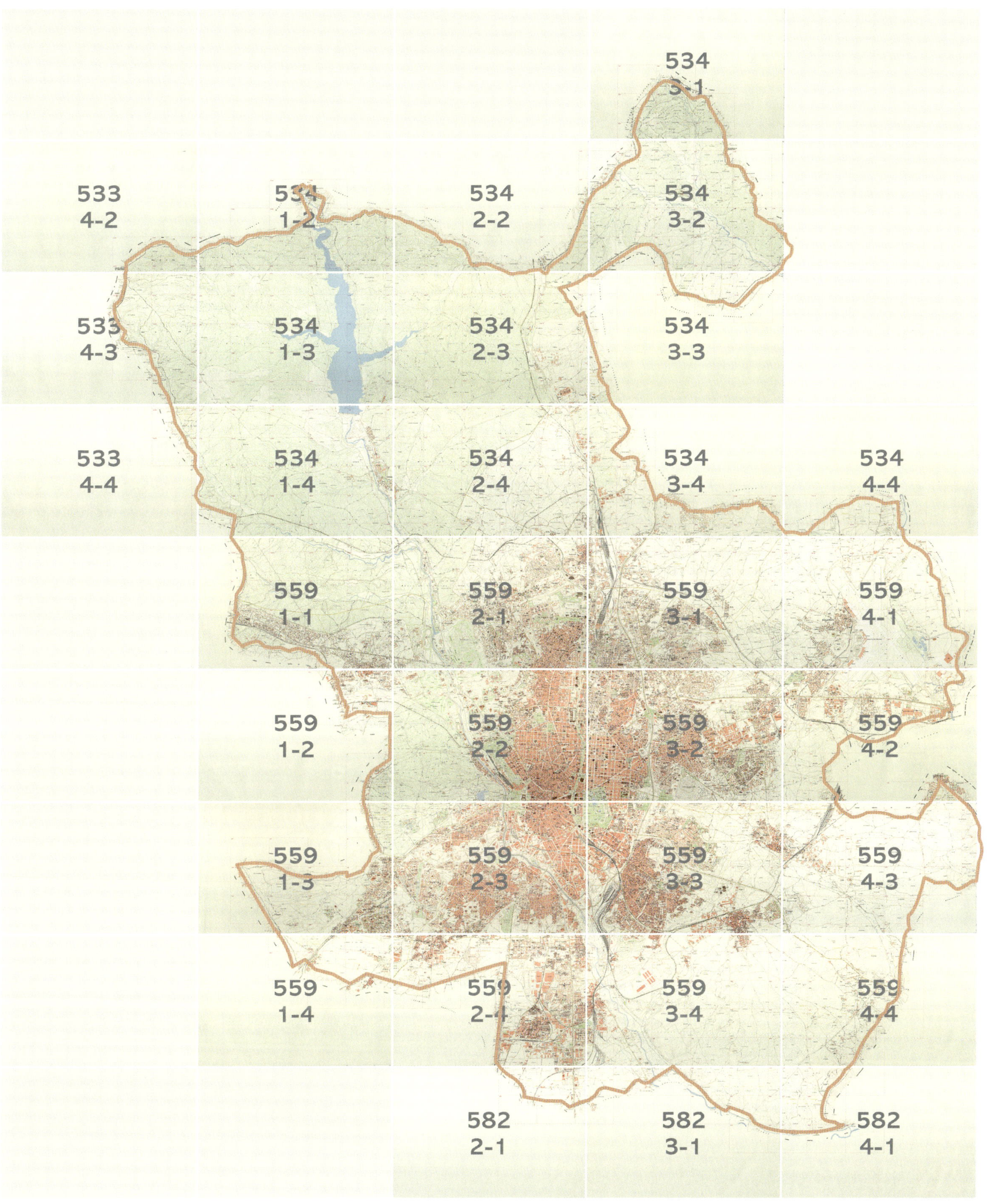
534
3-1
533
4-2
534
1-2
534
2-2
534
3-2
533
4-3
534
1-3
534
2-3
534
3-3
533
4-4
534
1-4
534
2-4
534
3-4
534
4-4
559
1-1
559
2-1
559
3-1
559
4-1
559
1-2
559
2-2
559
3-2
559
4-2
559
1-3
559
2-3
559
3-3
559
4-3
559
1-4
559
2-4
559
3-4
559
4-4
582
2-1
582
3-1
582
4-1

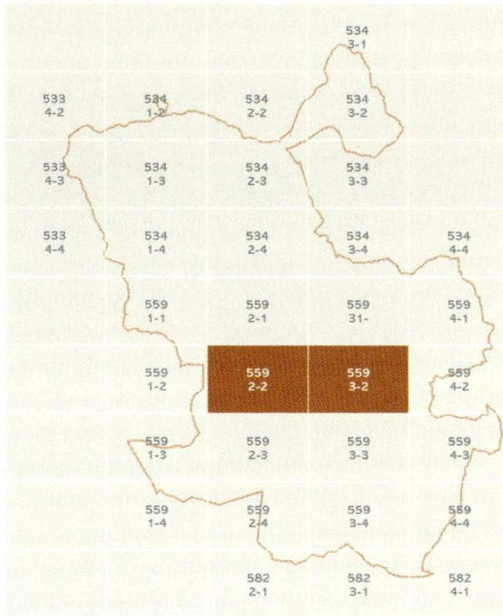

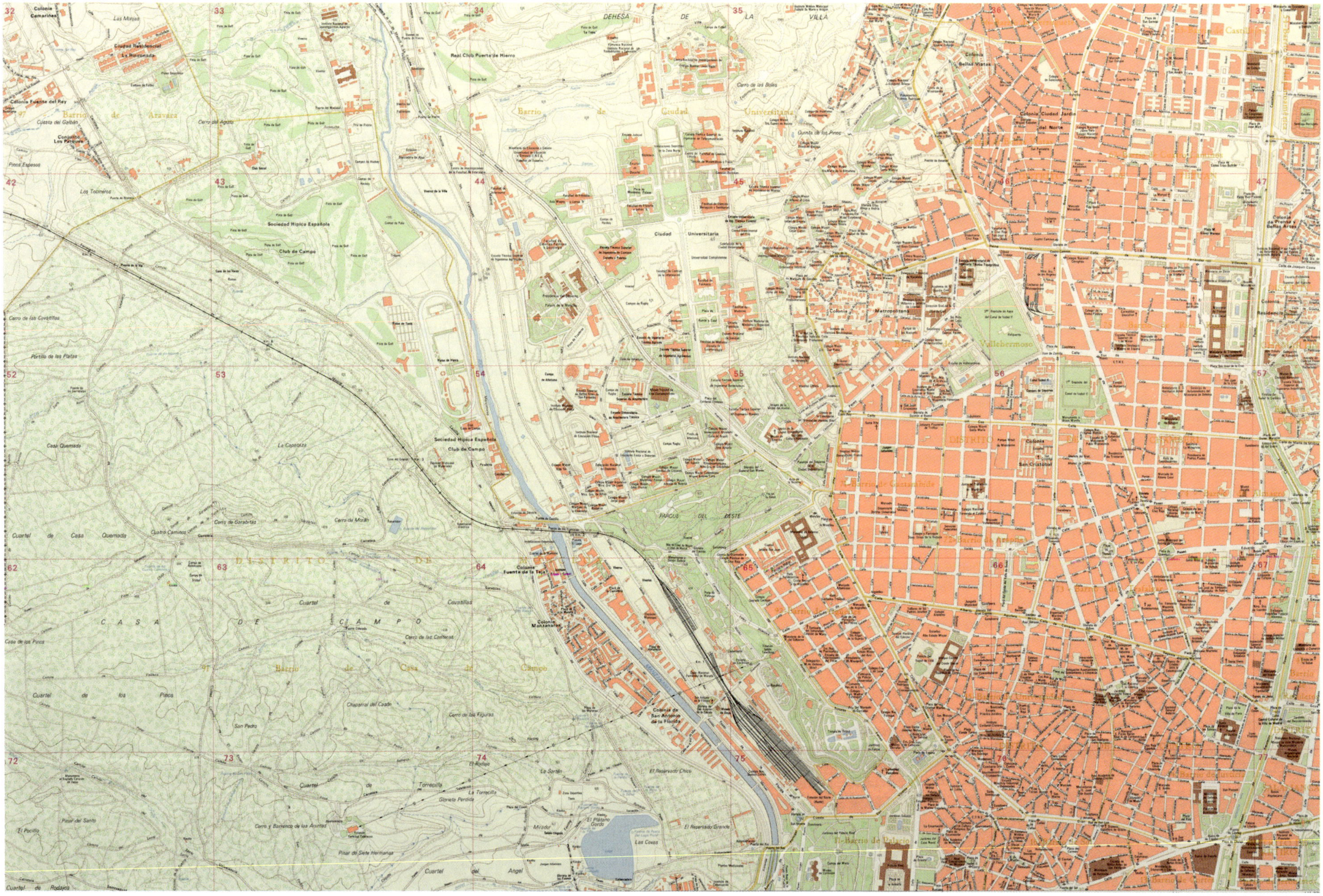

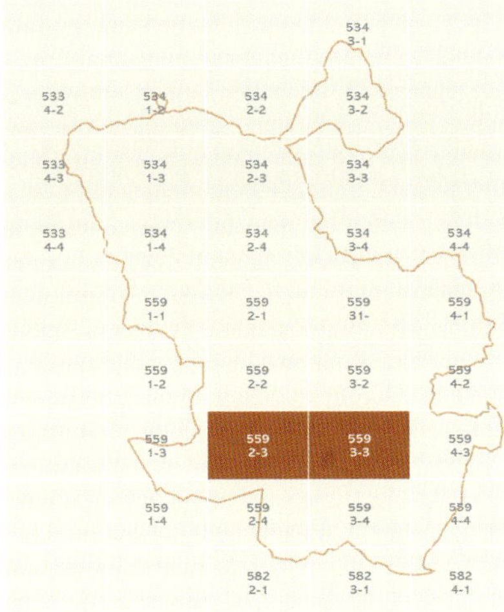

534
3-1
533
4-2
534
1-2
534
2-2
534
3-2
533
4-3
534
1-3
534
2-3
534
3-3
533
4-4
534
1-4
534
2-4
534
3-4
534
4-4
559
1-1
559
2-1
559
31-
559
4-1
559
1-2
559
2-2
559
3-2
559
4-2
559
1-3
559
2-3
559
3-3
559
4-3
559
1-4
559
2-4
559
3-4
559
4-4
582
2-1
582
3-1
582
4-1

DISTRITO DE MONCLOA
CASA DE CAMPO

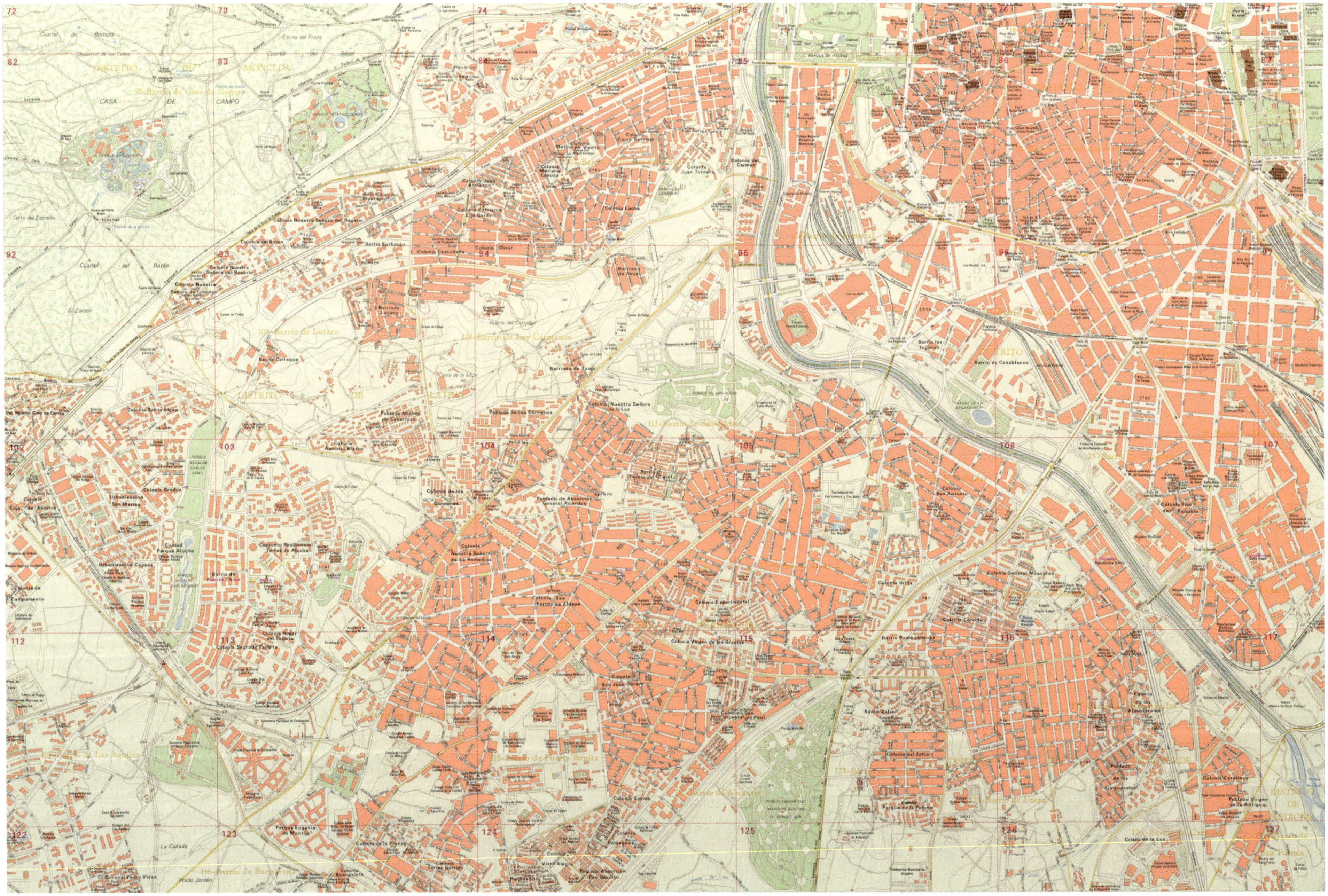

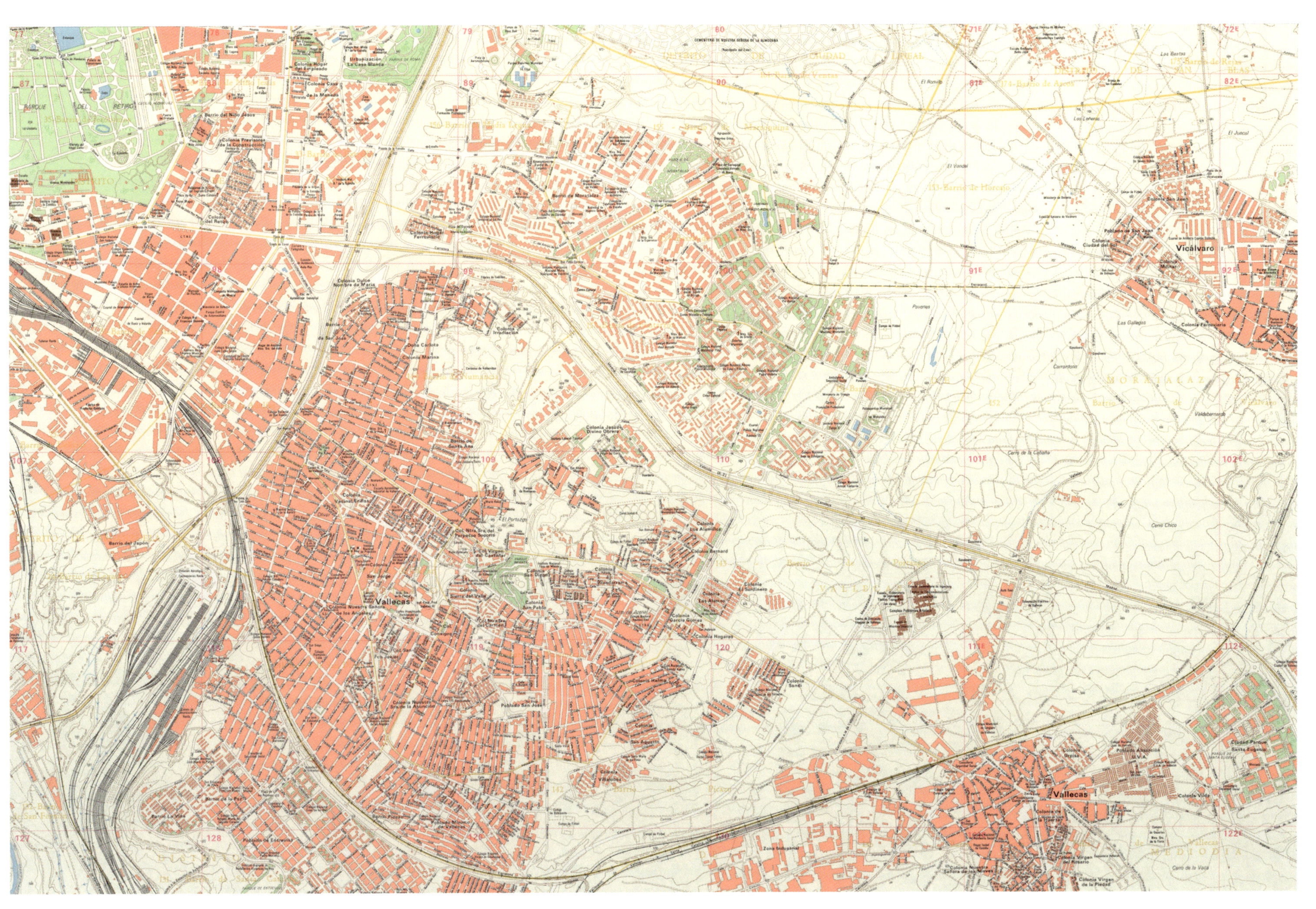

1993
Ayuntamiento de Madrid
Plano parcelario de Madrid

PLANO PARCELARIO DE MADRID / AYUNTAMIENTO DE MADRID, GERENCIA MUNICIPAL DE URBANISMO, SERVICIO DE CARTOGRAFÍA.

Escala, 1:500.
Madrid: Ayuntamiento de Madrid, 1993.
1 plano: Iº. en papel poliéster, 109 hh., 64'5 x 90 cm.

Las actualizaciones y ediciones finales de este plano parcelario corresponden aproximadamente a este año, tal y como figuran en el apartado de cartografía antigua del geoportal del Ayuntamiento de Madrid. Frente a la atractiva edición cromática de los años cuarenta, tanto ésta como la de los años sesenta se realizan a línea presentando un menor atractivo visual; se trata casi de documentos de trabajo que fueron ampliamente utilizados durante cinco décadas. La contemplación de esta secuencia tiene el valor añadido de narrar por sí misma una pormenorizada evolución de los elementos urbanos; baste observar a modo de ejemplo las distintas ordenaciones del ámbito de la Puerta del Sol. El conjunto de ediciones del plano parcelario constituye así un documento de gran valor para el conocimiento de la historia urbana de Madrid. Esta obra se trató de continuar mediante su transcripción por tableta digitalizadora a un soporte informático, pero el ensayo no resultó satisfactorio, abordándose a finales del siglo la creación de una nueva base cartográfica digital que es la actualmente utilizada.

EJEMPLARES:

GEOPORTAL DEL AYUNTAMIENTO DE MADRID.

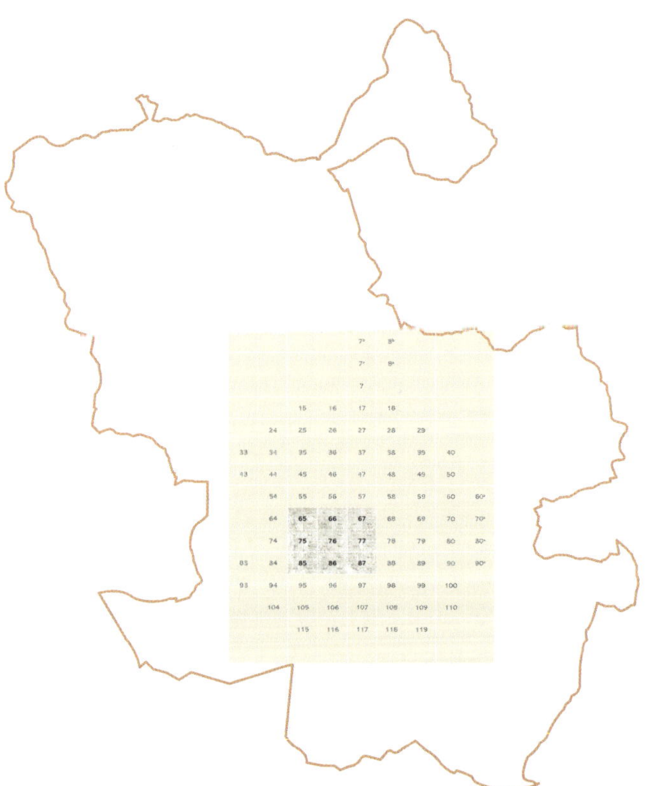

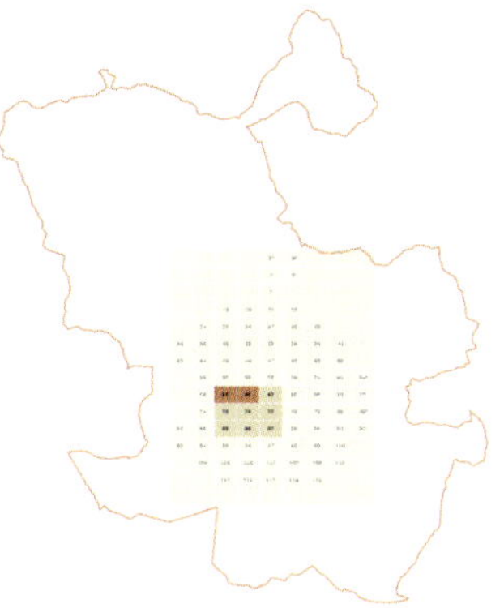

65-1	65-2	66-1	66-2	67-1	67-2
65-3	65-4	66-3	66-4	67-3	67-4
75-1	75-2	76-1	76-2	77-1	77-2
75-3	75-4	76-3	76-4	77-3	77-4
85-1	85-2	86-1	86-2	87-1	87-2
85-3	85-4	86-3	86-4	87-3	87-4

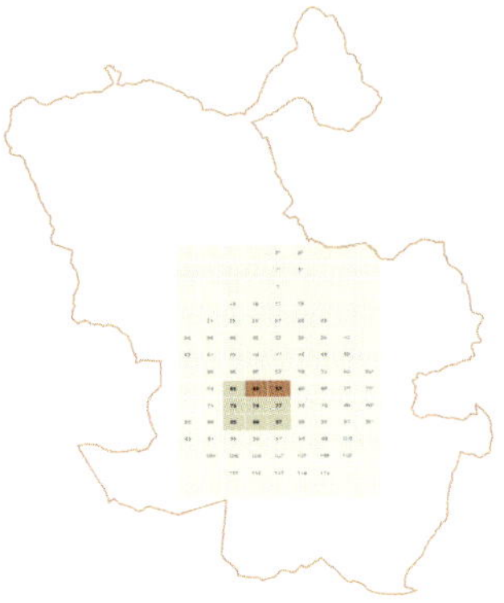

65-1	65-2	66-1	66-2	67-1	67-2
65-3	65-4	66-3	66-4	67-3	67-4
75-1	75-2	76-1	76-2	77-1	77-2
75-3	75-4	76-3	76-4	77-3	77-4
85-1	85-2	86-1	86-2	87-1	87-2
85-3	85-4	86-3	86-4	87-3	87-4

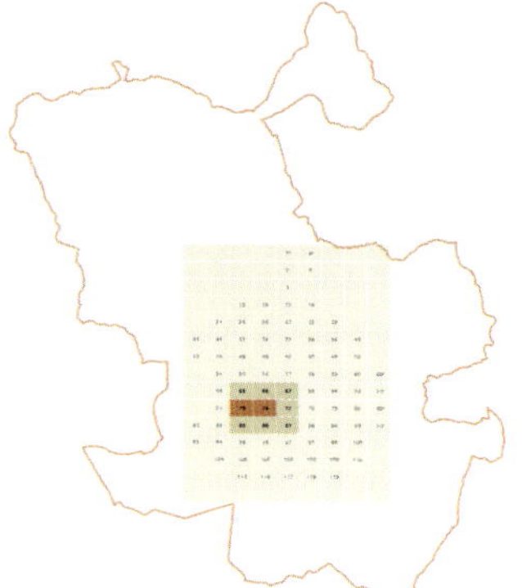

65-1	65-2	66-1	66-2	67-1	67-2
65-3	65-4	66-3	66-4	67-3	67-4
75-1	75-2	76-1	76-2	77-1	77-2
75-3	75-4	76-3	76-4	77-3	77-4
85-1	85-2	86-1	86-2	87-1	87-2
85-3	85-4	86-3	86-4	87-3	87-4

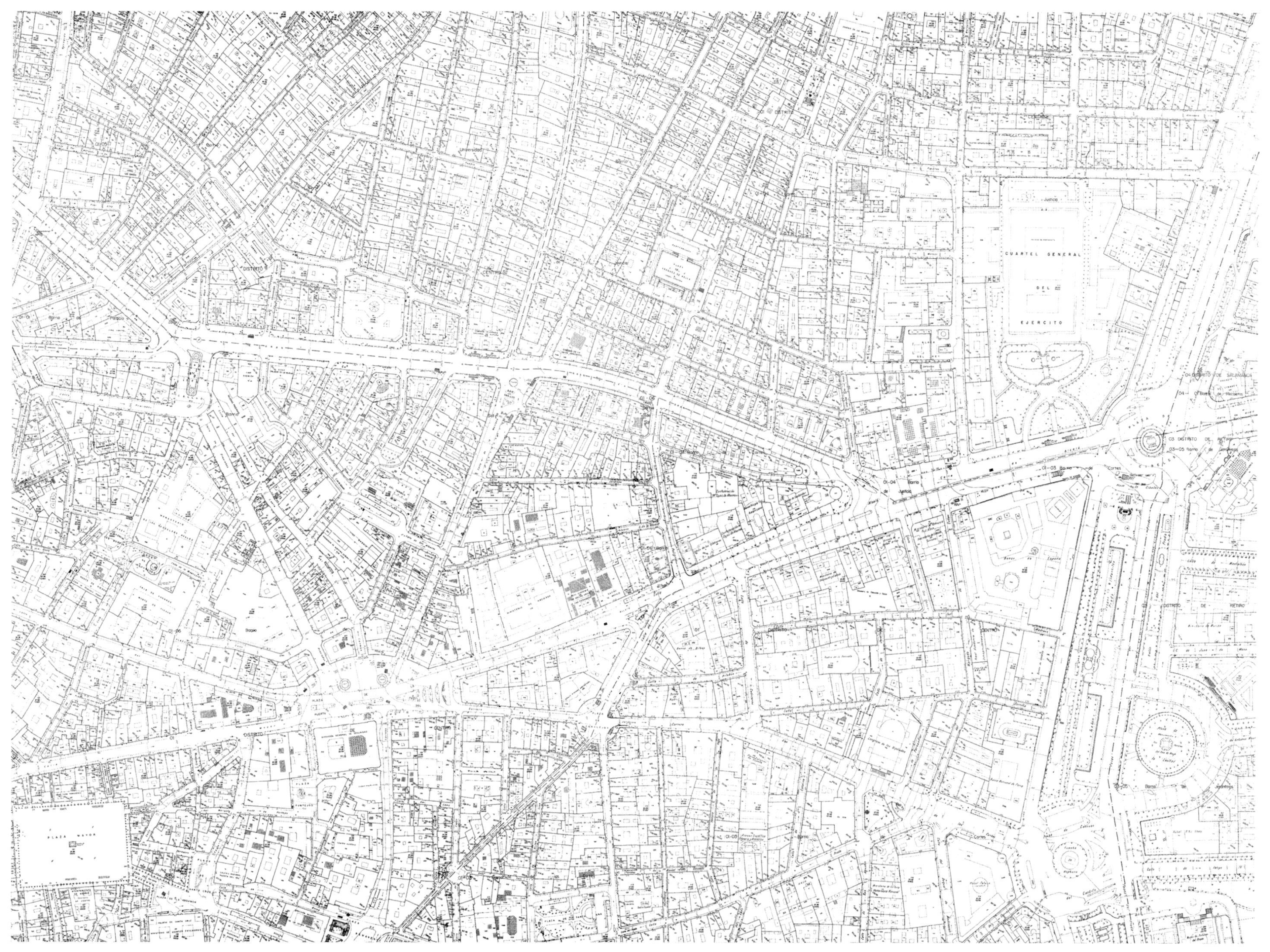

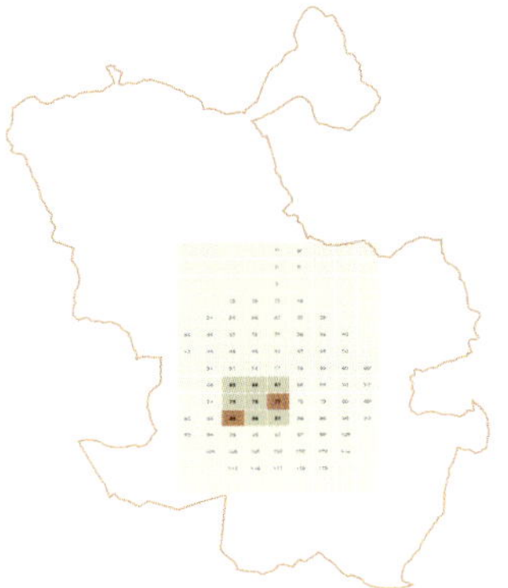

65-1	65-2	66-1	66-2	67-1	67-2
65-3	65-4	66-3	66-4	67-3	67-4
75-1	75-2	76-1	76-2	77-1	77-2
75-3	75-4	76-3	76-4	77-3	77-4
85-1	85-2	86-1	86-2	87-1	87-2
85-3	85-4	86-3	86-4	87-3	87-4

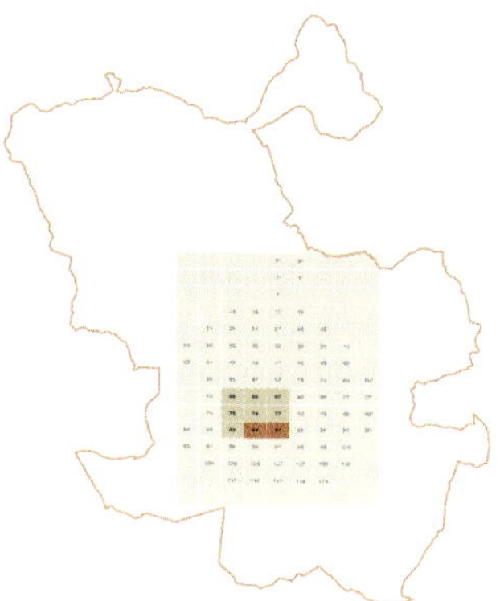

65-1	65-2	66-1	66-2	67-1	67-2
65-3	65-4	66-3	66-4	67-3	67-4
75-1	75-2	76-1	76-2	77-1	77-2
75-3	75-4	76-3	76-4	77-3	77-4
85-1	85-2	86-1	86-2	87-1	87-2
85-3	85-4	86-3	86-4	87-3	87-4

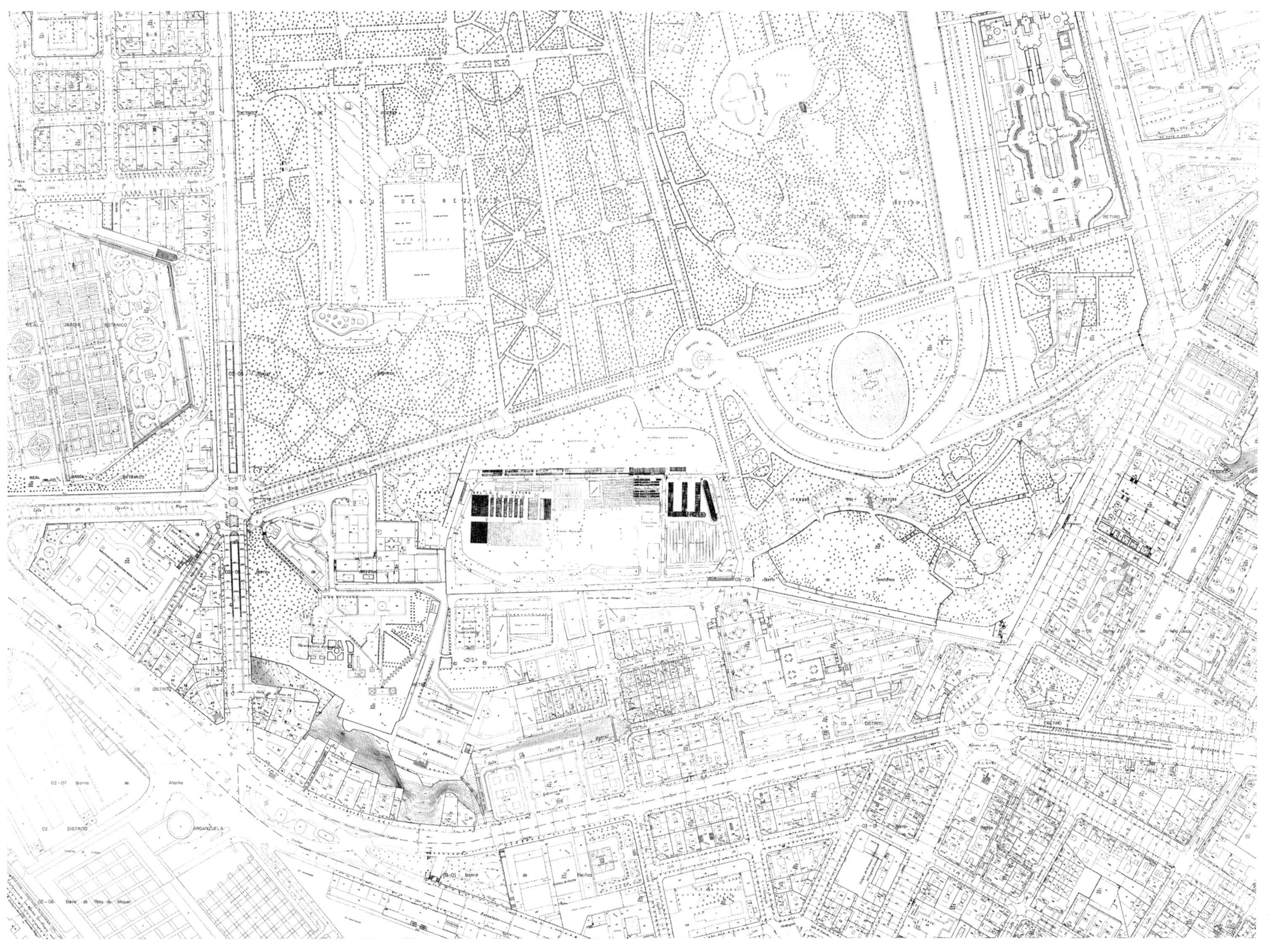

2001
Ayuntamiento de Madrid
Ortofotografía de Madrid

ORTO DE MADRID / Ayuntamiento de Madrid, Gerencia Municipal de Urbanismo.

Escala, 1:40.000, 12 cm [= 240 m].
Proyección UTM (huso 20). Sistema de referencia: European Datum 1950, Elipsoide Hayford, Ratum Postdam.
[Madrid]: Ayuntamiento de Madrid, [2001].
1 ortoimagen: I°., offset sobre papel, 110 x 95 cm.

Aunque en esta obra se ha renunciado de antemano a la fotografía, se acude aquí al cierre de la secuencia cartográfica con esta imagen que se introduce ya en el ámbito temporal del siglo XXI, que no es objeto de nuestra atención. Sirve también de referencia comparativa con el fotoplano de 1927 y anuncia a su modo el amplio elenco de testimonios de vuelos realizados en la segunda mitad del siglo XX que se pueden consultar en diversas plataformas. De entre ellas cabe destacar la obra de 1999 conocida como Orto de Madrid, editada a la escala de 1:2.000 en hojas de 86 x 60 cm con recuadro fotográfico de 50 x 50 cm, abarcando así cada imagen un kilómetro cuadrado. La combinación de esta imagen general del término municipal, con la referencia a línea de los términos colindantes, y el mosaico fraccionado de detalle antes mencionado estabilizan objetivamente el estado final de la materialidad de Madrid en el ámbito temporal hasta aquí recorrido.

BIBLIOGRAFÍA:

(EXPOSICIÓN SOBRE CARTOGRAFÍA DE MADRID, 2001: CIFRA 80, 266-267).

EJEMPLARES:

A.V.M., 0,69-62-4.

COLMENAR VIEJO
HOYO DE MANZANARES
TRES CANTOS
RRELODONES
SAN SEBASTIAN DE LOS REYES
LAS ROZAS
ALCOBENDAS
PARACUELLOS DE JARAMA
MAJADAHONDA
SAN FERNANDO DE HENARES
POZUELO DE ALARCÓN
COSLADA
ALCORCÓN
LEGANÉS
RIVAS - VACIAMADRID
GETAFE
ORTOFOTOGRAFÍA DE MADRID AÑO 2001
ESCALA 1 : 40.000
PROYECCIÓN: UTM (Huso 30)
SISTEMA DE REFERENCIA: European Datum 1950
Elipsode Hayford
Datum Postdam
Términos Municipales colindantes
0 1 2 3 4 5 6 7 8 9 10 Kilómetros

Las visiones de Madrid de Antonio López

La indudable intensidad de la dilatada labor pictórica de Antonio López sobre la ciudad de Madrid es el cierre de las visiones complementarias a la cartografía tradicional que se ha planteado en esta publicación. La inabarcable imagen urbana del final del siglo XX se fracciona en diversas tomas de tiempos y espacios, seleccionándose aquí tan sólo algunas con cierta voluntad panorámica. En aproximada ordenación cronológica y topográfica aparecen así la visión desde Torres Blancas, hacia el sur, la de Capitán Haya desde el norte hacia el sur, la toma de la torre de bomberos de Vallecas y la amplia panorámica que se contempla desde Atocha, con la nueva estación en primer plano. La ciudad expandida y la periferia se funden en una peculiar atmósfera de aparente realidad hipnótica cuya apreciación corresponde a cada espectador. Cerrando totalmente el círculo del tiempo y el espacio en esta recopilación de "cartografías" urbanas, la última imagen del pintor aquí seleccionada, el Campo del Moro, nos remite en el espacio a las primeras imágenes del siglo XVI con las que se iniciaba esta secuencia al cabo de cerca de cinco siglos de recorrido.

BIBLIOGRAFÍA:

(EXPOSICIÓN SOBRE EL MADRID PINTADO, 1992: 317-321), (EXPOSICIÓN SOBRE ANTONIO LÓPEZ, 2011: CIFRAS 20, 21, 22 Y 24, 130-133) Y (ESPEJO, 2012).

1976-1982. © Antonio López, VEGAP, *Madrid desde Torres Blancas*. Óleo sobre tabla, 156'8 x 244'9 cm. Marlborough International Fine Art.

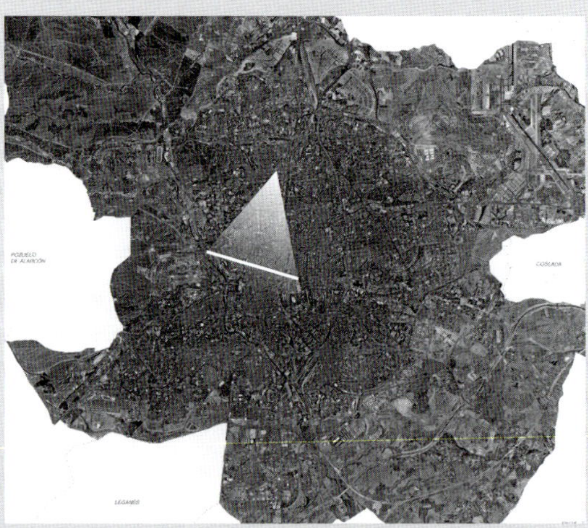

1987-1996. Antonio López, *Madrid desde Capitán Haya*. Óleo sobre lienzo adherido a tabla, 184 x 245 cm. M.N.C.A.R.S.

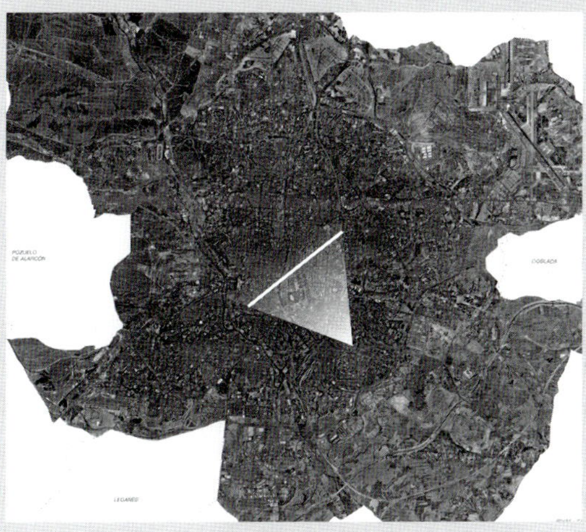

1990-2006. Antonio López, *Madrid desde
la torre de bomberos de Vallecas.* Óleo sobre
lienzo, 250 x 406 cm. Fundación Montemadrid,
en depósito en Asamblea de Madrid.

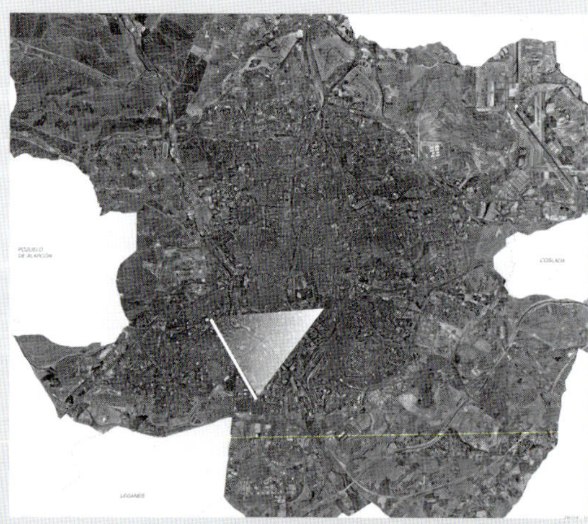

2015. Antonio López, *Madrid Sur,* en
proceso. Óleo sobre lienzo adherido a tabla,
190 x 245 cm. Fundación Montemadrid.

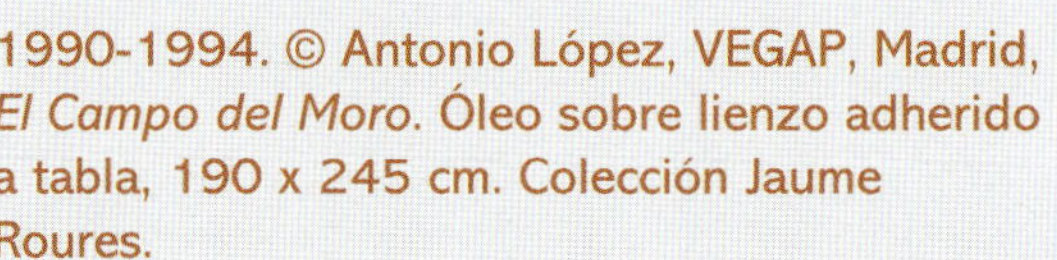

1990-1994. © Antonio López, VEGAP, Madrid,
El Campo del Moro. Óleo sobre lienzo adherido
a tabla, 190 x 245 cm. Colección Jaume
Roures.

Bibliografía de consulta y referencia

AA. VV., 1988: AA. VV., *El Catastro en España, 1704-1906, de los Catastros del siglo XVIII a los Amillaramientos del siglo XIX*. Madrid: Ministerio de Economía y Hacienda, 1988.

AA. VV., 2005: AA. VV., *Memoria. Información de la ciudad 1929. MAD 1929, ciclo de conferencias*. Madrid: Museo Municipal de Madrid, 2005.

AA. VV., 2007: AA. VV., *150 aniversario de la creación de la Comisión de Estadística General del Reino*. Madrid: Instituto Nacional de Estadística, 2007.

AA. VV., 2000: AA. VV., *Fondos cartográficos del Instituto Geográfico Nacional Siglos XVI-XIX*. Madrid: Instituto Geográfico Nacional, 2000.

ALAMINOS, 1999: ALAMINOS LÓPEZ, EDUARDO, *Colección municipal de arte contemporáneo: pintura y escultura*. Madrid: Museo Municipal de Madrid, 1999.

ALCOLEA, 2007: ALCOLEA MORATILLA, MIGUEL ÁNGEL, "El recinto urbano de Madrid en 1808 y su cartografía", *Madrid, Revista de Arte Geografía e Historia,* n°. 9 (2007), pp. 346-381.

ALEMANY, 1951: ALEMANY SOLER, LUIS, "Estado actual de la planimetría de Madrid", *Gran Madrid,* n°. 16 (1951), pp. 13-21.

ALONSO, 1972: ALONSO BAQUER, MIGUEL, *Aportación militar a la cartografía española en la historia contemporánea*. Madrid: Instituto de Geografía Aplicada, 1972.

APARISI, 2001: APARISI LAPORTA, LUIS MIGUEL, "Reales Gabinetes de Máquinas y Topográfico en el Buen Retiro. De Agustín de Betancourt a León Gil de Palacio", en EXPOSICIÓN SOBRE CARTOGRAFÍA DE MADRID (5ª., 1997. Madrid), *Tres siglos de cartografía madrileña (1622-1929)*, Catálogo de la exposición. Madrid: El Consultor de los Ayuntamientos, 1997, pp. 33-43.

APARISI, 2007: APARISI LAPORTA, LUIS MIGUEL, *El plano de Texeira trescientos cincuenta años después*. Madrid: Ayuntamiento de Madrid, 2007.

ATERIDO, 1997: ATERIDO FERNÁNDEZ, ÁNGEL, "El grabador madrileño Gregorio Fosman y Medina", *Anales del Instituto de Estudios Madrileños*, T. XXXVII (1997), pp. 87-99.

BARBEITO, 2013: BARBEITO DÍEZ, JOSÉ MANUEL, "Juan Gómez de Mora, Antonio Mancelli y Cassiano dal Pozo", *Archivo Español de Arte* LXXXVI, n°. 342 (2013), pp. 107-122.

BENITO, 1994: BENITO DOMENECH, FERNANDO, "Un plano axonométrico de Valencia diseñado por Mancelli en 1608", *Tiempo y espacio en el arte homenaje al profesor Antonio Bonet Correa*. Madrid: Universidad Complutense, 1994, pp. 231-246.

BIDAGOR, 196: BIDAGOR LASARTE, PEDRO, "La verdadera planta del plano de Texeira", *Arquitectura*, n°. 37 (1962), pp. 10-12.

BOIX, 1926: BOIX MERINO, FÉLIX, "Planos y vistas de Madrid", en *Exposición del Antiguo Madrid: catálogo general ilustrado*. Catálogo de la exposición organizada por la Sociedad Española de Amigos del Arte en el antiguo Hospicio en 1926. Madrid: Gráficas Reunidas, S.A., 1926, pp. 9-38.

BOORSCH Y ORENSTEIN, 1997: BOORSCH, SUZANNE Y ORENSTEIN, NADINE, "The Print in the North: The Age of Albrecht Durer and Lucas van Leyden", *The Metropolitan Museum of Art*, vol. 54, n°. 4, (1997), p. 55.

BURGUEÑO, 2017: BURGUEÑO RIVERO, JESÚS, "Cartografiar el entorno urbano. El plano de Barcelona y sus alrededores, de Estado Mayor (1865)", *Historia de la Cartografía Urbana en España: modelos y realizaciones*. Madrid: Centro Nacional de Información Geográfica, 2017, pp. 227-251.

CABALLERO, 1840: CABALLERO MARGÁEZ, FERMÍN, *Noticias topográfico-estadísticas sobre la administración de Madrid, escritas en obsequio de las autoridades, del vecindario y de los forasteros [...]*. Madrid: Imprenta de Yenes, 1840.

CAMARERO, 2017: CAMARERO BULLÓN, CONCEPCIÓN, "La *Planimetría General de Madrid*: un cuarto de siglo después de su publicación", en URTEAGA, LUIS, Y NADAL, FRANCESC (ED.), *Historia de la Cartografía Urbana en España: modelos y realizaciones*. Madrid: Centro Nacional de Información Geográfica, 2017, pp. 287-310.

CASTAÑÓN Y PUYO, 2008: CASTAÑÓN, JUAN CARLOS Y PUYO, JEAN-YVES, "La cartografía realizada por el ejército napoleónico durante la guerra de la Independencia", *Madrid 1808 Guerra y Territorio*, Madrid: Ayuntamiento de Madrid, 2008, pp. 67-108.

CASTAÑÓN, PUYO Y QUIRÓS, 2008: CASTAÑÓN, JUAN CARLOS, PUYO, JEAN-YVES Y QUIRÓS LINARES, FRANCISCO, "La herencia cartográfica y el avance en el conocimiento geográfico de España", *Madrid 1808 Guerra y Territorio*, Madrid: Ayuntamiento de Madrid, 2008, pp. 109-127.

CARRETE, DIEGO Y VEGA, 1985: *Catálogo del Gabinete de Estampas del Museo Municipal de Madrid. Estampas españolas*. Madrid: Ayuntamiento de Madrid, Concejalía de Cultura, 1985.

C.O.A.M., 1979: COLEGIO OFICIAL DE ARQUITECTOS DE MADRID, *Cartografía básica de la ciudad de Madrid. Planos históricos, topográficos y parcelarios de los siglos XVII, XVIII, XIX y XX*. Madrid: C.O.A.M., 1979.

CORRAL, 1968: CORRAL RAYA, JOSÉ DEL, "La fecha de los dibujos del plano de Texeira", *Anales del Instituto de Estudios Madrileños*, T. III (1968), pp. 43-49.

ESCOBAR, 2005: ESCOBAR, JESÚS, "Antonio Manzelli. An early view of Madrid (c. 1623) in the British

Library", *Anuario del Departamento de Historia y Teoría del Arte*, Vol. XVII (2005), pp. 33-38.

Escobar, 2014: Escobar, Jesús, "Map as Tapestry: Science and Art in Pedro Texeira´s 1656 Representation of Madrid", *The Art Bulletin*, nº. 96 (2014), pp. 50-69.

Espejo y López, 2014: Espejo Marín, Cayetano y López de los Mozos González, María de los Ángeles, "El paisaje de Madrid en la obra de Antonio López García", *Numbus*, nº. 29-30 (2012), pp. 217-232.

Exposición sobre el Antiguo Madrid (1ª., 1926. Madrid), *Exposición del Antiguo Madrid: catálogo general ilustrado*. Catálogo de la exposición organizada por la Sociedad Española de Amigos del Arte en el antiguo Hospicio en 1926. Madrid: Gráficas Reunidas, S.A., 1926.

Exposición sobre Antonio López (1ª., 2011. Madrid), *Antonio López*. Catálogo de la exposición realizada en el Museo Thyssen-Bornemisza entre 28 de junio y 25 de septiembre de 2011 y el Museo de Bellas Artes de Bilbao entre el 10 de octubre de 2011 y 22 de enero de 2012. Madrid: Fundación Colección Thyssen-Bornemisza, 2011.

Exposición sobre Carlos III, Alcalde de Madrid (1ª., 1988. Madrid), *Carlos III, Alcalde de Madrid*. Catálogo de la exposición organizada en el Centro Cultural de la Villa en 1988. Madrid: Ayuntamiento de Madrid, 1988.

Exposición sobre Cartografía de Madrid (1ª., 1960. Madrid), *Exposición de planos de Madrid de los siglos XVII y XVIII*. Catálogo de la exposición organizada por el Museo Municipal de Madrid en 1960. Madrid: Ayuntamiento de Madrid, Sección de Cultura, 1960.

Exposición sobre Cartografía de Madrid (2ª., 1977. Madrid), *Planos de Madrid, 1635-1835*. Catálogo de la exposición organizada por el Museo Municipal de Madrid en 1977. Madrid: Ayuntamiento de Madrid, Sección de Cultura, 1977.

Exposición sobre Cartografía de Madrid (3ª., 1982. Madrid), *Cartografía Madrileña (1635-1982)*. Catálogo de la exposición organizada por el Museo Municipal de Madrid en mayo y junio de 1982. Madrid: Ayuntamiento de Madrid, Delegación de Cultura, 1982.

Exposición sobre Cartografía de Madrid (4ª., 1992. Madrid), *Los Planos de Madrid y su época (1622-1992)*. Catálogo de la exposición organizada por el Museo de la Ciudad en junio y julio de 1992. Madrid: Ayuntamiento de Madrid, Área de Vivienda, Obras e Infraestructura, 1992.

Exposición sobre Cartografía de Madrid (5ª., 1997. Madrid), *Tres siglos de cartografía madrileña (1622-1929)*, Catálogo de la exposición. Madrid: El Consultor de los Ayuntamientos, 1997.

Exposición sobre Cartografía de Madrid (6ª., 2001. Madrid), *Madrid en sus planos 1622-2001*, Catálogo del XIX Congreso Nacional de Historia de la Cartografía, Centro Mesonero Romanos. Madrid: Ayuntamiento de Madrid, Área de Urbanismo, Vivienda e Infraestructuras, Área de Cultura, Educación, Juventud y Deportes, 2001.

Exposición sobre Cartografía de Madrid (7ª., 2020. Madrid), *Madrid. Tres siglos de cartografía: Ciudad y Comunidad en la Biblioteca Regional*. Catálogo de la exposición organizada en la Biblioteca Regional de Madrid entre el 5 de marzo y el 31 de mayo de 2020. Madrid: Comunidad de Madrid, 2020.

Exposición sobre Madrid 1808 (1ª., 2008. Madrid), *Madrid 1808 Guerra y Territorio, Mapas y planos 1808-1814*. Madrid: Museo de Historia, 2008.

Exposición sobre el Madrid de 1830 y la maqueta de León Gil de Palacio (1ª., 2006. Madrid), *Madrid, 1830: la Maqueta de León Gil de Palacio y su época*. Catálogo de la exposición celebrada en el Museo Municipal de Madrid entre octubre de 2006 y enero de 2007. Madrid: Ayuntamiento de Madrid y Museo Municipal de Madrid, 2006.

Exposición sobre el Madrid pintado, (1ª., 1992. Madrid): *Madrid pintado. La imagen de Madrid a través de la pintura*, Catálogo de exposición. Madrid: Museo Municipal de Madrid, 1992.

Exposición sobre Miguel Ángel Houasse (1ª., 1981. Madrid), *Miguel Ángel Houasse 1680-1730*, Catálogo de la exposición. Madrid: Ayuntamiento de Madrid y Patrimonio Nacional, 1981.

Exposición sobre paisajistas españoles, (1ª., 1990. Madrid): *Paisajistas españoles decimonónicos. Catálogo de la exposición realizada en el Centro Cultural Conde Duque*. Madrid: Artes Graficas Municipales, 1990.

Exposición sobre pintura de paisaje, (1ª., 1985. Madrid): *Pinturas de paisaje del romanticismo español*, Catálogo de la exposición. Madrid: Fundación del Banco Exterior de España, 1985.

Exposición sobre la Plaza Mayor de Madrid, (1ª., 2018. Madrid): *La Plaza Mayor 400 años: retrato y máscara de Madrid*, Catálogo de la exposición organizada en el Museo de Historia de Madrid entre el 24 de mayo y el 21 de noviembre de 2018. Madrid: Ayuntamiento de Madrid, 2018.

Exposición sobre Ventura Rodríguez (1ª., 1983. Madrid), *El arquitecto d[on] Ventura Rodríguez*. Catálogo de la exposición organizada en el Museo Municipal de Madrid en noviembre de 1983. Madrid: Ayuntamiento de Madrid, Concejalía de Cultura, 1983.

Exposición sobre Ventura Rodríguez (2ª., 2017. Madrid), *Ventura Rodríguez en las Colecciones Municipales*. Catálogo de la exposición organizada en el Centro Cultural Conde Duque en 2017. Madrid: Ayuntamiento de Madrid, 2017.

Exposición sobre Ventura Rodríguez (3ª., 2017. Madrid), *Ventura Rodríguez, arquitecto de la Ilustración*. Catálogo de la exposición organizada en la Real Academia de Bellas Artes de San Fernando entre diciembre de 2017 y abril de 2018. Madrid: Comunidad de Madrid, 2017.

FERNÁNDEZ, 1992: FERNÁNDEZ TALAYA, MARÍA TERESA, "Los planos madrileños mandados levantar en 1865 por la Administración General de la Real Casa y Patrimonio", en EXPOSICIÓN SOBRE CARTOGRAFÍA DE MADRID (4ª., 1992. Madrid), *Los Planos de Madrid y su época (1622-1992).* Madrid: Ayuntamiento de Madrid, Área de Vivienda, Obras e Infraestructura, 1992, pp. 45-51.

FERNÁNDEZ DE LOS RÍOS, 1876: FERNÁNDEZ DE LOS RÍOS, ÁNGEL, "Planos de Madrid", *Guía de Madrid*, Madrid: Oficinas de la Ilustración Española y Americana, 1876, pp. 685-684.

GALERA, 1998: GALERA I MONEGAL, MONTSERRAT, *Antoon van den Wijngaerde, pintor de ciudades y de hechos de armas en la Europa del Quinientos.* Barcelona: Fundación Carlos de Amberes e Institut Cartogràfic de Catalunya, 1998.

GÁMIZ, 2004: GÁMIZ GORDO, ANTONIO, "Paisajes urbanos vistos desde globo: Dibujos de Guesdon sobre fotos de Clifford hacia 1853-55", en *EGA Expresión Gráfica Arquitectónica*, n°. 9 (2004), pp. 110-117.

GAVIRA, 1984: GAVIRA, CARMEN, *Guía de fuentes documentales para la historia urbana de Madrid.* Madrid: CSIC Press, 1984.

GEA, 1999: GEA ORTIGAS, MARÍA ISABEL, *El plano de Texeira.* Madrid: Ediciones La Librería, 1999.

GEA, 2006: GEA ORTIGAS, MARÍA ISABEL, *Guía del plano de Texeira (1656).* Madrid: Ediciones La Librería, 2006.

GÓMEZ PÉREZ, 1966: GÓMEZ PÉREZ, JOSÉ, "El catastro en la provincia de Madrid durante el pasado siglo", *Anales del Instituto de Estudios Madrileños,* T. I (1966), pp. 315-325.

GÓMEZ PÉREZ, 1970: GÓMEZ PÉREZ, JOSÉ, "Catálogo de los mapas y planos originales de Francisco Coello", *Estudios Geográficos*, Vol. 31, n°. 119 (1970), pp. 203-238.

GÓMEZ PÉREZ, 1971: GÓMEZ PÉREZ, JOSÉ, "El Atlas de España y sus talleres de grabado", *Anales del Instituto de Estudios Madrileños*, T. VII (1971), pp. 315-325.

GONZÁLEZ, 2004: GONZÁLEZ YANCI, MARÍA DEL PILAR, "Cartografía madrileña y evolución de la ciudad en el tiempo de Mesonero Romanos", *Ciclo de conferencias don Ramón de Mesonero Romanos y su tiempo,* n°. 8. Madrid: Ayuntamiento de Madrid e Instituto de Estudios Madrileños, 2004.

HERNANDO, 2008: HERNANDO, AGUSTÍN, *El geógrafo Juan López (1765-1825) y el comercio de mapas en España:* Madrid: CSIC-Doce Calles, 2008.

HERVÁS, 2017: HERVÁS LEÓN, MIGUEL, "El viaje por España de Alfred Guesdon. 1852-1854", en *I Jornadas de investigación en historia de la fotografía.* Zaragoza: Institución Fernando el Católico, 2017, pp. 75-86.

KAGAN, 1986: KAGAN, RICHARD L., Ciudades del Siglo de Oro: las vistas españolas de Anton van den Wyngaerde. Madrid: El Viso, 1986.

LAFUENTE, 1992. LAFUENTE NIÑO, Mª. DEL CARMEN, "La colección de guías de forasteros en Madrid en la Biblioteca Histórica Municipal", en EXPOSICIÓN SOBRE CARTOGRAFÍA DE MADRID (4ª., 1992. Madrid), *Los Planos de Madrid y su época (1622-1992).* Catálogo de la exposición organizada por el Museo de la Ciudad en junio y julio de 1992. Madrid: Ayuntamiento de Madrid, Área de Vivienda, Obras e Infraestructura, 1992, pp. 63-66.

LÍTER Y SANCHÍS, 2002: LÍTER MAYAYO, CARMEN y SANCHÍS BALLESTER, FRANCISCA, *La obra de Tomás López. Imagen cartográfica del siglo XVIII.* Madrid: Biblioteca Nacional, 2002.

LÍTER, SANCHÍS Y HERRERO, 1994: LÍTER MAYAYO, CARMEN, SANCHÍS BALLESTER, FRANCISCA y HERRERO VIGIL, ANA, *Cartografía de España en la Biblioteca Nacional.* Madrid: Biblioteca Nacional, 1994.

LLAMAS, 2001: LLAMAS MÁRQUEZ, MARÍA AUXILIADORA, "Topographía de la Villa de Madrid. Año de 1656. Del Madrid de Texeira al Madrid actual", *Cuadernos de Arte e Iconografía,* T. 10, n°. 19, (2001), pp. 97-194.

LÓPEZ, CAMARERO Y MARÍN, 1989: LÓPEZ GÓMEZ, ANTONIO, CAMARERO BULLÓN, CONCEPCIÓN, Y MARÍN PERELLÓN, FRANCISCO JOSÉ, *Estudios sobre la Planimetría General de Madrid.* Madrid: Tabapress, 1989.

LÓPEZ GÓMEZ, 1999: LÓPEZ GÓMEZ, ANTONIO, *Madrid, estudios de geografía histórica.* Madrid: Real Academia de la Historia, 1999.

LÓPEZ GÓMEZ, 2000: LÓPEZ GÓMEZ, ANTONIO, "Los domicilios en Madrid y el éxito del geógrafo Tomás López (1731-1802), *Boletín de la Real Academia de la Historia*, Vol. CXCVII, (2000), pp. 377-392.

LÓPEZ Y MANSO, 2006: LÓPEZ GÓMEZ, ANTONIO y MANSO PORTO, CARMEN, *Cartografía del siglo XVIII. Tomás López en la Real Academia de la Historia.* Madrid: Real Academia de la Historia, 2006.

MAGALLANES, 2004: MAGALLANES PERNAS, LUIS, *Cartografía de la Comunidad de Madrid en el Centro Geográfico del Ejército.* Madrid: Ministerio de Defensa, 2004.

MANSO, 2007: MANSO PORTO, CARMEN, "Tomás López geógrafo de los dominios de su Majestad", *Madrid Histórico,* n°. 12 (2007), pp. 56-61.

MANSO, 2012: MANSO PORTO, CARMEN, *Real Academia de la Historia. Selección de cartografía histórica.* Madrid: Real Academia de la Historia, 2012.

MANSO, 2017: MANSO PORTO, CARMEN, "Cartografía madrileña de Tomás López durante el reinado de Carlos III", *III centenario del nacimiento de Carlos III, XLV ciclo de conferencias.* Madrid: Instituto de Estudios Madrileños, 2017, pp. 121-168.

Marcel, 1907: Marcel, Gabriel, "Le Geographe Tomás López et son oeuvre. Essai de biographie et cartographie", *Revue Hispanique,* T. XVI, (1907), pp. 137-243.

Marías, 2017: Marías, Fernando, "Madrid, entre Antonio Manzelli y Pedro Texeira, 1622-1656", en Urteaga, Luis, y Nadal, Francesc (ed.), *Historia de la Cartografía Urbana en España: modelos y realizaciones.* Madrid: Centro Nacional de Información Geográfica, 2017, pp. 135-164.

Marin, 2008: Marin, Brigitte, "Il Plano Topographico di Madrid di Antonio Espinosa de los Monteros (1769). Monarchia riformatrice, nouvi saperi della città e producione cartográfica", *Le città dei cartografi, studi e ricerche di storia urbana.* Nápoles: Electa, 2008, pp. 148-160.

Marín, 1988: Marín Perellón, Francisco José, "Notas sobre los precedentes históricos del Anuario Estadístico de la Comunidad de Madrid", en *Anuario Estadístico de la Comunidad de Madrid.* Madrid: Comunidad de Madrid, 1988, pp. 1-14.

Marín, 1989: Marín Perellón, Francisco José, "La Planimetría General de Madrid y la Regalía de Aposento", en *La Planimetría General de Madrid.* Madrid: Tabapress, 1989, pp. 81-111.

Marín, 2006: Marín Perellón, Francisco José, "Certezas e incertidumbres del primer plano de Madrid", *Ilustración de Madrid*, n°. 1 (otoño, 2006) pp. 91-96.

Marín, 2007 a: Marín Perellón, Francisco José, "El *Chalmandrier*, geometría e historia de la Villa de Madrid", *Ilustración de Madrid*, n°. 3 (primavera, 2007) pp. 93-96.

Marín, 2007 b: Marín Perellón, Francisco José, "El *Espinosa* o Plano Topográphico de la Villa y Corte de Madrid", *Ilustración de Madrid*, n°. 4 (verano, 2007) pp. 91-96.

Marín, 2007 c: Marín Perellón, 2007. Marín Perellón, Francisco José, "Nicolás de Fer y sus dos planos de Madrid", *Ilustración de Madrid*, n°. 5 (otoño, 2007) pp. 91-96.

Marín, 2007 d: Marín Perellón, Francisco José, "El López, o Plano Geométrico de Madrid", *Ilustración de Madrid*, n°. 6 (invierno, 2007-2008) pp. 91-96.

Marín, 2008 a: Marín Perellón, Francisco José, "Juan López y Villa de Madrid: planos de 1812, 1825 y 1835", *Ilustración de Madrid*, n°. 7 (primavera, 2008) pp. 93-96.

Marín, 2008 b: Marín Perellón, Francisco José, "El magnífico *Plano de Madrid* de Francisco Coello (1848)", *Ilustración de Madrid*, n°. 8 (verano, 2008) pp. 93-96.

Marín, 2008 c: Marín Perellón, Francisco José, "*La Ville de Madrid et ses environs*, de José Carlos María Bentabole", *Ilustración de Madrid*, n°. 9 (otoño, 2008) pp. 93-96.

Marín, 2008 d: Marín Perellón, Francisco José, "Plano del Ensanche, de Carlos María de Castro", *Ilustración de Madrid*, n°. 10 (invierno, 2008-2009) pp. 93-96.

Marín, 2009 a: Marín Perellón, Francisco José, "El plano parcelario de Carlos Ibáñez e Ibáñez de Íbero", *Ilustración de Madrid*, n°. 11 (primavera, 2009) pp. 93-96.

Marín, 2009 b: Marín Perellón, Francisco José, "*Plano de Madrid,* del Banco Hispanoamericano", *Ilustración de Madrid*, n°. 12 (verano, 2009) pp. 93-96.

Marín, 2009 c: Marín Perellón, Francisco José, "Plano oficial de la candidatura olímpica", *Ilustración de Madrid*, n°. 13 (otoño, 2009) pp. 95-96.

Marín, 2009 d: Marín Perellón, Francisco José, "*Plano de turismo*, de Luciano Delage Villegas",

Ilustración de Madrid, n°. 14 (invierno, 2009-2010) pp. 95-96.

Marín, 2010 a: Marín Perellón, Francisco José, "*Plano de Madrid y pueblos colindantes*, de Facundo Cañada", *Ilustración de Madrid*, n°. 15 (primavera, 2010) pp. 93-96.

Marín, 2010 b: Marín Perellón, Francisco José, "Guías urbanas del siglo XIX: Plano de Madrid de José Pilar Morales, de 1866", *Ilustración de Madrid*, n°. 17 (otoño, 2010) pp. 93-96.

Marín, 2010 c: Marín Perellón, Francisco José, "Instrumento de la urbanización del extrarradio: Plano de Madrid y su término municipal, de Núñez Granés", *Ilustración de Madrid*, n°. 18 (invierno, 2010-2011), pp. 95-96.

Marín, 2011 a. Marín Perellón, Francisco José, "La Villa y Corte vista desde Nuremberg: Planta exacta de Madrid, de Juan Bautista Homann", *Ilustración de Madrid*, n°. 19 (primavera, 2011) pp. 95-96.

Marín, 2011 b. Marín Perellón, Francisco José, "La Villa y Corte vista desde Augsburgo: Mantua Carpetanorum, de Matthäus Seutter", *Ilustración de Madrid*, n°. 20 (verano, 2011) pp. 95-96.

Marín, 2011 c. Marín Perellón, Francisco José, "De plagios, planos y vistas urbanas: Nueva Mantua Carpetanorum, de Pieter van den Berge", *Ilustración de Madrid*, n°. 21 (otoño, 2011) pp. 95-96.

Marín, 2011 d. Marín Perellón, Francisco José, "Primera copia del plano de Pedro Texeira: Mantua Carpetanorum, de Gregorio Fosman y Medina", *Ilustración de Madrid*, n°. 22 (invierno, 2011-2012) pp. 93-96.

Marín, 2012 a: Marín Perellón, Francisco José, "Una mixtificación más de la cartografía francesa: Ambroise Tardieu, plano de Madrid y de sus *circanías*", *Ilustración de Madrid*, n°. 23 (primavera, 2012) pp. 95-96.

MARÍN, 2012 B: MARÍN PERELLÓN, FRANCISCO JOSÉ, "Guías comerciales y urbanas: plano de Madrid *El Firmamento*", *Ilustración de Madrid*, nº. 24 (verano, 2012) pp. 79-80.

MARÍN, 2012 C: MARÍN PERELLÓN, FRANCISCO JOSÉ, "Cartografía turística: plano y guía sumaria del Madrid de la República", *Ilustración de Madrid*, nº. 25 (otoño, 2012) pp. 79-80.

MARÍN, 2012 D: MARÍN PERELLÓN, FRANCISCO JOSÉ, "Ejemplo de cartografía oficial: plano de la Villa del Ayuntamiento de Madrid", *Ilustración de Madrid*, nº. 26 (invierno, 2012-2013) pp. 79-80.

MARÍN, CAMARERO Y ORTEGA, 2011: MARÍN PERELLÓN, FRANCISCO JOSÉ, CAMARERO BULLÓN, CONCEPCIÓN, Y ORTEGA VIDAL, JAVIER, *La Planimetría de Madrid en el siglo XIX: levantamientos topográficos del Instituto Geográfico Nacional*. Madrid: Ministerio de Fomento, 2011.

MARÍN Y ORTEGA, 2002: MARÍN PERELLÓN, FRANCISCO JOSÉ Y ORTEGA VIDAL, JAVIER, *Dieciséis documentos de Pedro Texeira Albernaz en el Archivo Histórico de Protocolos de Madrid*. Madrid: Comunidad de Madrid y Obra Social Caja Madrid, 2002.

MARÍN Y ORTEGA, 2006: MARÍN PERELLÓN, FRANCISCO JOSÉ Y ORTEGA VIDAL, JAVIER, "Aproximación a los enigmas del precioso plano de Texeira", en *Ilustración de Madrid*, nº. 2 (invierno, 2006-2007) pp. 91-96.

MARÍN Y ORTEGA, 2020: MARÍN PERELLÓN, FRANCISCO JOSÉ Y ORTEGA VIDAL, JAVIER, "Los planos de la ciudad", en EXPOSICIÓN SOBRE CARTOGRAFÍA DE MADRID (7ª., 2020. Madrid), *Madrid. Tres siglos de cartografía: Ciudad y Comunidad en la Biblioteca Regional*. Catálogo de la exposición organizada en la Biblioteca Regional de Madrid entre el 5 de marzo y el 31 de mayo de 2020. Madrid: Comunidad de Madrid, 2020, pp. 20-89.

MARÍN Y SANCHO, 2008: MARÍN PERELLÓN, FRANCISCO JOSÉ Y SANCHO GASPAR, JOSÉ LUIS SANCHO, *Estudio preliminar [a la obra de Juan Francisco González Madrid dividido en ocho cuarteles]*. Madrid:

Colegio Oficial de Aparejadores y Arquitectos Técnicos de Madrid, 2008.

MARTÍN, 1998: MARTÍN LÓPEZ, JOSÉ, *Primer Centenario. Francisco Coello. Su vida y su obra. 1822-1898*. Madrid: Centro Nacional de Información Geográfica, 1998.

MARTÍN, 2001: MARTÍN LÓPEZ, JOSÉ, *Cartógrafos españoles*. Madrid: Centro Nacional de Información Geográfica, 2001.

MARTÍNEZ Y MUÑOZ, 2014: MARTÍNEZ DÍAZ, ÁNGEL Y MUÑOZ DE PABLO, MARIA JOSÉ, "Wyngaerde y Baldi, ¿dibujante o arquitecto? Dos miradas viajeras a ciudades españolas", en *El dibujo de viaje de los arquitectos: actas del 15 Congreso Internacional de Expresión Gráfica Arquitectónica*, Las Palmas de Gran Canaria, del 22 al 23 de mayo de 2014, pp. 541-548.

MARTÍNEZ CAJÉN, 1928: MARTÍNEZ CAJÉN, PAULINO, [Conferencias sobre] *Historia y estudio crítico del catastro en España y de las distintas fases por que ha ido atravesando,* Madrid: Talleres del Instituto Geográfico y Catastral, 1928.

MARTÍNEZ KLEISER, 1926: MARTÍNEZ KLEISER, LUIS, *Guía de Madrid para 1656 (publícala 270 años más tarde)*. Madrid: Imprenta Municipal, 1926.

MATILLA, 1980: MATILLA TASCÓN, ANTONIO, "Autor y fecha del plano más antiguo de Madrid", *Anales del Instituto de Estudios Madrileños*, T. XVII (1980), pp. 103-107.

MATILLA, 1982: MATILLA TASCÓN, ANTONIO, "En torno al autor del primer mapa de Madrid. El testamento de Antonio Marcelli", *Anales del Instituto de Estudios Madrileños*, T. XIX (1982), pp. 199-202.

MELÓN, 1961: MELÓN RUIZ DE GORDEJUELA, AMANDO, "Notas sobre el municipio y antigua provincia de Madrid", *Estudios Geográficos*, nº. 84-85 (1961), pp. 325-352.

MESONERO, 1861: MESONERO ROMANOS, RAMÓN DE, *El Antiguo Madrid. Paseos Histórico-Anecdóticos por las calles y casas de esta Villa*. Madrid: Est. Tip. de F. P. Mellado, 1861.

MOLINA, 1960: MOLINA CAMPUZANO, MIGUEL, *Planos de Madrid en los siglos XVII y XVIII*. Madrid: Instituto de Estudios de Administración Local, 1960.

MOLINA, 1975: MOLINA CAMPUZANO, MIGUEL, *El plano de Madrid por Texeira estampado en 1656*. Madrid: Artes Gráficas Municipales, 1975.

MOLINA, 2004: MOLINA CAMPUZANO, MIGUEL, *Madrid, los siglos sin plano*. Madrid: Fundación Caja Madrid, 2004.

MOLINA Y SANZ, 1997: MOLINA CAMPUZANO, MIGUEL Y SANZ GARCÍA, JOSÉ MARÍA, *Plano topográfico de la Villa y Corte de Madrid*. Madrid: El Consultor de los Ayuntamientos, 1997.

MONTANER, 2017: MONTANER, CARME, "Los mapas de ciudades españolas en las publicaciones de la editorial Alberto Martín", *Historia de la Cartografía Urbana en España: modelos y realizaciones*. Madrid: Centro Nacional de Información Geográfica, 2017, pp. 519-542.

MONTERO, 1992: MONTERO VALLEJO, MANUEL, "Evolución urbana de Madrid desde el siglo IX hasta 1656", en EXPOSICIÓN SOBRE CARTOGRAFÍA DE MADRID (4ª., 1992. Madrid), *Los Planos de Madrid y su época (1622-1992)*. Madrid: Ayuntamiento de Madrid, Área de Vivienda, Obras e Infraestructura, 1992, pp. 15-27.

MONTERO, 2008: MONTERO VALLEJO, MANUEL, "Los primeros núcleos urbanos. Madrid antiguo y medieval", en *Madrid, de la Prehistoria a la Comunidad autónoma*. Madrid: Comunidad de Madrid, 2008, pp. 117-136.

MORA, 1992: MORA PALAZÓN, ALFONSO, "Repaso a la producción cartográfica de los siglos XIX y XX", en EXPOSICIÓN SOBRE CARTOGRAFÍA DE MADRID (4ª., 1992. Madrid), *Los Planos de Madrid y su época*

(1622-1992). Madrid: Ayuntamiento de Madrid, Área de Vivienda, Obras e Infraestructura, 1992, pp. 53-61.

MORA, 1997: MORA PALAZÓN, ALFONSO, "Plano topográfico parcelario del Ayuntamiento de Madrid", *Anales del Instituto de Estudios Madrileños*, T. XXXVII, (1997), pp. 535-547.

MORA, 1998: MORA PALAZÓN, ALFONSO, "El plano de Madrid de 1849, declarado Plano Oficial de la Villa", *Boletín de Estudios Gienenses*, n°. 169 (1998), pp. 553-562.

MORA, 2001: MORA PALAZÓN, ALFONSO, "Repaso a la producción cartográfica de los siglos XIX y XX", Exposición sobre Cartografía de Madrid (6ª., 2001. Madrid), *Madrid en sus planos 1622-2001*, Catálogo del XIX Congreso Nacional de Historia de la Cartografía, Centro Mesonero Romanos. Madrid: Ayuntamiento de Madrid, Área de Urbanismo, Vivienda e Infraestructuras, Área de Cultura, Educación, Juventud y Deportes, 2001, pp. 53-61.

MORA, 2004: MORA PALAZÓN, ALFONSO, "Don Ramón, regidor y comisario del plano de Madrid", *Ciclo de conferencias don Ramón de Mesonero Romanos y su tiempo,* n°. 19. Madrid: Ayuntamiento de Madrid e Instituto de Estudios Madrileños, 2004.

MORA, 2008: MORA PALAZÓN, ALFONSO, "El «Plan Topographique de la Ville de Madrid et de ses environs», de 1808, escenario de los tristes acontecimientos", *Anales del Instituto de Estudios Madrileños*, T. ILVIII, (2008), pp. 359-382.

MORA Y BUENO, 1992: MORA PALAZÓN, ALFONSO Y BUENO DE BLAS, FERNANDO, "Los planos de Madrid y su época (catálogo)", en Exposición sobre Cartografía de Madrid (4ª., 1992. Madrid), *Los Planos de Madrid y su época (1622-1992).* Madrid: Ayuntamiento de Madrid, Área de Vivienda, Obras e Infraestructura, 1992, pp. 67-543.

MUÑOZ DE LA NAVA, 2005: MUÑOZ DE LA NAVA CHACÓN, JOSÉ MIGUEL, "Antonio Mancelli, corógrafo, iluminador, pintor y mercader de libros en el Madrid de Cervantes (I)", *Torre de los Lujanes*, n°. 57 (2005), pp. 45-83.

MUÑOZ DE LA NAVA, 2006: MUÑOZ DE LA NAVA CHACÓN, JOSÉ MIGUEL, "Antonio Mancelli, corógrafo, iluminador, pintor y mercader de libros en el Madrid de Cervantes (II)", *Torre de los* Lujanes, n°. 58 (2006), pp. 165-219.

MURO, 2007: MURO MORALES, JOSÉ IGNACIO, "Las realizaciones catastrales de la Junta General de Estadística", *150 aniversario de la creación de la Comisión de Estadística General del Reino.* Madrid: Instituto Nacional de Estadística, 2007, pp. 305-334.

MUSEO MUNICIPAL DE MADRID, 1990: *Catálogo de las pinturas; Museo Municipal de Madrid.* Madrid: Ayuntamiento de Madrid, Concejalía de Cultura, 1990.

NADAL, 2007: NADAL PIQUÉ, FRANCESC, "El proyecto catastral de Francisco Coello", *150 aniversario de la creación de la Comisión de Estadística General del Reino.* Madrid: Instituto Nacional de Estadística, 2007, pp. 287-304.

ORTEGA, 2000: ORTEGA VIDAL, JAVIER, "Los planos históricos de Madrid y su fiabilidad topográfica", *Catastro,* n°. 39 (2000), pp. 65-85.

ORTEGA, 2011: ORTEGA VIDAL, JAVIER, "La planta de Madrid 1856-1874", *La Planimetría de Madrid en el siglo XIX. Levantamientos Topográficos del Instituto Geográfico Nacional,* Madrid: Ministerio de Fomento, Centro de Publicaciones, 2011, pp. 22-30.

ORTEGA Y MARÍN, 2006: ORTEGA VIDAL, JAVIER Y MARÍN PERELLÓN, FRANCISCO JOSÉ, "La Maqueta de Madrid de León Gil de Palacio como documento cartográfico", en *Madrid, 1830: la Maqueta de León Gil de Palacio y su época.* Catálogo de la exposición celebrada en el Museo Municipal de Madrid entre octubre de 2006 y enero de 2007. Madrid, Ayuntamiento de Madrid y Museo Municipal de Madrid, 2006, pp. 12-25.

PALADINI, 1994: PALADINI CUADRADO, ÁNGEL, "Determinación de la escala de los mapas antiguos", *Boletín de Información Servicio Geográfico del Ejército*, n°. 77 (1994), pp. 1-11.

PASTOR, 1972: PASTOR MATEOS, ENRIQUE, *Modelo de Madrid 1830.* Madrid: Museo Municipal, 1972.

PATIER, 1992: PATIER, FELICIDAD, *La biblioteca de Tomás López.* Madrid: Ediciones El Museo Universal, 1992.

PENA, 1983: PENA LÓPEZ, CARMEN, *Pintura de paisaje e ideología: la generación del 98.* Madrid: Taurus, 1983.

PEREDA, 1998: PEREDA ESPESO, FELIPE, "Iconografía de una ciudad barroca: Madrid, entre el simbolismo y la ciencia", *Espacio, Tiempo y Forma*, serie VII Historia del Arte, T. 11 (1998), pp. 103-134.

PEREDA, 2001: PEREDA ESPESO, FELIPE, "Madrid, fra scienza e arte", *L´Europa Moderna. Cartografía urbana e vedutismo.* Nápoles: Electa, 2001, pp. 129-143.

PEREDA Y MARÍAS, 2004: PEREDA ESPESO, FELIPE Y MARÍAS FRANCO, FERNANDO, "De la cartografía a la corografía. Pedro Texeira en la España del seiscientos", *Ería, revista cuatrimestral de geografía*, n° 64-65 (2004), pp. 129-157.

PLANIMETRÍA GENERAL DE MADRID, 1989: *Planimetría General de Madrid.* Madrid: Tabapress, 1989.

PRIEGO, ED., 2011: PRIEGO FERNÁNDEZ DEL CAMPO, CARMEN (ED.) *Dibujos en el Museo de Historia de Madrid. Vistas de los siglos XVIII, XIX y XX.* Madrid: Museo de Historia de Madrid, 2011.

PRIEGO Y ALAMINOS, 2006: PRIEGO FERNÁNDEZ DEL CAMPO, CARMEN, Y ALAMINOS LÓPEZ, EDUARDO, *Estampas de Madrid. Vistas de los siglos XVII y XVIII.* Madrid: Museo Municipal de Madrid, 2006.

QUIRÓS, 2008: QUIRÓS LINARES, FRANCISCO, "La Guerra de la Independencia y la renovación del conocimiento cartográfico peninsular", EXPOSICIÓN SOBRE MADRID 1808 (1ª., 2008. Madrid), *Madrid 1808 Guerra y Territorio, Mapas y planos 1808-1814*. Madrid: Museo de Historia, 2008, pp. 27-36.

QUIRÓS, 2010: QUIRÓS LINARES, FRANCISCO, "La cartografía de la metrópoli en el Atlas de España y sus posesiones de Ultramar (1847-1870), de Francisco Coello. Características, fuentes y colaboradores", *Ería*, nº. 81 (2010), pp. 63-92.

RAMÍREZ, 2017: RAMÍREZ ALEDÓN, GERMÁN, "El plano de Valencia de Antonio Manceli (1609): noticias, vicisitudes y aclaraciones de un documento excepcional, pero no único", *Pasiones Bibliográficas II*, Valencia: Societat Bibliografica Valenciana Jerónima Galés, 2017, pp. 165-176.

RÉPIDE, 1925: RÉPIDE, PEDRO DE, *Madrid a vista de pájaro el año 1873. Curiosísima lámina que se publica con la explicación de todos los parajes y monumentos numerados en ella*, Madrid: Renacimiento, 1925.

ROSELL, 1865: ROSELL LÓPEZ, CAYETANO, *Crónica de la provincia de Madrid*, Madrid: Ronchi-Vitturi-Grillo, 1865. (ed. facsímil) Madrid: Comunidad de Madrid, 1983.

SALUZZO, 2003: SALUZZO, CHRISTOPHE, "Vallecas de Antonio López et d´Isabel Quintanilla ou la doublé interpretation picturale de la peripherie madrilene", *Cahiers d´etudes romanes*, nº. 8 (2003), pp. 51-64.

SAMBRICIO Y LOPEZOSA, 2002: SAMBRICIO, CARLOS Y LOPEZOSA APARICIO, MARÍA DE LA CONCEPCIÓN, *Cartografía histórica, Madrid Región Capital*. Madrid: Arpegio-Comunidad de Madrid, 2002.

SÁNCHEZ, 1927: SÁNCHEZ RIVERO, ÁNGEL, *Viaje de Cosme III por España (1668-1669): Madrid y su provincia*. Madrid: Publicaciones de la Revista de la Biblioteca, Archivo y Museo del Ayuntamiento de Madrid, 1927.

SÁNCHEZ Y MARIUTTI, 1933: SÁNCHEZ RIVERO, ÁNGEL Y MARIUTTI DE SÁNCHEZ RIVERO, ÁNGELA, *Viaje de Cosme de Médicis por España y Portugal*. Madrid: Centro de Estudios Históricos-Fototipia de Hauser y Menet, 1933.

SANCHO, 2002: SANCHO GASPAR, JOSÉ LUIS, *Las Vistas de los Sitios Reales por Brambilla. El Escorial-Madrid*, Madrid: Patrimonio Nacional – Doce Calles, 2002.

SANZ GARCÍA, 1973: SANZ GARCÍA, JOSÉ MARÍA, "Mapas y planos de Madrid y su provincia editados o impresos por el Instituto Geográfico. Cien años de labor cartográfica", *Anales del Instituto de Estudios Madrileños*, T. IX, (1973), pp. 449-497.

SANZ GARCÍA, 1992: SANZ GARCÍA, JOSÉ MARÍA, "Doscientos cincuenta años de intentos planimétricos en Madrid. De Marcelli (1622) al General Ibáñez (1872-74) pasando por Ensenada (1749)", EXPOSICIÓN SOBRE CARTOGRAFÍA DE MADRID (4ª., 1992. Madrid), *Los Planos de Madrid y su época (1622-1992)*. Catálogo de la exposición organizada por el Museo de la Ciudad en junio y julio de 1992. Madrid: Ayuntamiento de Madrid, Área de Vivienda, Obras e Infraestructura, 1992, pp. 29-32.

SANZ GARCÍA, 1992: SANZ GARCÍA, JOSÉ MARÍA, "El mapa de ojos del Manzanares en 1724. Invención cartográfica de un río en la época precientífica", EXPOSICIÓN SOBRE CARTOGRAFÍA DE MADRID (4ª., 1992. Madrid), *Los Planos de Madrid y su época (1622-1992)*. Catálogo de la exposición organizada por el Museo de la Ciudad en junio y julio de 1992. Madrid: Ayuntamiento de Madrid, Área de Vivienda, Obras e Infraestructura, 1992, pp. 41-62.

SANZ GARCÍA, 1995: SANZ GARCÍA, JOSÉ MARÍA, *Planos de Madrid desde la Gloriosa hasta la primera década del siglo XX*. Madrid: Artes Gráficas Municipales, 1995.

SANZ GARCÍA, 1997: SANZ GARCÍA, JOSÉ MARÍA, "La guadianesca historia del primer plano madrileño, hecho en 1622, cuando San Isidro sube a los altares", *Anales del Instituto de Estudios Madrileños*, T. XXXVII (1997), pp. 435-437.

SANZ GARCÍA, 1999: SANZ GARCÍA, JOSÉ MARÍA, *Planes y planos de la II República en Madrid*. Madrid: Artes Gráficas Municipales, 1999.

SANZ GARCÍA, 2000: SANZ GARCÍA, JOSÉ MARÍA, "Doscientos cincuenta años de intentos planimétricos en Madrid. De Marcelli (1622) al general Ibáñez (1872-74), pasando por Ensenada (1749)", *Catastro*, nº. 40 (2000), pp. 23-31.

SANZ HERMIDA, 2016: SANZ HERMIDA, JOSÉ MARÍA JORGE, *Estudio de la «Topographía de la Villa de Madrid descripta por Don Pedro de Texeira» Amberes, 1656. Nuevas perspectivas en el análisis cartográfico*. Tesis doctoral. Salamanca: Universidad de Salamanca, 2016.

SEGURA, 1988: SEGURA I MAS, ANTONI, "La reforma de Mon (1845) y los amillaramientos de la segunda mitad del siglo XIX", *El Catastro en España, 1704-1906, de los Catastros del siglo XVIII a los Amillaramientos del siglo XIX*. Madrid, Ministerio de Economía y Hacienda, 1988, pp. 113-134.

SIERRA Y TUDA, 2013: SIERRA ÁLVAREZ, JOSÉ Y TUDA RODRÍGUEZ, ISABEL, "Vista aérea de Madrid de 1851", *Anales del Instituto de Estudios Madrileños*, Tº 53 (2013), pp. 331-348.

SOBRÓN, 2019: SOBRÓN MARTÍNEZ, LUIS DE, "El plano catastral de Carlos Colubi: propuesta metodológica para la reconstitución gráfica del terrazgo madrileño en el siglo XIX", *Anales de Geografía de la Universidad Complutense*, nº. 39 (2) (2019), pp. 287-315.

SOBRÓN Y MUÑOZ, 2018: SOBRÓN MARTÍNEZ, LUIS DE Y MUÑOZ DE PABLO, MARÍA JOSÉ, "El palimsesto del Ensanche de Madrid", *Revista EGA*, nº. 33 (2018), pp. 118-129.

Terán, 2006: Terán Troyano, Fernando de, *En torno a Madrid: génesis espacial de una región urbana*. Madrid: Dirección General de Urbanismo y Planificación Regional Comunidad de Madrid-Lunwerg, 2006.

Tormo, 1945: Tormo y Monzó, Elías, *Las murallas del Madrid de la Reconquista*. Madrid: Imprenta de la viuda de Estanislao Maestre, 1945.

Urrea, 2012: Urrea Fernández, Jesús, *Antonio Joli en Madrid, 1749-1754*. Madrid: OHL Grupo Villar Mir, 2012.

Urteaga 2007: Urteaga González, Luis, "La Escuela del Catastro", *150 aniversario de la creación de la Comisión de Estadística General del Reino*. Madrid: Instituto Nacional de Estadística, 2007, pp. 267-286.

Urteaga y Nadal, 2017: Urteaga, Luis, y Nadal, Francesc (ed.), *Historia de la Cartografía Urbana en España: modelos y realizaciones*. Madrid: Centro Nacional de Información Geográfica, 2017.

Urteaga, Nadal y Muro, 1998: Urteaga, Luis, Nadal, Francesc y Muro, José Ignacio, "La Ley de Medición del Territorio de 1859 y sus repercusiones cartográficas", *Estudios Geográficos*, T. LIX, n°. 231 (1998), pp. 311-338.

Verdú, 1988: Verdú Ruiz, Matilde, *La obra municipal de Pedro de Ribera*. Madrid: Ayuntamiento de Madrid, Área de Gobierno de Urbanismo e Infraestructuras, 1988.

Verdú, 1998: Verdú Ruiz, Matilde, *El arquitecto Pedro de Ribera (1681-1742)*. Madrid: Instituto de Estudios Madrileños, 1998.

Vidaurre, 2000: Vidaurre Jofre, Julio, "El plano de Texeira: lugares, nombres y sociedad", *El Madrid de Velázquez y Calderón. Villa y Corte en el siglo XVII*. T. II, Madrid: Ayuntamiento de Madrid-Fundación Caja-Madrid, 2000.

Zambrana, 2018: Zambrana Sánchez, Sara, *En torno a la ciudad de Madrid: una aproximación a la colección del Museo de Arte Contemporáneo y sus vinculaciones con Madrid*. Madrid: Ayuntamiento de Madrid, 2018.

Abreviaturas

A.G.P. ARCHIVO GENERAL DE PALACIO. MADRID
A.V.M. ARCHIVO DE VILLA DE MADRID. MADRID
B.L. THE BRITISH LIBRARY. LONDRES, REINO UNIDO
B.M.L. BIBLIOTECA MEDICEA LAURENZIANA. FLORENCIA, ITALIA
B.N.A. BIBLIOTECA NACIONAL DE AUSTRIA. ÖNB/WIEN. VIENA, AUSTRIA
B.N.E. BIBLIOTECA NACIONAL DE ESPAÑA. MADRID
B.N.F. BIBLIOTECA NACIONAL DE FRANCIA. PARÍS, FRANCIA
B.R.M. BIBLIOTECA REGIONAL DE MADRID. MADRID
C.A. COLECCIÓN ABELLÓ
C.F.N. COLECCIÓN FAMILIA NUERE
C.G.E. CENTRO GEOGRÁFICO DEL EJÉRCITO. MADRID
C.M.A. COLECCIÓN MANUEL ABELLA
C.P. COLECCIÓN PRIVADA
I.G.N. INSTITUTO GEOGRÁFICO NACIONAL. MADRID
I.M.A.L. IMPRENTA MUNICIPAL - ARTES DEL LIBRO. MADRID

M.A.C.M. MUSEO DE ARTE CONTEMPORÁNEO DE MADRID. MADRID
M.A.N. MUSEO ARQUEOLÓGICO NACIONAL. MADRID
M.H.M. MUSEO DE HISTORIA DE MADRID. MADRID
M.M.N.Y. THE METROPOLITAN MUSEUM OF ART. NUEVA YORK, EE. UU.
M.N.C.A.R.S. MUSEO NACIONAL CENTRO DE ARTE REINA SOFÍA. MADRID
M.N.P. MUSEO NACIONAL DEL PRADO. MADRID
P.N. PATRIMONIO NACIONAL
P.R.C. PALACIO REAL DE CASERTA. ITALIA
R.A.B.A.S.F. REAL ACADEMIA DE BELLAS ARTES DE SAN FERNANDO. MADRID
R.B. REAL BIBLIOTECA. MADRID
S.H.D. SERVICE HISTORIQUE DE LA DÉFENSE. VINCENNES, FRANCIA

Créditos de las imágenes

Pág. 19: The Metropolitan Museum of Art, MMA, Open Access. Págs. 21-23: ÖNB/Wien, cod. min. 41 fol. 73 r. y 195 r. Págs. 27-29: Museo de Historia de Madrid. Pág. 31: The British Library Board, K.Top.73.15.c. Pág. 33: Museo de Historia de Madrid. Pág. 35: Museo de Historia de Madrid. Pág. 37: Museo de Historia de Madrid. Pág. 39: Patrimonio Nacional, Palacio Real (10010009). Págs. 43-63: Museo de Historia de Madrid. Págs. 65-69: Archivo de Villa de Madrid. Págs. 71-73: Patrimonio Nacional, Archivo General de Palacio, PMD, N°. 356. Págs. 75-79: Museo de Historia de Madrid. 81-85: Museo de Historia de Madrid. Págs. 86-87: Firenze, Biblioteca Medicea Laurenziana, Ms. Med. Palat. 123/1, c. 50 bis y 56 bis. Pág. 89: Patrimonio Nacional, Palacio Real, In. 24.126. Pág. 91: Biblioteca Nacional de España, CC NY-NC-SA 4.0. Págs. 95-105: Archivo de Villa de Madrid. Págs. 107-111: Museo de Historia de Madrid. Pág. 113: Colección Abelló Pág. 115: Palacio Real de Caserta. Pág. 117: Colección Privada. Pág. 119: Colección Privada (arriba); Museo de la Real Academia de Bellas Artes de San Fernando. Madrid (abajo). Págs. 120-121: Museo de Historia de Madrid. Págs. 123-125: © Archivo Fotográfico Museo Nacional del Prado. Págs. 129-131: Service Historique de la Défense. Vincennes, Francia. Pág. 133: Museo de Historia de Madrid. Págs. 135-139: Museo de Historia de Madrid. Pág. 141: Museo de Historia de Madrid. Págs. 142-143: Colección Manuel Abella. Pág. 145: Patrimonio Nacional, Palacio de la Moncloa, (10006116). Pág. 147: Patrimonio Nacional, Palacio Real, (100215777). Pág. 149: Museo de Historia de Madrid. Págs. 153-157: Museo de Historia de Madrid. Pág. 159: Biblioteca Nacional de España, CC NY-NC-SA 4.0. Pág. 161: Archivo de Villa de Madrid. Págs. 163-165: Archivo de Villa de Madrid. Págs. 167: Biblioteca Regional de Madrid. Pág. 169: Biblioteca Regional de Madrid. Pág. 171: Museo de Historia de Madrid. Pág. 173: Museo de Historia de Madrid. Pág. 175: Museo de Historia de Madrid. Págs. 179-199: Biblioteca Nacional de España, CC NY-NC-SA 4.0. Págs. 197-199: Museo de Historia de Madrid. Págs. 201-203: Biblioteca Regional de Madrid. Págs. 204-205: Biblioteca Nacional de España, CC NY-NC-SA 4.0. Pág. 207: Museo de Historia de Madrid. Págs. 211-217: Museo de Historia de Madrid. Págs. 219-221: España, Ministerio de Defensa, Centro Geográfico del Ejército. Pág. 225: © Archivo Fotográfico Museo Nacional del Prado. Pág. 226: © Archivo Fotográfico Museo Nacional del Prado. Pág. 227: © Archivo Fotográfico Museo Nacional del Prado. Págs. 231-233: España, Ministerio de Defensa, Centro Geográfico del Ejército. Pág. 236-245: Ministerio de Defensa, Centro Geográfico del Ejército. Pág. 247: Instituto Geográfico Nacional, CC-BY 4.0. Pág. 251: España, Ministerio de Defensa, Centro Geográfico del Ejército. Págs. 254-271: Geoportal Ayuntamiento de Madrid. Pág 273: Archivo de Villa de Madrid. Pág. 275: Colección Familia Nuere. Págs. 277: Ayuntamiento de Madrid. Museo de Arte Contemporáneo de Madrid. Pág. 279: Ayuntamiento de Madrid. Museo de Arte Contemporáneo de Madrid. Pás. 283: Instituto Geográfico Nacional, CC-BY 4.0. Págs. 285-293: Geoportal del Ayuntamiento de Madrid. Págs. 295-299: Archivo de Villa de Madrid. Pág. 301: Museo de Historia de Madrid. Pág. 303: Colección Familia Nuere. Pág. 305: Colección Privada. Págs. 309-313: Archivo de Villa de Madrid. Págs. 315-323: Geoportal del Ayuntamiento de Madrid. Pág. 325: Archivo de Villa de Madrid. Pág. 327: 1976-1982. © Antonio López, VEGAP, Madrid. Pág. 328: Archivo Fotográfico Museo Nacional Centro de Arte Reina Sofía. Pág. 329: Colección Fundación Montemadrid. Pág. 328: Colección Fundación Montemadrid. Pág. 331: 1990-1994. © Antonio López, VEGAP, Madrid.